D1005984

АЛЕКСАНДРА МАРИНИНА

Александра Маринина

ВОЮЩИЕ ПСЫ ОДИНОЧЕСТВА

ЭКСМО

Москва 2004

УДК 82-3
ББК 84(2Рос-Рус)6-4
М 26

Оформление художника *Андрея Рыбакова*

Маринина А. Б.
М 26   Воющие псы одиночества: Роман. — М.: Изд-во
Эксмо, 2004. — 448 с.

ISBN 5-699-08044-9

Преступление — зеркало, в котором отражается преступник. Анастасия Каменская твердо уверена в этом. Если вглядеться в детали и обстоятельства преступления, то можно уверенно говорить о том, что за человек преступник. Восемь убийств юношей и девушек, совершенных в разное время и разных местах, — часть одного плана. В этом Каменская тоже не сомневается. Она вычислила, что объединяет этих непохожих друг на друга молодых людей. Теперь надо вычислить того, в чьей голове созрел этот чудовищный план. А вот здесь надо подумать о причинах, заставляющих преступать закон. Ведь на самом деле их не так уж и много: месть, зависть, алчность... Или одиночество, мучительное испытание, выпадающее на долю человека, когда кажется, единственное спасение — это обречь другого на те же мучения, что выпали тебе...

УДК 82-3
ББК 84(2Рос-Рус)6-4

Глава 1

Господи, если бы знать, что на самом деле это так страшно, так невозможно страшно... Или не Господи, а дьявол? Или кто там еще искушает нас, обещая, что один раз будет очень тяжело, зато потом все наладится, и в следующий раз уже не так страшно, а потом легче, и легче, и легче... А главное — после этого первого раза сразу же все встанет на свои места, тяжесть упадет с плеч, и ты поймешь, что все было не зря, не напрасно. В первый раз так и случилось, тяжесть упала, и стало легко дышать, и можно было снова поднять голову и жить дальше, и казалось, что второй раз будет легче. Но во второй раз все равно страшно.

А в третий?

— Со мной никто еще так не разговаривал...

Эти последние слова все еще звучат в ушах, и этот последний взгляд, доверчивый, восхищенный, все еще прожигает мне щеку, хотя сами глаза уже мертвы, и голос, теплый и чуть удивленный, никогда больше не вырвется из этой гортани, заключенной в нежную оболочку белой кожи, покрывающей шею. И уже другой голос, властный, пугающий, набирает силу в воспаленном мозгу, напоминая: мне все равно, как ты убьешь, но на теле должна остаться метка — розовый шелковый бантик, приколотый к волосам.

Бантик лежит в кармане, приготовлен заранее. От ужаса происходящего пальцы внезапно обретают какую-то сверхчувствительность, и шелковая ткань кажется на ощупь шершавой и жесткой, как наждачная бумага. Мелькает несуразная мысль о том, что продавщица в галантерейном отделе универмага обманула и подсунула вместо шелковой ленты дешевую синтетику. Надо перестать думать и довести дело до конца.

5

Приколоть бантик к волосам. Достать заколку-неви-димку, которая никак не выковыривается из карманно-го шва. Нагнуться. Дотронуться до пряди волос. Мерт-вая прядь. Мертвых волос. На мертвой голове мертвого человека. Зажмуриться, ничего не видеть, потом от-крыть глаза и убедиться, что это только сон...

* * *

А вода в ванной все шумела и шумела. Георгий не-довольно поморщился, переменил позу, высвобождая затекшую ногу, огляделся в поисках телевизионного пульта. Вечно она засовывает его в самые неожидан-ные места и потом подолгу ищет, разбрасывая все, что попадается на пути. Зачем он тут сидит? Чего дожида-ется? Сейчас она выйдет из ванной и... Что? Кинется к нему в объятия? А потом, удовлетворенная и притих-шая, снисходительно спросит, какой подарок он хотел бы получить к Пасхе? Ничего этого не будет, потому что сегодня она не в настроении. Сегодня она опять... Появилась среди ночи, взбудораженная, нервная, бро-сила, выходя из машины, косой взгляд на Георгия, тер-пеливо сидевшего возле ее дома на скамейке.

— Зачем ты здесь? — спросила сквозь зубы, полу-обернувшись через плечо. — Я тебя не звала.

— Мы давно не виделись, — виновато пробормотал он.

— Ну и что? Это дает тебе право меня караулить? Ты должен приходить только тогда, когда я тебе звоню и мы договариваемся. Сколько раз нужно повторять, что-бы ты наконец запомнил?

— Я могу войти? — покорно вздохнул он.

В тот момент он еще надеялся, что она просто за-держалась в гостях, ездила куда-то далеко, потому и вернулась поздно. Войдя следом за ней в квартиру, за-метил при ярком свете запавшие страшные глаза, обве-денные серыми полукружьями, и понял, что все повто-ряется. Ярко-алые узкие брючки в точности совпадали по цвету с губной помадой и мягкой кожей, из которой сделана изящная сумочка, все остальное в ее облике было черным вплоть до лака на ногтях и украшений с ониксами. И такими же черными и жуткими были ее глаза. Ведьма, прилетевшая с шабаша. Единственной ве-

6

щью, выпадавшей из образа, был пакет, обычный пакет из супермаркета, в таких покупки носят.

Она бросила пакет прямо у двери, словно тут же забыв о нем, и молча ушла в ванную. Георгий знал, что теперь она будет долго стоять под душем, словно не моется, а отмывается от чего-то липкого и мерзкого, потом нальет воду в ванну, бросит ароматические и расслабляющие соли и будет лежать не меньше получаса, потом выйдет, обернутая большим полотенцем, пройдет, не говоря ни слова, в спальню и закроет за собой дверь. Она не будет спать, нет, просто полежит минут тридцать-сорок. Потом выйдет и спокойно и твердо потребует, чтобы он ушел. Никакой близости, никаких ласк, никаких разговоров. Он покорно уйдет и станет ждать ее звонка, но позвонит она не раньше чем через две недели. Так уже было раньше несколько раз. Она ничего не объясняет и ни за что не просит прощения, она просто делает так, как считает нужным и как ей удобно, а он терпит, потому что у нее есть деньги. А у него их нет.

Зачем он тут сидит? Чего ждет? Очередной подачки в виде модной куртки или стильных часов? Честно говоря, было бы очень кстати, но сегодня, совершенно очевидно, не обломится ему. Ждать придется как минимум две недели, а ведь уже тепло и носить зимнюю куртку как-то не по сезону. А если не ждать? Если попробовать не пойти у нее на поводу? Ну что она сделает? Убьет его? Кишка тонка. Выгонит? Так она и без того его выгонит, только не сразу, а когда выйдет из спальни. Чем он рискует?

Ноги снова затекли, Георгий поднялся, немного походил по комнате, чтобы размяться, дошел до окна, выглянул на улицу, сделал несколько шагов к входной двери и споткнулся о брошенный пакет. С досадой пнул его ногой и наклонился, чтобы поднять. Из пакета выпала черная вельветовая куртка. И что-то непонятное, лохматое. Парик? Да, парик. Длинные каштановые кудри, слегка отливающие медью. Странно... Зачем ей парик? Совсем недавно она постриглась. Зачем было стричься, если ей нравятся длинные волосы? Оставила бы как есть. Чепуха какая-то. Вечно она пытается сделать себя получше, попривлекательнее, то с прическами мудрит, то с макияжем, то с одеждой, хочет выглядеть моложе и сексуальнее. А зачем? Кому она нужна-то, кроме него, Георгия? Кто на нее позарится?

Хотя... ведь ездила же она куда-то. Для кого-то надевала и парик этот патлатый, и молодежного покроя куртку. Неужели нашелся любитель несвежего тела? И ведь это уже не в первый раз.

Он еще раз с силой ударил по вывалившемуся из пакета содержимому, парик взмахнул крыльями-локонами, отлетел и приземлился на пороге комнаты, а куртка испуганно забилась в угол.

Решительно рванув ручку двери, Георгий вошел в ванную. Что ни говори, а выглядит она очень даже прилично для своих лет, подумал он, имея в виду, конечно же, не ванную комнату, а находившуюся в ней женщину.

— Где ты была? — громко спросил он, стараясь при помощи децибел придать себе храбрости. — Мне надоели твои постоянные отлучки.

— Ничем не могу помочь, — равнодушно бросила она. — Если что-то надоело тебе, то это проблема твоя, а не моя.

— Так все-таки, где ты была?

— Там же, где всегда.

— Где это? — он немного растерялся, не ожидая такого ответа.

— Это не твое дело. Ты проводишь со мной несколько часов в неделю, все остальное время я живу своей жизнью, о которой я тебе не обязана рассказывать. Выйди, пожалуйста, и не мешай мне.

— У тебя кто-то появился?

— Это не твое дело. Мы с тобой не живем вместе, ты всего лишь приходящий любовник и моим временем не распоряжаешься. Я бываю там, где хочу, и тогда, когда хочу. И, если уж на то пошло, с тем, с кем хочу. Не понимаю, что тебя не устраивает.

Она даже не повернула голову, так и лежала, вытянувшись в ванне и подняв лицо, будто разглядывая что-то на потолке.

— Я понял. — Георгий сделал над собой усилие, чтобы не ответить грубостью, за которую ему пришлось бы потом дорого заплатить. — Я не прошу, чтобы ты передо мной отчитывалась...

— Было бы странно, — презрительно фыркнула она.

— Но я могу спросить хотя бы просто из любопытства? Мы все-таки не чужие с тобой, правда? Ты приходишь в два часа ночи, напряженная, взбудораженная, сама на себя не похожая, со мной не разговариваешь, даже видеть меня не хочешь. Так было и в прошлый раз, месяц назад, я помню. И в декабре, перед Новым годом. И осенью было. Я ничего не требую, я просто хочу знать, откуда ты возвращаешься в таком... непонятном состоянии.

Она соизволила повернуть голову, подняла над розоватой от ароматических кристаллов водой одну руку, пошевелила пальцами в воздухе, рассматривая маникюр. Потом проделала ту же манипуляцию с другой рукой. Ногти были длинными, покрытыми черным и красным лаком: на черном поле красная полоска по диагонали. «Ей не идет, — подумал Георгий. — Молодым девчонкам черный цвет придает сексуальность, а ее он уже старит. Неужели сама не видит?»

— Я бываю там, где получаю удовольствие, — негромко ответила она, снова уставившись в потолок. — Более того, я получаю наслаждение, такое наслаждение, какое тебе и не снилось. Самое острое и самое глубокое наслаждение, какое только можно вообразить.

— Ты что, не понимаешь, что в твоем возрасте это очень опасно?! — взорвался Георгий. — Тебе уже не семнадцать лет!

— Ты о чем? — Она слегка удивилась, но, однако, не настолько, чтобы все-таки посмотреть на него.

— Ты ведь наркотики употребляешь, да? Я угадал? Что ты делаешь? Нюхаешь кокаин? Или колесами заправляешься? Или уже колешься? У тебя что, совсем мозги отшибло, не соображаешь ничего, да? Забыла, сколько тебе лет?

Он еще успел проорать несколько столь же гневных слов, когда вдруг понял, что она его не слушает. Она хохочет. Громко, немного истерично, даже как-то надрывно. Теперь она сидела в ванне, полуобернувшись к нему, положив руки на бортик и уткнувшись в них лицом. Внезапно смех оборвался. Она подняла голову и посмотрела на Георгия так, что ему стало не по себе. Глаза ее были еще более страшными, а лицо еще более бледным, чем полчаса назад, когда она пришла.

— Я все помню, мальчик, — медленно произнесла она. — И про свой возраст, и про твой, и про свои деньги, и про твои. В твоей убогой головенке живет скудный набор представлений, которыми ты и руководствуешься в своей скудной жизни массажиста. Ты думаешь, что единственный источник настоящего наслаждения это наркотики? Мне жаль тебя, мальчик. Ты не знаешь и никогда не узнаешь истинных глубин наслаждения и восторга, потому что они недоступны твоей скудной, убогой душонке.

Она сделала короткую паузу и вдруг завопила:

— Убирайся! Вон отсюда! И не смей за мной следить и задавать мне вопросы!

Георгий испуганно шарахнулся к двери, он не ожидал такого перепада громкости. А она продолжала спокойно и холодно:

— Иди домой. Придешь, когда я разрешу. Будешь хорошо себя вести, подарю тебе что-нибудь... Какой у нас там ближайший праздник? Пасха, что ли? Вот на Пасху и подарю, если будешь умником. Пошел вон отсюда.

«Старая шлюха, — злобно твердил про себя Георгий, натягивая куртку и захлопывая за собой дверь. — Сволочь! Истеричка! Хамло! Почему она смеет так со мной разговаривать? И главное, почему я ей это позволяю? Почему она не боится, что я ее брошу? Откуда у нее такая уверенность, что на мое освободившееся место тут же выстроится очередь из претендентов? Смотреть не на что, а туда же... Или у нее денег больше, чем я думаю? Гораздо, гораздо больше, просто она не хочет это афишировать, потому и квартирка у нее самая обыкновенная, и машинка у нее скромненькая, и не швыряет она купюры направо и налево, а бережет, копит. Много у нее денег, ох, много, и она твердо знает, что на эти деньги она сможет купить себе любого мужика, который понравится. Но если это так, если так, то... Надо все обдумать. Если она действительно не просто состоятельная стареющая дама, а очень и очень богатая дама, то это мой шанс, который я могу использовать на все сто, а могу бездарно профукать. Лучше, конечно, первое, чем второе».

* * *

Она любила ночной город. Так было не всегда, росла она правильной городской девочкой, которую родители оберегали и запрещали возвращаться домой за полночь. Любовь к ночному городу возникла во время первой длительной загранкомандировки, когда ей пришлось три года прожить с мужем в Индии. Днем в многолюдном и заполненном звуками и запахами Дели она задыхалась и глохла, и только ночь приносила некоторое облегчение. Тогда она и привыкла строить свою жизнь так, чтобы днем спать, а ночью работать. Посольской переводчице, разумеется, никто такой вольности не давал, но все равно она как-то устраивалась, стараясь дремать в любую, не заполненную работой минуту, набираясь сил к наступлению вечера и лишь часов в одиннадцать начиная дышать полной грудью. В пять утра, когда город просыпался, принимаясь источать жару, звуки и запахи, она засыпала и крепко спала до девяти. Этого ей хватало, чтобы продержаться рабочий день, не делая заметных ошибок и не допуская грубых промахов.

По возвращении домой она научилась любить ночную Москву, а во время второй командировки — на этот раз со вторым мужем, во Францию — прониклась прелестью ночного Парижа.

Она давно научилась мало спать, и даже теперь, когда не было возможности поменять местами день и ночь, ложилась поздно, часа в три.

«Нет, я не Элеонора, — привычно подумала она, воспользовавшись паузой в движении, чтобы посмотреть на себя в зеркало. — И не Нора. И не Элла. Я — Аля, простая Аля. Эллой я была много лет назад, когда щечки были тугими, а глазки — ясными и радостными. Потом, спустя лет десять, я вполне годилась для Норы, элегантно одетая, вся в заграничных шмотках на зависть приятельницам, пахнущая изысканным парфюмом. А теперь я — обычная домохозяйка. Я по-прежнему элегантно и дорого одета, и духи у меня все такие же изысканные, и тремя иностранными языками свободно владею, но зеркало не обманешь. Годы идут и стирают наносную глупость, навешанную на меня родителями вместе с иностранным именем, и за всей моей светскостью сути не скрыть. Аля. Может быть, даже Алевтина. Но уж никак не Элеонора. Морщин-то, господи! Мили, версты, парсеки. Седина, хотя и умело закрашенная, но я-то знаю, что она есть. Какой смысл себя обманывать?»

Она хорошо знала тот перекресток, на котором сейчас стояла. Или сидела? Интересно, если ты сидишь в машине, а машина стоит, то какой глагол, согласно канонам русского языка, нужно применить? Это как в старом анекдоте про тюрьму: лежишь ты на нарах или ходишь по камере, ты все равно сидишь. Что это ей мысли про тюрьму в голову пришли?

Некстати. Не нужно это. Нельзя беду кликать.

На этом перекрестке, к которому она всегда подъезжала со стороны второстепенной дороги, подолгу горел красный свет, отдавая преимущество тем, кто двигался по проспекту. В ночное время такой режим был бессмысленным, машин все равно мало, но она привыкла и не раздражалась. Более того, всегда на этом самом месте доставала зеркальце с четырехкратным увеличением, ехидно выставляющим напоказ все, даже самые малюсенькие дефекты внешности, и рассматривала свое лицо. И думала о том, что она не Элла и не Нора.

Светофор милостиво мигнул, дескать, ладно, так и быть, проезжайте, второстепенные водилы, только быстренько-шустренько, не спите на ходу, благосклонность моя ненадолго, давайте шуруйте по своим второстепенным делам и не задерживайте главных. Аля быстро сунула зеркальце в лежащую на пассажирском сиденье сумочку и тронулась.

Когда парковала машину возле дома, на часах было без четверти три. Она подняла глаза к окнам и недовольно поморщилась. Свет на кухне горит, но это ладно, легли спать и выключить забыли, это в ее семействе частенько случается. Но свет горит и в комнате Дины. Паршивая девчонка, опять не спит допоздна, дурью мается. В Интернете, что ли, торчит? Или снова глупостями своими опасными голову забивает?

Войдя в квартиру, она скинула туфли и заметила мокрые следы. Нагнулась, пощупала пальцем — совсем свежие. Рядом стояли туфли Дины, больше похожие на домашние тапочки: мягкие, без каблуков, на тонкой подошве и со слегка приподнятыми носами. Аля подняла их, посмотрела внимательно — так и есть, влажные. Куда она ходила? Откуда только недавно вернулась? Ох, не доведут до добра эти ночные гулянки!

Она прошла на кухню, хотела выпить чаю. Чайник был еще горячим.

Кто-то совсем недавно его кипятил. Кто-то... Понятно, кто. Дина, конечно. Остальные спят давно. Поговорить с ней, что ли? Да ведь слушать не станет. Кто ей Аля? Даже не родственница, если по формальным признакам. Так, непонятно кто.

Нажала кнопку на чайнике, чтобы приготовить заварку так, как она любит: кипятком, в строго выверенной пропорции и с ломтиком лимона.

Истинные ценители чая за такую заварку покрыли бы ее несмываемым позором, но Але было наплевать. И на ценителей, и на позор. Ей вообще уже давно было наплевать на то, что подумают другие.

Чай получился бледным и прозрачным, с четко определяемым вкусом жасмина и легкой терпкостью. Аля сделала первый глоток, блаженно зажмурилась и почувствовала, как начинает размягчаться и оттаивать замерзший где-то в груди ком напряжения. После таких вечеров, как сегодня, у нее всегда внутри что-то замерзало, или каменело, или сжелезивалось, как она сама определяла это неприятное состояние, в котором присутствовали и чувство вины, и брезгливость к себе самой, и отчаянные попытки найти себе оправдание, и горькая очевидность бессмысленности и бесплодности этих попыток.

Скрипнула дверь, тяжелые, но тихие шаркающие шаги зашептали что-то невнятное: не то «я иду к тебе», не то «пойду в туалет и снова лягу». На пороге кухни возникла Дина в очередном невероятном балахоне, с распущенными спутанными волосами и подсвечником в руках. Свеча в подсвечнике была новой, только что зажженной. Все понятно, подумала с раздражением Аля, сейчас начнет проталкивать свои безумные идеи и «лечить» тетку.

— Ты почему не спишь? — Она решила перейти в атаку прежде, чем племянница приступит к делу.

Иногда такая тактика помогала. Но не в этот раз. К сожалению.

— А ты где была? Ты ведь тоже не спишь. Ты считаешь нормальным приходить в три часа ночи?

— Ну, положим, ты сама только недавно явилась, так что не надо, ладно?

Аля пока еще старалась быть миролюбивой. В конце концов, девчонка не сделала ей ничего плохого, и разве она виновата, что на семью обрушилось горе и что она потеряла мать, и уродилась она до такой степени не красавицей, что просто удивительно. Отсюда и странности. Однако же до тех пор, пока странности проявляются в рамках семьи и квартиры, это еще ничего, а вот если они начинают затрагивать внешний мир и его обитателей, это может оказаться опасным.

Дина аккуратно поставила подсвечник с горящей свечой на середину стола и села напротив тетки. Язычок пламени нервно дергался, от его кончика поднималась тоненькая темная струйка копоти.

— Ну и зачем это? — спросила Аля, делая очередной глоток из чашки, расписанной голубыми цветочками и зелеными листиками.

— У тебя плохие мысли и на душе черно. Откуда ты пришла... такая?

— С чего ты взяла, что у меня плохие мысли?

Аля говорила равнодушно, но ком внутри снова затвердел и стал стремительно остывать.

— Свеча коптит и горит неровно. Это означает, что в комнате зло.

— И именно от меня? А может, от тебя, а, Динок? Может, это мне впору спросить, откуда ты пришла, как ты выразилась, «такая» и почему свеча неровно горит? Давай сразу оставим попытки врать, потому что вернулась ты совсем недавно, минут за двадцать до моего прихода, у твоих туфель до сих пор мокрые подошвы. А дождь, если ты не забыла, начался после часа ночи, до часу тротуары были сухими. Так где ты была?

— Гуляла.

Дина посмотрела с вызовом, но тут же отвела глаза.

— Где? — продолжала допрос Аля.

— На улице. Где еще можно гулять? Парки закрыты, на проезжей части машины. По тротуару гуляла.

— Не хами, детка. Ты гуляла одна или с кем-то?

— Не твое дело...

— И не груби. Так с кем ты гуляла?

— Одна! Одна я гуляла. Я что, воздухом подышать не могу? Я просто гуляла, понимаешь ты это?

Дина невольно повысила голос, и Аля тут же оборвала ее:

— И не кричи, пожалуйста. Папа тебе разрешил уходить так поздно?

— Аля, мне девятнадцать лет, ты не забыла?

— Значит, ты дождалась, пока отец уснет, и ушла. И где-то шлялась до половины третьего ночи. Так, Динок?

— А хоть бы и так! Что такого?

— Ничего. Все нормально. Чего ты распсиховалась? Смотри, свеча не только коптит, но и трещит от твоих переживаний. Так что давай не будем рассказывать мне, что это я вернулась домой с плохими мыслями и черной душой. Хорошо? Кстати, было бы неплохо, хотя бы в порядке информации, сказать мне, где и с кем ты была, чтобы окончательно закрыть вопрос.

— А сама ты где была? — кинулась в контрнаступление девушка.

— У себя дома. Два раза в неделю я езжу проверять свою квартиру и поливать цветы, тебе это прекрасно известно. Еще есть вопросы?

Дина посмотрела на нее расширившимися глазами, в которых не было ничего, кроме презрения.

— У тебя любовник. Молодой. Ты с ним встречаешься на своей квартире.

— Это не твое дело, — холодно отрезала Аля. — У меня нет никакого любовника, ни молодого, ни старого, но даже если бы и был, ты не имеешь права это обсуждать.

— Нет, имею. Потому что после этих непристойных свиданий ты возвращаешься с плохими мыслями и тяжелым сердцем. Я не допущу, чтобы в дом, в котором я живу, приносили зло. Или прекрати это свинство, или после каждого свидания я буду тебя чистить.

Откуда она узнала? Ком в груди налился тяжестью и стал разрастаться, распирая грудную клетку. Але показалось на миг, что она слышит, как раздвигаются и трещат ребра. Откуда у девчонки такое поистине звериное чутье? Как, каким двадцать седьмым чувством она угадала и плохие мысли, и тяжесть на душе? А может, она и в самом деле сумасшедшая? Не «девушка с небольшими странностями», а самая настоящая сумасшедшая. Говорят, у настоящих сумасшедших стирается налет цивилизации и остается голая первобытная сущность, в которой главными были не знания и логика, а чутье и интуиция.

Але стало страшно. Так страшно, как не было никогда в жизни. Надо что-то говорить, что-то нейтральное, ерунду какую-нибудь, судорожно законопачивая щели, чтобы не дать страху вырваться наружу.

— И как ты собираешься меня чистить?

— Я буду совершать обряд. Каждый раз, когда ты придешь домой внутренне нечистой, я буду совершать обряд.

— А кто дал тебе право совершать обряды? Ты кто, священник? Господь Бог? Ты что возомнила о себе, девочка? Кто ты такая?

Наступать, наступать, не оглядываясь по сторонам, не считая потери, не слыша свиста пуль, только вперед!

— Я — посвященная.

Атака захлебнулась, едва начавшись. Дина сумасшедшая, это раз. И по ночам она ходит на какие-то сборища, это два. Секта? Сатанисты? Или еще что-нибудь в этом роде? Как с ней разговаривать? Потакать и соглашаться, чтобы не спровоцировать всплеск злобы? Или уговаривать и убеждать, вести к врачу? Или в милицию обратиться, чтобы с этой сектой разобрались?

Нет, в милицию нельзя. Все, что угодно, только не милиция.

Свеча отчаянно трещала, пламя дергалось в разные стороны и никак не хотело остановиться и замереть в форме перевернутой капли. И холодный чугунный ком внутри все продолжал разрастаться, леденеть и тяжелеть, сокрушая хрупкие ребра и разрывая тонкую кожу.

Але хотелось завыть.

* * *

Зачем, зачем это все... Все эти оправдания, все эти слова о невозможности исправить ситуацию другим способом, доводы о том, что совершенное сейчас зло принесет освобождение и покой в будущем... Человек слаб и подвержен соблазну... Можно сколько угодно клясться себе, что больше никогда... А вдруг снова станет нужно? И только таким чудовищным способом можно будет выкупить у судьбы новую порцию покоя и освобождения? Неужели возможно сделать это еще раз?

Нет. Нет!!!

Ни за что на свете. Что бы ни случилось.

А все-таки после второго раза не так тяжело, как после первого.

* * *

— Ни за что на свете, что бы ни случилось. Повтори.

— Чтобы не случилось, — буркнул Коротков, не отрываясь от чьей-то служебной записки, накаляканной от руки немыслимо корявым почерком.

— Юра, не причинность, а отрицание, полное и абсолютное отрицание. Ну Юр, — взмолилась Настя Каменская. — Да оставь ты эту бумажку дурацкую, я с тобой серьезно разговариваю.

Он устало снял очки для чтения и поднял на Настю воспаленные от бессонницы глаза. Ей стало неловко. Человек работает как каторжный, а она, вместо того чтобы помогать, в отпуск собралась.

— Юрочка, я знаю, что ты двое суток не был дома, ты ужасно устал, тебе не до меня. Но, пожалуйста, удели мне две минуты, только две маленькие минуточки, я больше не прошу.

— Прости, мать, — голос его от усталости стал совсем хриплым, — я, кажется, что-то важное пропустил и не врублюсь никак. Давай все сначала, только покороче, ладно? У меня дел три кучи, ничего не успеваю.

Настя вздохнула и терпеливо начала все сначала:

— Я прошу тебя дать мне честное пионерское сыщицкое слово под салютом всех вождей, что ты не станешь выдергивать меня из отпуска ни за что на свете, что бы ни случилось. Поклянись, и я от тебя отстану.

— Из отпуска? — Коротков посмотрел на неё с тупым недоумением. — Из какого отпуска?

— Из очередного. Длительностью сорок пять суток. И еще месяц учебного, на который я имею право как адъюнкт-заочник. Итого два с половиной месяца. Афоня рапорт подписал неделю назад, а ты этот рапорт, между прочим, визировал.

Юра помолчал, вероятно, переваривая услышанное, потом бросил взгляд на настольный ежедневник и с облегчением рассмеялся:

— Сегодня первое апреля! Ну слава богу, а то я уж испугался... Круто ты меня развела, просто как лоха вокзального! Но шуточки у тебя, подруга, не для слабонервных начальников. Это хорошо еще, что я крепкий, другой бы на моем месте тебя убил сразу, не глядя на календарь, а потом уж разбирался бы, кто там чего в связи с первым апреля нашутил. Спасибо, отвлекла и развеселила, хоть что-то радостное в этой мутной жизни... Все, подруга, вали отсюда, я с бумажками этими совсем зашился.

Он снова нацепил очки и схватился за начертанные чьей-то торопливой рукой каракули.

Настя опять вздохнула. Все оказалось даже хуже, чем она предполагала. Начальник отдела Афанасьев ушел в отпуск с понедельника, сегодня уже четверг, и Коротков, оставшийся «на хозяйстве», успел в полной мере вкусить прелести начальственной жизни, когда телефон разрывается и постоянно кто-то чего-то требует, и настаивает, и вопрошает грозно, и гневается, и бранится, используя весь богатый русскоязычный лексикон, как литературный, так и ненормативный. Тяжело Юрке, трудно, а она, предательница, в такую минуту бросает его. Он действительно визировал ее рапорт, но за всей этой оперативно-служебной сумятицей успел основательно забыть.

— Юрочка, солнце мое, послушай меня, пожалуйста. Я не разыгрываю тебя. Вот мой рапорт, на нем твоя виза и Афонина, а вот отметка секретариата, что за мной не числится ничего секретного, а вот бумажка из поликлиники о том, что я прошла диспансеризацию. А вот это — карточка-заместитель, я даже оружие уже сдала. Я действительно ухожу в отпуск. С понедельника.

Она помолчала, с тоской глядя на изменившееся Юркино лицо и чувствуя себя последней дрянью, и зачем-то добавила:

— С пятого апреля.

Как будто в понедельник могло быть не пятое, а какое-то другое число.

Коротков молчал, глядя не на нее, а куда-то мимо, в стену за Настиной спиной.

— Юр, я все понимаю... Я знаю, в какой клинч ты попал, но я не могу всю жизнь думать о ком угодно, только не о себе. Это все-таки моя жизнь, и если я сама о ней не позабочусь, о ней не позаботится никто. Мне нужны эти два с половиной месяца, чтобы заниматься диссертацией. Мне надо утвердить тему, а для этого требуется собрать чертову кучу бумаг, обсудить сначала на кафедре, потом на ученом совете. Надо написать рабочую программу и разработать весь инструментарий, и его тоже утрясти с научным руководителем и обсудить на кафедре. Мне надо начать собирать материал. Понимаешь? Мне в июне исполнится сорок четыре года, у меня совсем мало времени, и я должна сделать все, чтобы в сорок пять меня не выперли на пенсию погаными тряпками. Если нашему государству и нашему родному министерству наплевать на то, как будет жить человек, который больше двадцати лет ловил преступников ценой собственного разрушенного здоровья, то мне на этого человека не наплевать, я его люблю и должна о нем позаботиться. Юр, ты меня слышишь?

Он медленно кивнул, не отрывая глаз от чего-то очень интересного.

Настя обернулась, чтобы посмотреть, что же это такое, но не увидела ничего, кроме казенной стены, казенного шкафа и казенной поцарапанной двери.

— Ты меня осуждаешь? — виновато спросила она.

Коротков помотал головой, что должно было означать отрицание.

— Презираешь, да?

— Аська, прекрати. Ты права. Тебе надо подумать о себе, а не обо мне. Просто я не представляю, как я справлюсь без тебя. Слушай, а нельзя как-нибудь отодвинуть это дело, а? Ну хоть подожди, пока Афоня из отпуска выйдет, мне тогда гораздо легче будет.

— Не могу, Юрочка, честное слово. В учебных заведениях июль и август — мертвый сезон, ученый совет не собирается, заседания кафедры проводятся крайне редко, а то и вовсе не проводятся. Бумажки собирать и подписывать — дохлый номер, то один чиновник в отпуске, то другой. Если я ухожу с пятого апреля, то у меня есть шанс успеть все, что я запланировала, а если я буду ждать Афоню, который появится только в середине мая, то я совершенно точно ничего не успею.

— Афоня не будет отгуливать весь отпуск целиком, наверняка вернется через пару недель.

— Не надейся, солнце мое, он не вернется. Он не понимает, что с нашим министерством будет через месяц, и на всякий случай использует отпуск целиком, а то вдруг потом не удастся. Новый министр — темная лошадка, никто не знает, чего от него можно ожидать.

— А мне показалось, он нервничает и хочет держать руку на пульсе, — заметил Юра.

— Вот тут ты прав, он хочет быть в курсе, только работать при этом он не хочет. Наш Афоня далеко не уедет, даже, наверное, пределы Москвы не покинет, будет сидеть на телефоне и держать нос по ветру, может быть, и сюда пожалует, в кабинете запрется и будет решать свои личные проблемы. Только из отпуска он не отзовется и работать не будет, на это не рассчитывай. Тебя может спасти только убийство председателя Госдумы, вот тогда Афоню точно выдернут на службу. Но и тебе небо с овчинку покажется.

— Типун тебе на язык, — перепугался Коротков. — Ты что такое говоришь-то? Накаркаешь еще. Ладно, я уж сам как-нибудь... Но я все равно буду тебе звонить. И приезжать к тебе буду.

— Не будешь.

— Буду. Никуда ты от меня не денешься.

— Я тебя не пущу. Дверь не открою.

— Напугала... Чистяков откроет.

— Он не откроет, я его предупрежу. И к телефону подходить не буду. И мобильник выключу.

— Слушай, не вредничай, а? Ты о своей жизни заботишься — вот и заботься, а я о своей тоже, может, хочу позаботиться. И если мне нужен будет твой совет, твои мозги или хотя бы просто твои уши, я их все равно получу, хочешь ты этого или нет. Усвоила?

— Усвоила, — покорно ответила Настя. — А глаза не будут нужны? Или другие части тела?

— Не дерзи начальнику, мала еще. Иди поцелуй дядю в щечку и шлепай отсюда, не мешай старшим по званию работать.

Настя подошла к нему, поцеловала в макушку, в самую серединку, где светилась проплешина. От Короткова пахло немытыми волосами, усталостью и безысходностью.

— А ты все-таки не дал мне слово.

— Какое еще слово?

— Честное. Что не будешь дергать меня и грузить работой ни за что на свете, что бы ни случилось.

Он снова снял очки и принялся внимательно их рассматривать.

— Ирка собирается на Пасху на Крестный ход идти, — задумчиво произнес он. — Хочет, чтобы я с ней пошел. В Елоховский собор. Сходить, что ли?

— Ты же некрещеный. И неверующий.

— Вот я и думаю... Раз я некрещеный, то в храм мне входить нельзя, так что на службу я в любом случае не пойду, а если снаружи постоять, то, наверное, можно. Или как? Не знаешь, какие там правила?

Настя сначала втянулась в дискуссию, но почти сразу поняла, что Юркин маневр удался вполне. Не даст он ей никакого честного слова и даже не собирается это обсуждать.

* * *

Лиля Стасова давно избавилась от лишнего веса, обременявшего ее детские годы бесконечными обидами на одноклассников, оттачивавших на ее толстенькой фигурке свое неуклюжее остроумие. Она, конечно, была девушкой крупной, но уж никак не толстой, однако жить продолжала еще по тем, детским, правилам, согласно которым она, Лиля, является эталоном непривлекательности и заинтересовать мало-мальски симпатичного мальчика ни при каких условиях не сможет. И это при том, что у нее было очаровательное лицо, милые ямочки на щеках, появляющиеся, когда она улыбалась, хорошие зубы и густые темно-русые вьющиеся волосы, каскадом спадающие на красивые округлые плечи. Лилина мама, во времена сияющей молодости слывшая одной из самых сексапильных дам в мире кино, обладательница миндалевидных зеленых глаз, невероятных ног и столь же невероятной груди, почитала себя единственным эталоном красоты и искренне считала уродством все, что этому эталону не соответствовало. А поскольку маленькая круглоглазая толстушка Лиля ему уж точно не соответствовала, то девочке с детства было внушено, что она некрасивая, но зато умненькая и очень способная.

С этим самоощущением Лиля и дожила почти до восемнадцати лет, свято уверовав в собственную непривлекательность и утешаясь выдающимися успехами сначала в школе, а теперь в институте, где исправно занималась, намереваясь получить профессию юриста, специализирующегося в области договорного права. Владислав Николаевич Стасов, Лилин отец, и его вторая жена Татьяна при каждом удобном случае пытались объяснить девушке, что она не просто симпатичная, а очень даже хорошенькая, аппетитненькая и привлекательная, но все было без толку.

— Вы просто меня утешаете, — очень серьезно отвечала Лиля. — Не надо меня обманывать, я вовсе не страдаю от своей некрасивости, у меня нет никаких комплексов. Когда я закончу учебу и получу диплом, то через пару лет буду столько зарабатывать, что мужики в очередь выстроятся, чтобы на мне жениться. Каждому свое.

Стасов и Татьяна приходили в ужас от таких пассажей, им совсем не хотелось, чтобы девочка ощущала свою ценность исключительно в качестве денежного мешочка, но пущенные в детстве ростки развились в такую корневую систему, что удалить сорняки из девичьего сознания одним легким движением руки никак не удавалось. Мерзкое растение надо было методично травить разными кислотами, но это могло бы быть возможным только при длительном ежедневном общении. А жила Лиля с матерью, к отцу и Татьяне наведывалась нечасто, хотя и регулярно звонила, так что организовать систематическое воздействие на ее искривленное сознание никак не получалось.

В пятницу, после третьей лекционной пары, Лиля до закрытия просидела в библиотеке института, старательно конспектируя монографию, указанную в методичке к семинарскому занятию по теории права. В диспозициях и санкциях она разобралась довольно быстро, на гипотезах же застряла надолго, потому что никак не могла взять в толк, зачем это понятие нужно, если в законодательных актах оно не облекается в словесную форму. Монография была старой, написанной еще в тысяча девятьсот шестьдесят каком-то там году, но профессор, читающий лекции по теории, настаивал на том, чтобы студенты непременно с ней ознакомились, дабы понять движение теоретической мысли и развитие науки за последние полвека.

Преодолев раздел о структуре норм, Лиля закрыла тетрадь, сдала книгу, сунула в сумку читательский билет и вышла из института с твердым намерением немедленно где-нибудь поесть. Страх перед возвращением ненавистных килограммов диктовал ей свои условия жизни, одним из которых было ничего не есть после восьми. А уже десять минут девятого. Пока она доедет до дома, будет девять, поэтому проблему легкого ужина следовало решать немедленно.

Мест для решения указанной проблемы в окрестностях института было несколько, и после недолгих размышлений девушка остановила свой выбор на дешевенькой кафешке, где все, что подавалось, было жутко невкусным, но зато малокалорийным. Взяв у стойки нечто омерзительного цвета и сомнительного запаха, именуемое в меню «икрой из баклажанов», она уселась за свободный столик и достала учебник по истории политических учений, чтобы не сосредоточиваться целиком на не вызывающем доверия блюде. Все-таки чтение очень помогает в таких случаях: если книга интересная, то можно даже самую гадкую гадость в себя впихнуть и не поморщиться. Однако же в этот раз киники и эпикурейцы помогли мало, тошнотворно-тухлый вкус «икры из баклажанов», который повар попытался забить изрядным количеством чеснока, пробивался и сквозь приправы, и сквозь политические воззрения древних греков.

Лиля с отвращением отодвинула тарелку на край стола и снова подошла к стойке в надежде выискать в меню что-нибудь столь же безобидное по части калорий, но не такое противное. У стены, составив вместе три стола, гужевалась компания молодых людей, они пили пиво, с аппетитом ели сосиски с картошкой и громко и грубо хохотали. Счастливые, с легкой завистью подумала Лиля, они могут есть по вечерам сосиски с картошкой. А она даже днем не может себе этого позволить. Или сосиски, или картошка, но и то редко и по чуть-чуть, почему-то именно мясо с картошкой прилипают к талии и бедрам мгновенно и накрепко, никакими разгрузками потом не отдерешь.

Кроме безжалостно отвергнутой икры, в меню оказался салат «Весенний». Лиля по собственному опыту знала, что, кроме кляклой мягкой капусты и двух мелко порезанных листиков петрушки, в нем не будет ничего, но все же это лучше, чем тухло-кисло-чесночное месиво подозрительного цвета. Кафешка вообще-то была рассчитана не на тех, кто хочет утолить голод, а на тех, кому надо что-то проглотить «под пивко» или «под водочку», отсюда и ассортимент блюд, и их качество, и контингент посетителей. Лиля была здесь не в первый раз, но ее вполне устраивало отсутствие уюта, чистоты и деликатесов. Чем невкуснее еда, тем меньше съешь, и соблазнов никаких, а сидеть здесь долго она не собиралась. Да и дешево, опять же экономия выходит.

Водрузив новое блюдо на стол и раскрыв книгу, она погрузилась в тонкости учения киников и даже не сразу поняла смысл слов, прозвучавших прямо у нее над ухом:

— У вас красивые волосы.

Лиля недовольно подняла голову и посмотрела на источник звуков.

Источник был ничего себе, высокий, только очень худой, даже щеки впавшие. И бледный. Голодный, что ли? Сейчас будет намекать на материальное вспомоществование.

— Простите, не расслышала, — вежливо сказала она.

— Я сказал, что у вас очень красивые волосы.

— Спасибо, — холодно ответила девушка, снова утыкаясь в учебник.

— Вы даже не удивились. Наверное, вам это часто говорят? — не отставал голодающий.

— Часто, — соврала Лиля, не отрываясь от киников.

Она была вежливой и хорошо воспитанной девушкой, поэтому не могла сразу послать приставалу по всем известному адресу. Но при этом комплекс собственной некрасивости вкупе с постоянными наставлениями отца, подполковника милиции в отставке, и его жены, работающей следователем, делали ее практически неуязвимой для любого вида обмана. Лиля Стасова была не только умна, но и патологически недоверчива.

— А вам когда-нибудь говорили, что такие красивые девушки должны не только получать образование, но и развлекаться, отдыхать, наслаждаться жизнью?

— Говорили.

— И как вы к этому относитесь? Вы согласны с таким утверждением?

Лиля прожевала очередную порцию мягкой безвкусной капусты, проглотила и кивнула.

— Согласна. Учиться нужно. Отдыхать тоже нужно.

— Тогда позвольте вам предложить отдохнуть вместе. Я знаю здесь неподалеку классное местечко, закрытый клуб, туда пускают только своих, поэтому нежелательного контингента там нет и быть не может. Получите удовольствие, гарантирую.

Приставала с видом голодающего уже не стоял у нее за спиной, а сидел за ее столиком и пытался поймать взгляд девушки. Все ясно, его не обманул тот факт, что Лиля перекусывает в дешевой забегаловке, он успел оценить и куртку «Шакок», и серьги с маленькими бриллиантиками, и мобильник, висящий на шнуре. Некрасивая дочка богатеньких родителей, такой скажи пару-тройку комплиментов — и можно брать ее голыми руками, тащить в дорогой клуб и разводить на бабки. Оттянуться по полной, выпить, нажраться от пуза, даже, может, травки прикупить удастся за ее счет, а потом — арриведерчи, любимая, увидимся как-нибудь.

— Спасибо за приглашение, — Лиля по-прежнему была эталоном вежливости, — но я не могу его принять.

— Почему?

Этот вопрос она обожала. Отвечать на него ее научила тетя Настя Каменская, давно еще, когда Лиля заканчивала девятый класс. Срабатывало безотказно.

— А если бы я согласилась, вы бы спросили, почему я согласилась?

Голодающий опешил. Он не понял смысла вопроса и, судя по лицу, мысленно повторял его, пока не сообразил, о чем речь. Этого времени Лиле хватило, чтобы убрать учебник в сумку и встать из-за стола. Бледнолицый приставала тоже поднялся и загородил ей дорогу.

— Согласилась — и согласилась, чего тут спрашивать. Так идем, да?

От нее не укрылось, что голос его стал резче и грубее. Значит, не просто голодный, а еще и наркоман, которому срочно нужны деньги на дозу. Он уже определил некрасивую девушку в категорию легкой добычи и мгновенно озверел, почуяв, что дело срывается. Типичное поведение.

Отец сколько раз это объяснял, и тетя Таня, и тетя Настя.

С озверевшим человеком нельзя пытаться справиться силой, этому Лилю тоже учил отец. Его надо попробовать обмануть.

— А это далеко? — спросила Лиля.

— Да здесь рядом, я же сказал.

— Ладно, — она улыбнулась. — Пошли, посмотрим, что за классное местечко. Только мне парад нужно навести. Подождешь? Я быстро.

— Наводи, конечно, — лицо приставалы неуловимо изменилось. Какая-то его часть вроде бы расслабилась, уловив, что Лиля первой перешла на «ты», но другая часть странно напряглась. — А я посмотрю. Люблю смотреть, как девочки красятся.

— Ну уж нет, — Лиля постаралась рассмеяться, хотя ей было вовсе не до смеха. — Макияж — дело тонкое, интимное. Я хочу быть красивой для тебя, но тебе совсем не обязательно знать, какими хитростями это достигается. Ты кофейку попей пока, а я в туалет пойду.

Он попытался схватить ее за руку, но Лиля ловко увернулась и быстро прошла в дальний конец зала, где находился туалет. Туалетная комната была далеко не стерильным и не самым ароматным местом на свете, но в данный момент это девушку не смущало. Заперев дверь, она быстро набрала на мобильнике номер такси.

— Девушка, добрый день, мне срочно нужна машина... — Она назвала адрес кафе и район, куда нужно будет ехать. — У вас есть свободные машины в этом районе? Хорошо, я подожду.

Диспетчер связалась с кем-то и уже через полминуты сообщила Лиле номер машины, которая, к счастью, находится всего в двух кварталах и через пару минут подъедет.

— И еще, девушка... — Лиля перевела дыхание. — Свяжитесь, пожалуйста, с водителем и предупредите его, что я еду одна. Одна, понимаете? И никакие мужчины, которые тоже могут попытаться сесть в машину, со мной не едут.

— Мы на разборки не выезжаем, — торопливо и зло отозвалась диспетчер, — сами со своими мужиками разбирайтесь. Я отменяю вызов.

— Девушка, пожалуйста! Я студентка, мне семнадцать лет, ко мне пристал какой-то псих, дайте мне возможность уехать домой! — взмолилась Лиля.

Ей было все равно, что говорить, она могла бы назваться кем угодно, хоть дочерью президента страны, важно было заставить женщину из службы такси слушать и отвечать, потому что пока она слушает Лилю и отвечает, она не отменяет вызов, а это означает, что машина вот-вот затормозит у дверей кафе. Лиля несла какую-то околесицу, тихонько приоткрыв дверь туалета и выглядывая наружу. Вон он, голодающий, сидит, глаз не сводит с двери, украшенной пластмассовой табличкой с латинскими буквами WC. Нервничает. Едва на месте себя удерживает. От туалета до двери на улицу расстояние небольшое, и Лиле наверняка удастся преодолеть его быстрее, чем бледнолицый псих успеет сообразить, в чем дело, добежит до выхода, перехватит Лилю и устроит отвратительную сцену.

Помощи ей ждать не от кого, местная молодежь наверняка знает бледнолицего и будет отстаивать его интересы, работники кафешки отвернутся и сделают вид, что ничего не происходит, и уж тем более не станут вызывать милицию, им эти разборки ни к чему. Таксист тут же развернется и уедет, он тоже приключений на свою голову не ищет.

Куда ни кинь — всюду клин. Так что вариант только один: бежать быстро, уповая на то, что эффект неожиданности свое дело сделает. Какая удача, что это — дешевое кафе, где посетители сами расплачиваются у стойки, потому что если бы сейчас еще и проблема неоплаченного счета висела, то было бы совсем... ну, одним словом, совсем никуда.

Из туалета псих был виден хорошо, а улица просматривалась плохо.

Пришло такси или нет?

В телефонной трубке визгливый женский голос продолжал учить Лилю жизни, объясняя, что в семнадцать лет надо ходить в институт и слушаться маму с папой, а не попадать в ситуации, когда... Господи, вот не лень же ей, сердито подумала Лиля, прижимая трубку к уху. Столько энергии тратит на совершенно незнакомую девицу. А ведь на работе сидит. Заняться, что ли, нечем?

— Да, вы правы, — вставляла она то и дело, — вы совершенно правы, я так себя ругаю, и зачем только я сюда пришла...

Подъехала машина. Или ей только показалось? Отсюда ничего не видно, приходится ориентироваться на звуки. Если это такси, которое она вызвала, то нельзя, чтобы оно стояло возле кафе слишком долго, у психа могут появиться насчет машины всякие идеи. Например, выйти и ждать у такси, чтобы вместе ехать в клуб. Или заподозрить, что машина пришла именно за ней. Пока что он смотрит только на дверь туалета, но в любую секунду может перевести глаза на окно и тогда... Все. Хватит. Пора.

Лиля распахнула дверь и во весь дух кинулась к выходу. От страха и напряжения она ничего не видела и не смогла понять, стоит на улице машина с шашечками или нет.

Минут через пять она опомнилась и поняла, что едет в машине. И психа рядом нет.

Дома Лиля довольно быстро пришла в себя и даже посмеялась над своим приключением, похвалив себя за находчивость и за то, что хорошо усвоила папины уроки. Матери она ничего не рассказала, потому что Маргарита Владимировна, как обычно, пришла поздно, а Лиля любила рано ложиться и рано вставать.

Утром она съела творог и йогурт, выпила чашку кофе без сахара и уже натягивала джинсы, когда позвонил отец.

— Лиля, я прошу тебя быть очень осторожной. Никаких уличных знакомств, никаких ночных клубов, никаких сомнительных ситуаций, после занятий — немедленно домой. Ты меня поняла?

Голос у него был холодным и злым, и девушка испугалась, что отцу каким-то образом стало известно о ее вчерашнем приключении. Как он мог узнать? Впрочем, чему удивляться? Столько лет проработал в уголовном розыске, а последние девять лет — в частных сыскных и охранных структурах. Папа все знает. А если чего-то не знает прямо сейчас, то узнает через полчаса, это всего лишь вопрос времени.

— Я все поняла, папа, — вежливым голосом послушной девочки ответила Лиля. — А чего ты с утра такой сердитый?

— Я не сердитый, я встревоженный. Сегодня ночью неподалеку от твоего института убита девушка, ваша студентка. Там рядом клуб какой-то третьеразрядный, она туда с кем-то пришла, а потом ее нашли убитой. Я прошу тебя быть предельно осторожной, слышишь? Барнаульское дело помнишь?

— Помню.

— О том, что все пропавшие девушки были из одного института, тоже помнишь?

— Помню, папа. Ну чего ты меня запугиваешь?

— Я не запугиваю, я просто предупреждаю тебя, что вокруг вашего института ходит убийца.

— Пап, ну ты сыщик или кто? — возмутилась Лиля. — Еще же ничего не известно, может, эту девушку убили по личным мотивам или с целью ограбления, а тебе уже сразу маньяк мерещится.

— Вот, вырастил на свою голову, — проворчал Стасов. — От горшка два вершка, а в сыскном деле лучше отца разбирается.

— Это не ты меня вырастил, а тети-Танины книжки, я в основном по ним предмет изучала, — улыбнулась Лиля.

Улыбка получилась натянутой, губам стало больно, а лицевые мышцы заломило. Хорошо, что отец не видит.

— Ладно, котенок, я все сказал. Будь умницей.

— Буду, — твердо пообещала она.

Положив трубку, Лиля некоторое время постояла в задумчивости, не замечая, что одна штанина джинсов натянута на ногу, а вторая свисает и наполовину лежит на полу.

Случайное совпадение? Скорее всего. Ту неизвестную студентку (господи, она даже не спросила у папы ее имя, а вдруг это ее однокурсница, хорошая знакомая!) убили из ревности, или из мести, или из-за денег. А к Лиле вчера пытался пристать безденежный наркоман в надежде поживиться за счет наивной дурочки, у которой водятся деньги. Вот и все. И никакой связи. Больше она ни за что не пойдет в это кафе одна.

Он, вчерашний-то, ее запомнил и может попытаться мелко и гадко свести счеты, но этого, в принципе, можно избежать. Если уж так необходимо заниматься в библиотеке допоздна, то надо сразу вызывать такси прямо к институту и уезжать домой. Или договариваться с кем-нибудь из сокурсников, чтобы уходить вместе. В общем, проблема решаема. Надо только не поддаваться панике и не делать глупостей.

А если это не совпадение? Если тот псих — действительно псих, убийца, маньяк? Он выискивал себе жертву, остановил свой выбор на Лиле, но Лиля обманула его и сбежала. И он убил другую девушку. Но теперь он понимает, что Лиля его помнит, и может опасаться, что она обо всем догадается. Она узнает про убийство студентки и догадается, что видела убийцу. Что он предпримет?

Вообще-то тетя Настя Каменская рассказывала, что если маньяк настоящий, который убивает, руководствуясь неистребимым и неуправляемым желанием убить, то он никогда не будет убирать свидетелей. Ему все равно. Он убивает не по плану, а по велению внутреннего голоса. Но это если маньяк совсем уж настоящий. А есть же огромное количество «не совсем настоящих», которым просто нравится убивать, они при помощи лишения жизни других людей решают какие-то свои внутренние психологические проблемы, вот как Раскольников, например. Такие вполне способны к планомерным действиям и к устранению свидетелей. Вообще-то надо бы позвонить тете Тане и тете Насте и поспрашивать у них про маньяков поподробнее.

Как же поступить? Сказать отцу? Или промолчать? Если сказать, то отец запрет ее дома, да еще охрану на лестнице поставит, пока этого психа не выловят. Конечно, соблазнительно не ходить в институт по уважительной причине, можно расслабиться, не заниматься учебой, а всласть начитаться, потому что книжек, купленных и непрочитанных, скопилось море. И никуда не ходить, валяться целыми днями на диване, укрывшись пледом, с книжкой в руках... Бывает же такое счастье!

А потом придется сдавать отдельно каждую пропущенную тему, да не на семинаре, когда могут и не спросить, а один на один с преподавателем. Сколько будут ловить маньяка? Хорошо, если месяц, за месяц можно и начитаться досыта, и пропущенных тем окажется не так много, вполне можно будет за недельку постепенно все отработать. А если его будут ловить год? А если три года? Или все пятнадцать? Папа рассказывал, что одного такого маньяка не могли поймать почти двадцать лет. Он все эти годы насиловал и убивал, а его все ловили и ловили...

И потом, есть еще одна причина, по которой Лиле обязательно нужно ходить в институт.

Нет, затворничество — это не решение проблемы.

А в чем же решение?

Глава 2

—Да что ж это такое, в десятый раз все переделывать! — демонстративно страдала сидящая за компьютером девица, встряхивая разноцветными — розовыми и темно-рыжими — прядями волос. — Никто ничего толком не знает, только правки вносят и вычеркивают, вносят и вычеркивают, а потом все равно получается, как было вначале.

Девица имела имя Лариса и должность под названием «лаборант кафедры криминологии». Настя уже видела ее раньше, когда приезжала на кафедру, но никогда не доводилось ей наблюдать за Ларисой так долго, в течение целых сорока минут без перерыва. Наблюдение было любопытным и немало развлекло Настю, изнемогавшую в ожидании светлой минуты, когда ее будущий научный руководитель профессор Городничий соизволит принять ее. Профессор пока был занят, во всяком случае, именно так утверждала Лариса, занимавшая форпост в комнатке, из которой одна дверь вела в коридор, а две другие — в кабинеты начальника кафедры и профессора Городничего.

Насколько Настя успела понять, Лариса трудилась над составлением фундаментального труда, именуемого «План семинарских и практических занятий по курсу «Криминология и профилактика преступлений» на первый семестр 2004/05 учебного года». За последние сорок минут она распечатывала этот план дважды и носила кому-то показывать, возвращалась злая и, с возмущением потрясая исчерканными ручкой листками, принималась вносить правки.

— Еще Олег Антонович будет смотреть, тоже все почеркает, — ворчала она, переставляя местами рекомендованную по темам литературу, — а потом еще шеф, этот вообще в клочья разнесет. А я — опять переделывай. Бумага, между прочим, заканчивается, по сто раз распечатывать — не напасешься, а у меня последняя пачка на исходе. Потом сами же орать будут, что печатать не на чем.

— А может, не распечатывать каждый раз? — осторожно встряла Настя. — Пусть один преподаватель поправит, потом другой, а потом вы за один раз все переделаете.

— Ну да! — Лариса возмущенно тряхнула разноцветными волосами. — Вы что? У нас на кафедре профессора материалы с чужими правками даже в руки не возьмут! Штабная культура. Документ должен быть чистым. Правки же от руки делаются, а наши профессора в чужом почерке ковыряться не любят. Считают это ниже собственного достоинства. Сто лет назад, когда еще компьютеров не было и все печатали на машинках, тогда никто не капризничал, с пониманием относились, что перепечатывать долго, время теряется, тогда не только правки от руки смотрели, а вообще весь материал целиком можно было ручкой написать. А с этими компьютерами все как с цепи сорвались, министрами себя возомнили.

Несмотря на ворчание и замысловатый окрас волосяного покрова, работала Лариса на удивление быстро, и размышления вслух никак не сказывались на скорости внесения поправок в текст. «Сто лет назад...» Надо же, с усмешкой подумала Настя, откуда она может знать, что было в докомпьютерную эру, она же небось пишущую машинку только в кино видела.

— Лариса, а вы давно работаете на кафедре?

— Да сто лет! — Вероятно, это был универсальный временной измеритель, которым определялись любые сроки больше недели. — Как после школы пришла, так и работаю.

— Значит, недавно, — с улыбкой уточнила Настя. — Вы же совсем молоденькая.

— Кто, я молоденькая?! — Лариса расхохоталась. — Ну вы даете! Я просто хорошо выгляжу. Я здесь с девяносто второго года корячусь. Шестерых начальников кафедры пересидела. Столько лекций, пособий и монографий по криминологии за это время напечатала, что знаю предмет лучше их всех, — она мотнула головой в сторону кабинетов, — вместе взятых. Думаете, я не знаю, почему каждый из них в список литературы свои правки вносит?

— И почему же?

— Да потому, что каждый хочет, чтобы слушатель готовился к семинарскому занятию по книжке, где этот профессор или главу написал, или на его труды постраничные ссылки есть. Честолюбия-то выше крыши, а отдуваться мне. Вот бумагу всю изведу на этот план, будь он неладен, а потом ко мне же претензии, мол, почему протокол заседания кафедры не напечатан и в дело не подшит. Или почему фондовая лекция до сих пор не сделана, ее уже три дня как обновили, а обновленного варианта в папке нет. И снова я виновата. А кто-нибудь из них хоть одну пачку бумаги принес на кафедру? Фигушки! Это я должна заявку писать на бумагу, по инстанциям с этой заявкой носиться, высунув язык, все подписи собрать, снабженцам отдать и ждать, пока они закупят и привезут.

Настя сочувственно покивала. Она прониклась трудностями лаборантки Ларисы, но еще больше авансом пожалела себя: если здесь действительно такие тщеславные ученые, то ей придется ой как нелегко.

— Не знаете, Олег Антонович скоро освободится? — уныло спросила она.

— У него посетитель, — строго ответила Лариса.

Это Настя уже слышала с самого начала. Но хотелось бы понимать, надолго ли.

Запас гневливости у лаборантки иссяк, она продолжала работать молча, и тишину в комнате нарушала только навязшая в зубах за последний год ария «Belle» из популярного мюзикла, негромко доносящаяся из стоящего на подоконнике приемника.

Распахнулась дверь кабинета начальника кафедры, Настя вздрогнула и машинально съежилась. Он был одним из членов комиссии, принимавших у нее кандидатский экзамен, и она до сих пор не могла без ужаса и отвращения к себе самой вспоминать эту историю.

— Олег Антонович у себя? — спросил он Ларису, пройдя мимо Насти как мимо пустого места. — Опять у нас на коммутаторе все телефоны переклинило, никому дозвониться невозможно.

— На месте, — ответила Лариса, не отрываясь от работы. — Сказать, чтобы зашел к вам?

— Я сам зайду. А ты сходи к телефонистам, узнай, что там случилось.

— Хорошо, Николай Андреевич, сейчас схожу.

Лариса выпорхнула в коридор, начальник кафедры зашел в кабинет к Городничему, пробыл там не больше минуты и вернулся к себе. Дверь в кабинет профессора оказалась притворенной не до конца, и до Насти стали доноситься голоса. Тенорок Городничего она узнала сразу, а вот второй голос показался ей смутно знакомым. Она могла бы дать голову на отсечение, что несколько месяцев назад слышала этот голос, и не один раз. Но обладателя его вспомнить никак не могла.

— Почему я опять должен решать твои проблемы? — недовольно и устало говорил профессор.

— Потому что сам я не могу их решить. Если бы я мог сам это сделать, я бы вас не грузил. Ну? Поможете?

— Да черт с тобой. Давай, что там у тебя.

— Вот, все как вы велели. В этом конверте документы, в этом — все остальное.

— И много этого... — Насте показалось, что Городничий усмехнулся, — остального, как ты выражаешься?

— Сколько в прошлый раз, столько и сегодня. Или цены выросли?

— Весь народ уже давно на евро перешел, а ты небось все по старинке в долларах считаешь?

— Посчитайте, сколько нужно еще, я добавлю.

— Я тебе не бухгалтер, вот возьми калькулятор и сам считай.

Ой как интересно! Это что же, профессор Городничий взятки берет?

Или осуществляет посредничество, разумеется, небескорыстное? И опять же интересно, за что может брать взятки профессор кафедры криминологии высшего учебного заведения системы МВД? И еще интереснее, кто же это такой со знакомым голосом эту самую взятку ему дает?

— Ладно, с этим решили, — послышался профессорский тенорок. — И когда только закончится этот бардак в стране, хотел бы я знать! Все кругом воруют, вся политика — это борьба за место, на котором можно побольше украсть. Вот ты, кстати, за кого голосовал на выборах?

— Я четырнадцатого марта сутки дежурил, — отозвался знакомый голос. И отозвался, как Насте показалось, слишком уж поспешно.

— Вот! Поразительное дело! Кого ни спрошу — никто голосовать не ходил, ни один сотрудник нашей кафедры, ни один мой знакомый! А нам втюхивают, что явка избирателей была достаточно высокой, чтобы считать выборы состоявшимися. А? Каково? Кто же тогда голосовал, если никто на участки не ходил? А ты заметил, какой у председателя Центризбиркома вид был ночью, после голосования?

— Нормальный был вид, как у человека, который устал. Какой вы хотите, чтобы у него был вид ночью-то, да после напряженного рабочего дня?

— Вот именно что после напряженного. Работы, видно, было много. Ты понимаешь, о чем я?

— Понимаю, понимаю. Ну, спасибо за помощь, я побегу. Служба как-никак.

Они вышли вдвоем. Профессор Городничий, точно

так же, как незадолго до этого начальник кафедры, прошел мимо Насти, полностью ее проигнорировав, и скрылся в кабинете руководства. А в посетителе Настя узнала следователя Недбайло, вместе с которым несколько месяцев назад работала по делу об убийстве жены предпринимателя. И насколько Настя могла припомнить, четырнадцатого марта он вовсе даже и не дежурил, поскольку именно в день выборов Президента она была в составе оперативно-следственной группы на выезде на место тройного убийства, случившегося аккурат на той территории, на которой работал Артем Недбайло, и дежурным следователем в тот день был совсем другой сотрудник. А врать-то нехорошо, некрасиво, как сказал бы любимый Настин коллега Сережа Зарубин.

В отличие от профессора, Недбайло не стал делать вид, что не заметил Настю или не узнал ее. Более того, он даже, кажется, обрадовался встрече.

— Анастасия Павловна! Какими судьбами?

— Я к Олегу Антоновичу пришла. Буду пытаться под его руководством написать диссертацию. А вы, Артем Андреевич?

— Представьте, тоже пришел к Олегу Антоновичу.

— И тоже по научной надобности? — задала она ехидный вопрос.

— Да что вы! — следователь махнул рукой. — У меня сплошная проза. Брат жены купил машину и не может ее на учет поставить. Очереди безумные, никто ничего не знает, справок не дают, он два раза с работы на целый день отпрашивался — все без толку. В третий раз его начальник не отпустил, еще и пригрозил уволить за прогулы. А у дядьки какой-то блат есть, я к нему уже пару раз обращался.

— У дядьки?

— Ну да, Олег Антонович — мой дядя, брат матери. Двоюродный, правда, но все равно же родственник.

— Но ведь есть фирмы, которые специально занимаются постановкой машин на учет, можно же к ним обратиться.

— Можно, но дорого, — Артем Андреевич усмехнулся. — Брат жены на машину-то еле-еле наскреб, еще и занимать пришлось, так что услуги фирмы ему уже не потянуть. В ГАИ что от фирмы, что от частных лиц деньги берут одинаковые, но если через дядьку, то хотя бы на оплате услуг фирмы можно сэкономить. У него сосед по гаражу работает в ГИБДД, в которой ставят на учет любые машины независимо от места прописки владельца. Так что, кстати, имейте в виду, Анастасия Павловна.

— Не буду, — улыбнулась она, — я не собираюсь покупать машину, у меня денег таких нет. Артем Андреевич, а можно нескромный вопрос?

— Конечно.

— У вас дверь была неплотно закрыта, и я случайно услышала... Вы ведь не дежурили в день выборов, правда?

Артем расхохотался, и его обычно строгое точеное лицо вдруг превратилось в мальчишескую озорную физиономию.

— Не дежурил. Если вы собираетесь писать диссертацию под руководством моего дядюшки, то вам небесполезно будет знать, что он никогда ничем не бывает доволен. Все вокруг сволочи, это раз. Все воруют, это два. Страну развалили, это три. Результаты выборов предопределены заранее и подтасованы, это четыре. В России сегодня нет ни одной реальной политической силы, которая могла бы привести нас к такому будущему, которое устроило бы моего дядюшку. Это пять. Поэтому если иметь неосторожность ответить ему на вопрос, за кого ты голосовал, ты рискуешь получить в ответ лекцию на тему о том, какой ты козел и как неправильно ты поступил. Поэтому проще сказать, что вообще не ходил на выборы. Я уверен, что все, к кому дядька с этим вопросом приставал, именно так и думали, потому и сказали, что не голосовали. Я, во всяком случае, наврал ему как раз из этих соображений. Конечно же, у меня есть свое мнение, и я его выразил путем тайного голосования. Но обсуждать это мнение с Олегом Антоновичем — себе дороже. Так что осторожней, Анастасия Павловна, следите за речью, когда будете общаться с ним, а то он вас в три секунды задолбает. Избегайте любого намека на политику.

— Спасибо за предупреждение, Артем Андреевич, — от души поблагодарила Настя.

— Да бросьте вы. Просто Артем. Мы же не на службе. Тем более вы меня застукали, когда я занимался неблаговидным делом — посредничеством во взяточничестве.

— Это да, — она кивнула, — это верно. И я немедленно побегу в управление собственной безопасности доносить на вас и на вашего дядю. А вы потом подошлете ко мне наемных громил или даже убивцев, чтобы лишить меня возможности отстаивать честь российского милиционера. Черт, Артем, а ведь в самом деле, нас всех просто в угол загоняют, вынуждая давать взятки, а потом с пафосом заявляют о необходимости всенародно напрячься в борьбе с коррупцией. Ведь мы же с вами юристы, профессионалы, у нас должно быть развитое правосознание, я знаю о том, что вы и ваш дядя участвуете во взяточничестве, и вам не стыдно, а мне не противно. Во как нас жизнь-то поуродовала, а?

Следователь собрался было что-то ответить, но из кабинета начальника кафедры появился Городничий и недовольно поморщился, увидев племянника.

— Ты еще здесь?

— Уже нет, — бросил Артем и выскользнул за дверь.

— А вы ко мне? — обратился к Насте профессор.

— К вам, Олег Антонович. Я Каменская, вы мне назначили сегодня прийти.

— Ах да... Да, конечно, — он тяжело вздохнул, всем своим видом показывая, что от тягот службы государевой утомился безмерно, но что ж поделать, коль в науку рвутся всякие там с Петровки, небось читать едва научились, а туда же... — Проходите.

Да, легко не будет, уныло констатировала Настя, заходя следом за профессором в кабинет.

* * *

Из кабинета профессора Городничего Настя вышла примерно через час совершенно обескураженной. Во-первых, Олег Антонович, как выяснилось, обладал превосходной памятью, посему надеждам на то, что он забыл Настин позор на экзамене, сбыться было не суждено. Во-вторых, он вовсе не считал Настю непроходимой дурой, ее взгляды еще тогда, во время экзамена, показались ему любопытными, и он полагал вполне возможным поставить ей высокую оценку, однако у него в тот день сильно болела голова, а вступать в дебаты с профессором Славчиковым, настаивавшем на двойке, ему не хотелось. Так что выбранную Настей тему он в целом одобрил и сказал, что работа может получиться очень интересной, если... И вот здесь наступало «в-третьих». Если диссертант, то есть Настя Каменская, сумеет собрать достаточный по объему эмпирический материал; если сумеет разработать инструментарий, при помощи которого этот материал обработать; если у нее хватит ума глубоко и всесторонне осмыслить полученные результаты; если у нее достанет аналитических способностей сделать из результатов достоверные и неопровержимые выводы; если она обладает достаточным терпением, чтобы прочесть горы криминологической и криминалистической литературы, посвященной проблемам умышленных убийств, и написать литобзор, чтобы доказать, что ее взгляды являются оригинальными и доселе никем не разрабатывались, а разрабатывать их всенепременно нужно, дабы перевести борьбу с убийствами на качественно иной уровень; если она «дружит с письменной речью» и ей удастся все это связно, последовательно, логично и убедительно изложить; если она сможет грамотно сформулировать цели и задачи исследования, его предмет и объект, а также выводы и предложения, то, вполне вероятно, она сможет создать нечто, достойное быть названным «Диссертацией на соискание ученой степени кандидата юридических наук».

— Так что не думайте, что написать диссертацию легко и просто, — усталым голосом поучал ее Городничий. — Вы должны быть готовы работать как каторжная, только тогда у вас что-то может получиться. Сегодня у нас понедельник, пятое апреля. Давайте встретимся в четверг, восьмого, вы принесете первый вариант рабочей программы.

Он посмотрел в расписание.

— У меня в четверг третья пара, значит, давайте часика в три, — Городничий черкнул что-то в настольном ежедневнике. — И над инструментарием подумайте.

Настя печально брела по бесконечным запутанным лабиринтам коридоров, похожих один на другой, и никак не могла найти выход. Все двери казались ей одинаковыми, в какой-то момент она обнаружила, что попала в другой корпус, и совершенно растерялась. Ей пришла в голову странная мысль о том, что все указывает ей на ее чужеродность и ненужность этому высоконаучному учреждению. Если верить Городничему, она никогда не сможет написать диссертацию, потому что она не поняла даже половины того, что он ей говорил. И здание какое-то недружелюбное, непонятно, как оно спроектировано, и где что находится, и как пройти, и как выйти.

Все, все твердит, да что там твердит — в голос кричит ей: это не твое, ты здесь чужая, тебя здесь не примут, тебя здесь не хотят. Одним словом, уноси, Каменская, ноги, пока не поздно.

* * *

— Леш, я, кажется, совершила очередную ошибку.

— Да ладно тебе, — усмехнулся Чистяков, листая бумаги, сложенные в толстенную папку. — Не в первый же раз и, надо полагать, не в последний. Сейчас, Асенька, мне нужно еще минут десять, я закончу и буду готов выслушать твою скорбную песнь.

Ну вот, и мужу она тоже не нужна. У него работа, наука, лекции, монографии, ученики с их диссертациями, а жена на последнем месте, на каком-нибудь триста двадцать восьмом... Стоп, Каменская, у тебя уже и слезы на глазах появились! Ну-ка прекращай эти глупости, ты уже несколько месяцев назад все поняла про слезы и тотальное ощущение собственной ненужности и никчемности, и незачем снова к этому возвращаться. Все нормально, все в порядке, радуйся, что у твоего мужа есть работа, которой он занимается успешно и, что самое главное, с неугасающим интересом. Ладно, пусть у тебя не все в порядке, но у Лешки-то все в полном шоколаде, так что ж тебе не порадоваться за него? А заодно и за себя, давай-ка вдохни поглубже и поблагодари судьбу за то, что в твоей квартире, рядом с тобой живет талантливый ученый-математик, который любит свое дело и иногда даже получает за него более чем приличные гонорары в валюте, а не унылый безработный ворчун, валяющийся целыми днями на диване, уставившись в телевизор или в газету, и клянущий на чем свет стоит новую власть и новые порядки, лишившие его надежд на престижную работу и завидную карьеру. А еще ведь муж у тебя мог спиться и стать бытовым пьяницей или даже, не приведи господи, алкоголиком, углублялся бы в многодневные запои, уносил из дома вещи и деньги, приводил сюда собутыльников. А? Хочешь? Вон сколько женщин с такими мужьями мучаются, а тебе судьба послала нормального, вменяемого, непьющего, так что не ропщи понапрасну. А еще, между прочим, бывают мужья, которые таскаются по бабам и приносят домой чужие запахи, чужие слова, чужие мнения и вкусы, а случается, и чужие болезни. Тебя и от этого бог отвел. Ты что, не понимаешь, какая ты на самом деле счастливая?

Вот если не понимаешь, так пойди на кухню, сядь за стол, задумайся в тишине и пойми, наконец.

Настя так и сделала. Уселась на кухне за стол, налила себе чаю. Хорошо, что кухня маленькая и до чайника можно дотянуться, не вставая, и зашуршала конфетными обертками. И откуда в человеке, и особенно в женщинах, эта неистребимая привычка подслащивать пилюльки? Чуть что не так — сразу за сладенькое хватаемся. Говорят, ученые целые трактаты уже давно опубликовали о причинах этого явления, то есть все все понимают, но делать продолжают. Одним словом, наука своим чередом течет, а жизнь — своим, другим каким-то.

— Ну и что, дорогая, правильно ли я понял, что у тебя легкий шок от первого плотного контакта с научным миром? — насмешливо спросил Алексей, появляясь на пороге кухни.

— Тяжелый, — машинально поправила его Настя. — Не легкий шок, а тяжелый.

И вдруг сообразила, что надо бы удивиться.

— А как ты догадался?

— Ой, можно подумать! Я в этом мире столько лет варюсь, что было бы просто странно, если бы я не догадался. Тебя пугали, что ты не сможешь написать диссертацию?

— Пугали, — кивнула она, удивляясь еще больше.

— Говорили, что это не так просто, как кажется на первый взгляд, и тема у тебя сомнительная, надо бы еще обдумать как следует, обсудить с научным руководителем и подкорректировать. Говорили?

— Ага. — Настя слушала мужа как завороженная.

— И ждать заставили, хотя время предварительно согласовали?

— А как ты догадался?

— Асенька, ты повторяешься. Это все элементарно, это азы работы с аспирантами. Хотя в вашей системе аспиранты называются адъюнктами, суть не меняется. Девяносто пять процентов научных руководителей хотят иметь мальчиков на побегушках. А как заставить своего аспиранта бегать по поручениям, возить на машине, ездить на другой конец города, чтобы взять-отдать-передать какую-нибудь книгу, папку, сверток, сто рублей? Как сделать так, чтобы он взял твой паспорт и вместо тебя ехал в кассу покупать билет? Как сделать, чтобы он в любое время дня и ночи готов был все свои дела бросить и ехать за тобой на дачу, потому что ты выпил и сесть за руль не можешь? Или мотался по всему городу в поисках нужного тебе лекарства? Да мало ли какие нужды бывают у научных руководителей!

— Все понятно, — удрученно вздохнула Настя, — надо создать у аспиранта ощущение, что без научного руководителя он ничто и ничего у него не получится.

— Как вариант, — кивнул Чистяков. — Ты — умненькая и профессионально грамотная, ты взялась писать диссертацию по проблеме, которой ты двадцать лет занималась на практике и в которой ты разбираешься заведомо лучше того, кто собирается тобой научно руководить, поэтому в твоем случае была выбрана тактика запугивания. Нужно было убедить тебя в том, что ты не такая уж умная, как сама о себе думаешь, и без усиленной помощи дяденьки руководителя тебе не справиться. Так что ты сейчас напишешь обоснование темы и рабочую программу, а он тебе ее завернет, да еще и с довольно резкой и оскорбительной критикой. Переделывать будешь раз пять, не меньше, пусть это не будет для тебя неприятной неожиданностью. Не смей думать, что ты глупая, просто помни, что это — его игра и его тактика в данной игре. Руководитель целенаправленно формирует у тебя чувство неуверенности в себе и глубокой благодарности к нему, далее по тексту.

— А другие варианты бывают?

— А как же. Например, диссертацию собирается написать человек, к этому совершенно не способный и это понимающий. Тупой, одним словом, или совсем неграмотный, или не имеющий соответствующего образования. То есть образование у него высшее, но по другому профилю. Из таких можно веревки вить, надо только сразу дать понять, что добрый дядя руководитель во всем поможет, все подскажет, всему научит. Например, сделать несколько замечаний по рабочей программе, отправить на доработку, потом опять и опять, и потом сказать: ладно, оставьте ваши бумаги, я сам напишу. Научному-то руководителю, доктору наук, эту программу написать — раз плюнуть, а несчастный аспирант считает, что ради него был совершен подвиг. И все, он твой. Делай с ним что хошь.

— Погоди, Леша, а дальше-то как же? — не поняла Настя. — Ну, допустим, рабочую программу ему написали, а диссертацию ему кто будет писать? Если он сам совсем ничего не может, то что же, научный руководитель ее напишет?

— Разные варианты, — он пожал плечами и сунул в рот веточку петрушки. — Либо аспирант бьется как рыба об лед, ничего толкового не рожает, и к концу первого года обучения его отчисляют за невыполнение плана аспирантской подготовки, но за этот год руководитель все, что мог, с него поимел; либо руководитель все-таки что-то за него написал, ну хоть пару страничек или маленькую статейку в сборник работ аспирантов и соискателей, а на заседании кафедры расписал своего ученика как великого труженика, который не покладая рук — и так далее. Человек учится в аспирантуре еще год, и снова либо его отчисляют, либо руководитель его спасает.

— А потом что?

— А потом опять же два варианта. Либо человек заканчивает аспирантуру с ненаписанной диссертацией и исчезает, либо рано или поздно представляет в ученый совет работу, которую ему кто-то написал.

— Кто? — допытывалась Настя.

— Да кто угодно. Научный руководитель или любой другой специалист, значения не имеет.

— И что, за одни только услуги, за беготню по аптекам и езду на машине на дачу?

— Да нет, зачем же, здесь счет идет уже на деньги. Аська, ты меня прости, убогого, тебе, конечно, интересны высокие материи и всякое разное из мира науки, но я грубо и примитивно хочу жрать. Давай уже будем ужинать, а? Тем более ты на два с половиной месяца ушла из милиционеров в домохозяйки.

— Леш, ты чего? — Настя не на шутку испугалась. — Ты серьезно, что ли?

— Более чем. Поскольку я мужчина и обладаю некоторой физической силой, то продукты я принес и даже частично приготовил. Но разогревать, подавать на стол, делать салаты и резать хлеб с сегодняшнего дня будешь ты. До тех пор, пока не закончатся твои два слитых воедино чудесных, прекрасных, восхитительных отпуска.

— Леш...

— Ася!

— Поняла, — покорно пробормотала она. — Но ты мог бы предупредить заранее.

— А какая разница? Я предупредил тебя сейчас. Жизнь адъюнкта — это совсем другая жизнь, пусть даже ты и адъюнкт-заочник, вот и начинай новую жизнь с новыми привычками.

Вообще-то Настин муж неплохо владел собой, но сейчас, чтобы не расхохотаться, глядя на ее растерянное лицо, ему пришлось запихнуть в рот целый пучок зелени.

— Я тут с Коротковым разговаривал, — произнес Леша как можно безразличнее, отвернувшись к окну, — так он мне поведал, как ты пирожки пекла, пока я в Штатах был. Вкусные, говорит, были пирожки-то.

— Когда это ты с ним разговаривал? — встрепенулась Настя.

Душу кольнуло нехорошее подозрение. Неужели сегодня? Ведь просила же его, как человека просила...

— Сегодня, часа два назад.

— Зачем он звонил?

— Господи, Ася, да что с тобой? — Чистяков посмотрел на нее с укором. — Юрка твой друг столетней давности. Что особенного в том, что он тебе позвонил?

— Ничего, — она вздохнула. — Если бескорыстно звонил, то ничего. Я его предупредила, что ты меня к телефону подзывать не будешь, чтобы даже и не надеялся.

— Ладно, не буду. Видишь, какой я покладистый. И не думай, пожалуйста, что, если ты будешь сидеть и разговаривать со мной, ужин сам разогреется и подастся на стол. Чудес не бывает.

— Не бывает? — безнадежно переспросила Настя.

— Не-а, — покачал головой Леша. — Не бывает.

— Ты жестокий, — печально констатировала она, вставая из-за стола.

— Я прожорливый, — возразил он. — И невероятно храбрый, поскольку не боюсь скончаться от твоих кулинарных потуг.

— Может, не стоит рисковать? — Настя отчаянно хваталась за соломинку в надежде, что муж передумает.

— Кто не рискует, тот... впрочем, сама знаешь. Давай, любимая, отринь сомнения и вперед. Начни с малого, приготовь ужин, потом попробуешь сочинить рабочую программу, а там, глядишь, и до диссертации дело дойдет.

Она поняла, что надеждам сбыться не суждено и придется как-то приспосабливаться к новым обстоятельствам.

— А из чего салат делать?

— Из силоса, надо полагать. Открой холодильник, обозри содержимое, прояви здоровую фантазию и прими решение.

Настя открыла холодильник и с тоской принялась оглядывать круглые помидоры, покрытые пупырышками огурцы, глянцево-красные болгарские перцы и пучки разнообразной зелени. В принципе, ничего сложного. В миске замаринованные куски мяса, их надо ухитриться как-то пожарить, чтобы не сжечь, не пересушить и не получить стейк с кровью. По сравнению с проблемой мяса салат — просто детские игрушки. У Лешки есть какие-то свои секреты, благодаря использованию которых отбивные у него получаются сочными и вкусными. Ну что ж, наверное, Чистяков прав, нельзя много лет функционировать «в одном формате», надо что-то менять в жизни, от одних привычек отказываться, другие приобретать, иначе жизнь превратится в застоявшееся болото.

Она достала овощи и мясо, разложила на столе, повязала фартук.

— Леш, у меня два вопроса, можно?

— Валяй.

— Ты поделишься со мной своими секретами в части приготовления мяса? Или ты настаиваешь на том, чтобы я всю науку познавала путем проб и ошибок?

— Поделюсь. И в части рыбы тоже. Я даже готов прочесть тебе отдельную лекцию по технологии тушения овощей. Второй вопрос?

— Лешенька, я покорно принимаю твое решение и буду его безропотно выполнять. Но почему? И почему именно сейчас?

— А чтобы не скучно было. Это внесет в нашу с тобой размеренную жизнь некоторую пикантность. И потом, это же всего на два с половиной месяца. Хотя если ты войдешь во вкус, то я готов продолжить эксперимент, когда ты снова вернешься к своим трупам.

Настя расхохоталась, сделала страшную физиономию и провещала утробным голосом:

— И я буду готовить тебе еду теми же руками, которыми за час до этого осматривала мертвое тело! Я принципиально не буду мыть руки, приходя с работы, и с этих рук ты будешь принимать корм!

И почему она решила, что салат — это просто? Наверное, это просто, когда нож в руках у Лешки, а она смотрит со стороны и наивно полагает, что все получается само собой: дольки огурца — тонкие и ровные, помидор несколькими легкими движениями рассекается на шестнадцать частей, перец сам рассыпается на одинаковые по толщине кольца, а укроп, зеленый лук, петрушка и кинза от одного прикосновения ножа превращаются в аппетитно пахнущую сыпучую кучку зелени. Из огурца у нее получились корявые шайбы, которыми можно было голову пробить, помидор давился прямо под ножом, превращаясь в заготовку для томатного сока, перец при первом же нажатии сломался с сочным хрустом, и вместо колечек из-под ножа выходили какие-то кривые полоски, смутно напоминающие рахитичные ножки. О зелени и говорить нечего, она все время выскальзывала из пальцев и норовила упасть на пол.

Ничего, утешала себя Настя, я способная, несколько дней потренируюсь и буду строгать силос не хуже Чистякова. А может, даже и лучше!

И снова, второй раз за этот день, ее посетила мысль, показавшаяся совершенно бредовой: если она научится легко и красиво резать салат, то уж с рабочей программой и всяким там инструментарием тем более справится, а если после упорных тренировок сможет овладеть искусством жарить мясо так же здорово, как Лешка, то и с диссертацией совладает.

Вот ведь глупость-то, а? Какая связь? Где поп, а где приход? Болит голова, а уколы в ягодицу делают. Но Настю в тот момент обуяла какая-то прямо суеверная убежденность в том, что связь есть. В конце концов, и научная работа, и кулинария — новые стороны ее жизни, требующие новых знаний и навыков. Если она преуспеет в чем-то одном, это будет означать, что она еще не совсем отупела и закоснела, что голова работает, память не отказывает, логические связи пока еще выстраиваются безошибочно. Она еще в «рабочем» возрасте, она в состоянии воспринимать новые знания и обучаться новым приемам и методам деятельности. Если получится одно, то получится и другое.

А Лешка... Неужели он тоже об этом подумал? Неужели он знал? И не нужна ему никакая пикантность в их семейной жизни, он просто хочет ей помочь. И на всем белом свете он — единственный, который знает, как это сделать. Полгода назад Настя имела возможность в этом убедиться, когда наступление у нее «кризиса среднего возраста» Чистяков заметил куда раньше ее самой, и не просто заметил, а обдумал и нашел смешной и оригинальный способ помочь ей в борьбе со страхом старости.

Или она ошибается, и Лешка вовсе не думает о том, как ей помочь, а просто ему надоело из года в год, изо дня в день стоять у плиты и готовить и подавать ей еду, поскольку как-то так с самого начала было принято, что, дескать, она за целый день изнемогла в ловле душегубов и имеет право на покой, тишину и горячую еду. Да, много лет это устраивало Чистякова, а теперь вдруг раз! — и надоело. Ему хочется что-то изменить в своей жизни, например, просто побыть обыкновенным мужем, каких тысячи и которые читают за столом газету, а жены подносят им еду. А что, собственно говоря, в этом неправильного? Испокон веку мужчины добывали пропитание, то есть зарабатывали деньги, а женщины хозяйничали у очага и кормили мужчин тем мясом, которое они добыли в честной охоте. Чистяков зарабатывает больше Насти, это очевидно. Стало быть, свою функцию добытчика пропитания он выполняет. А она что же себе думает? Почему не делает того, что ей на роду написано? Почему не выполняет свою функцию хозяйки и кормилицы?

А вдруг у Чистякова другая женщина? И Настино

бытовое безделье стало его раздражать? Так всегда бывает: пока ты сосредоточен на одном человеке, его недостатки не режут глаз, но, как только появляется объект, с которым можно сравнивать, сразу картина меняется. И вдруг начинаешь видеть и седину, и морщины, и обвисающую кожу, и замечаешь то, чего раньше не замечал, и раздражаешься от того, что еще вчера казалось милой особенностью или смешной привычкой.

Настя осторожно повернула голову и посмотрела на мужа, склонившегося над пасьянсом. «Господи, — с каким-то отчаянием подумала она, — как я его люблю! Я люблю его так сильно и так давно, что уже забыла о том, что люблю. Просто привыкла к этому состоянию, как рыба привыкает к воде и не замечает ее, а лишившись воды, задыхается и умирает. Я задохнусь и умру, если он от меня уйдет. Надо сказать ему об этом, сейчас же сказать, немедленно!»

— Лешик...

Телефон не дал ей договорить, запиликав маловразумительную мелодию. Алексей протянул руку к трубке, не отрывая глаз от разложенных на столе карт.

— О, привет! Рад тебя слышать! Да, дома. Сейчас.

Он протянул трубку Насте.

— Не бойся, это не Коротков, — шепотом сообщил он. — Это Лилька Стасова.

Настя облегченно перевела дыхание. Дочка Владика Стасова училась в одном из многочисленных юридических вузов и регулярно обращалась то к отцу и его жене, то к Насте в поисках старых учебников и монографий, которых не было в институтской библиотеке. В те времена, когда Настя училась в университете, в библиотеке юрфака можно было найти практически все, что было написано и издано по юридическим наукам чуть ли не с двадцатых годов прошлого века. Но сколько тогда в Москве было юридических вузов? Раз-два — и обчелся. Сегодня же институтов, дающих юридическое образование, развелось столько, что упомнить их невозможно, потому как юристы, в особенности цивилисты, специалисты по договорам, недвижимости и финансам, стали жуть как востребованы. Институты возникали то на базе каких-то других вузов, а то и вовсе на пустом месте, и о том, чтобы в их библиотеках нашлась литература, изданная чуть раньше, чем в последние десять лет, даже мечтать было глупо. А Лилька Стасова — девочка вдумчивая, старающаяся в каждом вопросе докопаться до истоков и корней, поэтому она частенько обращалась то к Насте, то к жене отца Татьяне за старыми учебниками и монографиями, оставшимися еще со времен их учебы в университете.

— Тетя Настя, вы в маньяках разбираетесь?

Настя озадаченно почесала ухо и плюхнулась на стул, чтобы удобнее было разговаривать.

— Ну... постольку-поскольку. А в чем дело?

— Вы мне скажите, маньяки могут заниматься устранением свидетелей, или им все равно?

— Хороший вопрос, — усмехнулась она. — А почему ты его тете Тане не задала? Она все-таки столько лет следователем проработала, тоже должна разбираться.

— Я задала, а она меня к вам переадресовала, потому что она всякими делами занималась, а вы — только убийствами, то есть у вас опыта больше. Понимаете, я подумала, что если маньяк действительно настоящий, то он убивает, когда ему уже просто невозможно не убить, или ему мерещится там что-нибудь, например, что женщина, которая едет с ним в электричке, — посланник дьявола и ее нужно непременно устранить, иначе наступит мировая катастрофа. Разве такой преступник будет потом думать о том, чтобы устранить свидетелей?

— Такой — не будет, — согласилась Настя. — Но такие встречаются очень редко. Под словом «маньяк» мы обычно понимаем серийного убийцу, человека, одержимого манией, навязчивой идеей или навязчивым желанием, например, убивать женщин определенного типа внешности, потому что когда-то женщина с такой внешностью отвергла его. И он вполне сознательно выискивает свои жертвы, выслеживает их, продумывает план убийства, а если что-то идет не так, принимает меры, в том числе и устраняет свидетелей. Настоящий сумасшедший маньяк — это человек невменяемый, то есть он либо не отдает себе отчет в том, что делает, либо отчет отдает, понимает, что убивает, но действиями своими руководить уже не может, то есть не может взять себя в руки и остановиться. Вот такие свидетелей не убирают. А все остальные — очень даже запросто. И этих остальных намного больше, чем настоящих невменяемых. Я удовлетворила твое любопытство?

— Да, спасибо.

В голосе Лили Настя уловила не то разочарование, не то сомнение.

— А почему ты спросила? Зачем тебе это?

— Да я курсовую по криминологии пишу... А в учебниках про это совсем мало сказано...

— Ну, я рада, что оказалась тебе полезной, — Настя снова усмехнулась и жестом попросила мужа, чтобы проверил мясо на сковороде: не пора ли переворачивать. — А я, в свою очередь, могу обратиться к тебе с просьбой?

— Конечно, тетя Настя, — с готовностью отозвалась Лиля.

— Ты уже взрослая, и если ты мне врешь, то, вероятно, у тебя есть на это веские причины, и вполне возможно, причины даже уважительные, поэтому я не в претензии. Но, пожалуйста, в следующий раз, когда соберешься меня обманывать, делай это как-нибудь... половчее, что ли, поизящнее. А то, когда меня пытаются провести на такой дешевой мякине, я начинаю думать, что ты считаешь меня полной идиоткой, которую можно обмануть за три копейки. Согласись, это не очень приятно.

— Я не обманываю, тетя Настя... — залепетала девушка. — Мне правда для курсовой...

Настя не стала слушать эти глупости и мягко оборвала ее:

— Лиля, я могу считать, что мы договорились? Ты мне врешь, и я это отлично понимаю. Просто имей в виду на будущее, что вранье надо заранее обдумывать и выстраивать, чтобы не оказаться в глупом положении, особенно когда имеешь дело с людьми старше себя.

Все, дорогая, целую страстно, папе и тете Тане передавай привет.

Она бросила трубку на стол и вернулась к изнурительному труду по изготовлению салата. Чистяков, оторвавшись от пасьянса, с любопытством прислушивался к ее разговору с Лилей.

— Аська, а почему ты решила, что она врет? — спросил он. — Может, ты зря на ребенка наехала?

— Ну прямо-таки! — фыркнула Настя и тут же чуть не порезалась. — Вот черт, кусок ногтя отстригла. Леш, дай свои очки на минутку, надо эту расчлененку из салата извлечь, а у меня уже глазки слабенькие.

Он протянул ей очки. Настя нацепила их на нос и осторожно вытащила из кучки нарезанной зелени кусочек ногтя.

— И вдаль не вижу, и вблизи не вижу, — пожаловалась она, возвращая Леше очки. — Это что получается, близорукость вместе с дальнозоркостью, что ли?

— Именно так и получается, — кивнул он. — Типичное возрастное явление.

— Если ты еще раз напомнишь мне о моем возрасте, — угрожающим тоном начала она.

— То ты меня убьешь, — тут же подхватил Чистяков, — и тогда тебе придется до самой смерти готовить себе еду самой, а так тебе предстоит промучиться всего два с половиной месяца. Никогда не поверю, чтобы ты с твоим аналитическим мышлением не понимала, что выгодней. Кстати, ты мне насчет Лильки не ответила. Почему ты уверена, что она тебя обманывала?

— Потому что всего месяц назад она брала у меня книги по теории государства и права. И ей неизвестно одно из основных понятий уголовного права — понятие невменяемости.

— И что? — не понял он.

— Леш, я, конечно, по твоим представлениям, глубокая старуха, о чем ты не забываешь мне регулярно напоминать, и в университете я училась в прошлом веке, но все-таки это было не сто пятьдесят лет назад, и кое-что я еще помню. Нет и не может быть такого учебного плана в нормальном вузе, по которому теория права преподается одновременно с криминологией. Сейчас она изучает теорию и прочие основополагающие дис-циплины вроде истории государства и права, филосо-фии, истории политических учений, потом пойдут кон-кретные отрасли права, причем сначала конституцион-ное, государственное, а уж потом уголовное, которого она явно еще и не нюхала, а только потом настанет очередь криминологии. А Лилька мне на голубом глазу заявляет, что пишет курсовик именно по криминоло-гии. Да она его писать сможет не раньше, чем через два года. И по-твоему, я должна это скушать?

— Не должна, — согласился муж. — А почему же она врет?

— Да бог ее знает, — Настя махнула рукой, при этом с широкого лезвия ножа соскользнула долька помидо-ра и шмякнулась на пол. — В этом возрасте все врут. У них какая-то искаженная картина мира в голове, и им кажется, что нам, заплесневелой ветоши, правду го-ворить ну никак нельзя, потому что мы, ветошь плесне-велая, все равно ничего в жизни не понимаем, а уж в их жизни — в особенности.

С тяжким вздохом, держась за поясницу и изобра-жая непереносимые мучения, она наклонилась, чтобы поднять прыткий овощ, не желающий оказаться съеден-ным, и выбросить в мусорное ведро.

— Ты видишь, Чистяков, от меня в хозяйстве одни убытки, я половину продуктов роняю на пол, и их при-ходится выбрасывать, а в другую половину настригаю части своего нежного организма. Может, переменишь решение, а?

— Ни за что, — отрезал Алексей. — Настоящие муж-чины от своих решений не отступают.

С салатом Настя худо-бедно справилась, присмот-реть за мясом Чистяков снисходительно помог, давая попутно разъяснения и советы, которые она старалась запомнить с первого раза, и в целом ужин получился очень даже славным.

Если бы не Коротков...

Он все-таки позвонил, причем именно в тот мо-мент, когда Настя, пребывая в эйфории от вкусной и почти собственноручно приготовленной еды, утратила бдительность и сама взяла трубку, услышав звонок.

— Ну, ты как? — осторожно начал он.

— Нормально, — бодренько ответила она.

— Чего делала в первый день отпуска? Валялась с книжкой?

— Ездила на кафедру, общалась с научным руководителем. Наслушалась всяких кошмаров и страшилок.

— Слышь, Ася, а у нас, похоже, серия намечается...

— Ничего не знаю! — отрезала она.

Но хитрый Коротков сделал вид, что не услышал, и неторопливо продолжал:

— Помнишь, в середине марта был труп в Печатниках? Я сегодня сводку смотрел, появился еще один, очень похожий.

— Юра, мы же договорились, — умоляюще произнесла она. — Ну будь ты человеком, пожалуйста.

— Ну давай я тебе хоть расскажу, — не отставал Коротков.

— Я ничего не хочу слушать. Я в отпуске. В длинном. Сначала в очередном, потом в учебном. На два с половиной месяца. Мне нужно позаботиться о своем будущем, потому что ни ты, ни кто-либо другой за меня этого не сделает. Ты в состоянии это понять?

— В состоянии, — угрюмо пробормотал Коротков. — Значит, нет?

— Нет.

— Твердо? Окончательно?

— Твердо и окончательно.

— Аська, а ведь я твой друг. Неужели не поможешь? Что, двадцать лет дружбы — псу под хвост?

— Юра, я тоже твой друг. Неужели ты не можешь войти в мое положение и мне помочь? И насчет пса с хвостом я могу сказать тебе в точности то же самое.

— Ну ладно, мать, извини, что побеспокоил. Но просто так звонить можно?

— Просто так — можно, — разрешила она.

Ужин, конечно, получился вкусным, но после разговора с Коротковым Насте отчего-то показалось, что еда горчит. И вообще было как-то... неприятно, что ли. Тяжело на душе. Одним словом, остался противный такой осадок, испортивший остаток вечера.

* * *

— Куда ты собираешься?

А голос-то, голос! Ну прямо надзирательница или какая-нибудь классная дама из пансиона для благородных девиц. И праведное негодование в этом голосе, и презрение, и уверенность в том, что не ответить Аля не посмеет, и одновременно уверенность в том, что тетка наверняка скажет неправду.

— А ты считаешь возможным задавать мне такие вопросы? — спросила она, чуть улыбнувшись и продолжая натягивать шелковистые колготки. — Более того, ты считаешь возможным входить ко мне, когда я одеваюсь?

— Судя по тому, как ты одеваешься, ты опять собралась на свою позорную случку! — фыркнула Дина. — Как ты можешь? Нет, я не понимаю, как ты можешь! Он моложе тебя, он тебе в сыновья годится. Неужели тебе не стыдно?

Аля оглядела себя в зеркале, провела ладонями по узким бедрам, открыла шкаф, достала облегающую трикотажную юбку средней длины; таких юбок у нее было по меньшей мере пять или шесть, в них ей было удобно водить машину. Длинные узкие юбки стесняли движения, а юбки покороче, но другой конфигурации, не такие, как выражается племянница, «в вызывающую облипочку», Элеонора не любила еще с юности, и все эти клеши, плиссе и гофре прошли мимо нее. Она всю жизнь носила только прямое и узкое, благо фигура позволяла.

Дина стояла в дверном проеме, облаченная в обычный свой балахон, на сей раз оранжевый с коричневыми пятнами и разводами, но, слава богу, без свечи. И говорила она с теткой нормальным голосом, без подвываний и специфических модуляций, призванных нагонять таинственность.

Аля невольно вспомнила недавний свой страх перед девушкой, которая показалась ей тогда самой настоящей сумасшедшей. Нет, сегодня она была обычной, никаких признаков безумия в ней не наблюдалось. Да, она хамит, она неподобающим образом разговаривает с сестрой отца, которая чуть ли не в три раза старше ее самой, да и с отцом тоже, она сует нос не в свое дело, но это — всего лишь особенность характера и дефекты воспитания, а отнюдь не признаки безумия.

— Диночка, я не собираюсь обсуждать с тобой свою личную жизнь, — спокойно произнесла Аля. — Я говорила тебе об этом неоднократно. Ты не производишь впечатления тупой девицы, которой надо все повторять по десять раз. Так в чем же дело?

— Это не личная жизнь, а сексуальная. Половая, если хочешь. Это неприлично.

О господи, как она устала от всего этого! Три года, как с ними нет Веры, и за эти три года Дина выжала из своей тетки все соки, выпила из нее весь запас долготерпения и сострадания. Осталось только понимание. И еще любовь. Аля любила племянницу, и Ярослава, Славика, младшего брата Дины, она любила, и их отца, своего брата Андрея, она тоже любила. Но если с Андрюшей и Славиком проблем не было никогда и никаких, то Дина — это что-то! Аля давно уже поставила бы девчонку на место раз и навсегда, но удерживало понимание. Да, она не только любила Дину, но и понимала, почему она так себя ведет. Конечно, для Элеоноры Николаевны Лозинцевой понимание вовсе не означало прощения, но помогало сдерживаться и не реагировать на выходки Дины слишком уж бурно. Вместо повышенного тона и резких требований «заткнуться и не лезть», она прибегала к аргументам, рассуждениям и всему прочему арсеналу, позволяющему снизить накал конфликта.

— Кто тебе сказал, что половая жизнь — это неприлично? — осведомилась Аля, открывая по очереди тюбики губной помады и прикидывая, какой цвет наилучшим образом будет сочетаться с бежевым шерстяным джемпером. — И кто тебе сказал, что термин «половая жизнь» более неприличен, чем «сексуальная»? Они обозначают одно и то же. Оба относятся к нормативной лексике.

Она остановила наконец свой выбор на цвете, обозначенном на тюбике, как «ранняя осень», накрасила губы, нанесла тонкий слой пудры, провела щеткой по волосам. Все. Она готова.

— И чтобы ты могла спокойно уснуть, довожу до твоего сведения, что я еду не к любовнику, а к бабушке, — сообщила она с улыбкой, отодвигая Дину и выходя из своей комнаты в прихожую.

— К бабушке? В десять вечера? — недоверчиво протянула девушка.

— У бабушки бессонница, она раньше трех часов ночи не засыпает, и тебе прекрасно это известно.

— А если я через полчаса позвоню бабушке и проверю?

— Твоя воля, — пожала плечами Элеонора и направилась на кухню, выполняющую в их квартире функцию общей гостиной.

Они живут вчетвером — Андрей, девятнадцатилетняя Дина, шестнадцатилетний Славик и она, Аля, — у каждого своя комната, а всего комнат четыре. Да и зачем им общая гостиная? Все равно в этой семье не принято собираться всем вместе, и едят все в разное время, и в каждой комнате есть отдельный телевизор. И вообще жизнь у каждого своя. А Аля в этой семье выполняет функцию домработницы, если уж называть вещи своими именами.

Андрей на кухне пил чай и читал какой-то бизнес-журнал.

— Андрюша, я еду к маме. Ты, кажется, хотел ей что-то передать?

Брат встрепенулся, отложил журнал, потянулся к стоящему под столом кожаному портфелю. Всю жизнь Аля умилялась этой его смешной привычке: не оставлять портфель в прихожей, не уносить сразу к себе в комнату, а ставить под ноги в кухне. Так было и со школьным ранцем, и с модными студенческими сумками, набитыми книгами и конспектами, и с «дипломатами», и с дорогими кожаными изделиями, пришедшими несколько лет назад на смену ширпотребу. Надо же, ее брат из долговязого Андрюшки, к которому в детстве благодаря баскетбольному росту прилипло прозвище Дядя Степа, превратился в начальника отдела крупного банка Андрея Николаевича Лозинцева, а привычка так и осталась...

Он вытащил из портфеля и протянул сестре две видеокассеты.

— Вот, возьми, мама хотела посмотреть ремейк фильма «Лев зимой», который сделал Кончаловский, и сравнить с первой версией, где играла Кэтрин Хепберн. Я достал ей оба варианта.

Аля взяла кассеты, сложила в пакет — в сумочку они не поместятся.

Протянула руку, запустила пальцы в густую шевелюру Андрея, слегка потянула — это тоже из их детства: жест, которым они выражали нежность друг к другу. Правда, пока Андрей был совсем маленьким, он мог только тихонько дергать старшую сестру за пряди, а когда подрос, жесты у обоих стали совершенно одинаковыми, тем более что был он мальчишкой на редкость высоким, а Аля, наоборот, росточком не вышла, и несмотря на разницу в двенадцать лет, он уже к десяти годам мог свободно класть руку ей, двадцатидвухлетней, на голову.

— Устаешь ты с нами, Элечка? — виновато не то спросил, не то констатировал Андрей. — Свалились мы на твою голову... Никакой жизни у тебя с нами нет.

— Да глупости, Андрюшик, — ласково ответила она, — у меня все в порядке, и жизнь у меня нормальная. И даже в некотором смысле личная, — не удержалась Аля от усмешки.

— Достает тебя Динка, — вздохнул он. — Я же все слышу. Спасибо тебе, что не срываешься, терпишь. Ей ведь тяжелее всех приходится.

— Я понимаю. Славик придет с тренировки, разогрей ему жаркое, оно в кастрюле на плите. Ну, я пошла?

— Будь осторожна, ладно?

И это тоже было традицией, появившейся много лет назад. Высоченный Андрей с того самого момента, как перерос сестру на первые пять сантиметров, стал воспринимать ее как крошку-малышку, которую любой может обидеть. И уже лет с двенадцати просил ее быть осторожной каждый раз, когда та выходила из дома. Но что самое удивительное, Элеоноре никогда не приходило в голову, что это смешно. Просто братишка любит ее и таким способом проявляет свою любовь, что же в этом может быть смешного?

— Ладно, — абсолютно серьезно ответила она, — я буду осторожна.

— И позвони, как только доедешь до мамы.

— Хорошо, позвоню.

— И когда будешь выезжать от нее, тоже позвони.

— Андрюша, ты в это время уже будешь спать. Я поеду уже за полночь, дороги будут свободными, ну что со мной может случиться? Я езжу очень аккуратно, ты же знаешь.

— Вот как раз за полночь по дорогам гоняют пьяные, — упрямился брат. — Элечка, ну когда ты ездишь поздно вечером по личным делам, это я могу понять. Но неужели к маме тоже обязательно ездить на ночь глядя?

И этот разговор тоже стал традиционным, правда, традиция такая появилась всего пару лет назад. У Элеоноры мелькнула мысль о том, что вся ее жизнь состоит из одних традиций. Ну, почти вся. Она собиралась поговорить с братом о Дине, о странностях в ее поведении, перешедших границы нормы и приближающихся к явной патологии, но все что-то мешало, не давало ей начать разговор. И в эту самую минуту она поняла, что именно: сначала она поговорит об этом с мамой. Так было всегда, так Аля привыкла поступать с детства: все, что так или иначе касалось Андрюши, сначала обсуждалось с родителями и только потом — с ним самим, и лишь при условии, что родители давали добро на такой разговор.

— Днем я просто не успеваю, — спокойно сказала Аля. — У нас с мамой бессонница, это наследственное, я засыпаю только под утро и сплю почти до двенадцати, а то и дольше. Потом начинаются стирка, уборка, магазины, готовка, иногда и по своей работе надо что-то поделать... А маме в радость, если я приеду вечером, ночное одиночество — оно самое тяжкое.

Перед уходом она заглянула в комнату брата, открыла шкаф, проверила костюмы, сорочки, ботинки. Черный костюм для официальных мероприятий еще хорош, Андрей редко его надевает, вот эти два — относительно новые и в прекрасном состоянии, а вот этот, летний, светло-серый, шелковый, уже никуда не годится. Через два месяца лето, нужно позаботиться о легком костюме заранее, это ведь не так просто — пошел и купил, надо созваниваться с закройщиком, искать ткань, шить, или, как говорят профессионалы, «строить». С ботинками та же история, летнюю обувь надо проверять уже сейчас. И с сорочками. А как иначе, если у Андрюши рост два метра семь сантиметров и размер ноги сорок девятый? Все только на заказ. Уже и со Славиком проблемы начинаются, в нем метр девяносто восемь, но он пока еще носит такую одежду, которую можно покупать без примерки, — джинсы, майки, свитера, кроссовки, и все это периодически привозится из США либо самим Андреем, либо его знакомыми, а спортивная одежда для баскетболистов и в России есть.

Аля сделала себе мысленную заметочку насчет портного и обувщика для брата и стала одеваться в прихожей. Дверь в комнату Дины была чуть приоткрыта, оттуда доносилась негромкая музыка, жанровую принадлежность которой Элеонора затруднилась бы определить: не то что-то спиритическое, не то эзотерическое, не то мистическое. Не удержалась, подошла ближе, заглянула — никаких свечей, никаких ритуальных предметов, магических кругов и стеклянных пирамидок. Обычная комната обычной девушки, которая сидит себе на диване в свободном домашнем платье, поджав ноги, и читает книжку. Вот только музыка... но это, в конце концов, вопрос вкуса, не более того. У Али музыкальные вкусы старомодные, все, что появилось за последние пятнадцать лет, она не приемлет, так что, может быть, и музыка вполне нормальная, просто она не разбирается.

Вечерняя Москва — это не ночная Москва, это совсем-совсем другой город, и его Элеонора Николаевна Лозинцева тоже любила, уже за одно то любила, что совсем не был похож ни на город утренний, сонный и свежий, ни на дневной, суетливый и бестолковый. В вечерней Москве не было бестолковости, в ней все было расписано и четко, все слои двигались в понятном порядке и в прогнозируемом направлении. Из театров. Из ресторанов. В ночные клубы и казино. Со свиданий. В бордели. Из гостей. На тусовки, как богемные, так и полукриминальные. Дорога к дому матери шла по Чистопрудному бульвару, и иногда, под настроение, Аля позволяла себе припарковать машину возле метро и пройтись от памятника Грибоедову до пруда, постоять минут десять, выкурить одну сигарету (дома она не курила, Андрей не выносил запаха табачного дыма) и вернуться к автомобилю. Вечером здесь образуется особый мир, свой, непонятный и загадочный, мир наркоманов и тех, кто хочет быть на них похожими, мир молодых людей, которые сидят исключительно на спинках скамеек, поставив ноги на сиденья, мир девушек с выбеленными лицами и вычерненными волосами и молодых людей, с делано деловитым видом переходящих от одной компании к другой и создающих самим себе иллюзию занятости, нужности и вообще активности. Мир этот источал опасность, и если в семь-восемь вечера эта опасность еле-еле витала в воздухе, то к десяти-одиннадцати часам она сгущалась в атмосфере и становилась похожа на кисель, сквозь который порой было трудно пройти. Нет, Аля знала, что ее здесь не убьют и даже не обидят, эта, чистопрудненская, тусовка не была агрессивной, она не обращала внимания на прохожих и никого не задевала, но все равно опасность висела и даже стояла, как низкий туман.

Наверное, именно так ощущаются вовне чужие неправедные мысли и чувства, когда носителей этих мыслей и чувств собирается много в одном месте. Может быть, Динка с ее обостренным нюхом тоже так чувствует свою тетку?

Але нравилось видеть и понимать, сколь многослойна Москва, сколь неоднозначна, как много самых разных, не похожих друг на друга и порой даже почти не пересекающихся и не знающих друг о друге слоев и потоков в ней сосуществуют бок о бок. Разве почтенная мать семейства, вырастившая детей и пестующая внуков, живущая, например, в Черемушках и вливающаяся в потоки дневной Москвы, курсирующие по маршрутам «дом — магазин — рынок — химчистка — дом», разве эта уважаемая мать семейства, после пяти вечера не выходящая из дома, потому что нужно всех встретить, накормить, обогреть, обиходить и уложить, может знать о том мире, который возникает каждый вечер на Чистых прудах? Или о том странном и пугающем мире глухих и глухонемых, оживающем ближе к ночи на Комсомольской площади, у трех вокзалов? Или о том, какие чудовищные разговоры и немыслимые с точки зрения здравого смысла лозунги с неофашистским душком можно услышать в Тимирязевском парке? Нет, никогда эта милая уютная женщина не узнает о тех мирах и тех потоках и не пересечется с ними, если, конечно, в них не попадет кто-то из ее близких.

Сегодня Элеонора останавливаться у Чистых прудов не стала, бросила привычный взгляд на пятачок возле метро, где обычно оставляла машину, но почувствовала, что нет настроения. Ей хотелось поскорее увидеться с мамой и поговорить с ней о Динке. Зато на обратном пути она выберет маршрут подлиннее и сможет полностью насладиться ночным городом, у которого совсем, совсем другой запах. Запах богатства и неприкаянности, запах преступной любви и преступных помыслов. Запах обмана, который во что бы то ни стало надо постараться скрыть. Запах ненависти, которая как-то растворилась в дневных заботах и суете, а теперь, ночью, осталась единственной вибрирующей струной, звук которой разносится далеко-далеко. Запах безысходного одиночества, которое так остро ощущается именно ночью. А чем дальше от полуночи и ближе к рассвету, тем ощутимее становится самый страшный запах — запах смерти.

Аля любила эти метаморфозы, происходящие то ли с самим городом, то ли с ее восприятием. Они делали ее жизнь насыщеннее, богаче, придавали ощущение нескучности и немонотонности. Если бы не они, эти спасительные метаморфозы, она бы, наверное, сошла с ума от однообразия. Вот уже почти сорок лет она живет в большой и тягучей скуке, отдает себе в этом отчет и все эти годы старательно делает все, чтобы не поддаться, не увязнуть, не впасть... Она хватается за любой повод, за любое событие, которым может расцветить свою жизнь, но в глубине души понимает, что настоящей жизни и настоящих красок, настоящих звуков и запахов у нее не будет. Она отравлена. Отравлена почти сорок лет назад одним-единственным человеком. И ничто ее от этой отравы не спасло, ни два замужества, ни более чем удачный и успешный сын, ни длительная жизнь за границей. Яд проник в кровь мгновенно и навсегда. И без этого человека не будет в ее жизни ничего настоящего. И самого этого человека тоже не будет. Никогда.

* * *

В преддверии своего восьмидесятилетия Ольга Васильевна Лозинцева могла пожаловаться только на ноги, которые вот уже лет десять ее подводили. Болели почти постоянно, а иногда и хромота появлялась, так что приходилось пользоваться палкой. Во всем же прочем она была полностью сохранной, прекрасно сама себя обслуживала и ни за что не соглашалась переехать после смерти мужа ни к сыну, ни к дочери. Она ценила самостоятельность и независимость, возможность смотреть телевизор до пяти утра и тишину в квартире в те часы, когда спала. И вообще Ольга Васильевна привыкла быть хозяйкой и самой себе, и своему обиталищу.

Она даже не любила, когда дети, навещая ее, открывали дверь своими ключами.

— Я дала вам ключи на тот случай, если со мной что-то случится, — сердито выговаривала она. — А пока еще я на своих ногах и сама могу открыть дверь гостям.

Аля с любовью смотрела на мать, такую подтянутую и ухоженную, с аккуратной прической и неизменными серьгами в ушах и кольцами, украшающими старческие, уже заметно искривленные пальцы. Просто невозможно поверить, что когда-то эта миниатюрная женщина весила без малого сто килограммов, постоянно боролась с одышкой и тахикардией, а на лице и ногах ее росли некрасивые черные волосы. Аля хорошо помнила те годы, когда мать лечилась всеми мыслимыми способами, и в России, и за границей, где служил отец, чтобы родить второго ребенка. Болезнь ее называлась сложно: синдром поликистозных яичников, возникший после родов. В конце пятидесятых эту болезнь лечили гормонами, вызывающими ожирение, оволосение и прочие малоприятные последствия. Алю Ольга Васильевна родила в сорок восьмом году, вскоре после войны, а когда Лозинцевы захотели второго ребенка, выяснилось, что мать больна. Лечение начали в Германии, где в то время работал Николай Михайлович Лозинцев и где гормоны стали применять раньше, чем в СССР, потом продолжили уже дома.

И все это длилось десять лет.

И все эти десять лет маленькая Аля безумно жалела мать. Она тоже хотела, чтобы был еще один ребеночек, но хотела исключительно потому, что об этом мечтали родители, а она их любила и искренне желала, чтобы их мечта исполнилась и они были счастливы. И еще она хотела, чтобы маме не нужно было больше лечиться, потому что все эти бесконечные уколы приносили только одни страдания, мама стала толстой и некрасивой, у нее болели суставы, и она задыхалась от малейшего физического усилия.

Наконец Лозинцевы приняли решение прекратить попытки вылечиться.

Через два года мама стала почти такой же, как была до лечения, красивой, без всяких там дурацких волос на подбородке и верхней губе, без лишнего веса. Ну, может быть, не такой худенькой, как раньше, а чуть-чуть пухленькой, но это ее совсем не портило.

Теперь же, в преклонном возрасте, Ольга Васильевна немного словно бы усохла и вновь обрела юную стройность.

— Вот кассеты, Андрюша для тебя передал, — Аля протянула матери пакет. — «Лев зимой», обе версии.

— Чудесно! Я обожаю Кэтрин Хепберн, просто любопытно поглядеть, что они в наше время смогли сделать с этой историей. Неужели нашлась актриса, которая сыграет эту роль не хуже Кэтрин?

— Не знаю, мамуля, я не видела, но судя по картинке, актрису подобрали внешне похожую.

— Сегодня же посмотрю! Вот провожу тебя и посмотрю оба фильма. Что-то у тебя глаза тревожные, Эленька. Что-то случилось?

Ничего от матери не скроешь! Да Аля, собственно, и не пыталась.

Она же как раз и ехала к Ольге Васильевне с намерением поговорить о том, что ее тревожит.

— Сейчас, мамуля, я только Андрюше звякну, что я доехала, а то он, как всегда, напридумывал себе кошмаров.

— Я сама позвоню, иди вымой руки и садись за стол.

Ну конечно, мама собирается в одиннадцать вечера кормить ее ужином. Хотя ничего странного и страшного в этом не было, Элеонора о фигуре не беспокоилась, наоборот, любила вкусно покушать и позволяла себе абсолютно все без ограничений: ни на весе, ни на самочувствии это никак не сказывалось. Если судьба ее чем-то и обделила, то уж на природу Аля пожаловаться ну никак не могла.

— Ты знаешь, мам, о чем я подумала...

— О чем?

Нет, не так просто завести этот разговор, как ей представлялось.

Аля почему-то была уверена, что приедет к матери и прямо с ходу все ей объяснит, а вот теперь оказалось, что и слов нужных не подобрать.

— Вы с папой всегда внушали нам, что жить надо по английской пословице, то есть так, чтобы не страшно было подарить своего попугая самой большой сплетнице города. Я понимаю, папа служил в разведке, и для него очень важно было, чтобы никто и ничем не мог вас шантажировать. Вы сами так жили и нас с Андрюшкой такими вырастили. А теперь вдруг я задумалась...

— Над чем, Эленька?

Да что ж такое, вот как до самого главного доходит, так словно язык немеет, не поворачивается, не может вслух произнести то, что с некоторых пор живет тихими мыслями в голове.

— Над тем, действительно ли это правильно для всех случаев жизни. Мам, ты только не обижайся, дай мне договорить. Когда вы взяли Андрюшу, вы ни от кого не скрывали, что он приемный. Он ведь был уже достаточно большой, чтобы помнить свою настоящую мать, ему три года было. Другое дело, что через месяц он бы ее забыл, но вы с папой всегда расставляли все по своим местам, и Андрюшка всю жизнь знал, что у него где-то есть родная мама и есть новая семья. Вы сумели вырастить его в убеждении, что это не плохо и не стыдно, и он тоже потом никогда не скрывал, что его вырастили приемные родители. Разглашением тайны усыновления вас шантажировать было невозможно. И когда Андрей вырос, он точно так же построил свою семью. Динке никогда не внушали, что он ее родной отец, все знали и ни от кого не скрывали, что Вера родила ее от другого мужчины, с которым была близка до того, как познакомилась с Андрюшей. В этом смысле ни в нашей, ни в его семье никогда не было лжи, и я, скажу тебе честно, всегда этим гордилась.

— Мы с папой тоже, — негромко вставила Ольга Васильевна. — Но ты не поняла самого главного, Эленька. Про шантаж — это все правильно, папа при его профессии не мог допустить даже возможности подобных неприятностей. Но есть и другое. Мы вырастили вас с Андрюшей в убеждении, что одни люди любят других не за кровное родство, а за душевные качества или по другим каким-то причинам. Вернее, не так... Даже не знаю, как тебе объяснить... Конечно, если с человеком тебя связывает кровное родство, то ты чаще всего его любишь, но ведь это совсем не обязательно, верно?

— Верно.

— И в то же время ты куда сильнее можешь любить человека, с которым ты родством не связан. Другими словами, кровное родство — это не гарантия более сильной привязанности. И можно совершенно одинаково любить родных детей и приемных. А уж приемных-то родителей дети почти всегда любят больше, чем родных. У Андрюши не было комплекса недолюбленного приемыша, и он с любовью и нежностью относится и ко мне, и к тебе, и папу он очень любил. Вот, наверное, то главное, чем мы могли бы гордиться.

— Я понимаю, мама, — Аля налила себе и матери еще чаю, положила в свою чашку ломтик лимона, — но одно дело вы с папой, и совсем другое Андрей и Вера. Андрей удочерил Динку, но настоял на том, чтобы не было никаких тайн. А теперь что получилось? С тех пор, как Веры нет с нами, Дина чувствует себя страшно одинокой. Андрей — не родной отец, я — не родная тетка, ты — не родная бабка. Славик родной только наполовину, единоутробный, но он младше, и если что случится — он не может быть опорой и защитой в ее жизни. У нее не осталось никого из старших, на чью заботу и покровительство она могла бы безоговорочно рассчитывать. То есть рассчитывать она, безусловно, может, ведь мы все ее любим, но она-то, дурочка, этого не понимает, она считает, что раз нет кровного родства — значит, чужие. Вера и Андрюша не сумели внушить ей то, что сумели когда-то объяснить нам вы с папой. И вот я теперь думаю, что, может быть, было бы лучше, если бы она не знала правды. Может, было бы правильнее, если бы она считала Андрея родным отцом, а меня и тебя своими кровными родственниками. Тогда ей было бы намного легче.

— А ей трудно? — Ольга Васильевна внимательно посмотрела на дочь и слегка прищурилась. Она всегда щурила глаза, когда хотела максимально сосредоточиться и не упустить что-то важное.

— Очень трудно, — вздохнула Аля. — И мне кажется, что ее психика с этим не справляется. Она убедила себя в том, что мы все ей — никто, мы ее не любим, она никому из нас не нужна, и связи, которые между нами существуют, — это связи чисто условные, почти эфемерные, которые могут в любой момент порваться. И она останется совершенно одна на этом свете. Никому не нужная и никем не любимая. И она придумала... Нет, не то я говорю, вряд ли она могла придумать это сознательно, это слишком сложно для ее возраста. Скорее, интуитивно, на уровне подсознания... Короче, она решила, что должна взять верх над всеми нами, держать нас под контролем, забрать в жесткий кулак, подчинить своему влиянию, чтобы мы никуда не делись. То есть чтобы связи между нами не оборвались. Понимаешь?

— Понимаю, — кивнула мать. — Но это действительно сложная конструкция. Ты уверена, что все обстоит именно так? Помнишь, что папа говорил в таких случаях?

— Давайте начнем с фактов, — улыбнулась Элеонора. — Эти его слова у меня в ушах стоят, я как будто папин голос до сих пор слышу. Я даже помню, когда я впервые это услышала. В четвертом классе я решила, что классная руководительница ко мне несправедлива, и прибежала к папе с ревом жаловаться, когда она мне накатала очередное замечание в дневнике. А он мне сказал: давай начнем с фактов. Я твержу, что она ко мне придирается, а он требует факты. Я слезами захлебываюсь, все твержу, что она меня не любит, а он: давай факты. Я что-то пролепетала, припомнила какие-то истории, он их по полочкам разложил, и оказалось, что никто ко мне не придирается, я сама даю поводы для замечаний, а любить меня учительница не обязана. Мне потом так смешно было!

— Я тоже это помню. Так что с Диной? Приведи мне факты.

Аля рассказывала долго и подробно, и о том, как племянница считает возможным вмешиваться в ее личную жизнь и в личную жизнь Андрея, как ведет себя с братом. О жестком и беспардонном навязывании окружающим собственных оценок и мнений. О ее увлечении мистикой и спиритизмом или бог еще знает чем, о ее ночных отлучках. За минувший год фактов набралось много.

— Если я правильно все это интерпретирую, то механизм примерно такой: для того, чтобы нами руководить и управлять, Динка должна доказать, что имеет на это право. Это первый шаг. Что может дать ей такое право? Ее отличие от нас, ведь равный равным управлять не может. Значит, она должна возвыситься над нами. За счет чего? Возраст? Не проходит. Жизненный опыт? Тоже не проходит. Деньги? Тем более. Тогда что? Личные качества. Какие? Необыкновенные способноти, выдающиеся таланты? Не наблюдается. Остаются особые знания и то, что называют «посвященностью». Вот это может пройти, потому что никто в нашей семье этим никогда не занимался и в этом не разбирается. Отсюда берет начало увлечение всякими потусторонними вещами, ритуалами, обрядами, специальной литературой. Я не такая, как вы, я не такая, как все, я знаю и понимаю вещи, вам недоступные. Это второй шаг. Начиналось все сознательно, это даже не было увлечением, это было спектаклем, нацеленным на манипулирование семьей. А потом сознательное занятие превратилось в искреннее и глубокое увлечение. А потом затянуло. Это уже был третий этап. А сейчас, мне кажется, наступил четвертый. Динка просто свихнулась на всем этом. И кроме того, влипла в какое-то тайное общество, которое устраивает свои сборища по ночам. Мам, я не хочу в это верить, но мне иногда кажется, что она — сумасшедшая.

— Иногда? — переспросила Ольга Васильевна, ни разу до того не перебившая дочь. — Только иногда? А в остальное время?

— Да черт его знает! — в сердцах выдохнула Аля. — Вроде нормальная. Зануда, хамка беспардонная — это да, что есть — то есть, но нормальная. А бывает, что я ее просто боюсь. Мне даже страшно порой с ней наедине оставаться. Она в такие минуты похожа на зверя с обостренным чутьем. Помнишь, какое у ее матери было чутье на людей?

— Уж это да, — усмехнулась мать. — К каждому умела ключик подобрать, из любого могла веревки вить. Неужели Динка унаследовала?

— По-моему, у нее эта способность раз в десять сильнее, только у нее по молодости лет ума не хватает этим правильно пользоваться. Вместо того, чтобы нами командовать и нас запугивать, тоже могла бы веревки из нас вить.

— Странно, однако, — Ольга Васильевна потянулась к вазе с пирожными, и остро сверкнул, поймав луч света от лампы, бриллиант на ее руке — подарок Андрея на семидесятипятилетие, — почему за все это время я ни разу не почувствовала всего этого на себе? Конечно,

Дина у меня бывает совсем редко, только когда вы собираетесь у меня по праздникам, но я ничего такого не заметила. Здесь, в этом доме, она ведет себя как обычно.

— Мамуля, ей не нужно тобой манипулировать, — сказала Аля и тут же осеклась.

Господи, ну что у нее за язык! Разве можно говорить такие вещи пожилым людям?

— Ну да, естественно, — Ольга Васильевна улыбнулась, как ни в чем не бывало, словно слова дочери ее вовсе не покоробили, — я ведь старая и в будущем ей не пригожусь, даже в самом ближайшем. В любой момент могу умереть. Да и что от меня толку? Денег у меня нет, и проблемы решать я уже не могу, возможности не те, в отличие от вас с Андрюшей. Складно у тебя получилось. Но только непонятно, правильно ли. И что ты намерена с этим делать?

— Я не знаю, — растерянно призналась Аля. — Я хотела с тобой посоветоваться. Надо ли говорить об этом Андрюше? Как ты считаешь?

— Обязательно, — строго произнесла мать. — Не будем отступать от наших семейных принципов. Никаких тайн. Все должно быть открыто. Жизнь и без того достаточно сложна, не нужно разводить питательную среду для лишних проблем. Что еще?

— Еще я подумала, что, может быть, надо показать Дину психиатру? Или психологу?

— Может быть, — задумчиво протянула Ольга Васильевна. — Только надо тщательно продумать, как это сделать, чтобы ее не напугать.

— Вот именно, — подхватила Аля. — Если она что-то заподозрит, то подумает, что мы пытаемся запереть ее в психушку, и, значит, все ее опасения верны: мы ее не любим, она нам чужая. И один бог знает, к чему такие мысли могут привести. Мам, а может, она все-таки не сумасшедшая, а просто очень хорошая актриса? Конечно, она меня напугала до жути, я не знаю, можно ли так сыграть, но вдруг можно?

— Послушай, — оживилась мать, — а что, если она и вправду талантливая актриса, а? Можно как бы невзначай показать ее знающим специалистам, такую встречу легко можно устроить, даже здесь, у меня. Один институт она бросила, ей там неинтересно, но если кто-то признает, что у нее есть талант или хотя бы способности, даст какие-то советы, подготовит к поступлению в театральный или во ВГИК, тогда Динка выбросит всю мистическую дурь из головы. Она ей не будет больше нужна, ведь в нашем менталитете актриса — существо и без всякой мистики выдающееся, необыкновенное. Тогда и патологии поведения не будет.

Аля тоже воодушевилась было предложением матери, но тут же сникла.

— Мамуль, ну какая из Динки актриса? Даже если у нее есть талант, то для домашнего, бытового употребления, для манипулирования семьей он годится, а для сцены и тем более для экрана — нет. У нее чудовищная внешность. И лицо некрасивое, и вся она какая-то корявая, нескладная, непропорциональная, негармоничная. Знаешь, я даже думаю, что возвышение над окружающими при помощи мистики решает для нее еще одну задачу: вы, мальчики, не обращаете на меня внимания, я вам неинтересна, так знайте, что мне неинтересны вы сами, потому что я живу в другом измерении, в другом мире, в котором другие интересы и другие законы. Как, мам, правдоподобно?

— Ты знаешь, Эленька, это куда более правдоподобно, чем твоя версия с манипулированием семьей. Может быть, эта вторая версия вообще единственно правильная. Может быть, ты все напридумывала про Динкино одиночество, а?

— Да нет, не напридумывала. Я много раз слышала от нее слова о том, что она теперь никому не нужна и у нее нет никаких настоящих родственников. Вериных родителей она в расчет не берет, как Вера порвала с ними много лет назад, так они как будто для всех умерли, в том числе и для Динки.

— Может быть, имеет смысл как-то связать девочку с родными со стороны матери? Пока Вера была с нами, никто из нас не лез в эту историю, в конце концов, это ее дело и ее решение. Но теперь, когда ее нет, возможно, отношения наладятся. А, Эленька, как ты думаешь?

И у Дины появятся настоящие кровные бабушка, дедушка... и кто там еще? Не помнишь?

— Вера предпочитала не говорить о своей семье, но, кажется, у нее там были брат и сестра, каждый со своими семьями.

— Вот видишь! — торжествующе воскликнула Ольга Васильевна. — Ты сможешь их разыскать? Надо найти их, поговорить с ними, потом с Диночкой, и я уверена, это будет хорошим решением проблемы.

Ах, если бы все было так просто! Аля была благодарна матери за советы и вообще за ее готовность вникать в проблему и обсуждать ее, но отчего-то казалось, что никакие специалисты по актерскому мастерству и вновь обретенные родственники делу не помогут. Чем больше Элеонора говорила о своей племяннице, тем сильнее крепло в ней убеждение в том, что девушка психически больна. А уж о том, что жить под одной крышей с психически больным не только страшно, но и опасно, Аля знала не понаслышке. Много лет назад, когда она была во втором браке, к ним приехали родственники мужа, супруги, привезшие в Москву психически больного сына для консультаций с медицинскими светилами. За тот месяц, что они прожили в одной квартире, Аля прощалась с жизнью не меньше десяти раз и примерно столько же раз с ужасом думала, что потеряет мужа. Юноша оказался буйным, причем в буйство впадал с непредсказуемой периодичностью, а в периоды просветления был тихим и даже вменяемым.

Боже мой, а вдруг Дина тоже в один прекрасный день схватится за нож или за что-нибудь тяжелое? Или все это глупости, и ничего этого нет, никакого сумасшествия, никакого безумия, никакой патологии? Просто ей, Але, кажется черт знает что, потому что очень уж ей не нравятся Динкины страшные глаза, когда та утверждает, что ее тетка пришла домой с черными мыслями и тяжелыми чувствами? Может, у девушки все в порядке, а вот у самой Элеоноры Николаевны рыльце в пушку?

И снова в груди забился маленький прохладный металлический шарик, грозя в считаные минуты разрастись в ледяную чугунную гирю, с треском разламывающую ребра.

— Что ты, Эленька?

Мать уже убирала со стола и внезапно остановилась прямо напротив дочери, пристально глядя на нее прищуренными глазами. Господи, неужели так заметно?

— Ничего, мам, все в порядке. За Динку переживаю.

— Надо не переживать попусту, а делать что-нибудь. Поговори с Андрюшей, все-таки это его дочь, хоть и не родная, но он ее вырастил. И обсудите то, что я предлагаю. Примите решение. Делайте что-нибудь, а не сидите сиднем, — строго произнесла Ольга Васильевна.

Да, мама вся в этом. За всю жизнь Элеонора ни разу не видела мать впавшей в депрессию или опустившей руки, разнюнившейся и погруженной в страдания. Она всегда что-то делала. Она всегда шла вперед. Аля вспомнила, как через полгода после смерти отца, восемь лет назад, Ольга Васильевна как-то в разговоре сказала:

— Ты не представляешь, какая я счастливая!

Алю это поразило и даже возмутило, и то был один из немногих случаев, когда она посмела упрекнуть мать:

— Как ты можешь так говорить, ведь папа умер совсем недавно! Как ты можешь быть счастливой! Ведь ты его так любила.

Ольга Васильевна улыбнулась легко и светло.

— Из двоих супругов почти всегда один уходит раньше, другой позже. Если бы первой ушла я, ты представляешь, что было бы с папой? Он бы с ума сошел от горя, он не смог бы жить один, страдал бы, горевал, опустился бы. Разве это хорошо? Мужчины хуже справляются с горем, мы, женщины, более крепкие в этом смысле. И я счастлива, что папе не пришлось пережить то, что переживаю сейчас я. Потому что я справлюсь. А он не справился бы.

Домой Аля ехала в третьем часу ночи. Она не смотрела через автомобильное стекло на ночной город, который так любила. Она думала о том, как бы ей научиться быть такой, как мать. Уметь видеть счастье даже в беде. Но какое счастье можно найти в том, что происходит с Диной? И какое счастье в том, что происходит с ней самой?

Глава 3

Как и у всех, ну, почти у всех девушек ее возраста, у Лили Стасовой была своя тайна. Девичьи тайны бывают маленькими, большими или страшными. Лилина тайна была вовсе и не страшной, а маленькой и даже немножко смешной, но она все равно была и выступала в роли далеко не последнего аргумента в момент напряженных раздумий на тему: быть ли напуганной убийством студентки с соседнего потока и сидеть дома или все-таки ходить в институт на занятия.

У тайны не было имени, но было условное название «Этот в костюме». Лиля была девушкой наблюдательной и давно уже заметила, что мужчины в хорошо сшитых и ладно сидящих костюмах встречаются в метро крайне редко, даже можно сказать, что и не встречаются вовсе. Они ездят на машинах. А те, которые в метро и троллейбусе, те все больше в джемперах и куртках, а если в костюмах, то в каких-то не таких. Этот же, ставший ее маленькой тайной, был не просто в костюме, а еще и в роскошном кашемировом пальто, расстегнутом и позволяющем обозреть не только шелковый шарф от

Кензо, но и ослепительную сорочку, и галстук от Версаче, и жилет. Конечно, о том, как сидит на его фигуре костюм-тройка, можно было только догадываться, но судя по идеально отглаженным брюкам, сверкающим ботинкам и безупречной стрижке, на таком мужчине костюм не мог сидеть плохо просто по определению.

Тайна появилась у Лили примерно неделю назад, когда она, ожидая поезда, впервые заметила мужчину в кашемировом пальто на платформе метро. Наверное, она не смогла скрыть свой заинтересованный взгляд, и мужчина его перехватил, потому что слегка улыбнулся. Ей стало неловко, она прошла дальше вдоль платформы и отвернулась, ругая себя за несдержанность. Лиле казалось, что она отошла от мужчины достаточно далеко, поэтому девушка страшно удивилась, когда села в поезд и через несколько секунд увидела его в том же вагоне. Он стоял неподалеку и читал какие-то бумаги.

На «Чистых Прудах» ей нужно было делать пересадку. Лиля стала протискиваться к выходу, и кто знает, сознательно или нет, но выбрала она именно ту дверь, путь к которой лежал мимо того мужчины. Когда она поравнялась с ним, он не оторвал глаз от своих бумаг, однако же в тот момент, когда двери открылись и пассажиры стали вываливаться из вагона, она быстро обернулась и поймала его взгляд и ту же едва заметную улыбку. Он все-таки посмотрел на нее. Или ей вслед?

Лилю охватило смущение, которое, впрочем, прошло уже минут через пять, а еще через пятнадцать она и думать забыла о красивом пассажире в дорогом пальто. А на следующее утро снова увидела его на платформе в метро. Она замедлила шаг и постаралась рассмотреть незнакомца как можно подробнее. Вот тогда и отметила она и отутюженные брюки, и сверкающие ботинки, и стрижку, и лицо, которое ей ужасно понравилось, и даже цвет глаз. Самый, надо сказать, обыкновенный цвет, серо-голубой, ничего выдающегося. Лиля снова прошла мимо него. А он снова улыбнулся ей и легонько кивнул, словно приветствовал старую знакомую. Девушка решила не выпендриваться и улыбнулась в ответ. И снова они ехали в одном вагоне, и он читал свои бумаги, а

Лиля — конспект по истории, и снова она обернулась при выходе на платформу, и снова поймала его улыбку и взгляд. Она приподняла руку и сделала едва заметное движение пальцами, мол, пока, до завтра. А он еще раз улыбнулся и кивнул.

Назавтра все повторилось. Они по-прежнему не разговаривали друг с другом, мужчина не делал ни малейшей попытки познакомиться с ней, но улыбался и кивал, а Лиля в ответ тоже улыбалась и махала пальчиками. И было в этом что-то невероятно волнующее и пронзительное, такое, от чего дух захватывало куда больше, чем от поцелуев с однокурсником, в которого Лиля влюбилась перед самым Новым годом, а через месяц остыла.

А потом случились выходные. Мужчина в пальто и костюме не выходил у Лили из головы, и больше всего на свете на протяжении двух суток ее интересовал вопрос, появится он в понедельник в метро или нет? Она была девушкой рассудительной и понимала, что такой мужчина не может ездить в метро всегда. Скорее всего, у него машина в ремонте, или водитель внезапно заболел, или ему по каким-то причинам нужно успеть доехать, минуя утренние пробки, а всем известно, что на метро получается куда быстрее. Или еще какие-то обстоятельства сложились таким образом, что он не ездит на машине. Но это временно, и весь вопрос в том, насколько долгим окажется этот «временный» период. Иными словами, сколько еще раз сможет Лиля пережить эти необыкновенные мгновения, позволяющие ей почувствовать себя героиней романтического кино и дающие почву для стыдливых, робких, а порой и отчаянно смелых мечтаний. Ну так, совсем чуть-чуть, пять минуточек перед сном. Она же взрослая рассудительная девушка, к тому же правильно воспитанная мамой и папой, и прекрасно понимает, что между ней, юной студенткой, и этим дорогим и очень деловым мужчиной, к тому же порядочно старше ее, не может быть ничего общего. Сколько ему лет? Наверное, тридцать пять или около того. И конечно же, есть жена и дети. Просто невозможно представить, чтобы у такого мужчины не было жены или хотя бы постоянной женщины. Он весь воплощенная серьезность и добропорядочность. Успешный бизнесмен и отличный семьянин. И своей случайной молоденькой попутчице он улыбается исключительно из вежливости, как это принято, например, в Европе: улыбаются всем подряд, а уж тем, кого однажды видел, — обязательно.

Самые худшие ожидания оправдались, в понедельник его не было. Лиля пропустила один поезд, потом второй, третий, надеясь, что он все-таки появится. Но он не появился, зато она опоздала на первую пару и получила нагоняй от куратора курса. Как назло, именно в тот день злыдня-кураторша стояла у дверей в лекционный зал и отлавливала опоздавших. Однако долго расстраиваться девушке не пришлось: в понедельник весь институт только и говорил об убийстве студентки с первого потока, Наташи Кузиной. И точно так же, как совсем недавно Лилин отец, все вспоминали громкое барнаульское дело и пересказывали друг другу, кто что помнил из газетных публикаций, додумывая на ходу и расцвечивая собственные воспоминания жуткими подробностями. В институт приехала милиция, кого-то то и дело вызывали с занятий, вероятно, искали тех, с кем так или иначе общалась погибшая девушка. О мужчине в пальто, или, как Лиля называла его про себя, об «этом в костюме», она на некоторое время позабыла, пытаясь решить, стоит ли рассказывать милиционерам об инциденте в кафе. С одной стороны, очень похоже, что тот псих и был убийцей, во всяком случае, вид у него был какой-то патологический. Но с другой стороны, никто ее не вызывает и не спрашивает... Может быть, оперативники уже и так знают достаточно, а она со своими добровольными показаниями вызовет у них только смех. И потом, кто-то из милиционеров может оказаться папиным знакомым, и тогда папа уже через пять минут будет знать о ее приключении и запретит ходить в институт и вообще выходить из дому. А как же «этот в костюме»? Может быть, тот факт, что его сегодня не было в метро, еще ни о чем не говорит, и завтра или через несколько дней он снова появится? А Лили не будет... И тогда он решит, что она больше не ездит в это время по этой ветке и он потерял ее навсегда. Может быть, он действительно всего один раз был вынужден поехать на метро, но, увидев девушку, стал ездить каждый день, чтобы встретиться с ней... Глупо, конечно, но чего в жизни не бывает. И если она долго не будет появляться, он тоже перестанет ездить. Фу, как в дешевом сериале! Лиля изо всех сил уговаривала себя не впадать в сопливый романтизм, опомниться и перестать мечтать о несбыточном. Так только в плохом кино бывает, чтобы красавец-миллионер случайно оказался в гуще простого народа и вдруг нашел среди толпы свою избранницу и начал предпринимать шаги, чтобы познакомиться с ней. В жизни так не бывает, это во-первых. И во-вторых, даже если и бывает, то уж она никак не тянет на долгожданную избранницу такого мужчины. И лицо не так чтобы очень, и фигурой не вышла. Во всяком случае, именно это ей всю жизнь внушала мама. Но те секунды безмолвного общения, обмена взглядами и улыбками были так томительно сладки, что отказаться от них невозможно...

За этими раздумьями день пролетел незаметно. На следующее утро, во вторник, шестого апреля, Лиля взяла себя в руки и, спускаясь по лестнице в метро на станции «Сокольники», твердо сказала себе, что, если «этого в костюме» снова не окажется на платформе, она не станет ждать ни одной минуты, не пропустит ни одного поезда, а поедет в институт. Не нужны ей ни опоздания, ни разборки с куратором курса. И «этот в костюме» ей тоже не нужен. Надо выбросить его из головы и забыть.

Сказано — сделано. Незнакомца на платформе, конечно же, не оказалось, и Лиля мужественно села в первый же поезд. И в тот момент, когда двери закрылись и вагон качнулся, собираясь набрать скорость и нырнуть в тоннель, она увидела, как «этот в костюме» быстро спускается по лестнице. Сердечко Лилино замерло, потом подпрыгнуло куда-то в горло, потом упало вниз, а щеки запылали. Значит, он не исчез, он по-прежнему ездит в метро! Ну почему, почему она такая дура, почему дала себе это идиотское слово не пропускать поезд?! И не просто дала, но еще и выполнила.

На всякий случай Лиля вышла на «Красносельской» с намерением сесть в следующий поезд, в котором наверняка будет ехать «этот в костюме». Народу, конечно, много, утреннее время, и вряд ли ей удастся увидеть, в каком он вагоне, но можно рассчитывать на то, что он сядет, как и в предыдущие дни, в четвертый вагон. Поезд подошел, Лиля вошла в вагон, но его не увидела. То ли он стоял так, что его заслонял кто-то из пассажиров, то ли сел в другой вагон. Девушку охватило отчаяние.

Следующая станция — «Комсомольская», три вокзала и пересадка на Кольцевую линию, много народу выйдет, но еще больше войдет, и тогда отыскать незнакомца не останется никаких шансов. После «Комсомольской» вагоны будут забиты битком. Одно дело точно знать, где стоит интересующий тебя человек, и совсем другое — искать его в час пик по всему составу. Затея бесперспективная и бессмысленная.

«А вдруг он вообще не едет в этом поезде? — мелькнула мысль. — Может, он, так же, как я вчера, стоит на платформе на «Сокольниках» и ждет меня?»

Но подобные глупости Лиля тут же в головке своей пресекла. Да, он мне нравится, с присущим ей хладнокровием констатировала девушка, но это совершенно не означает, что я нравлюсь ему и что он вообще обо мне помнит. Завтра она поступит умнее. Завтра у нее первая пара — семинар по немецкому, она сегодня подойдет на кафедру иностранных языков, разыщет преподавателя и договорится с ним. Либо он разрешит ей опоздать, либо вообще согласится, чтобы Лиля сдала тему в другое время, может быть, даже сегодня, она готова, язык она знает хорошо. В любом случае, она сегодня сделает все необходимое, чтобы завтра прийти чуть раньше и иметь возможность стоять на платформе до тех пор, пока не появится «этот в костюме».

Вот такая маленькая смешная тайна была у Лили Стасовой, и тайна эта никак не позволяла ей отсиживаться дома, пока милиционеры будут искать маньяка, убивающего студенток. Однако же Лиля была не только дочерью сотрудника милиции, пусть и бывшего, но и постоянно общалась с женой отца и их друзьями, которые почти сплошь были следователями или оперативниками, поэтому отдавала себе отчет в том, что ее недавняя история с неприятным типом в кафе может иметь отношение к чему-то более серьезному. Ведь случилась она всего за несколько часов до того, как была убита Наташа Кузина с первого потока, и в том же районе, и главное — тоже оказалась привязанной к ночному клубу. Конечно, связи никакой может и не быть, и тот псих хотел повести ее в какой-то другой клуб, и вовсе он не собирался никого убивать, он обыкновенный наркоман, который всего-навсего вознамерился «раскрутить на бабки» девицу, имеющую денежки. Может быть, и так. Но ведь может быть и не так. И нужно, наверное, все-таки рассказать об этом эпизоде следователю. Или не рассказывать? И как сделать так, чтобы папа не узнал и не запер ее дома? Тетя Настя Каменская сказала, что есть психи, которые убирают свидетелей. А тот тип из кафе видел, что она читает учебник, и вполне может догадаться, что Лиля учится где-то неподалеку. А неподалеку от кафе только один институт — ее. Она сама-то не боится, но папе ведь не объяснишь, прикажет сидеть дома, еще и охрану приставит, Лиля даже пикнуть не посмеет, ее воспитали в безусловном послушании родителям.

Уже заканчивалась третья пара — семинар по экономике, когда дверь аудитории распахнулась и вошла ненавистная кураторша в сопровождении двух мужчин. Лиля чуть не подпрыгнула: один из них был симпатичным стройным блондином в модной куртке, а другой — дядей Юрой Коротковым, папиным другом. Совсем недавно, пару месяцев назад, Лиля вместе с отцом и тетей Таней была на его свадьбе. Дядя Юра женился на Ирине Савенич, известной актрисе, про которую мама сказала, что это «девочка с большим потенциалом». И это мама, которая известна всему свету как самый язвительный кинокритик и от которой доброго слова не допросишься, во всяком случае, мало кому из актеров и режиссеров удавалось услышать из ее уст похвалу в свой адрес. Правда, мама тут же добавила, что Ирина совершает большую глупость, выходя замуж за милиционера, и собственная мамина жизнь, испорченная Лилиным отцом-оперативником, — яркий тому пример.

— Никто не расходится после звонка, — металлическим голосом начала вещать кураторша, — с вами хотят побеседовать сотрудники милиции по поводу убийства Кузиной. Все остаются на местах и отвечают на вопросы столько, сколько нужно.

Никто не возражал. Все-таки в аудитории сидели будущие юристы, они понимали, что дело серьезное. Старичок-доцент, проводивший семинарское занятие, засуетился, начал торопливо складывать в портфель свои бумажки и посеменил к двери. До звонка оставалось две минуты.

— Не буду вам мешать, — пробормотал он, обращаясь не то к кураторше, не то к милиционерам, — мы практически закончили.

Когда дверь за ним закрылась, Коротков выступил чуть вперед.

— Господа студенты! — начал он, откашлявшись. — Позвольте представиться. Меня зовут Юрием Викторовичем, фамилия моя Коротков, я работаю на Петровке в отделе по раскрытию убийств. Рядом со мной мой коллега Максим Иванович Заточный, он — старший оперуполномоченный из окружного управления внутренних дел. Все вы знаете о трагическом происшествии с вашей однокурсницей Наташей Кузиной. Она училась на другом потоке, и мы уже подробно поговорили со всеми, с кем она посещала лекции и семинары. Теперь нам нужно побеседовать с вами. Мы понимаем, что вы общались с ней меньше, может быть, многие из вас вообще не знали ее и даже не представляют, как она выглядит. Но тех, кто ее хоть немного знал, или видел в день убийства, или просто хотел бы что-то нам сообщить, я попрошу задержаться и ответить на наши вопросы. Есть среди вас такие?

Поднялось шесть или семь рук. Лиля тоже, поколебавшись, подняла руку. Наташу Кузину она не знала, но решила поговорить с Коротковым.

Впрочем, поговорить с симпатичным блондином по имени Максим Иванович она бы тоже не возражала. От отца и его друзей она частенько прежде слышала имя Ивана Алексеевича Заточного, и как-то в их разговоре мелькнула фраза о том, что его сын тоже работает в милиции. Скорее всего, этот блондин — его сын. Как бы угадать, с кем легче договориться, с дядей Юрой или с молодым Заточным?

Коротков медленно обвел глазами тех студентов, которые сидели с поднятыми руками, заметил Лилю, она поняла это по его чуть дрогнувшему лицу, но ничего не сказал.

— Спасибо. Все остальные могут быть свободны. Пока, — добавил он загадочное слово.

Полтора десятка студентов с шумом похватали портфели и сумки и покинули аудиторию. Семь человек остались.

— Ну что ж, — вздохнул Коротков, — начнем, помолясь. Работать будем так: я займу стол преподавателя, поставим сюда стульчик, один из вас сядет рядом со мной, и мы тихонько поговорим. Максим Иванович займет самый дальний стол, второй человек сядет к нему. Повторяю, разговариваем тихо и друг другу не мешаем. Остальные пятеро пока ждут и потом подходят к нам по очереди. Это может занять много времени, поэтому заранее приношу извинения. Пожалуйста, прошу вас, первые двое. Один человек ко мне, второй — к Максиму Ивановичу.

Лиля хотела было рвануть к симпатяге Заточному, потому что решила, что, во-первых, с молодым парнем договориться легче, он наверняка еще не забыл собственных проблем с родителями, а во-вторых, он слишком молод для того, чтобы папа знал его лично, поэтому опасность утечки информации к строгому родителю все-таки поменьше. Она уже встала и сделала шаг из-за стола, но ее опередила Светка Мигунова, обожавшая худощавых блондинов. Лиля решила подождать, но выглядела она как-то глупо, ведь встала уже, так что ж теперь, снова садиться? Она поймала приглашающий взгляд Короткова и нехотя двинулась в его сторону.

— Здравствуйте, дядя Юра.

— Привет, — улыбнулся он. — Я вообще-то знал, что ты здесь учишься, но не ожидал, что попаду именно в твою группу. Сейчас во всех группах работают наши сотрудники. Надо же, как мне повезло! Как дела-то у тебя?

— Все хорошо, дядя Юра. А у вас?

— Да спасибо, не жалуюсь. Ну, Елизавета Владиславовна, выкладывай, что знаешь.

— Дядя Юра, — она набрала в грудь побольше воздуха, — я могу вступить с вами в преступный сговор?

— Это в какой же?

— Я вам расскажу одну историю, которая может иметь отношение к делу, а может и не иметь. А вы за это не скажете папе.

— О чем не скажу? — не понял Коротков.

— Ни о чем. Ни о чем не скажете. Не скажете, что я к вам подходила. Что рассказывала эту историю. Вообще ничего. Можно так сделать?

— Слушай, — шепотом возмутился Коротков, — да ты никак торгуешься со мной?

Лиля округлила глаза и сделала невинное лицо.

— Да вы что, дядя Юра! Как можно? Я предлагаю товар. Вы или берете его, или нет. Если нет, я найду другого покупателя.

Коротков прищурился и посмотрел на нее с нескрываемым подозрением.

— Что-то больно знакомые слова ты произносишь. Где-то я их уже слышал.

— Ага, — подтвердила Лиля, — от тети Насти Каменской. Она часто так говорит. Я у нее научилась.

— Ты бы у тети Насти-то чему-нибудь хорошему поучилась, а не этой вот... торговле, с позволенья сказать, — строго прошипел он. — У тети Насти твоей масса достоинств, ты вот с них бы пример брала, а не с ее языка поганого. Мала еще со мной торговаться. Давай выкладывай.

— Нет, — твердо ответила она. — Пока не дадите слово, что папе не скажете, ничего выкладывать не буду.

— А куда ты денешься? — с любопытством спросил Коротков. — Я ведь теперь знаю, что у тебя есть для меня какие-то сведения, так куда ты от меня денешься?

— А я к Максиму Ивановичу пойду, — Лиля улыбнулась. — И с ним договорюсь.

— Ерунда. Он мне все расскажет.

— Не-а. Я так договорюсь, что он вам не расскажет.

— Лилька, запомни, ни одно честное слово, данное свидетелю, не перевешивает интересов дела. Особенно если это дело — поимка убийцы. Что бы ты ни наплела Заточному, как только мы выйдем из этой аудитории, я буду знать, что ты ему сказала. Поэтому не льсти себя глупыми надеждами. А если хочешь, чтобы я отнесся к твоей просьбе с пониманием, лучше объясни мне по-человечески, почему я не должен ничего говорить твоему отцу.

Лиля с горечью поняла, что все ее расчеты провалились. Ей-то казалось, что она сможет договориться, но то, что сказал дядя Юра, звучало так... взросло, что ли. Серьезно. «Ни одно честное слово, данное свидетелю, не перевешивает интересов дела». Ей это даже в голову не приходило. Почему-то представлялось, что все гораздо проще.

— Дядя Юра, вы же знаете папу. Он может запретить мне ходить в институт, пока преступника не поймают. А у меня личная жизнь. Понимаете?

— Понимаю, — очень серьезно кивнул Коротков. — И кто он? Сокурсник? Или на стороне нашла?

— Сокурсник, — соврала Лиля, не моргнув глазом, вовремя сообразив, что для встреч с сокурсником нужно посещать институт.

Она подробно поведала свою эпопею с настырным типом в кафе и поделилась своими соображениями и подозрениями. Коротков ничего не записывал, зато включил диктофон.

— Внешность запомнила? Сможешь описать?

— Запросто.

— Адрес кафе еще раз скажи, четко и чуть погромче. И перечисли приметы того парня как можно подробнее.

Лиля послушно повторила адрес и описала приставалу. Его лицо до сих пор стояло у нее перед глазами.

— Дядя Юра, — умоляюще произнесла она, когда диктофон выключили, — вы понимаете, что папа сделает, если узнает про эту историю? Он меня из дома не выпустит, я же могу быть свидетелем. А вдруг этот тип начнет меня искать?

— Так и в самом деле, а вдруг начнет? Лилька, я все понимаю насчет личной жизни, она у меня самого всегда была бурной, и я с уважением отношусь к чужим романам. Но к чужой безопасности я отношусь с еще большим уважением. Я, конечно, не трепло базарное, и отцу я ничего не скажу, раз уж ты так просишь. Но я бы тоже советовал тебе затаиться и рядом с институтом не мелькать. Любовь любовью, но жизнь — она, знаешь ли, как-то дороже.

— Дядя Юра, — пролепетала она, чувствуя, что сейчас расплачется.

Ничего не помогло, он все-таки расскажет папе и посоветует ему запереть дочь дома.

— Ну что «дядя Юра, дядя Юра»? Давай думать, как выходить из положения. То, что ты рассказала, может оказаться очень важным. И нужно позаботиться о твоей безопасности.

— Дядя Юра, я вам даю честное слово, что никуда от института дальше чем на десять метров не отойду. Из дома — сюда, отсюда — домой. Никаких кафе, никаких забегаловок. Я буду после занятий вызывать такси прямо к институту, и он не сможет меня выследить, даже если очень захочет.

— Такси — это хорошо. Но это не решение проблемы. А вдруг у него есть машина? Или он будет караулить тебя у выхода? Он ведь тоже может взять такси и сидеть в нем, пока ты не выйдешь. Поэтому было бы неплохо, если бы тебя твой парень провожал до самого дома. Прямо до квартиры. Ты сможешь с ним договориться?

— Смогу, — пообещала она, стараясь говорить как можно правдивее.

— И никаких случайных знакомств на улице, ты меня поняла?

— Конечно, дядя Юра. Я вообще на улице не знакомлюсь, вы же моего папу знаете, он меня с детства дрессировал.

— И никаких разговоров об этой истории. Ты, кстати, рассказывала кому-нибудь?

— Нет. Это же в пятницу вечером было, а в понедельник все узнали про Кузину, только про нее и говорили.

— Вот и ладно, вот и не рассказывай никому. И парню своему не говори. Даешь слово?

— Даю. А как же я ему объясню, почему меня надо провожать до самой квартиры? — Лиля решила играть до конца, хотя никакого парня на курсе у нее не было и объяснять она никому ничего не собиралась. Но хотелось быть достоверной.

— Да никак не объясняй. Просто скажи, что ты боишься, вот и все. У страха нет объяснений, он иррационален. Если по городу разгуливает маньяк, убивающий студенток, то нет ничего странного, если студентки боятся.

Из института Лиля ушла в тот день вполне успокоенной. Конечно, взрослым верить не особенно-то можно, особенно если это друзья родителей, девушка знала это по опыту. Обязательно «сдадут» при первом же удобном случае, ведь слово, данное ребенку, совершенно ничего не весит, а уж если сравнивать его с весомостью взрослой дружбы, то и вовсе говорить не о чем. Но, во-первых, дядя Юра, если и сдаст Лилю отцу, то сделает это, скорее всего, не сразу, и у нее есть в запасе хотя бы несколько дней, чтобы... Ну, короче, все понятно, зачем ей нужны эти несколько дней. И во-вторых, даже когда папа обо всем узнает, она сможет сослаться на Короткова, мол, он все знал и дал ей подробные инструкции, как себя вести, а в том, чтобы она сидела дома, никакой необходимости не видел. Вот так. Вы, родители с друзьями, считаете Лилю маленькой и глупенькой, ну и считайте себе на здоровье. А она все равно найдет способ сделать то, что ей хочется, не вступая в открытые конфликты и не отстаивая свои права с дурацкой демонстративностью.

Игра стоила свеч. В этом Лиля убедилась на следующий день, когда утром спустилась в метро. Незнакомец в распахнутом кашемировом пальто стоял на своем обычном месте. И ей даже показалось, что он смотрел на лестницу. Неужели ждал ее?

* * *

Запирая дверь и спускаясь по лестнице, Вера привычно порадовалась удаче, благодаря которой ей удалось купить эту квартиру. Если бы ее продавали предусмотрительные и расчетливые немцы, она стоила бы, пожалуй, раза в полтора дороже, а то и в два. Но продавали ее русские, у которых что-то не заладилось с бизнесом и срочно понадобились деньги, поэтому двухкомнатную квартирку в самом центре Баден-Бадена они выставили на продажу по просто-таки смехотворной цене. И опять же повезло, что Вера узнала об этом первой, от общих знакомых, быстренько подсуетилась и стала владелицей недвижимости, позволившей ей получить вид на жительство в Германии.

Выйдя на Леопольдплатц, Вера заглянула в газетный киоск, купила пару русскоязычных газет и направилась по Софиенштрассе в сторону бассейна, имевшего пышное название «Термы Каракаллы». Любителям плавания делать там было нечего, но Вера плавать и не любила, зато ей нравились термальные целебные воды, множество гидромассажных установок, бани и прочие водяные удовольствия. В бассейн она ходила три раза в неделю и непременно утром, прямо к открытию, пока народу совсем мало и есть свободные места на всех массажных устройствах.

На ресепшене она купила билет на пять часов пребывания, хотя сначала собиралась пробыть здесь всего три часа. Но когда она проснулась, за окном светило солнце, и Вера рассчитывала после бассейна погулять в свое удовольствие, подняться в гору, дойти до Розового сада, однако в восемь утра, когда она подходила к Термам, небо уже затянуло сизыми облаками, и стало понятно, что еще чуть-чуть — и пойдет дождь. Так что ну ее, прогулку эту, лучше в воде поплескаться да ароматным паром в банях подышать.

Девушка на ресепшене приветливо улыбнулась, постоянных посетителей здесь знали в лицо, и Вера улыбнулась ей в ответ. Настроение было превосходным. Она почти бегом поднялась по широкой лестнице, прошла через турникет, не забыв посмотреть на высветившееся на мониторе время, когда она должна покинуть бассейн: 13.08, ни минутой позже, иначе этот же самый турникет не выпустит ее обратно, пока она не заплатит дежурному за еще один час пребывания. Вера быстро разделась, натянула купальник и направилась в душ, а через десять минут она уже наслаждалась массажем в открытой части бассейна, лежа в теплой воде и подставив плечи и шею под мощную струю, бьющую из выложенной диким камнем стены. На лицо упали первые прохладные капли дождя, и она вдохнула полной грудью. Вот это она и любила больше всего: очень теплая вода, поднимающийся над ней пар, холодный воздух, которым так сладко дышать, и дождь.

Через два с лишним часа, пройдя все виды гидромассажа по нескольку раз, Вера взяла с лежака свое полотенце и поднялась по лестнице в бани. Сняла мокрый купальник, аккуратно сложила на полочку специального стеклянного стеллажа, обмоталась полотенцем и не спеша отправилась в витаминный бар. Взяла стакан травяного чая и собралась было сесть на шезлонг у окошка, когда чья-то рука осторожно прикоснулась к ее плечу.

— Ты меня избегаешь, или мне показалось?

На мгновение Вера испытала некое сложное чувство, состоящее в равных долях из неудовольствия, удовлетворения и испуга. Не выдержал все-таки, примчался! Задергался. Просто так? Или что-то заподозрил?

Или увидел то, чего не должен был видеть?

Но мгновение — оно и есть мгновение, и длится оно не час и даже не минуту, а куда меньше. И когда она обернулась к стоящему за спиной мужчине, впечатление было такое, что обернулась она сразу и никакого такого мгновения и не было.

— Валера! Ты меня напугал. Зачем ты приехал? Мы же не договаривались.

— Поэтому и приехал. Ты давно не звонила. Я соскучился.

Он наклонил голову с явным намерением поцеловать Веру, она послушно подставила губы и даже изобразила движение навстречу ему, словно хотела прижаться к его груди. Но не прижалась. Сразу после поцелуя поднесла стакан к губам и начала небольшими глоточками пить чай.

— Давай присядем за столик, — предложила она. — Ну, как ты, милый? Как у тебя дела?

— Это я должен спросить, как у тебя дела, — мягко возразил Валерий. — От тебя что-то ничего не слышно. Неужели до сих пор не нашла?

— Мне что-то не везет, — со вздохом пожаловалась Вера. — Наверное, полоса везенья закончилась.

В общем-то она была на сто процентов уверена в своих актерских способностях и в умении обмануть кого угодно и по любому поводу, но на всякий случай ловко спрятала глаза, отпивая чай. С Валерием Воркулем расслабляться не стоит, вся история их отношений показывала, что с ним Вере никогда не удавалось справиться так же легко, как со всеми прочими мужчинами в ее жизни, а было их ой как немало. Может быть, дело в том, что он не такой, как все, а может быть, в том, что его единственного она действительно любила. Когда-то. Много лет назад. Сейчас-то уже не любит. Но ведь любила же... И он уверен, что Вера любит его до сих пор.

— Ну ничего, — Валерий ободряюще улыбнулся, — уже апрель, вот-вот начнется сезон, народу прибавится. Но это неправильно, что ты пропадаешь, не звонишь мне, Веруня. Неудачи — не повод для молчания. Неудачи у каждого бывают, но мы же с тобой вместе. И должны быть вместе. И будем вместе.

— Да, конечно. — Она рассеянно обвела глазами помещение, на секунду задержала взгляд на молодой женщине, расстилающей полотенце на лежаке, и с удовлетворением отметила, что у той, несмотря на возраст, уже отвисает животик и грудь потеряла упругость. Нет, никаких комплексов в этих Термах у Веры никогда не возникало, особенно в банях, где все голые. Это на улице и в модной одежде женщина может выглядеть так, как ей хочется, а здесь вся правда на виду. И правда эта такова, что по-настоящему хороших тел не так уж много, что у мужиков, что у баб. Даже у молодых. Откроешь модный журнал, и сразу появляется ощущение, что весь мир состоит исключительно из красивых людей, и ты на их фоне выглядишь не то уродцем, не то непонятно кем, а придешь сюда, в бани, где ничто от глаз не скрыто, ни вислые животы и груди, ни дряблые руки, ни целлюлитные бедра, ни некрасивая форма ягодиц, и понимаешь, что «одетой» красоты в этом мире навалом, а вот натуральной — наищешься.

Так что Вера со своими аппетитными округлыми формами отнюдь не хуже других смотрится в свои сорок-то лет, а то и получше многих.

— И все-таки это неправильно, что ты здесь появился, — сказала она. — Это очень неосторожно. Нас не должны видеть вместе.

— Да глупости, солнышко, нас здесь никто и не увидит, — возразил Воркуль. — Мы же голые. И это бани. Здесь никто ни на кого не смотрит, никто никого не разглядывает, это не принято. Я потому и приехал именно сюда, а не к тебе домой, я же знаю, что ты бываешь в Термах три раза в неделю по утрам. Здесь абсолютно безопасно, поверь мне.

— Все равно ты не должен был приезжать без звонка, — упрямо повторила Вера. — Мало ли что... А вдруг я здесь... ну, не одна.

— А с кем? — удивился Валерий. — С этим твоим, как его... Ну, с этим, что ли?

— Да хотя бы и с ним, — сердито ответила она. — Мне совершенно не нужно, чтобы он ревновал.

— Не понимаю, чего ты за него цепляешься? Нашла сокровище.

— Не тебе судить, милый. Он по крайней мере рядом со мной всегда, когда мне нужно, а ты далеко, ты вообще в другой стране. Я же без языка здесь пропаду, ни один вопрос не решу. Знаю двадцать слов, но этого хватает только на то, чтобы делать покупки, да и то не все, а лишь самые простые.

— По-моему, проще выучить уже наконец немецкий, чем терпеть около себя всякую шваль. Тебе не приходило в голову, что я тоже могу ревновать?

— Ты умный, миленький, — Вера ласково улыбнулась, — для тебя выучить язык не проблема. А я глупая, мне языки не даются. Не сердись на меня. И потом, я знаю, ты не ревнив.

Она поставила на столик пустой стакан.

— Ну что, пойдем попаримся, раз уж я здесь? — предложил Валерий.

— Иди один. Не надо нам вместе...

— Вера, но я же объяснял тебе! — Он начал раздражаться.

— Я слышала. Но есть и другие соображения.

— Какие?

— Я работаю. Я делаю то, что должна. Ты ведь никогда не интересовался, как я это делаю.

— Так ты, что... здесь, что ли? — изумился он.

— И здесь тоже. А как ты думал, милый? Наш с тобой контингент обязательно приходит сюда, потому что сюда рано или поздно приходят все. Иногда они приходят в одиночестве, и тогда для меня это бессмысленно. Но иногда они приходят по двое, по трое, компаниями. И разговаривают. А у меня есть уши, и я слушаю. И если слышу то, что мне интересно, беру этого человека в работу.

Воркуль посмотрел на нее не то изучающе, не то с уважением, Вера толком не поняла. Ей никогда не удавалось правильно прочитывать его взгляды.

— Я думал почему-то, что ты только в казино...

Ну конечно, он думал. Он вообще ни о чем не думал, пока у Веры все получалось с завидной регулярностью. Примерно раз в два месяца ей удавалось найти то, что нужно, и Воркуля все устраивало. Раз в два месяца он получал деньги и был доволен и счастлив. А теперь вот уже пятый месяц пошел — и ничего. То есть это он так думает, что ничего. Вот и пусть думает, пусть считает, что у Веры наступила черная полоса. Не нужно ему знать правду. Если Вера до прошлой осени еще в чем-то сомневалась, то после поездки в Страсбург — всего сорок пять минут езды на машине от Баден-Бадена — все сомнения отпали. Теперь она будет играть по своим правилам.

Она протянула руку, погладила Воркуля по запястью.

— Иди, милый. И не подходи ко мне больше, хорошо? И не приезжай сюда, пока я сама не позову. У меня здесь налаженная жизнь, и если мой друг меня бросит, мне придется трудно. Женщина при мужчине — это одно, а одинокая женщина — это совсем другое. Это неправильное явление, которое вызывает пристальное внимание и всяческие пересуды. Русская диаспора здесь большая, и все друг друга знают.

— Но в гостиницу ко мне ты придешь? Я снял номер здесь неподалеку, прямо рядом с чешским рестораном.

— Валера, не искушай меня, — она улыбнулась печально и многозначительно. — Я тоже соскучилась по тебе, но дело есть дело. Иди попарься как следует, потом отдохни у себя в гостинице и уезжай.

— Вер, я люблю тебя...

— Я тоже тебя люблю. — Она мысленно поморщилась от фальши этих слов, потому что не только она его больше не любила, но и он ее тоже, и Вера об этом прекрасно знала. — Но все равно надо сделать так, как я говорю. Так будет лучше. Мы с тобой не в России, и наше русское «авось» здесь не срабатывает. Нам надо быть осторожными и предусмотрительными. Иди, милый.

Валерий поднялся вроде бы неохотно, но теперь Вера знала, что не может доверять собственным впечатлениям. Он актер ничуть не хуже ее самой. Высокий, все еще стройный, широкоплечий, хотя талия уже начала расплываться, да и брюшко наметилось. И волосы на груди седеют. Боже мой, как она его любила! Когда-то... А теперь что? Теперь он стоит перед ней почти совсем обнаженный, только полотенце вокруг бедер, а она ничего не чувствует, кроме брезгливого раздражения. Было время, когда такая картина не оставила бы ее равнодушной, но все ушло, все растворилось и превратилось даже не в свою противоположность, а в какую-то грязную вонючую лужу, в которую не то что босиком — в сапогах ступить противно. Мужчина, которого она так самозабвенно любила, уходил, а Вера с сожалением думала о том, что из пяти часов, которые она отвела себе на термально-банные удовольствия, полчаса оказались безвозвратно потерянными. Какая проза!

* * *

Восьмого апреля, в четверг, Настя Каменская вновь явилась на кафедру криминологии к своему научному руководителю профессору Городничему. Все произошло в точности так, как предсказывал Чистяков, и первый вариант обоснования темы диссертации и рабочей программы был разгромлен профессором в пух и прах. Особенно сурово бранил он Настю за то, что она неправильно определила цели и задачи исследования, его предмет и объект. Она молча терпела, сжавшись в комочек и сцепив пальцы, потому что насчет предмета и объекта все понимала, более того, дома, после нескольких часов мучений, сформулировала их совершенно по-другому, не так, как было написано в том варианте, что лежал сейчас перед Городничим. Сперва Лешка прочел ей краткую лекцию о том, чем отличается предмет исследования от объекта, а цели — от задач.

— Объект, Асенька, это круг изучаемых явлений, — говорил он, — а предмет — это связи и зависимости. Вот, к примеру, тема: «Влияние приливов и отливов в Черном море на рождаемость мышей». Объектом исследований будут приливы, отливы и численность популяции грызунов, а предметом — то, как состояние одних объектов зависит от состояния других.

Если переводить на понятный тебе язык математики, то объект — это значение показателя, а предмет —

функция. Цель исследования — это конечный результат, задачи — это этапы, по которым ты движешься к цели, как по ступеням, поэтому задачи должны быть логически последовательны и необходимы для достижения цели. Именно необходимы, то есть лишних задач, которые либо не ведут к цели, либо дублируют другие задачи, быть не должно. Изящество научной работы состоит в том числе и в ее лаконичности, в ней не должно быть ненужного груза.

Настя сначала веселилась, потому что Черное море и мыши — это смешно, потом стала предлагать варианты формулировок, пока не пришла к таким определениям, которые устроили требовательного и поднаторевшего в научной работе Чистякова.

— Все это замечательно, — констатировал он, прочтя обоснование и рабочую программу, — но для первого раза не пойдет.

— Как это — не пойдет? — возмутилась Настя. — Ты же сказал, что замечательно.

— То, что замечательно, годится только для третьего раза, в самом крайнем случае — для второго. Для первого раза это не пойдет, я ведь объяснял тебе, что и как. Ты хочешь выстроить нормальные отношения с научным руководителем?

— Хочу, — послушно кивнула Настя. — Только я не хочу по аптекам и дачам ездить, я хочу диссертацию написать и защитить.

— Ну, насчет аптек и дач — тут я тебе ничем не могу помочь, это уж от тебя самой зависит, как ты себя подашь. А если хочешь нормально обсудиться на кафедре и выйти на защиту, не строй из себя слишком умную. Перепиши цели, задачи, предмет и объект, чтобы твоему профессору было за что тебя покритиковать, а когда он начнет тыкать тебя носом в твои ошибки, кивай, благодари и кланяйся, задавай вопросы, выслушивай его объяснения и обещай все исправить. А уж во второй раз принесешь ему вот это, — Алексей потряс листками, которые держал в руке. — Хотя лучше бы, конечно, не во второй раз, а в третий, но ты у меня девушка нежная, двух сеансов несправедливой критики, пожалуй, не выдержишь.

И вот теперь Настя сидела в кабинете Городничего и покорно слушала его нелицеприятные высказывания в адрес подготовленных ею документов. Поразительно, но Лешка предугадал не только развитие событий, но даже отдельные фразы и словесные обороты. Неужели научное сообщество до такой степени однородно? Ведь у Лешки окружение — математики, технари, а здесь — криминология, юриспруденция, одним словом, сплошная гуманитарщина. Чудеса какие-то! Ей было одновременно противно, немного обидно и очень смешно. Но улыбаться нельзя, надо быть серьезной и внимательной.

Аудиенция закончилась быстро, вероятно, профессор куда-то торопился. Следующий вариант обоснования и рабочей программы он велел принести в понедельник, потом посмотрел расписание, обнаружил, что в понедельник у него занятий нет и, стало быть, приходить на кафедру с утра не нужно, и назначил встречу на вторую половину дня. Время уходило, и Насте было жаль терять его на такие глупости. Она чуть было не сказала, что может все исправить уже к завтрашнему дню, но вовремя остановилась. Лешка этого не одобрит, а его надо слушаться, потому как он лучше понимает, как себя вести, чтобы нормально защититься. В конце концов, если она уверена в своей правоте, то что ей мешает начинать собирать материал, не дожидаясь, пока профессор одобрит формулировки?

Выйдя из помещения кафедры, Настя брела по длинным коридорам, стараясь на этот раз запомнить ориентиры, чтобы не плутать, как в прошлый раз. Откуда-то потянуло табачным дымом, и ей вдруг страшно захотелось закурить. Она пошла на запах, надеясь найти место для курения. Вот оно, на лестничной площадке, и табличка висит, и урна строит, а рядом с урной — невысокий пожилой мужчина в ладно сидящей форме с погонами полковника милиции. Он стоял спиной к Насте, но что-то в его фигуре и в посадке головы показалось ей давно знакомым. Особенно хорошо знакомой была «беломорина», зажатая в коричневых от никотина пальцах. Неужели?..

— Назар Захарович, — негромко окликнула она.

Мужчина повернулся, и Настя радостно кинулась к нему.

— Назар Захарович! Ой, как я рада! Вы меня помните?

— Настюха! Дочка! — задребезжал полковник Бычков своим неповторимым скрипучим голоском. — Это ж сколько лет я тебя не видел?

— Десять, — мгновенно ответила она. — Как с Петровки ушли, так мы с вами больше и не виделись. А вы теперь здесь?

— Угу, доцентом прикидываюсь, на кафедре оперативно-розыскной деятельности. А ты? Тоже сюда перебралась?

— Нет, я по-прежнему в конторе. А здесь в заочной адъюнктуре.

— У криминалистов?

— У криминологов.

— А чего так? — удивился Бычков. — Ты же розыскник, тебе самое место или на криминалистике, или у нас, на ОРД. Чего тебя на криминологию-то потянуло? Криминология — это для тех, кто пороху не нюхал и землю ногами не топтал, но ты-то не такая.

— Ой, Назар Захарович, долго рассказывать, — махнула рукой Настя. — У вас, наверное, времени нет меня слушать.

— Есть, — рассмеялся Назар Захарович, — вот чего-чего, а времени у меня навалом. Сама-то не торопишься?

— Я в отпуске.

— Тогда пойдем ко мне в кабинет, чайку попьем, ты мне все и расскажешь.

Кабинет у Бычкова был крохотным, но казался еще меньше, чем был на самом деле, из-за тесноты. Как на таком маленьком пространстве умещались два письменных стола, понять было невозможно, еще труднее было представить себе, как между столами и стеной может втиснуться человек, а ведь человек, судя по тому, что каждый стол имел еще и стул, все-таки здесь предполагался. И даже не один, а целых двое.

— Я сейчас здесь один, — приговаривал Назар Захарович, с немыслимой ловкостью протискиваясь за один из столов, — коллега уволился, на его место пока никого не взяли. Так что усаживайся за свободный стол, никто нам с тобой не помешает.

Он включил стоящий на подоконнике чайник и загремел чашками и блюдцами, доставая их из нижнего ящика стола.

— Слыхала, какие разговоры ходят? Якобы нас всех собираются разаттестовывать, а все учебные заведения отдадут Министерству образования. Так что ты подумай, дочка, может, не стоит тебе заводиться с диссертацией, только время зря потратишь, а погоны все одно не сохранишь, если придешь на преподавательскую работу, — сказал Бычков, выслушав первую часть Настиной баллады о том, почему она поступила в адъюнктуру. — Я бы на твоем месте подумал о том, как уйти на повышение.

— Я не хочу на повышение, Назар Захарович. Пока я ловлю преступников, я в играх не участвую, потому что моя работа — это работа на результат, на поимку конкретного человека, и если я даю результат, то больше никто с меня ничего потребовать не может. Как только я уйду хотя бы на ступень выше, начнутся аппаратные игры, я буду просто обязана в них участвовать. А я этого не хочу. Я не игрок. Да и не возьмет меня никто, именно потому, что я не игрок.

— А здесь, ты думаешь, что? Другое что-то? — он презрительно сморщил нос. — Те же игрища. Народ пачками увольняется, никто работать не хочет за такую зарплату, если не дают возможности подработать. У нормального начальника кафедры все преподаватели подрабатывают в коммерческих вузах, и он смотрит на это сквозь пальцы, не требует, чтобы они каждый день тут высиживали с девяти до шести. Так нормальных-то раз-два и обчелся. А остальные? Есть приказ начальника нашей академии: если носишь погоны, будь любезен нести службу ежедневно с девяти до восемнадцати независимо от того, есть у тебя занятия по расписанию или нет. И никакой возможности для подработок. Кому такое понравится? Вот и уходят. А когда на кафедре только половина — живые люди, а другая половина — вакансии, что прикажешь делать? Слушателей-то набрали, потоки и группы сформировали, а занятия вести некому. Получается повышенная нагрузка, идет грызня, кому за кого сколько часов отрабатывать, а зарплату-то не прибавляют, хоть ты в пяти группах занятия ведешь, хоть в десяти. Ну и дальше одно на другое накладывается, научную работу вести некому и некогда, потому что занятий выше головы, а с кафедры требуют научные выходы, и все стараются друг на друга перепихнуть... Короче, не мед у нас тут, дочка, далеко не мед. Так что ты подумай как следует. Особенно если это правда насчет того, что погоны могут снять.

— Но ученая степень ведь не помешает, правда? — разочарованно спросила Настя.

— Это нет, — твердо ответил Бычков. — Степень никогда не помешает. Только ты на нее особо не надейся в смысле продолжения службы. А в смысле продолжения карьеры — вещь очень даже полезная. Чего ты на погонах-то зациклилась? Да сними ты их, плюнь, разотри и живи дальше!

— Но вы же не снимаете, — заметила она.

— Я! Я — мужик, то есть бывший мальчик, понимать должна. Для меня погоны — элемент офицерства, а все, что связано с военной службой и войной, у мальчиков в крови. Это генетическое, ничем не вытравишь. А ты-то девочка!

— Я, Назар Захарович, конечно, бывшая девочка, — усмехнулась Настя, — но я за двадцать один год прошла весь путь от лейтенанта до подполковника, и каждое свое звание получала честно. Генералом я стать никогда не хотела, таких амбиций у меня не было, но дослужиться до полковника хочется. По-моему, это естественно: когда так долго служишь, хочется пройти весь путь до конца, до последнего возможного звания и до максимально возможного возраста. Разве нет?

— Наверное, — пожал плечами Бычков. — Я уж не знаю, как там у вас, у девочек, в голове устроено... Кстати, есть еще один слушок, насчет нового положения о прохождении службы. Может статься, сроки службы увеличат, и подполковники будут служить подольше, чем сейчас. Ты не думай, я не отговариваю тебя диссертацию писать, просто я тебя по старой памяти люблю, потому что помню еще сопливой девчонкой, которую Гордеев из райотдела на Петровку перетащил, поэтому хочу, чтобы у тебя было меньше разочарований. Министра у нас официально пока еще нет, и точно никто не может сказать, назначат ли того, кто сейчас исполняет обязанности, или другого кого поставят. И вообще состав правительства пока не утвержден, поэтому какая будет политика в отношении органов внутренних дел и наших учебных заведений, неизвестно. Завтра все может коренным образом перемениться. И ты должна быть к этому готова. Да не вешай ты нос, — засмеялся он, видя, как у Насти вытянулось лицо, — кандидат наук — он и в Африке кандидат, диплом лишним не будет. И вообще, не относись так серьезно к тому, что я говорю, ты же знаешь, я постращать люблю. Расскажи-ка мне лучше, что за тему ты себе придумала.

Насте пришлось пропеть вторую часть своей баллады. Назар Захарович слушал очень внимательно, ни разу не перебил ее, только кивал, но ей показалось, что кивал он одобрительно.

— Преступление — это зеркало ума и души преступника, — повторил он вслед за Настей, когда та замолчала. — Это ты верно подметила. Точнее будет сказать, что в каждом преступлении как в зеркале отражается личность преступника, и если отражения получаются разными, то у нас есть основания утверждать, что и объекты в этих зеркалах отражаются разные. Тут я с тобой полностью согласен. Ну, а материал как будешь собирать?

— Дела изучать, — Настя пожала плечами. — Анкету разработаю, буду заполнять на каждое изученное дело. Потом сравню параметры раскрытых и нераскрытых убийств. По преступлениям, где убийца установлен, проведу анализ характеристик его личности и попытаюсь связать их с особенностями преступления. А по преступлениям, где убийца не установлен, проделаю обратную работу, по особенностям преступления попытаюсь восстановить характеристики личности. И посмотрю, что получится.

— И уверена, что пойманные и непойманные убийцы окажутся совершенно разными?

— Абсолютно уверена.

— М-да, — протянул Бычков, — это хорошо.

Непонятно было, что именно хорошо, то, что Настя уверена, или то, что убийцы окажутся разными.

— А монографические исследования не планируешь? — спросил он.

— Хотелось бы, — вздохнула она, — но не знаю, получится ли. Допустим, психолога, который будет со мной ходить и разговаривать с людьми, я найду. Володю Ларцева помните, из нашего отдела?

— Это которого комиссовали по ранению? Помню, конечно.

— Он мне поможет, я с ним уже говорила. Но будут ли люди со мной разговаривать? Вот вопрос. Для родственников убийцы я — враг номер один, потому что я милиционер, то есть из рядов тех, кто отправил его срок мотать. Для родственников жертвы я враг хотя бы потому, что заставляю их вспоминать о горе. А уж если убийство осталось нераскрытым, то я тем более враг, потому что из рядов тех, кто не сумел поймать убийцу, и их горе осталось неотомщенным. И те и другие вряд ли с радостью пойдут на контакт со мной.

— Это верно, тут надо искать связи, знакомства, чтобы за тебя походатайствовали, попросили с тобой встретиться, иначе даже если они и будут разговаривать, то правды все равно не скажут. Особенно про потерпевших. Про покойников плохо говорить не принято, так что все жертвы у тебя окажутся одной краской выкрашены. Ты, наверное, не знаешь, но я ведь и сам... Короче, мою жену убили. Не знала?

— Нет, — растерялась Настя. — Я не знала. Давно?

— Кому как. Шесть лет назад. Да ты не бойся, я уже пережил это, могу спокойно говорить. Но если бы ты ко мне с расспросами пришла, я бы тебе тоже правды не сказал, хоть и знаю тебя много лет, и интерес твой понимаю. А все равно я бы тебе про нее только хорошее рассказывал. А кстати, — оживился внезапно Назар Захарович, — я, пожалуй, смогу тебе в одном случае помочь. У меня сын — врач, хирург, так вот пару лет назад в больнице, где он работал, убили медсестру из его отделения. Сейчас-то он в частной клинике людей режет, а тогда еще в горбольнице врачевал. Юрка, сын мой, хорошо убитую девушку знал, он сам может тебе многое про нее рассказать и с другими врачами и сестрами поговорит, чтобы они согласились с тобой побеседовать. Я думаю, он и с родителями ее сможет договориться, он с ними был знаком. Это ведь дело такое, дочка, главное — начать. Если все пройдет успешно и ты этих людей к себе расположишь, то дальше цепочка потянется. Знаешь ведь, как бывает? Ты, допустим, с врачом про эту медсестру разговариваешь, объясняешь, зачем тебе это нужно, а он говорит, что у него есть знакомый, у которого брата убили, или друга, или соседа. Главное, чтобы ты приходила не с улицы и не из милиции, а по рекомендации, тогда и отношение совсем другое.

— Спасибо, Назар Захарович, — от души поблагодарила Настя. — Я бы начала как можно быстрее, у меня отпуск всего два с половиной месяца, хотелось бы успеть побольше.

— Так я прямо сейчас Юрке позвоню. — Бычков потянулся к телефону.

Пока он звонил сыну, объяснял ему суть дела и излагал свою просьбу, Настя открыла лежащий на «ничейном» столе журнал «Милиция» и уткнулась в статью о передовых методах организации работы экспертно-криминалистических отделов. Статья была написана скучно, но фактура оказалась интересной.

— Слышь, дочка, — оторвал ее от статьи голос полковника, — если хочешь, Юрка с тобой готов прямо сегодня поговорить, он через час будет дома. Поедешь?

— Поеду.

— Она приедет, — сообщил Назар Захарович в трубку, — адрес я ей дам. А ты подумай пока, к кому из твоих бывших коллег ее можно направить. Ага, лады.

Он написал на бумажке адрес сына и подробно объяснил, где это находится и как проехать.

— Держи, — он протянул Насте сложенный пополам листок, — не потеряй. И вот еще что, дочка... Ты забыла, как раньше, когда я тебя уму-разуму учил, ты называла меня дядей Назаром?

— Помню, — улыбнулась Настя.

— А сейчас что же? Назар Захарович да Назар Захарович. А я ведь еще тогда предупреждал тебя, что терпеть этого не могу и что ты для меня на всю оставшуюся жизнь будешь дочкой, а я для тебя дядей Назаром. Забыла?

— Да нет, я помню, но мне неловко как-то. Тогда мне двадцать пять лет было, а сейчас почти сорок четыре.

— А мне плевать, ловко тебе или нет. Я живу так, как привык. И либо я буду тебе дядей Назаром, либо разговора не получится.

— Хорошо, дядя Назар, — рассмеялась Настя, — как скажете.

— Вот так и скажу, — сердито проворчал Бычков. — И еще у меня к тебе просьба будет. Деликатная. Ты, когда с Юркой моим разговаривать будешь... Одним словом, я случайно узнал, что та медсестра, которую убили, была ему... ну, невестой, что ли. Теперь ведь такие отношения, что не поймешь ни черта, не то невеста, не то гражданская жена, не то временная подружка. Короче, между ними что-то серьезное было. Но это я узнал уже потом и от других людей. А Юрка мне ни словом об этом не обмолвился. Просто сказал однажды, что в отделении переполох, одна из сестер не вышла на работу и вообще никто не знает, где она, а спустя несколько дней, когда позвонил мне, сказал, что ее убили. Мы ведь давно уже живем отдельно, общаемся только по телефону, да и то не каждый день. Вот я и не пойму, почему он мне не сказал, что убили не просто медсестру в его отделении, а его девушку. Неужели не переживал ни капельки? Ведь я даже по голосу его не почувствовал, что у него горе. Или он не горевал? Тогда почему? В общем, я спрашивать не стал, подумал, что не надо мне в это лезть, он взрослый мужчина, живет отдельно, у него своя жизнь, и если он не счел нужным меня во что-то посвятить, то это его право. Но осадок остался. И знать хочется.

— Я понимаю, — тихо сказала Настя. — А убийцу-то нашли?

— Насколько я знаю, нет, — медленно ответил Назар Захарович, не глядя на нее. — Ты, дочка, сейчас ничего не говори, все самое плохое я уже и так подумать успел. Ты просто узнай все, что можешь.

* * *

Назар Захарович Бычков был одним из первых Настиных учителей в розыскном деле, он вместе с Колобком-Гордеевым натаскивал ее, обучал мастерству, помогал анализировать ошибки и давал советы. И Настя искренне радовалась, что в академии нашелся человек, которого снова можно сделать своим учителем, спрашивать у него совета и просто плакаться в жилетку. Она давно уже не работала вместе с Бычковым, но никогда не забывала ни его самого, ни его уроки.

А вот встреча с сыном Бычкова, Юрием, ее озадачила. Он спокойно и добросовестно рассказывал ей о медсестре Танечке Шустовой, о ее характере, привычках, о том, какие мужчины ей нравились и каких подруг она выбирала, как относилась к работе, к коллегам и к больным, но не произнес ни одного слова, из которого можно было бы сделать вывод, что с Танечкой его связывало нечто большее, чем просто работа в одном хирургическом отделении. Может быть, Бычкову дали недостоверную информацию?

Пересказали какую-то сплетню, не имеющую ничего общего с действительностью, или просто ошиблись, или он что-то не так понял. Впрочем, если насчет Юрия и Танечки сведения верные, то узнать это совсем несложно, достаточно всего лишь взять в архиве дело и посмотреть, а можно и еще проще: поговорить с другими врачами и сестрами той больницы, наверняка кто-то что-то знает. Но если о связи доктора Бычкова и медсестры Шустовой знали хотя бы несколько человек, то какой смысл делать из этого секрет? Тем более теперь, когда прошло больше двух лет. И тем более скрывать это от отца.

Спрашивать Юрия в лоб Настя не решилась. Юрий при ней позвонил по нескольким телефонам и договорился со своими бывшими коллегами по отделению, которые согласились встретиться с Настей. Было еще не поздно, всего семь вечера, и доктор Аверина, жившая в том же районе, что и Настя, выразила готовность уделить Каменской немного времени. Она хорошо помнила погибшую медсестру.

Нина Семеновна Аверина оказалась высокой полной дамой с громоподобным голосом, выпуклыми глазами и торчащими во все стороны седеющими космами. Эдакая раскормленная Баба-яга, из которой энергия просто бьет ключом.

— Ужасная история, просто ужасная, — приговаривала она, усаживая Настю в маленькой, заставленной мебелью, но очень уютной комнате. — Юрий Назарович объяснил мне в общих чертах, что вас интересует, поэтому я не буду вам говорить, какая Таня была чудесная и как ее все любили. Это неправда. Она была очень сложным человеком, и в отделении ее не любили. Она со всеми конфликтовала. Но в том, что касалось больных, никаких претензий. Ни малейших! Блестящий профессионал, и больных жалела, и их родственников. А вот к коллегам была совершенно безжалостна, не прощала небрежности, промахов и ошибок, ни на что не закрывала глаза и из-за каждой мелочи поднимала скандал. Только один Юрий Назарович и мог с ней мириться.

— У них что, был роман? — осторожно спросила Настя.

— Ну разумеется. — Нина Семеновна пожала пышными плечами. — Об этом все знали. По-моему, они даже жили вместе. А что, Юрий Назарович вам этого не говорил?

— Нет.

— Странно, — покачала головой Аверина. — Чего тут скрывать? Он был не из тех врачей, которые стесняются связи с сестрами. И потом, у них все было серьезно, он даже был представлен Таниным родителям.

— Это точно? Вы не путаете?

— Да нет, что тут путать-то? Я хорошо помню, как однажды он с утра жаловался на головную боль и говорил, что накануне у Таниного отца был юбилей, не то сорок пять лет, не то пятьдесят, и он там немножко перебрал со спиртным. Нет, я это совершенно отчетливо помню.

Ну совсем интересно! А ведь когда Настя спросила Юрия, не может ли он устроить ее знакомство с родителями убитой девушки, он твердо заявил, что не знаком с ними и вряд ли его рекомендация будет иметь силу. Более того, он сказал, что ничего о них не знает, ни где они живут, ни чем занимаются, и вообще не знает, какая у Татьяны была семья.

Зачем же так бессмысленно врать? Ведь он должен был предположить, что если Настя начнет разговаривать с другими врачами и сестрами, то правда все равно вылезет. Или понадеялся на то, что никто не вспомнит, а если и вспомнит, то не сочтет важным и не скажет? Все равно глупо. Но даже у глупых поступков всегда есть причина, и причина эта вот уже два года является для Назара Захаровича поводом для беспокойства. Как он сказал? «Все самое плохое я уже и так подумать успел...» Неужели подозревает собственного сына в причастности к убийству? Да, наверное.

Тем более убийство-то не раскрыто. Подозревает, но точно знать не хочет. Или хочет, но боится узнать такую правду, которая ему не понравится. И хочется, и колется...

— И потом, — продолжала между тем Нина Семеновна, — я очень хорошо помню тот день, когда Таня не вышла на работу. Юрий Назарович ночью дежурил, я пришла как обычно в половине девятого, а к девяти — слышу, разговоры пошли, что Шустова опаздывает и та сестричка, которая всю ночь отдежурила, домой уйти не может. Ну, я вам уже говорила, Таню в отделении не любили, она ведь всегда шум поднимала, когда кто-то опаздывал, поэтому народ начал злорадствовать, мол, теперь и безупречную Шустову можно попинать за нарушение трудовой дисциплины. Так вот, я сама, своими ушами слышала, как Юрий Назарович звонил ее родителям. Оказывается, Таня накануне вечером была у них и часов около одиннадцати звонила Бычкову и сказала, что выезжает.

— Куда выезжает?

— Ну как куда, к Бычкову, надо полагать, она же у него жила. А тут как раз по «Скорой» доставили тяжелого больного с перитонитом, Юрий Назарович с ним до середины ночи провозился, поэтому больше с Таней не перезванивался. Дома у него трубку никто не брал, ну, все решили, что она просто проспала и поздно выехала, прождали еще час, но она так и не появилась. Тогда Юрий Назарович уехал домой, а потом позвонил в отделение и сказал, что Таня у него не ночевала. То есть от родителей она уехала, а к Бычкову так и не приехала. Тут уж мы поняли, что дело неладно, и стали звонить в милицию. Так что можете не сомневаться, и жили они вместе, и с родителями ее он был знаком. Странно все-таки, что он вам этого не сказал.

— Странно, — согласилась Настя.

Выйдя из дома, где жила Аверина, она медленно направилась к автобусной остановке. Как же поступить? Позвонить дяде Назару и сказать, что да, его сын действительно близко знал убитую Таню Шустову, более того, об их романе знало все отделение, но Насте, хорошо знакомой с отцом, он об этом ни словом не обмолвился? Ну, скажет она это, и что?

Что толку-то? Назар Захарович и без того знает, что сын от него что-то скрывает. А если позвонить этому самому сыну и спросить? Теперь уже можно задавать любые вопросы, ведь сведения о романе с медсестрой она получила от Авериной, так что отец доктора Бычкова вроде бы и в стороне.

Автобуса долго не было, Настя замерзла на остановке да к тому же почувствовала такой сильный голод, что даже голова закружилась. Огляделась по сторонам в поисках киоска с каким-нибудь фаст-фудом, но ничего подходящего не увидела, поэтому купила пакетик картофельных чипсов. Вообще-то она эти чипсы терпеть не могла, они были вкусными, пока их ешь, однако уже через сорок минут у Насти начинался приступ жесточайшего гастрита, но голод на этот раз оказался сильнее нелюбви и к чипсам, и к гастриту. Конечно, если бы в киоске нашлась какая-нибудь шоколадка, это было бы куда лучше, но шоколадки не было. Зато были ненавистные чипсы аж пяти разных сортов.

Она все еще стояла на остановке, когда в кармане куртки затрезвонил мобильник.

— Аська, ты скоро придешь? — раздался голос Чистякова.

— Я автобуса жду, стою возле кинотеатра.

— И давно ждешь? — почему-то осведомился муж, и голос у него был каким-то странным.

— Минут тридцать, наверное. А что?

— Ничего. И много вас там таких ожидающих?

— Нет, я одна. Леш, а в чем дело-то?

— Асенька, тебя грамоте учили, чтобы ты читала то, что написано. Объявление видишь?

— Какое объявление?

— Посмотри внимательно, там на стекле должно быть объявление. Во всяком случае, вчера я его там видел. И на остановке возле нашего дома оно тоже есть.

Настя оглядела стеклянную будку остановки. Действительно, листок какой-то приклеен. Елки-палки, автобусный маршрут с сегодняшнего дня на целую неделю отменен в связи с ремонтом дороги. «Пользуйтесь другими видами общественного транспорта», — советовало объявление и вежливо извинялось за доставленные неудобства.

— И что мне теперь делать? — жалобно спросила она. — Пешком идти?

— Ходить полезно. Но если ты очень устала, я могу за тобой приехать. Или Коротков. Хочешь?

— Кто?! — чуть не закричала она.

— Коротков, дружок твой ненаглядный. Он занял оборону в нашей квартире и сказал, что не двинется с места, пока с тобой не повидается. Могу его за тобой прислать.

— Ладно, — обреченно вздохнула Настя, — присылай Короткова. Хоть какая-то польза от него будет.

Коротков подъехал через четверть часа. Все это время Настя, стоя на остановке, настраивала себя на самые решительные действия в ответ на предполагаемые попытки втянуть себя в обсуждение, а то и в работу по новым преступлениям. «Ты, Коротков, конечно, хитрый и ловкий, и ты легко можешь меня обдурить, — твердила она себе, притоптывая ногами на пронзительном апрельском ветру, — но если я проявлю стойкость и твердость, то ты меня не сломаешь. Я знаю, зачем ты приехал и сидишь у меня дома, я знаю, о чем ты сейчас станешь говорить со мной, и моя задача — не поддаваться, не повестись на твои просьбы и — главное — на собственный интерес, который может внезапно вспыхнуть, захватить меня, и тогда прощай отпуск и все мои научные планы. Я втянусь, заброшу диссертационные дела и в результате снова окажусь на том месте, откуда начала движение. Да, может быть, я окажусь полезной и даже сумею вычислить и отловить очередного убийцу. Еще одного. Сто двадцать шестого или триста восемьдесят пятого. Но жизней-то у меня не сто двадцать шесть, жизнь у меня одна, и если я не позабочусь о ее устройстве, то кто это сделает? Кто, если не я сама? А двести двадцать шестого убийцу и без меня есть кому ловить. Да, вот так и скажу ему. Так и скажу. Главное — не дать себя втянуть».

Когда рядом с ней затормозила машина, Настя глянула на нее мельком и отвернулась. Это не Юркина ржавая «копейка», это красный «Форд Эскорт».

— Эй, але, подруга! — раздался из окна машины голос, который почему-то оказался Юркиным. — Не делай вид, что ты меня не видишь.

Настя в изумлении подошла к машине, открыла дверцу.

— Это что, Коротков? Ты угнал тачку?

— Обижаешь, — он укоризненно покачал головой, — это Иркина. Семилетка.

— А кинозвезды, значит, теперь пешочком ходят? — усмехнулась Настя, усаживаясь в салон.

— А кинозвезды теперь получают хорошие гонорары и покупают себе новые машины, — отпарировал Юра. — Моя красавица со вчерашнего дня на «Пежо-206» раскатывает. А мне вот с барского плеча «фордец» перепал. Теперь не будешь ныть, что тебе ноги девать некуда. Смотри, сколько места!

— И теперь ты скажешь, что приехал ко мне в гости специально, чтобы похвастаться машиной, да? — ехидно спросила Настя. — И никаких других намерений у тебя не было. Коротков, не делай из меня дурочку, ладно?

— Слушай, ну почему ты все время норовишь меня обидеть? — возмутился он. — Да, я хотел, но не похвастаться, а дать тебе возможность разделить со мной радость, потому как ты есть моя любимая подруга жизни и труда. И кроме того...

— Вот именно, я так и знала, что у тебя есть это «кроме того», — сердито перебила его Настя. — Коротков, имей в виду, я не дам тебе втянуть меня в работу, даже и не пытайся.

— Очень надо! — фыркнул он. — Без сопливых обойдемся. Я тебе привез информацию к размышлению, между прочим, а ты, вместо того, чтобы сказать спасибо, наезжаешь на меня.

— Что за информация?

— О нашей будущей судьбе. Из первых рук, между прочим, прямо из самого нашего родного министерства.

— Ты имеешь в виду реформу МВД?

— Ее, родимую, ее, ненаглядную. Значит, слушай сюда, подруга. Если то, что они там придумали, пройдет, мы будем называться не МУРом, а Департаментом по борьбе с общеуголовной и организованной преступностью. ДэБэООПэ. Не кисло?

— Невкусно, — поморщилась она. — И что, в этом состоит вся реформа?

— Да ну тебя, дай договорить. В нашей конторе будет девять управлений, а в них — тридцать семь отделов. Наше с тобой управление, если нас, конечно, не выгонят куда-нибудь, будет называться управлением

«Л» — управление по борьбе с преступлениям против личности. Но самое главное, подруга, я приберег под конец: в каждом управлении будет специальный аналитический отдел. Вот!

— Ну и что «вот»? Даже если меня туда переведут и дадут возможность заниматься своей любимой аналитикой, все равно в сорок пять лет выпрут пинком по мягкому месту.

— Да понимала бы ты что-нибудь! — рассердился Коротков. — Кто тебя выпрет, если ты будешь начальником отдела и полковником?

— И кто же это, интересно, сделает меня начальником?

— А вот это ты не волнуйся, найдутся добрые люди, умеющие ценить специалистов.

— По-моему, ты излишне оптимистичен, Юрочка, — вздохнула Настя. — Знаешь, почему сын генерала не может стать маршалом? Потому что у маршала есть свой сын. А у твоих добрых людей есть свои друзья и родственники, которых надо будет посадить в кресло начальника.

— Ничего-то ты не понимаешь, а еще якобы умная. Ты хоть представляешь себе, что такое Афоня?

— Ага, мой однокурсник, — буркнула она. — Бывший троечник. Афоня-то тут при чем?

— А при том, что у него знаешь какие связи? Голову даю на отсечение, что его сделают начальником управления «Л». И начальника аналитического отдела он будет назначать сам.

— Ну да, шнурки погладит и кинется меня назначать начальником. Да он спит и видит, как бы от меня избавиться. Он этого даже не скрывает, при каждом удобном случае повторяет, дескать, скорее бы я ушла на пенсию, а то он со мной как на пороховой бочке себя чувствует.

— Так это пока ты непосредственно раскрытием занимаешься. Ты ж пойми, мать, раскрытие убийства, особенно заказного или резонансного, — это политика. Политика — это игры, а в игры ты не играешь, поэтому он тебя боится, ты же неуправляемая совершенно.

А аналитика — это совсем другое дело, это не конкретные преступления, а обобщения и прогнозы, с политикой не связанные. На аналитике ты не опасна. Сечешь?

— Ну, допустим, — осторожно ответила Настя. — Допустим, все так и есть, и реформа нашей конторы действительно пойдет по этому пути, хотя я лично очень в этом сомневаюсь, уж больно прогрессивно получается, прямо как в сказке. Помнишь, сколько лет Колобок мечтал, чтобы по каждой группе преступлений была своя аналитика, штатная, а не подпольная, как у нас в отделе? Жаль, не доработал он до этого светлого праздника. Допустим, все так и будет. И даже допустим, что начальником управления сделают нашего Афоню, ты плавно перетечешь на должность начальника одного из профильных отделов, а меня назначат в аналитический отдел на полковничью должность. Допустим. И что из этого следует? Почему нужно на ночь глядя мчаться ко мне домой с этими известиями? Ты используешь это как повод, чтобы приехать, а потом потихоньку начнешь меня грузить обстоятельствами какого-нибудь убийства и втягивать в обсуждение. Этот фокус у тебя не пройдет, Коротков. Я тебя нежно люблю, но предупреждаю честно: не пройдет. Спасибо, что подвез. Тебя Лешка покормил?

— Покормил, — растерянно подтвердил Юра, обалдевший от такой резкой смены темы разговора. — А что?

— Значит, ты не голодный, законы гостеприимства мы соблюли. Все, солнце мое незаходящее, я пошла домой, а ты поезжай.

Она открыла дверь и собралась выходить.

— Да погоди ты!

Коротков протянул руку и рывком захлопнул пассажирскую дверь.

— Куда это ты пошла? А я? Я еще не все сказал. Ты вот о чем подумай, подруга. Если тебе светит полковничья должность, то нет никакой необходимости заводиться с диссертацией, ты так и так получишь возможность заниматься аналитикой, которую любишь больше жизни, при этом ты останешься рядом со старыми друзьями — со мной, с Мишкой, с Серегой Зарубиным, тебе не придется менять коллектив, и будешь ты служить еще много лет. Ну?

— Что — ну? — тупо спросила Настя, хотя прекрасно понимала, куда клонит Коротков.

— Да бросай ты к чертовой матери эту наукообразную возню, выходи из отпуска и работай в свое удовольствие. А как Афоня выйдет в середине мая, поедешь отдыхать, тепло уже будет, солнышко, поплаваешь, позагораешь, фруктов поешь. А?

Ну правильно, так и есть. Бросай науку, выходи преступления раскрывать, твое будущее мы обеспечим. Не мытьем — так катаньем, не дружескими просьбами — так начальственными посулами. Ах, Юрка, Юрка...

— Юрочка, — мягко произнесла она, снова открывая дверь, — я уже сказала: не пройдет. Я готова допустить, что все будет так, как ты говоришь. Но если ты действительно хочешь, чтобы оно именно так и случилось, то лучше мне быть кандидатом наук, причем именно в области аналитики и именно по части раскрытия убийств. Вот тогда у меня будет преимущество перед другими претендентами на должность.

— Да ты что, Каменская?! Пока ты будешь кропать свою нетленку, всех уже понаназначают, ни одной вакансии не останется!

— А я не тороплюсь, у меня еще год с лишним есть. И потом, пока эта реформа развернется, пока все предложения десять раз обсудят, утвердят, пока всех за штаты выведут на два месяца, пройдет как минимум полгода. За это время я должна успеть сделать столько, чтобы никто не сомневался, что диссертацию я напишу и выйду на защиту. Ты меня понял, солнце мое? И не смей мне мешать.

Она поцеловала Короткова в щеку, вышла из машины и стояла на тротуаре до тех пор, пока красный «Форд» не скрылся из виду. Ей было одновременно грустно и стыдно.

Глава 4

Ю рий не мог, да и не хотел отказывать отцу, когда тот попросил его встретиться с коллегой и рассказать о том убийстве. Нет, Юрий Назарович Бычков вовсе не жаждал делиться своими воспоминаниями и, главное, соображениями, но это самое нежелание и долгое молчание вконец вымотали его. Ему казалось, что он может не возвращаться к истории с убийством Танечки Шустовой до конца жизни, просто молчать, ничего не говорить и ничего ни у кого не спрашивать. Но в тот момент, когда раздался звонок отца с такой странной и неожиданной просьбой, он вдруг почувствовал, что надолго его не хватит. Пока еще он может держаться, но это пока, а что будет через год? Через два? Выдержит ли?

И все-таки, когда к нему домой пришла рекомендованная отцом Анастасия Каменская, он промолчал. То есть рассказал все, что счел нужным, и упрекнуть себя ему было не в чем, потому что Каменскую интересовали характер Татьяны, ее вкусы, привычки, особенности мышления, а об этом Юрий Бычков мог говорить без волнения и страха. О том, что было для него страшным, она так и не спросила. А он не сказал.

Но на следующий день Каменская позвонила снова. И задала вопрос, ставший для Юрия Назаровича чем-то вроде детонатора.

— От ваших бывших коллег я узнала, что убитая Шустова была для вас близким человеком и вы даже жили вместе. То, что вы не сказали об этом мне, я могу понять, я для вас посторонняя, а вопрос интимный. Но об этом не знал даже ваш отец. Почему?

— Я ему не сказал, — коротко ответил доктор Бычков.

— Почему? — повторила свой вопрос Каменская.

И он решился.

— Я готов встретиться с вами еще раз, — сказал он.

...В 1997 году отец еще работал в уголовном розыске, и в июле его отправили в командировку в Краснодарский край, где работала большая оперативно-следственная бригада по какому-то сложному делу. Юрий в то время уже жил отдельно и в суть работы отца не вникал, знал только, что тот уехал и вернется не раньше, чем через месяц. И вдруг позвонила мать:

— Юрочка, у папы инфаркт, мне только что сообщили. Его положили в больницу в какой-то станице. Я немедленно должна ехать к нему.

Юрий заметался. Конечно, ему надо ехать вместе с матерью, самому на месте посмотреть, какие там врачи и какой уход, но у него в отделении тяжелые больные, которых он ведет, и несколько плановых операций.

Не отпустит его завотделением, это точно. Завотделением действительно Бычкова не отпустил, и аргументы привел такие весомые, против которых у Юрия возражений не нашлось.

— Ничего, сынок, я сама съезжу, инфаркт — штука давно всем известная, и все врачи даже в самых захудалых дырах знают, как его лечить. Главное — уход, а уж это я смогу папе обеспечить. Боюсь только, что с билетами будет проблема, ведь это южное направление, а сейчас разгар лета. Я поеду на вокзал и в авиакассы, попробую, а уж если нет, тогда придется подключать связи.

— Тут я смогу помочь, — заверил Юрий.

В шесть вечера он вернулся с работы, в восемь позвонил матери, чтобы узнать, удалось ли ей купить билет, но к телефону никто не подошел. Не сняли трубку в родительской квартире и в девять, и в десять, и в одиннадцать. «Может быть, она уехала? — подумал он. — Вдруг в кассе оказались билеты на отходящий поезд или на ближайший самолет? Но почему мама даже не позвонила? Совсем времени не было? Нет, не могла она просто так уехать, у нас в семье это не принято. Позвонила бы. А может быть, действительно не успевала? Мама — человек ответственный, а в поезде наверняка у кого-то из пассажиров нашелся бы мобильник, она бы уговорила дать ей позвонить, ведь всего-то на полминутки. А если она опаздывала на самолет, то в накопителе все равно пришлось бы ждать, и там тоже обязательно был бы кто-нибудь с мобильным телефоном. И потом, что же она, без вещей уехала? Вот так, в чем была, с одной дамской сумочкой? Или она на всякий случай собрала все необходимое и взяла с собой, когда поехала за билетом?»

В полночь телефон по-прежнему не отвечал. Бычков позвонил в справочную «Скорой», там ему сказали, что Тамара Трофимовна Бычкова в больницы не доставлялась. И Юрий взял ключи от родительской квартиры и поехал к ним. В квартире было пусто и совсем не похоже на то, что кто-то в спешке собирал вещи. Он запер дверь и отправился в ближайшее отделение милиции.

— Я прошу вас связаться с кассами Курского вокзала и с аэропортами и узнать, не покупала ли билет Бычкова Тамара Трофимовна, и если покупала, то каким рейсом или поездом она уехала, — просил он толстого потного дежурного майора с красным, в прожилках, лицом.

— Сколько лет матери? — устало спросил майор.

— Пятьдесят два.

— Ну вот видишь, совсем еще молодая женщина. Да мало ли куда она могла пойти? К подруге на дачу уехала, а ты тут шум поднимаешь, от серьезной работы нас отвлекаешь.

— Да не могла она уехать к подруге! Я же вам объясняю, у отца инфаркт, она хотела поехать к нему и отправилась за билетами! Какая подруга? Какая дача? Вы что?! Я хочу быть уверенным, что она уехала. А если не уехала, значит, с ней что-то случилось, и ее надо срочно искать! Вы что, не понимаете, что могло произойти несчастье?

— Я очень хорошо понимаю, что женщина в расцвете лет имеет право проводить время так, как ей заблагорассудится, и если мы тут будем кидаться искать всех, кто вовремя не явился домой, то кто же будет настоящие преступления раскрывать? Все, молодой человек, иди отсюда и не мешай работать.

Дежурный пренебрежительно «тыкал» ему, взрослому тридцатилетнему мужчине, но Юрий не обращал на это внимания, не до того ему было.

Пусть «тыкает», пусть даже обзывает любыми словами, лишь бы сделал то, о чем его просят.

Юрий настаивал. Кричал. Умолял. Взывал к здравому смыслу и к совести. Наконец, потребовал встречи с начальством.

— А оно спит, начальство-то наше, — ухмыльнулся майор, от которого ощутимо пахло спиртным. — Время — второй час ночи. И мой тебе совет: дождись утра, а если к тому времени твоя мамка не отыщется, обзвони ее подруг, наверняка найдешь.

— А если не найду?

— Ну, тогда денька через три приходи, не раньше. Давай вали отсюда, у меня работы много.

Юрий не понимал, что ему делать. С одной стороны, он хотел объехать на машине окрестности дома, где жили родители, и обойти все глухие укромные места: а вдруг с мамой что-то случилось неподалеку от дома? С другой стороны, он понимал, что это глупо, что если что-то и случилось, то произойти это могло где угодно, и рядом с домом, и в любом другом месте Москвы. С третьей же стороны, надо сидеть дома и ждать маминого звонка, потому что мобильника у Юрия тогда еще не было и разыскать его ночью можно было только по домашнему телефону. И он не знал ни одного человека, с которым работал отец и которому можно было бы позвонить и попросить воздействовать на тупого пьяного дежурного или помочь как-то иначе.

Он вернулся домой. До утра мама так и не объявилась. А в восемь утра ему позвонили.

Тело Тамары Трофимовны Бычковой было обнаружено где-то на товарном дворе Курского вокзала. Ее ударили по голове чем-то тяжелым и ограбили. Вероятно, приметив хорошо одетую женщину, безуспешно пытавшуюся купить билет, преступники заманили ее в глухое место, пообещав познакомить с проводником, который поможет уехать. На Курском уже было несколько таких случаев, по всей видимости, орудовала одна и та же группа, которую пока не могли поймать.

Самым ужасным было то, что нападение на Тамару Трофимовну было совершено около девяти вечера, а умерла она в три часа ночи, пролежав почти шесть часов без сознания. В эти шесть часов ее можно было спасти. Можно было, если бы ее начали искать, если бы дежурный майор навел справки, выяснил бы, что Бычкова билет не покупала, потому что билетов в продаже не было, сообразил бы, что коль речь идет о Курском вокзале, то надо немедленно туда сообщить и на всякий случай проверить, не сработала ли опять та банда. Все можно было бы сделать, но никто ничего не сделал. И доктор Бычков остался один на один со своим горем, даже отец не мог его поддержать в те дни. Юрий вообще не понимал, как ему поступить, ведь отцу пока нельзя сообщать такое известие. Конечно, рядом были и родственники, и мамины подруги и сослуживцы, но отца не было. И пока Назар Захарович не оправился и через два месяца не вернулся в Москву, Юрий чувствовал себя совершенным сиротой, в одночасье потерявшим обоих родителей. За эти два месяца он несколько раз летал в Краснодар и навещал отца в больнице, бодрился, подолгу общался с лечащими врачами, а когда получил от них разрешение сказать о гибели матери, долго собирался с силами. Ему казалось, что он не уберег мать и может сейчас убить еще и отца. Но Назар Захарович выдержал. И спустя еще какое-то время Юрий забрал его домой.

Банду, орудовавшую на Курском, вскоре все-таки выловили и всем ее участникам отвесили солидные сроки.

А через три года к ним в отделение пришла новенькая — медсестра Танечка Шустова. Красивая, но сверх меры строптивая, наделенная обостренным чувством справедливости. Это было бы и неплохо, но ведь всем известно, что истинное понимание справедливости приходит только с жизненным опытом, с прожитыми годами, когда начинаешь понимать, что не все так просто и прямолинейно, как кажется на первый взгляд, и то, что тебе представляется благом, может кому-то другому обернуться злом и болью. Ее роман с доктором Бычковым возник и развивался стремительно, и уже через несколько месяцев Юрий познакомился с родителями девушки.

Разумеется, отец Тани его не вспомнил, много их, таких, ходит по милициям со всякими глупостями. Но Юрий с первого же взгляда узнал того толстого краснорожего майора, который не помог три года назад спасти Тамару Трофимовну.

Он был разумным человеком и понимал, что Таня к работе отца, его тупости, хамству и пьянству никакого отношения не имеет. Поэтому никому ничего не сказал, ни самой Танечке, ни ее отцу, ни своему. Просто жизнь так повернулась. Юрий Назарович продолжал жить с Таней и любить ее, видя все ее недостатки и ценя ее достоинства. И даже подумывал о том, чтобы жениться.

А потом Таня не вышла на дежурство, и он потерял ее навсегда. В первые часы, когда только стало известно, что ее убили, никакие особенные мысли ему в голову не приходили. И только потом, на первом допросе у следователя, ему стало по-настоящему страшно.

— У Шустовой были враги? — спросил следователь.

Юрий честно рассказал то, что наверняка говорили в этом кабинете и другие врачи и сестры из его отделения: у Татьяны был скверный характер, она вечно скандалила и ссорилась с персоналом, но больных любила, жалела и относилась к ним очень хорошо.

— Может быть, кто-то из бывших больных влюбился

в нее и приревновал? — предположил следователь. — Она ведь была очень красивой девушкой. Таня не жаловалась вам на домогательства кого-то из больных?

— Да нет, — пожал плечами Юрий, — ничего такого не было. А разве это не убийство с целью ограбления?

— В том-то и дело, — вздохнул следователь. — Судя по всему, у нее ничего не взяли. И потом, у потерпевшей на груди лежала маленькая иконка, так что все это очень смахивает на убийство по личным мотивам.

И в этот момент Юрий подумал об отце. Он ведь рассказал ему о своем походе в милицию, и о пьяном потном майоре тоже рассказал. А вот о том, что дочь того самого майора теперь его любовница и, вполне возможно, даже невеста, не сказал ни слова. Отцу, всю жизнь проработавшему в уголовном розыске, не составило бы ни малейшего труда выяснить, кто именно был ответственным дежурным в том отделении милиции в ту самую ночь, когда на товарном дворе вокзала умирала его жена. И точно так же никаких трудностей он бы не испытал, если бы задумал отомстить, уж он-то получше многих знает, что и как надо делать, чтобы тебя не поймали.

«Господи, о чем я думаю? — испугался он. — Не может папа оказаться убийцей. Этого просто не может быть. Он же милиционер, сыщик, он на это не способен». И тут же понял, что не знает на самом деле, на что способен или не способен его отец. Юрий просто любил его, но Назар Захарович при всей его общительности и говорливости всегда был для сына закрытой книгой. Отец был слишком непрост и неординарен для того, чтобы его мог раскусить подросток или юноша, а уже к окончанию мединститута Юра стал жить один в квартире недавно умершей бабушки, маминой мамы, и если с Тамарой Трофимовной он виделся регулярно, то с вечно занятым и погруженным в работу отцом молодой хирург встречался совсем редко, ограничиваясь короткими разговорами по телефону. Назар Захарович, непонятный и непредсказуемый, так и остался для Юрия загадкой.

«Пусть убийцу поскорее поймают, и пусть это окажется не папа», — твердил он себе ежедневно, ежечасно, ежеминутно. Он решил ничего не говорить отцу и ни о чем его не спрашивать, однако в подозрениях своих укрепился, когда сообразил, что вскоре после перенесенного инфаркта Назар Захарович сообщил сыну, что ушел с розыскной работы на преподавательскую. «Он уже тогда задумал свою месть. Этим убийством он поставил точку на своей работе сыщика, он понимал, что не имеет права искать и ловить убийц, потому что сам собирается стать таким же», — в отчаянии думал Юрий. И продолжал молчать. Потому что убийцу Тани так и не нашли, и у Юрия сложилось впечатление, что не очень-то и искали...

— Значит, вы все это время подозревали своего отца? Как же вы с ума-то не сошли? — сочувственно спросила Каменская.

— Почти сошел, — признался он. — Слава богу, вовремя почувствовал, что это «почти» может реализоваться. Хорошо, что вы задали свой вопрос, и хорошо, что я собрался с силами на него ответить.

— Хорошо, — согласилась она. — Ведь если бы ваш отец был виновен в этом убийстве, он не стал бы задумываться над тем, почему вы не сказали ему про ваш роман с Таней. И уж тем более не стал бы поручать мне искать ответ на этот вопрос.

— Вы думаете?

— Юрий Назарович, я не думаю, я уверена. Если бы ваш отец задумал убийство дочери майора Шустова из мести, он бы первым делом навел о ней справки и выяснил бы в три секунды, что она — ваша невеста. Неужели вы полагаете, что Назар Захарович способен убить невесту собственного сына? Я не обсуждаю сейчас его способность совершить убийство в принципе, оставим этот вопрос открытым. Но отнять невесту у вас, то есть причинить горе не только родителям девушки, но еще и ее жениху, своему единственному и горячо любимому сыну, который вообще ни в чем не виноват, это совсем другой коленкор. Согласны?

— Согласен, — кивнул Юрий. — Спасибо вам.

— За что?

— За настырность, — улыбнулся он. — За то, что не удовлетворились одной беседой и задавали свои вопросы. А можно, я теперь тоже задам вопрос?

— Конечно, задавайте.

— Я похож на отца?

— В каком смысле? — не поняла Каменская. — Вы имеете в виду внешность или характер?

— И то, и другое.

— Про характер ничего сказать не могу, я вас совсем не знаю. Но скрытность и умение держать язык за зубами у вас от Назара Захаровича, это точно.

— А внешне?

Она внимательно рассматривала его, будто вызывала в памяти лицо Назара Захаровича и сравнивала оба портрета.

— Вы намного красивее. Но глаза у вас совершенно одинаковые.

— Вот и ошибаетесь, у отца глаза светло-серые, а у меня синие, как у мамы, — рассмеялся Бычков. — Вы не очень-то наблюдательны.

— С цветом я могу ошибаться, но с выражением — нет. У вас одинаковый взгляд, такой, как будто вы все про всех понимаете, но все равно уверены, что будет так, как вы хотите. А кстати, вы знаете, какое прозвище было у Назара Захаровича, когда он работал в розыске?

— Нет, он не говорил.

— Никотин.

— Никотин? — удивился Юрий. — Почему?

— Потому что ядовитый, как капля никотина, которая убивает лошадь. И курит много, «беломорину» из пальцев не выпускает. Юрий Назарович, я ни в коем случае не хочу вас обидеть, но вы сами подумайте, до какой степени вы не знаете собственного отца, если даже не знаете, как его три десятка лет называли сослуживцы. Немудрено, что вы подумали о нем бог знает какие глупости и в убийцы записали.

Каменская давно ушла, а Юрий Назарович Бычков все думал над этими ее словами. Она права, он ведь и сам тогда, в кабинете у следователя, понял, что совсем не знает отца. Оттого ли, что отец перед сыном не раскрывался, оттого ли, что сын любил отца как данность, не пытаясь разобраться в нем и понять, но результат налицо. Никотин... Надо же!

* * *

Он все-таки заговорил с Лилей.

— Без вашей утренней улыбки у меня весь день идет наперекосяк, — пожаловался незнакомец в кашемировом пальто, когда Лиля в четверг утром поравнялась с ним на платформе в метро «Сокольники». — Придется теперь машину в гараж поставить и ездить на метро. Вы сознательно обрекаете меня на такие мучения?

— Я не нарочно, — смутилась Лиля, которую мгновенно бросило в жар.

Она много раз представляла себе, как это будет, какие слова он выберет для знакомства, но именно таких — не ожидала.

— Хочу надеяться, — улыбнулся незнакомец. — Я заметил, вы выходите на «Чистых Прудах». Вы там работаете или учитесь?

— Пересаживаюсь на «Тургеневскую».

— А дальше куда?

— До «Шаболовской», там мой институт.

Подошел поезд, и на этот раз они вошли в одну дверь и встали рядом.

— Так что же мне делать? — спросил незнакомец. — Я правду говорю, после того, как вы мне утром улыбнетесь и помашете рукой, все дела идут успешно, все получается, а вот несколько дней с вами не встречался — и ничего не выходит, даже настроение какое-то пакостное. Получается, что вы — мой талисман. Вас как зовут?

Переход был несколько неожиданным, и Лиля растерялась.

— Лиля.

Она корила себя за то, что говорила так коротко и немногословно, будто вовсе не хотела знакомиться с этим человеком. А ведь хотела, и еще как!

— А я — Кирилл. Скажите, вы всегда по будням выходите из дома в одно и то же время?

— Да, без четверти восемь, если к первой паре. А что?

— Хочу с вами договориться, если не возражаете. Я буду каждое утро подъезжать на машине к метро и ждать вас. Вы проходите мимо, улыбаетесь мне, машете рукой и желаете удачи. Потом вы едете на метро в свой институт, а я благополучно отбываю на работу. Можно так сделать?

— Можно. — Она наконец смогла выдавить из себя улыбку, но и то лишь для того, чтобы скрыть разочарование.

И вовсе он не хочет с ней знакомиться, этот красивый и элегантный Кирилл, он всего лишь хочет, чтобы она каждое утро по рабочим дням проходила мимо его машины. Он просто-напросто обычный недалекий типчик, верящий в приметы. Сама Лиля в приметы не верила, ни в какие и никогда, считала это признаком ограниченности ума, и то, что такую вот ограниченность продемонстрировал тот, о котором она думала вот уже неделю, расстроило ее донельзя. А она-то, дура, размечталась!

— Значит, договорились? Завтра я жду вас ровно в восемь возле метро, у цветочного киоска. Придете?

— Куда ж я денусь? — сквозь зубы пробормотала Лиля. — Мне все равно в метро нужно войти.

— Ой, не хитрите, Лиля! — он весело рассмеялся. — Вы легко можете пройти к входу с другой стороны, да так, что я вас и не замечу. Не обманете?

— Нет, — сухо ответила она.

Поезд качнуло, Кирилл подался к ней, и на Лилю повеяло его туалетной водой, горьковатой, с явственным запахом полыни. Запах ей понравился. Ах, как банально заканчиваются девичьи мечты...

Поезд остановился на «Комсомольской», на несколько секунд стало свободнее — много пассажиров вышло, но затем теснота стала еще ощутимее, потому как число вошедших пассажиров заметно превышало количество покинувших вагон. Лилю и ее нового знакомого плотно прижало друг к другу, и от этого девушке стало еще обиднее: такая ситуация — только в книжках такую встретишь, и если бы он действительно был ею заинтересован, то сейчас... Но ему она нужна только как талисман, приносящий удачу в делах, больше ни в какой ипостаси Лиля Стасова не интересна этому красивому, дорого и со вкусом одетому мужчине с приятным голосом. А ведь из-за него, из-за «этого в костюме» она врала и выкручивалась, когда разговаривала с дядей Юрой Коротковым, и при этом рисковала, ведь неизвестно, согласился бы дядя Юра дать ей честное слово и ничего не говорить папе или нет. И вообще, знала бы она, что так все повернется, она бы сразу сказала обо всем отцу и получила бы не то что разрешение — прямое указание сидеть дома и в институт не ходить, пока ситуация не прояснится. Вот и сидела бы в обнимку со своими любимыми книжками, получала бы удовольствие. Так нет же, вбила себе в голову всякую чепуху. Надо было в детстве поменьше читать про Анжелику.

Она чуть не расплакалась.

— Погодите-ка, Лиля, — снова заговорил Кирилл, — вы сказали, что учитесь где-то на Шаболовке?

— Да, в Конном переулке, а что?

— Так я же работаю на Большой Тульской! Как же я сразу-то не сообразил? Это совсем рядом. Давайте я буду по утрам отвозить вас в институт на машине, а? Во-первых, у меня появится твердая гарантия, что вы не проскользнете мимо меня в метро, а во-вторых, вы своей улыбкой подарите мне удачу на весь день, а сами взамен получите хоть какую-то компенсацию. Не будете давиться в метро, да еще с пересадками, а доедете с комфортом, машина у меня хорошая.

Лиля вяло согласилась: какой смысл в этих совместных поездках, если она ему ни капельки не нравится? Но, с другой стороны, если машина у него и в самом деле хорошая, то это будет круто — подкатить к институту на дорогой тачке, а то она как белая ворона среди сокурсников, большинство из которых или ездит на собственных машинах, или их привозят. Да и Кирилла не стыдно продемонстрировать, пусть все думают, что у нее такой роскошный ухажер или даже бойфренд, не станет же она всем и каждому объяснять, что ездит в его машине исключительно в качестве талисмана.

И в пятницу утром она без колебаний села в серебристый «Сааб», припаркованный у цветочного киоска.

— Лиля — это Елизавета или Лидия? — спросил Кирилл, когда они выехали на Третье транспортное кольцо.

— Елизавета.

— И вам нравится, что вас называют Лилей?

— Не знаю, — она пожала плечами, — я привыкла. Вообще-то до школы я была Лизой.

— А что случилось в школе? — поинтересовался он.

— В нашем первом классе оказалось три Лизы, и учительница сказала, что одна из нас так и останется Лизой, а две другие девочки будут Лилей и Ветой, чтобы не путаться. Мне тогда ужасно понравилось имя Вета, мне и в голову не приходило, что можно из Елизаветы сделать Вету, и я страшно хотела, чтобы Вета досталась именно мне. Но мне досталась Лиля. Так и пошло.

— А вы не пробовали отстаивать свой интерес?

— Это как? — удивилась Лиля.

— Ну, сказали бы учительнице, что хотите быть Ветой, настаивали бы, может, даже расплакались... Нет?

— Нет, — призналась она, — до такого я бы не додумалась. Для меня всегда слово старших было законом, а уж слово родителей и учителей тем более. Я никогда никому не перечила. Меня так воспитали.

— То есть вы послушная? — уточнил Кирилл с лукавой улыбкой.

— Скажем так: я разумная ровно настолько, чтобы не идти на открытые конфликты со старшими. Годится? — засмеялась Лиля.

— Вполне. Хотите, я буду называть вас Ветой?

— Да нет, не нужно, я привыкла быть Лилей.

И вдруг ей стало страшно. Они мчались по Третьему кольцу, и Лиля с ужасом подумала о том, что сидит в машине с совершенно незнакомым человеком, который может завезти ее куда угодно. Всю жизнь она знала, что нельзя ни уходить, ни уезжать с незнакомыми дядями и тетями, и вообще нельзя знакомиться на улице и в транспорте, потому что можно нарваться на мошенника, негодяя или убийцу, причем любого пола. Что же она делает? С ума сошла, что ли?

Третье кольцо открыли относительно недавно, и если Лиле прежде доводилось ехать в институт на такси или с отцом, то дорога пролегала через Садовое кольцо, мимо Даниловского универмага, по Большой Тульской и дальше переулками. По Третьему транспортному ей ездить пока не приходилось, и она плохо понимала, куда ее везут и вообще в ту ли сторону. С городской топографией у Лили Стасовой было более чем неважно, и не спасали даже голубые информационные щиты, потому что она плохо понимала, в какой части Москвы находятся Волгоградский проспект и проспект Андропова. В метро она ориентировалась прекрасно, но карту города представляла себе весьма приблизительно.

— Я не очень понимаю, где мы едем, — осторожно произнесла она.

— А вон видите указатель? Большая Тульская и Варшавское шоссе.

И в самом деле, голубой щит приблизился, и Лиля смогла прочесть, что до поворота на Большую Тульскую осталось пять километров. Ей стало немного спокойнее. Но все равно по Третьему кольцу ехать страшно, ведь на обычной улице можно при необходимости выйти из машины, под любым предлогом попросить остановиться и выйти, а здесь? Нигде не остановишься и никуда не денешься.

Кирилл будто прочел ее мысли.

— Лиля, давайте договоримся сразу: я за вами не ухаживаю и сомнительных предложений вам делать не собираюсь. Вы, безусловно, очень привлекательная девушка, если говорить о вашей внешности, но в вас есть то очарование, которое с внешностью никак не связано. И это очарование заставляет меня стремиться к общению с вами, а не к сексу. Вы меня понимаете?

— Нет, — резко ответила Лиля.

Конечно, ей стало легче, что и говорить. Он не собирается делать сомнительных предложений, он не пригласит ее в подозрительный ночной клуб, как тот мерзкий приставала-маньяк, и не позовет на квартиру к приятелю якобы что-то там смотреть или слушать, и вообще... Но ей так хотелось ощутить свою женскую привлекательность, поверить в нее! Ей хотелось, чтобы за ней ухаживал этот красивый взрослый мужчина, а не сопливые однокурсники с рублем в кармане и вечным нытьем на тему «помоги навалять реферат». А Кирилл сразу дал понять, что именно женская привлекательность в ней для него несущественна. Хорошо это или плохо?

— И что вам непонятно?

Действительно, что ей непонятно? Все сказано предельно четко и откровенно, у него есть женщина, с которой он занимается сексом, может быть, даже жена или постоянная любовница, и интимные отношения с Лилей ему не нужны. А что нужно? Общение. Дружба, что ли? Очень любопытно.

Впрочем, почему бы нет? Вот ведь дурища, ну зачем она сразу сказала «нет», когда он спросил, понимает ли она его? Все она отлично понимает, просто не смогла справиться с разочарованием, вот и ляпнула. Теперь надо как-то выкручиваться.

— Я не совсем поняла, как вы собираетесь со мной общаться?

— Начнем по порядку, — с улыбкой сказал Кирилл. — В первую очередь мы переходим на «ты», потому что друзья друг другу не «выкают». Предложение принимается?

— Принимается, — Лиля не смогла удержаться, чтобы не улыбнуться в ответ.

— Идем дальше. Каждое утро по будням я встречаю тебя возле метро и везу в институт. Пока едем — общаемся. Принимается?

— Вполне.

— Дальше. Чтобы ты не беспокоилась, я не спрашиваю ни твоего адреса, ни домашнего телефона, я тебе не звоню домой никогда и ни при каких обстоятельствах, чтобы не ставить тебя в сложное положение перед родителями. У тебя оба родителя?

— В принципе оба, но я живу с мамой, — уклончиво

ответила она. — Папа приходит иногда, или мы с ним где-то встречаемся, или я иду к нему в гости.

— Ну вот, будем соблюдать конфиденциальность. Лиля, ты сама сказала, что ты разумная девушка, а какие родители поверят, что их дочь просто дружит с мужчиной?

— Никакие, — согласилась Лиля, — это точно.

— Я дам тебе номер своего мобильника, — продолжал Кирилл, — и ты мне обязательно звони, если по каким-то причинам утром не едешь в институт, чтобы я не ждал у метро, а то прожду тебя, на работу опоздаю, начальство кипеть начнет. Договорились?

— А кем вы... ты работаешь?

— Менеджером в компьютерной фирме. У нас с дисциплиной строго, за опоздания огромные штрафы налагают. У тебя, кстати, есть мобильник?

— Конечно.

— Я на тот случай спрашиваю, если вдруг не смогу утром тебя забрать. С машиной что-нибудь случится или еще ерунда какая. Правда, машину я только что починил, мне бок немножко помяли, но ведь козлов на дорогах сама видишь сколько, никогда не знаешь, какой придурок тебя подрежет или на встречную выедет.

Лиля достала телефон, забила в записную книжку номер Кирилла.

— Будь другом, запиши мне свой номер. — Он вынул из кармана и протянул ей свой мобильник. Аппарат у него был дорогой, модный, с фотокамерой, не то что у нее.

Она послушно ввела свое имя и номер. Они уже выехали с Третьего кольца, и Кирилл неожиданно затормозил. Лиля снова напряглась.

— Мы еще не доехали.

— Я знаю. Ну-ка повернись ко мне лицом.

Лиля повернулась, Кирилл поднял телефон, поднес к глазам, нажал кнопку, потом проделал какие-то манипуляции.

— Готово. Теперь, если ты мне позвонишь с мобильника, на дисплее появится не только твое имя, но и лицо.

— Зачем это? — удивилась она. — Разве имени недостаточно?

— Ты красивая, — просто ответил он, — мне приятно будет лишний раз на тебя посмотреть.

— А если кто-нибудь увидит?

— Кто, например? — прищурился Кирилл.

— Ну, я не знаю... Жена... Или девушка...

— Лиля, — очень серьезно произнес он, — я похож на человека, который не думает о том, что делает?

— Не знаю, — честно сказала Лиля.

— Если не знаешь, тогда не обижай меня недоверием.

— Извини, — покаянно пробормотала она.

Возле института все получилось как нельзя лучше: они подъехали к входу без десяти девять, когда студенты валили в здание толпами, и, конечно же, все увидели и оценили и машину, и Лилиного кавалера, который вышел, чтобы открыть ей дверь и подать руку. У девчонок прямо глаза на лоб вылезли, они-то привыкли, что Лилька Стасова — отличница и зубрилка, всегда все знает и всем помогает, но — синий чулок, хотя и очень симпатичная, мальчиками не интересуется, на дискотеки не ходит, клубы не посещает и даже не курит. Одним словом, позапрошлый век.

* * *

Мясо оказалось пересушенным, в лимонном пироге вытекла часть начинки, и Элеонора Николаевна с досадой подумала, что сегодня точно не ее день. Хорошо хоть рассольник оказался на славу, но это ее мало утешало, потому что супы у нее всегда получались отменными, хоть в самый удачный день, хоть в самый плохой. А ведь мясо это в магазине выглядело вполне пристойно, и Аля специально несколько раз переспрашивала продавщицу, которая заверяла, что оно должно быть хорошим, потому что на данном конкретном мясокомбинате продукты не перемораживают и они всегда бывают хорошими. Обманула, паршивка, наверняка это мясо привезли с другого комбината, где оно замораживалось и размораживалось не один раз. Ну и что с ним теперь делать?

Аля посмотрела на часы. Нет, не успеет она съездить в другой супермаркет, купить мясо и приготовить его, уже восемь часов, вот-вот Андрей вернется с работы. Славик явится позже, у него сегодня тренировка, к приходу племянника она бы все успела, а с братом что делать?

Она быстро проверила шкафы, выложила на стол специи и приправы, порезала помидоры и бросила их в кастрюлю. Пусть потушатся, потом она попытается смягчить мясо при помощи соуса. Занятая своими мыслями, она не заметила, как в кухне появилась Дина.

— Аля, мне нужно с тобой серьезно поговорить.

Ну вот, опять начинается. Балахон, распущенные волосы, загробный тон. Одним словом, полная готовность к очередному сеансу лечения мистикой.

Аля пристально взглянула на племянницу и немного успокоилась. Выражение глаз у нее вполне нормальное, не такое, как бывает, когда девчонка пытается по ночам «лечить» свою тетку и очищать от греховных помыслов. Может, на этот раз обойдется?

— Я тебя внимательно слушаю, — произнесла Элеонора как можно спокойнее. — Только извини, я буду продолжать заниматься стряпней, скоро твой папа придет, а у меня ужин не готов.

— Ты должна поговорить с папой, — безапелляционно заявила Дина. — Он обещал купить Ярославу новый маркер для пейнтбола.

— Ну и что? Пусть покупает.

— Ты что, не понимаешь? Этот маркер стоит кучу денег, он электронный, с какими-то наворотами. И к нему еще фидер, тоже недешевый.

— Дина, я что-то не пойму, каким боком тебя это беспокоит? Ты злишься, что Славику папа покупает дорогие вещи, а тебе нет? Так папа неоднократно предлагал купить тебе и новую обувь, и новую сумку, и тряпки, но ты же от всего отказываешься, тебе твое учение не велит иметь дорогие вещи. А Ярослав — нормальный парень и к постулатам твоего учения никакого отношения не имеет. Ты носишь балахоны и старые туфли — это твое право, но не требуй, пожалуйста, чтобы мы все так жили.

— Нет, вы должны так жить, должны, должны! — Дина заметно повысила голос, и Але показалось, что она вот-вот сорвется на крик. Или еще того хуже — на истерический визг.

Чем девочка так взвинчена? Какими-то своими ритуалами, которые доводят ее до экстаза, переходящего в истерику? Или принимала что-то психотропное? Или у нее что-то случилось? Или она действительно... того? Аля не на шутку перепугалась. Тогда, ночью, ей тоже было страшно, но все-таки в квартире были и Андрей, и Славик. А сейчас она один на один с... С кем? С взбалмошной хамкой? Или с сумасшедшей, впавшей в острый психоз?

Она осторожно положила нож, обтерла руки о ситцевый фартучек с белыми трогательными оборками и присела за стол.

— Я тебя не понимаю, Дина, — сказала она с усилием, потому что губы плохо слушались.

— А что тут понимать? Ты посмотри, как мы живем? Как нищие! Как бомжи какие-то! Тухлая квартира на тухлой окраине. Ты что, забыла, какой у нас был дом за городом? Какая у папы была машина? Ты забыла, куда мы ездили отдыхать? А сейчас что? Вместо того, чтобы копить деньги на новый дом, он разбазаривает их на всякую ерунду! Маркер Славке, видите ли, понадобился! А со старым не обойдется? И вообще, этот их пейнтбол — развлечение для богатых, там все дорогое, и камуфляж, и маркеры эти клятые, и фидеры, и баллоны, и за игру надо платить, за шарики, за газ, я знаю, я специально узнавала, сколько это все стоит! Одному человеку один раз приехать на базу поиграть — больше ста долларов! Это как, по-твоему?

За время длинной тирады Але кое-как удалось взять себя в руки и справиться если не со страхом, то хотя бы с голосом.

— Ну и как? — ответила она вопросом на вопрос.

— Надо уметь держать свое слово! Я прекрасно помню, как папа обещал маме, что будет достойно нас содержать. Но он забыл все свои обещания, и вместо того, чтобы копить на новый дом, в котором мы будем жить не хуже, чем раньше, он транжирит деньги на... — Дина задохнулась от ярости, — на вот эту вот гадость!

В руке ее, оказывается, все это время был зажат журнал «Пейнтбол», который она в гневе швырнула на стол перед теткой.

— Диночка, тебе уже девятнадцать лет, и тебя папа содержать не обязан, ты совершеннолетняя. Ты одета, обута, накормлена, у тебя есть не просто крыша над головой, но даже своя комната, чего еще ты хочешь? Хочешь жить в роскоши? Заработай. Или найди мужа, который тебе все это обеспечит. Но папа не обязан соответствовать твоим притязаниям. Что касается Славика, то он, по-моему, всем доволен и ему всего достаточно. Я же вообще в расчет не принимаюсь, потому что относительно меня твой папа ничего твоей маме не обещал.

Аля хотела добавить еще кое-что о матери Дины, но сочла за благо промолчать. Если девочка и в самом деле в психозе, то кто знает, какое слово сыграет роль детонатора.

— Ты хочешь сказать, что вы всем довольны и только одна я возмущаюсь тем, что происходит?

— Да, именно это я и хочу сказать. Твой папа много и упорно работает, но ты же здравый человек, Дина, ты читаешь газеты, смотришь телевизор, да и в институте какое-то время проучилась, и ты должна понимать, что если в начале девяностых можно было с папиными знаниями и талантами за три года сколотить большое состояние, а в середине девяностых даже утроить его, то сейчас время уже не то, и экономика уже не та, и для того, чтобы снова вернуться к прежнему уровню, понадобится не меньше десяти лет.

— Да если он будет по тысяче долларов выбрасывать на пейнтбольные прибамбасы, ему и двадцати лет не хватит! — снова заорала Дина.

— Значит, не хватит. Но сейчас он живет так, как

ему нравится. И он имеет право жить так, как ему нравится, потому что каждый человек имеет на это право...

— Значит, я тоже имею право жить в собственном доме и ездить на дорогой машине! Это твои слова!

— Ты меня не дослушала. Папе нравится много работать и хорошо зарабатывать, у папы есть необыкновенное чутье, которое и позволило ему в свое время разбогатеть, когда экономические условия позволяли. Он любит свою работу и свою теперешнюю жизнь. Он вправе распоряжаться тем, что у него есть, по своему усмотрению. А ты? Разве ты много работаешь? И хорошо зарабатываешь? Ты целыми днями сидишь дома и учишь нас всех жить. От этого, девочка моя, денег не прибавляется и дома за городом не появляются. Я еще раз повторяю тебе: хочешь жить в роскоши, заработай сама. Никто тебе на этом свете ничего не должен.

— Но он обещал маме!

— Он обещал, что вы с Ярославом не будете голодать и ходить оборванными, и это обещание он полностью выполнил. Чего тебе еще?

— Я хочу, чтобы мы жили более экономно и не тратили деньги впустую. Если не хватает на дом, то пусть папа купит хотя бы квартиру поприличнее и поближе к центру. И чтобы у меня была своя машина. Одним словом, чтобы было выполнено все то, что он пообещал маме. Не выполнять свое обещание — большой грех, тем более обещание, данное человеку, раздавленному горем. Ты же помнишь, в каком состоянии была мама, когда папа ей это пообещал. Вот пусть теперь и выполняет, иначе его грех падет на нас всех, и наши жизни будут искалечены — и моя, и Славкина, и твоя тоже.

Дина заговорила спокойнее, но Аля видела, что ей с трудом удается сдержать клокочущие эмоции. Элеонора так и не поняла, чего в девушке в этот момент было больше — религиозного фанатизма или банальной потребительщины? Конечно, ее последние слова о грехе, последствия которого падут на их головы, весьма выразительны, но ведь были и другие слова, в частности, насчет «своей машины».

Лязгнул замок, из прихожей донесся шум: пришел

Андрей. Не надо, чтобы он слышал весь этот полубред-полукошмар.

— Я поговорю с папой, — вполголоса сказала Аля, — иди к себе, мне нужно закончить с ужином.

Балахон вкупе с распущенными, плохо постриженными волосами выплыл из кухни и скрылся. Андрей буквально ворвался в кухню, бледный от усталости, но с горящими от возбуждения глазами, бросил под ноги портфель и плюхнулся на стул. Высокий и не очень-то складный, он, даже сидя на стуле, был выше сестры.

— Элька, я нашел маму!

— Как нашел? — не поняла Аля. — Разве она пропадала? Я же с ней разговаривала по телефону полчаса назад, она была дома.

— Да не нашу маму, а мою! Ту, которая меня бросила! Ты представляешь? Она за эти годы несколько раз выходила замуж и все время меняла фамилии и переезжала. Но я ее все-таки нашел! Слушай...

Дальше Аля слышала плохо. В висках застучало, перед глазами возникло кровавое марево. «Нет! Нет! Только не это! Господи, все, что угодно, только не это!» — билась в мозгу единственная мысль.

* * *

Настя с благодарностью приняла предложение Назара Захаровича Бычкова пойти вместе с ней к родителям Тани Шустовой. Доктор Бычков, хотя и без энтузиазма, но все-таки позвонил им, напомнил о себе и спросил, не согласятся ли они побеседовать с работником уголовного розыска о погибшей дочери. Судя по выражению его лица, на другом конце телефонного провода бурной радости по этому поводу не высказали, но тем не менее разрешили приехать.

Прежде чем отправляться к Шустовым, Настя навела справки и выяснила, что отец девушки ушел в отставку и больше нигде не работал, мать же продолжает служить в бухгалтерии одного из подразделений ГИБДД.

— Ты с ним не справишься, — убежденно сказал Назар Захарович, выслушав Настю. — Знаю, повидал я таких.

— Каких — таких?

— Которые уверены, что весь мир лежит у их ног, а когда выясняется, что это не так, то винят не себя за то, что неправильно думали и неверно оценили ситуацию, а этот самый мир, который не хочет лежать там, где ему положено. Ты думаешь, он почему ушел в отставку, когда его дочь убили? Думаешь, от стыда?

— А почему нет? — осторожно заметила Настя. — Вполне возможно. Он ведь по-хамски вел себя с потерпевшими, с теми, кто приходил в милицию со своей бедой, и случай с вашим сыном это доказывает. Ему было наплевать на чужое горе, а когда он на собственной шкуре прочувствовал, ему стало стыдно. Вы полагаете, так не может быть?

— Может, — усмехнулся Никотин, — только не с такими, как этот Шустов. Я таких много знал. Он не от стыда уволился, а от ненависти. Ведь когда он в дежурной части командовал, когда к нему люди со своими бедами или просто проблемами шли, а он их погаными тряпками гнал, чтобы работать не мешали, он был царь и бог. Кого хотел — оформлял протоколом, кого хотел — отпускал, небезвозмездно, само собой, или взятку вымогал, или внаглую забирал то, что при задержанном было, — деньги там, ценности, мобильный телефон. Его помощники во время дежурства деньги зарабатывали, долги помогали выколачивать, мзду собирать и всякие иные функции по «крышеванию» выполняли и с Шустовым делились за то, что он их прикрывал. А он, в свою очередь, начальнику отделения отстегивал, чтобы тот закрывал глаза на то, что в дежурной части непорядок. И думал этот Шустов, что все эти люди, с которыми он денежными отношениями связан, за него горой будут стоять и в обиду в случае чего не дадут. А потом его дочку убили и преступника не нашли. И никто из его начальников и сослуживцев не звонил наверх, не требовал, чтобы дело поставили на контроль у министра, не поднимал всех на ноги и не клялся, что поимка убийцы — дело чести всей московской милиции. Ну убили девушку — и убили, и бог с ней, как говорится. Вот тут его ненависть и одолела. И если ты, тихая интеллигентная девочка, придешь к нему поговорить об убитой дочери, он тебя так уделает, что будешь рада ноги унести. Не справишься ты с ним.

— Вы так уверенно говорите, как будто знаете его.

— Ну, знать не знаю, а представление какое-никакое имею, — скрипуче захихикал Бычков. — Я ведь когда в Москву после инфаркта вернулся, оклемался малость да и пошел в это отделение своими глазами на того подлеца глянуть, который мог моей умирающей жене на помощь прийти, но не пришел. Я столько лет на практике пахал, что сегодня в любой милицейской конторе у меня знакомые найдутся. В том отделении тоже нашлись, вот я к ним и зашел, дело какое-то придумал, бутылку коньячку захватил. Заодно и на Шустова поглядел да поразузнал чуток, что он из себя представляет. Юрке, сыну, конечно, ничего не говорил, не хотел его травмировать, он и без того смерть матери тяжело переживал. Ну так что, дочка, берешь меня с собой?

Разумеется, Настя не только не возражала против компании опытного сыщика Никотина, но была искренне благодарна ему.

Шустовы жили в хорошем кирпичном доме, построенном в середине девяностых на месте снесенного довоенного барака. Судя по количеству припаркованных вдоль дома иномарок, жильцы были людьми не самыми бедными. О том, что не самой бедной была и семья майора Шустова, свидетельствовала дорогая стальная дверь квартиры.

На звонок им открыла женщина, мать Тани. Крупная, дородная, с мягким бесформенным лицом и ярко накрашенными пухлыми губами, она скупо улыбнулась и отступила чуть в сторону, пропуская гостей в прихожую.

— Вы от доктора? — полуутвердительно спросила она.

— Ну... — Настя сперва растерялась, потом сообразила, что хозяйка имеет в виду доктора Бычкова, и ответила уже уверенно: — Да, от него.

— Проходите. — Женщина махнула рукой в сторону одной из комнат.

Настя быстро огляделась. Да, когда-то эта квартира была красивой и ухоженной, но теперь всюду виднелись следы запустения, как будто хозяева совсем перестали заниматься своим жилищем. Кое-где от стен отставали обои, на потолке следы протечки — видно, соседи сверху затопили, а потолок после этого не белили. При этом чистота кругом была идеальной, ни пылиночки, ни одной посторонней вещи, лежащей не на своем месте. Такое впечатление, что хозяйка дома исправно выполняла свои обязанности по уборке, а вот хозяин полностью устранился от всех работ, требующих мужской руки.

Впрочем, в правильности своей догадки Настя убедилась уже через пару минут, когда в комнату вошел сам бывший майор Шустов Михаил Андреевич. Если жена его выглядела крупной и дородной, но при этом крепко сбитой, здоровой и сильной женщиной, то Михаил Андреевич был обрюзгшим, оплывшим и болезненно отечным. Красные прожилки густо покрывали дряблые щеки и склеры глаз, а запах туалетной воды и мятной жевательной резинки не мог закамуфлировать явственный аромат свежего перегара.

Вышедший на пенсию майор пил по-черному и просыхал, по всей вероятности, крайне редко.

— Ну что, суслики, накрутили вам хвосты за нераскрытое убийство? То-то и оно! Давайте-ка рассказывайте, как вы собираетесь искать убийцу моей дочери через два года, — начал он прямо с порога, не успев войти в комнату.

Настя мысленно поблагодарила полковника Бычкова, не пустившего ее сюда одну. Как в воду глядел! Еще в те давние времена, когда Настя только училась у Назара Захаровича сыскному делу, ее поражало его невероятное, просто неправдоподобное чутье на людей. «Да, Каменская, тебе до Никотина никогда не дорасти, — подумала она с восхищением и признательностью. —

Этому невозможно научиться, это не приходит с опытом, это дается от природы, и либо оно есть, либо этого нет. У меня так точно нет, поэтому слава богу, что дядя Назар пришел сюда со мной. Я бы, наверное, растерялась и повела себя неправильно». Еще по дороге к Шустовым они договорились, что разговор будет вести Бычков, а Насте достанется самое несложное: внимательно слушать, записывать и запоминать. Вклиниваться в беседу ей можно будет только по сигналу Никотина.

— С Танькиным хахалем, с докторишкой этим, вы, как я понимаю, уже побеседовать успели, а к родителям, значит, в последнюю очередь пришли, — продолжал нападать бывший майор. — Это что, новый метод расследования убийств? Самые близкие люди становятся у вас теперь самыми последними свидетелями, так, что ли?

— Подожди, Миша, ну что ты в самом деле, — супруга Михаила Андреевича попыталась призвать мужа к вежливости, — что ты кричишь-то сразу? Люди еще слова сказать не успели, а ты сразу в крик.

— А они все слова мне уже тогда, два года назад, сказали. Дескать, идите отсюда папаша со своей убитой дочерью, у нас дела поважнее, у нас крупного олигарха похитили, его вся страна ищет, вся милиция на ушах стоит, а вы с глупостями лезете. Было такое? — Он вплотную подошел к Бычкову и ткнул пальцем в его грудь: — Было или нет, я тебя спрашиваю?

Настя заметила, как по лицу Никотина пробежало странное выражение не то удовлетворения, не то понимания, не то согласия. Мелькнуло — и исчезло, и Настя не была уверена, что прочитала его правильно.

— Не знаю, — медленно и аккуратно выговаривая каждую букву, произнес Назар Захарович, — меня при этом не было. Может, и было. Так что, не надо убийцу-то искать? Если не надо, так мы пойдем.

— Куда пойдете? Пойдут они! Думаете, я не понимаю, в чем у вас фишка? И долго вы его искали? Все два года? Или только недавно подвернулся?

— Вы кого имеете в виду? — осведомился полковник. — Убийцу?

— Я имею в виду того несчастного придурка, на которого вы собираетесь повесить это убийство. Долго вы его били, чтобы он согласился чужой труп на себя взять? Или, может, денег пообещали? Сыщики, вашу мать! Как вы преступления раскрываете, так я картины маслом пишу! Ничего не умеете, ничего не можете, только дань целыми днями собираете с торговцев и с криминального элемента, карманы набиваете, а чужое горе вам до одного места! Сволочи!

— Н-да, Михаил Андреевич, не получится у нас с вами никакого разговора, — все так же медленно подытожил Бычков. — А жаль.

— Да что ж ты делаешь, Миша! — Шустова уже почти кричала на мужа. — Люди с делом пришли, а ты их гонишь! Сам же плакал, когда Танечкиного убийцу никто не искал, а теперь выкаблучиваешься.

Лицо бывшего майора приняло багрово-красный оттенок.

— Слыхала, что он сказал? Нет, ты слыхала, я тебя спрашиваю? Разговора у нас с ним не получится! Это у меня с тобой разговора не получится, а не у тебя со мной! Ишь, явился — не запылился, еще и мокрощелку свою с собой прихватил! Думал, я тут перед тобой в благодарностях рассыпаться буду, спасибо, дескать, нашей родной милиции, что не забыли? Может, мне еще на колени перед тобой упасть и ноги целовать от счастья? Пошел вон отсюда! И курицу свою забирай!

Назар Захарович кивнул Насте и спокойно двинулся к выходу. И снова ей не то увиделось, не то почудилось выражение удовлетворения на его лице.

Жена Шустова кинулась за ними.

— Вы его простите, ради бога, — торопливым шепотом заговорила она, — не в себе он с тех пор, как Танечки не стало. Если вам нужно что-то спросить, я все расскажу. Вы меня на улице подождите, ладно? Я минут через пять выйду.

— Спасибо, — негромко отозвался Бычков. — Мы подождем.

Они вышли из квартиры и сели в лифт.

— Что это было, Назар Захарович? — спросила Настя, не без труда придя в себя от изумления.

— Это был результат тщательно продуманной акции. Разговаривать с Шустовым мне по вполне понятным причинам не хотелось, мне даже видеть его противно, не то что беседовать с ним. Но как же без него обойтись? Ведь отец потерпевшей, никуда не денешься, и если бы мы с самого начала заявили о своем желании разговаривать только с матерью Тани, это могло бы вызвать черт знает какие последствия. А так форма соблюдена, мы пришли в дом, а там уж Михаил Андреевич сам не захотел с нами говорить, так что с нас взятки гладки. Я хотел иметь возможность разговаривать только с женщиной, и я такую возможность получил.

— Ну вы даете, дядя Назар! Он ведь нас за оперов принял. Могу себе представить, что было бы, если бы мы успели объяснить, зачем на самом деле пришли. Убил бы, наверное, — задумчиво предположила Настя.

— Вот потому я тебя к нему одну и не пустил. Ты же приличная девушка, начала бы прямо с порога объяснять про научный анализ и сбор эмпирического материала, развеяла бы его заблуждения, а в ответ получила бы или травму черепа, или такое оскорбление, от которого загремела бы прямиходом куда-нибудь в нервное отделение. Я ведь предупреждал тебя — мне эта порода хорошо знакома. По Шустову можно все законы психологии как по учебнику изучать. Вот, к примеру, знаешь такой закон, согласно которому мы в других людях больше всего ненавидим именно те недостатки, которые присущи нам самим? Казалось бы, если какая-то черта есть у нас и мы с ней миримся, то должны мириться и тогда, когда замечаем у других, ведь мы уже придумали целую систему оправданий и аргументов в пользу того, что это, дескать, не страшно и вполне приемлемо. Ан нет, у нас-то есть — и нормально, а у других — не моги. Вот ведь парадокс!

— Парадокс, — согласилась она. — Шустов за что боролся, на то и напоролся. Как он вашего сына гнал из дежурки? А потом его самого погнали, и точно такими же словами, дескать, не мешайте работать, у нас дела поважнее есть. Как ты относишься к окружающему миру, так мир относится и к тебе, все на основе взаимности. И ведь он даже не понял, что ему аукнулась его собственная жизнь, представляете? А о каком похищенном олигархе он говорил? О Татищеве, что ли?

— Наверное, — пожал плечами Никотин. — Вроде его как раз года два назад похищали. Ты смотри, дочка, как жизнь переменилась-то, а? Раньше, при советской власти, слово «убийство» было магическим словом, при звуках которого все поднимались в ружье и работали не покладая рук. А теперь что? Никому ничего не надо, даже не всякое убийство на контроль у руководства ставят. Теперь даже не стесняются публично объявлять, что одно убийство важнее другого. Раньше хоть вслух не говорили, считалось все-таки неприличным, считалось, что жизнь всякого человека бесценна. А нынче все имеет цену, даже труп. Богатый труп или властью наделен — цена выше, а за медсестру никто задницу рвать не станет. Я, кстати, помню, как ты орала и топала ногами, когда в девяносто пятом тебя хотели с одного убийства снять и в бригаду по раскрытию убийства известного журналиста включить. Интересно, сегодня ты тоже так орала бы или смолчала бы и пошла убийцу журналиста искать?

— Во-первых, вас при этом не было, так что помнить вы ничего не можете, — возмутилась Настя. — Я действительно орала, но это было в кабинете Гордеева. И во-вторых, я ногами не топала.

— Да? — удивился Никотин. — Значит, Витька приврал, подлец. А почему не топала?

— Я не умею, — призналась она, пряча улыбку. — Орать могу, а топать ногами — нет. Зато я могу плакать.

— Это вещь, — кивнул Назар Захарович, — полезное дело, иногда очень помогает.

Из подъезда вышла жена Шустова, огляделась по сторонам, увидела Настю и Бычкова и неуверенно направилась к ним.

— Я сказала мужу, что пошла в аптеку. Давайте зайдем во двор, у нас там детская площадка и скамеечки стоят. А то муж может в окно выглянуть и нас увидит, — смущенно сказала она.

Они пошли во двор и уселись на скамейку, точнее, Настя и Инна Семеновна Шустова сели, а Назар Захарович остался стоять. Несколько минут ушло на объяснение истинной цели визита, и Настя поразилась, с каким мастерством проделал это полковник Бычков. Ему удалось не только не вызвать в женщине разочарования, но и пробудить в ней искреннее желание помочь. «Учись, Каменская, — твердила себе Настя, — учись, пока есть у кого. О Бычкове ходили легенды, говорили, что у него самый обширный в Москве спецаппарат, потому что он умеет работать с людьми. Тебе несказанно повезло, что на твоем пути снова попался Никотин, так используй эту удачу на двести пятьдесят процентов. Смотри, слушай, запоминай, вникай, перед твоими глазами работает мастер высочайшей квалификации».

— Я не осуждаю Мишу за то, что он пьет, — говорила между тем Инна Семеновна, ответив на все вопросы о покойной дочери, — я же понимаю, что это от одиночества. Сначала, когда только-только все случилось... с Танечкой... тогда он еще держался и меня поддерживал, утешал, как мог. А потом, когда оказалось, что он со своим горем никому из сослуживцев не нужен, что никто не собирается из-под себя выпрыгивать, чтобы убийцу найти... Он-то думал, что у него в милиции полно друзей, ну а как же иначе, ведь он столько лет прослужил, а как беда случилась, так оказалось, что никого у него и нет. Следователь для вида что-то поделал, оперативники тоже несколько дней покрутились, а потом все и заглохло. Месяц проходит, другой, Миша все носился с мыслью, что Танечку маньяк убил, ведь не зря же иконка у нее на лбу лежала, так он все газеты просматривал, криминальные новости слушал, думал, может, этот маньяк еще раз проявится, тогда Миша пошел бы к тому следователю, который то, новое дело вести будет, и про Таню рассказал бы. Но больше никаких убийств с иконками не было. Тогда Миша пошел к одному оперативнику, которого давно и хорошо знал, и сказал, мол, давай вдвоем убийцу искать, сами найдем, раз государству до моей убитой дочери дела нет. А тот ему говорит, плати деньги — буду искать, а за так — не получится. Вот после этого он и запил уже всерьез. Понял, что на самом деле он на всем белом свете один-одинешенек и никому, кроме меня, не нужен.

— Но раз вам нужен, значит, не совсем один-одинешенек, — заметил Назар Захарович.

— Я не в счет, — махнула рукой Шустова.

— Почему?

— Жены и мужья почему-то не считаются, — она слабо улыбнулась. — Замечали, сколько раз пожилые супружеские пары жалуются на одиночество? Не вдовы и вдовцы, а именно пары. Даже выражение такое придумали: одиночество вдвоем. А мы ведь с Мишей не вдвоем, у нас еще сын есть, он сейчас в армии служит, осенью должен вернуться. Но Миша и его не считает, видно, очень больно его вся эта история по самолюбию ударила.

— А сами-то вы как свое горе перенесли? — участливо спросила Настя. — Сначала Михаил Андреевич вас поддерживал, а потом, когда он запил, вы же совсем одна остались, от него уже помощи никакой не было.

— Спасибо Андрюше с Элей, они меня все это время тащили. В полном смысле слова.

— Андрюше с Элей? — переспросил Бычков. — Кто это? Родственники?

— Соседи. Вернее, в соседнем доме живут, вон в том. — Инна Семеновна указала рукой на блочную девятиэтажку, стоящую по другую сторону двора. — У них тоже горе в семье случилось, только раньше, чем у нас. Дочка маленькая погибла. И каким-то образом они узнали про Танечку, видно, кто-то из жильцов поделился, в этом дворе все гуляют с детьми и с собаками, все друг друга знают. Элечка сама ко мне на улице подошла, познакомились мы, разговорились, потом они с Андрюшей к нам в гости пришли. И вот целый год — не поверите! — целый год Элечка по ночам со мной сидела. У меня бессонница началась, если удавалось уснуть — кошмары мучили, Миша все время пьяный, но днем как-то еще ничего было, на работу схожу, потом в магазин зайду, ужин приготовлю, в квартире приберусь, постираю, белье переглажу, а как дело к ночи — так хоть волком вой. Такая тоска грызет — передать невозможно. Сижу, Танечку вспоминаю, зайду в ее комнату, подушку ее обниму и плачу, а за стенкой Миша пьяным храпом храпит. И некому пожаловаться, и не с кем поговорить, подруги есть, конечно, но ведь они спят давно, у всех семьи, звонить неприлично среди ночи. Да и что им звонить? Разве они поймут, что я чувствую? Только мать, потерявшая ребенка, может меня понять, а все остальные будут просто сочувствовать и в глубине души ждать, когда же я от них наконец отстану и дам спокойно жить. Вот где одиночество-то настоящее! А Андрюша меня понимал, и Элечка понимала, хотя у нее не дочка погибла, а племянница. Но она все равно понимала и сидела со мной каждую ночь, часов до четырех, пока меня сон не сморит.

— Погодите, Инна Семеновна, — нахмурилась Настя, — я что-то не поняла насчет ваших соседей. Они муж и жена?

— Нет, брат и сестра. Это у Андрюши дочку убили. А Эля — его сестра. Она с ними живет, ведет хозяйство.

— С ними? Или с ним?

— С ними. У Андрюши еще двое детей, старшие. А та, которую убили, та была самой младшей.

— Он что, вдовец? Или разведен? — спросил Бычков. — Почему ваша Эля ведет у них хозяйство?

— Знаете, они об этом не любят говорить. Но жены у Андрея нет, это точно. Он в разводе. А уж как так получилось, что дети с ним остались, я не знаю. Они в этом доме недавно живут, года три, наверное, или четыре, и переехали сюда они уже с Элей, никакой жены там не было.

Бычков недоверчиво приподнял брови.

— Откуда вы знаете? Вы ведь с ними только два года назад познакомились.

— Они сами так говорят. Да и другие соседи тоже жену Андрюшину не видели, Элю — да, знают, а жену — нет. Да какое это имеет значение? Что вы о них все расспрашиваете? — в голосе Инны Семёновны зазвучали нотки подозрительности.

— Инна Семёновна, голубушка, — успокаивающе зажурчал Назар Захарович, — нас интересуют все семьи, где кого-нибудь убили. Я же вам объяснял. Когда, вы говорите, у ваших соседей случилось несчастье?

— Давно, ещё до того, как они сюда переехали.

— Не знаете, убийцу нашли или нет?

— Нашли, это точно, Андрюша рассказывал, что они даже на суд ходили.

— Фамилию убийцы он вам не называл, случайно? — быстро спросила Настя, отрываясь от блокнота, в котором записывала всё, что говорилось.

— Нет, да я и не спрашивала. А вам зачем?

— Инна Семёновна, — укоризненно протянул Никотин, и женщина согласно закивала, словно спохватившись. — Как вы думаете, ваши друзья согласятся с нами побеседовать?

— Думаю, согласятся, — без колебаний ответила Шустова. — Они хорошие люди, очень добрые, они ваш интерес поймут. Тем более убийцу нашли и наказали, так что у них такой ненависти к вам, как у моего Михаила, не должно быть. Хотите, я им позвоню? Сегодня суббота, Андрюша с сыном, скорее всего, куда-нибудь поехали, а Элечка наверняка дома.

Настя протянула ей свой мобильник, Шустова набрала номер и через какое-то время разочарованно вернула аппарат хозяйке.

— Никто не отвечает. Но я обязательно им дозвонюсь, сегодня же дозвонюсь, в крайнем случае мы с Элей возле церкви встретимся, мы договаривались на Крестный ход вместе пойти, сегодня же Пасхальная ночь. А вы мне позвоните завтра, и я вам скажу, согласны они или нет. Ладно?

Простившись с Инной Семёновной, Настя и Бычков пошли к троллейбусной остановке: до метро нужно было ещё ехать минут пятнадцать.

— Ну, дочка, что скажешь?

— Спасибо вам, Назар Захарович, — от души поблагодарила Настя. — Без вас я бы точно не справилась.

Все-таки странная история какая-то... Я, конечно, в понедельник найду материалы по этому убийству, дело наверняка давно в архиве пылится, посмотрю сама, что там к чему, но то, что убийств с иконками больше не было, это совершенно точно. Я такие вещи отслеживаю, если бы хоть еще одно такое убийство имело место, я бы заметила. А тот факт, что на трупе лежала иконка, говорит в пользу маньяка, потому что, если верить рассказу матери, у Тани не могло быть ни с кем таких отношений, в результате которых мы получили бы подобное убийство. Без приставаний, без предварительных угроз... И ваш сын, и Шустова нарисовали практически идентичный портрет девушки, у такой не может быть сомнительных знакомств с психически неполноценными поклонниками. Таня Шустова была какой угодно, только не легкомысленной кокеткой. Так что на убийство по личным мотивам ну никак не тянет. А если маньяк, то куда он делся? Почему больше никого не убил? Неужели ремиссия длительностью в два года? Может, маньяк-гастролер?

— Бывает, — согласился Бычков. — Работа разъездная, сегодня здесь, завтра там. Может, этот маньяк свои иконки по всей России разбрасывает, да только пока в нашем Министерстве аналитики прочухаются, лет двадцать пройдет, как с Чикатило. У тебя в главке свои люди есть?

Настя молча кивнула. Она сегодня же позвонит Игорю Лесникову и попросит прислать ей по электронной почте сводки по убийствам за три года по всей России. Конечно, сегодня суббота, и время уже к вечеру, так что Игоря на работе, скорее всего, нет, но она все равно попросит, а он пришлет данные, как только сможет.

— Ты сама-то на службу пойдешь? — спросил Назар Захарович.

— Когда? Сейчас? Я же в отпуске, — удивилась Настя, — что мне там делать в субботу вечером?

— Ох, православная, беда с тобой, — вздохнул Никотин. — Да не про работу я спрашиваю, а про Пасхальную службу в церкви.

— Нет, я не хожу.

— А зря, — заметил он, — очень полезно, нервы хорошо успокаивает, даже если неверующая. Постоишь два часа, подумаешь о несуетном, глядишь — мозги и прочищаются, а вместе с ними и душа. Я-то непременно пойду.

Настя вспомнила про Короткова и его жену и улыбнулась про себя.

Интересно, Юрка пойдет? Кажется, на прошлой неделе он этот вопрос обдумывал и сомневался. Он ничего не понимает в Божественном и, кажется, даже не очень представляет себе, чем православие отличается от католицизма и других течений в христианстве, но с годами в нем проснулась и укрепилась вера в нечто неведомое, ему самому непонятное, но от этого не менее могущественное и всеобъемлющее. «Я не знаю, Аська, Бог это или еще что, но что-то есть, я чувствую», — неоднократно говорил он.

— Слышь, дочка, у тебя кино какое-нибудь есть с Рутгером Хауэром?

Настя остановилась и оторопело поглядела на своего спутника. Ничего себе перепады у Никотина, то про церковь и Пасху, а то вдруг про американского актера! Или она так глубоко задумалась, что что-то пропустила в разговоре?

— Есть, наверное, — неуверенно ответила она, — надо посмотреть. А зачем?

— Да хочу на его рожу глянуть. У Юрки моего, видишь ли, подруга сердечная есть, так она мне как-то сказала, что у нас с ним глаза как у этого Хауэра, не тем он будь помянут. Хочу сам посмотреть, интересно же, с кем она меня сравнивает.

Рутгер Хауэр? Действительно, интересно. Настя внимательно посмотрела на Бычкова. Да, пожалуй...

Глава 5

Ты опять покупала мясо на рынке?
Элеонора Николаевна обреченно вздохнула и привычно проглотила резкий ответ. Нет, резкий ответ, конечно же, последует, но не сейчас, не сразу, ведь, может быть, все обойдется на этот раз, и Дина не станет скандалить и развивать мысль о бессмысленной трате денег и необходимости экономии. Как Аля устала от всего этого! Один Бог знает, как ей надоели бесконечные придирки племянницы, но еще больше надоело ей сдерживаться и терпеть. Была бы Дина ее дочкой, все было бы по-другому, уж своей бы дочери она сумела объяснить, как можно разговаривать со старшими, а как — нельзя. Но Дина — не дочка, она всего лишь племянница, дочь брата, да к тому же не родная, и вдобавок ко всему знающая об этом, поэтому у нее каждое лыко ловко и ладненько встает в строку непрекращающейся песни о том, что она никому не нужна, она ни для кого здесь не родная и никто ее не любит. Ох, мама, мама, да и папа, кстати! Неужели действительно так уж важно было соблюдать эту чертову правду? Да, в случае с Андрюшей

это было правильно, тут Аля с родителями соглашалась, но разве потом, с Динкой, не лучше было бы промолчать и сделать вид, что она — родная дочь Андрея? Андрей в тот момент поступил так, как считал правильным, исходя из собственной жизни и полученного воспитания, и родители его в этом поддержали. Может, зря? Может, надо было все тщательно обдумать, примерить на другое время и другую ситуацию и принять другое решение? Кто знает, как правильно?

Никто не знает. Что сделано — то сделано. И теперь Аля ради брата и ради спокойствия в семье терпит выходки племянницы до последнего.

Она не имеет права воспитывать чужих детей, для этого у них есть собственные родители. Если бы сейчас они с Диной были в квартире одни, Элеонора Николаевна не побоялась бы пойти на обострение разговора, но Андрей дома, они со Славиком смотрят в соседней комнате телевизор, и отец в любой момент может появиться на кухне и услышать свою полубезумную дочь. Надо поберечь его нервы, он и без того выматывается на работе, зачем ему лишние переживания?

— Я спрашиваю, ты опять покупала мясо на рынке? — голос девушки зазвучал более требовательно, с нотками учительской строгости.

— Да. А в чем дело?

Аля старалась говорить спокойно, не выдавая всколыхнувшегося раздражения.

— Ты не должна тратить наши деньги на всякие глупости! Сколько раз я тебя просила покупать только дешевые продукты?! К чему это барство, это мясо с рынка? Прекрасно можно было бы купить в магазине.

— В магазине мясо перемороженное, оно получается сухим и жестким, а твой папа любит, чтобы еда была вкусной. И твой брат тоже. Папа зарабатывает достаточно, чтобы позволить себе и своей семье нормально питаться.

— Мне плевать, что там они любят, пусть едят как все, здесь им не ресторан! Я тебе тысячу раз говорила, что мы вчетвером должны жить максимум на тысячу долларов в месяц, а лучше — на пятьсот, а остальное откладывать. Ты поговорила с папой насчет Славкиного маркера?

— Поговорила.

— И что он сказал?

— Сказал, что никому не позволит распоряжаться своими деньгами, в том числе и тебе. Дина, я прошу тебя, отнесись к этому разумно. У папы есть цель — вернуть все то, что было утрачено, он от нее не отказывается, тем более что обещал твоей маме, да он и сам этого хочет, но на пути к этой цели нужно продолжать жить, понимаешь? Нормально жить, покупать вещи, доставлять себе радости, маленькие и большие удовольствия, следить за здоровьем, ездить отдыхать, заниматься спортом, есть нормальную пищу. Нельзя умереть или впасть в анабиоз в ожидании достижения цели, отказывая себе во всем. Потому что, когда цель окажется достигнутой, может случиться так, что наслаждаться этим уже не останется ни сил, ни времени. Годы пройдут, здоровье потеряно, и тогда результат уже не будет нужен, он не будет важным, значимым. Мы все будем смотреть на красивый просторный дом в сосновом бору и на сверкающие дорогие машины в гараже и с тоской думать о том, что здоровье и годы нам уже никто ни за какие деньги не вернет.

Дина молчала, глядя в сторону. Слава богу, кажется, сегодня она в спокойном состоянии, скандалит, конечно, куда ж без этого, но, похоже, в буйство впадать не собирается. Надо бы показать ее врачу, психиатру, что ли...

— Ты будешь ужинать? У меня все готово.

— Нет, я попозже.

— Когда попозже, Диночка? Уже девять часов, папа со Славиком давно поели. Ты же не любишь наедаться на ночь.

И снова в ответ молчание. Все понятно, девчонка собралась ночью уходить, поэтому поздний ужин для нее не будет поздним. Дождется, пока Андрей уснет, и выскользнет из дому. Алю она не боится, знает, что сегодня Пасхальная ночь и тетка пойдет на Крестный ход, слышала, наверное, как Элеонора договаривалась по телефону с приятельницей из соседнего дома. Ну, а брат Славик вообще в расчет не принимается, он весь в отца, спит как убитый, артиллерийской канонадой не разбудишь.

— Хорошо, — Аля решила изобразить покладистость, — когда проголодаешься, покорми себя сама. Меня, вероятно, уже не будет дома.

— Куда ты собралась?

Глаза Дины прищурились, стали колкими и злыми, отчего ее некрасивое лицо сделалось похожим на уродливую маску. Такие маски Элеонора видела в европейских сувенирных лавках.

— Опять на свою позорную случку?

Вот мерзавка! Ведь знает же, что не на свидание тетка пойдет, а в храм, но все равно не упускает случая сказать гадость.

Аля выдержала паузу, чтобы успокоиться.

— Нет, на Крестный ход. Тебя устраивает?

— Ты же не веришь в Бога.

— Откуда ты знаешь?

— Ты — воинствующая безбожница, я тебя знаю всю жизнь, ты никогда не была верующей.

— Ты не можешь этого знать. При советской власти нельзя было признаваться, что веришь в Бога, можно было потерять работу. Поэтому многие скрывали свою религиозность.

— И ты скрывала?

Да что ж она прицепилась-то?! Конечно, Аля могла спокойно и подробно объяснить племяннице, как обстоит дело, но ей почему-то казалось унизительным объясняться и оправдываться перед девчонкой, возомнившей, что она может всех вокруг себя построить стройными рядами и заставить жить по собственным правилам.

— Диночка, вопросы веры — вопросы очень интимные, я не готова обсуждать их с кем бы то ни было. В конце концов, это мое личное дело и тебя никак не касается. Ты возражаешь против того, чтобы я сегодня ночью уходила из дому? Я могу остаться, если нужно.

Интересно, как она теперь выкрутится? Ведь если

Динка собралась на свою таинственную гулянку, то должна быть заинтересована в том, чтобы тетки не было. Аля пристально вглядывалась в лицо девушки, но ни испуга, ни тревоги не заметила. Похоже, ей все равно. Неужели она ошиблась, и Дина никуда не собирается? Хорошо бы. Все-таки когда девочка дома, как-то спокойнее.

— Ничего мне не нужно! — неожиданно выкрикнула Дина, и Аля в смятении оглянулась на дверь: не прибежит ли на крик дочери Андрей.

Но брат, кажется, ничего не слышал, они со Славиком смотрели фильм, и сквозь тонкие стены доносились звуки выстрелов и скрежещущих тормозов.

— Не кричи, пожалуйста, — понизив голос, сказала Аля.

— Мне ничего не нужно, кроме одного: чтобы в доме был порядок, — продолжала Дина яростным полушепотом. — И чтобы деньги тратились только на то, что действительно необходимо.

— Диночка, если тебе не нравится, как я веду хозяйство, я могу уехать к себе и оставить вас одних. Тогда хозяйством будешь заниматься ты. Покупать продукты и готовить для двоих мужчин с хорошим аппетитом, убирать квартиру, стирать и гладить папины сорочки, он каждый день надевает свежую. Три раза в неделю стирать Славкину спортивную форму, потому что с тренировок он приносит ее насквозь мокрую от пота. Еще ходить в химчистку с папиными и Славкиными джемперами, свитерами и джинсами, раз в две недели относить в прачечную по три комплекта постельного белья, а потом его забирать. Кстати, если ты по-прежнему считаешь, что прачечная — это неоправданные расходы, стирай дома в машине, только потом придется по полдня гладить простыни и пододеяльники. Раз в месяц заполнять квитанции и платить по счетам. Раз в месяц мыть окна во всей квартире, в холодное время года — только с внутренней стороны, а в теплое — и снаружи тоже. И каждый день — слышишь? — каждый божий день надраивать сантехнику. Хочешь?

По глазам Дины было видно, что не очень-то она этого хочет.

— Есть еще вариант — можно нанять домработницу, если ты не хочешь делать все это сама. Но ей нужно будет платить, а я занимаюсь вашим хозяйством бесплатно, так что если я уйду, то выйдет еще дороже. Я веду хозяйство как умею, и я допускаю, что тебе не все нравится в том, как и что я делаю. Если ты готова предложить лучший вариант, я в свою очередь готова его выслушать и обсудить.

Этот разговор был далеко не первым, и Аля устала приводить одни и те же аргументы и произносить одни и те же слова. То ли Дина успевала все забыть, то ли эти разборки доставляли ей удовольствие, Элеонора Николаевна не понимала и с обреченной покорностью вела на протяжении двух лет одни и те же дискуссии со странноватой племянницей. Обычно в этом месте, после предложения нанять домработницу, дискуссия прекращалась. Так случилось и на этот раз.

— Ладно, извини, — пробормотала Дина. — Но ты можешь дать мне слово, что идешь не на случку?

Вот оно. Кажется, догадки Элеоноры были правильными. Интересно, Динка действует обдуманно, сознательно или чисто интуитивно, опираясь только на то, что подсказывает подсознание? «Дать слово». Дай мне слово, а потом его выполняй. Я заставлю тебя дать слово, а потом буду висеть над душой, требуя его выполнения. Ты будешь делать то, что я хочу. Ты будешь плясать под мою дудку. Я зажму тебя в жесткий колючий кулак, и никуда ты не денешься. Вы меня не любите и хотите от меня отделаться, но я вам этого не позволю. Похоже, то, о чем Аля говорила недавно матери, обретает видимые очертания.

— Я никому никаких слов не даю, — твердо произнесла Элеонора Николаевна. — Тебе придется просто поверить мне.

— А если я проверю?

Ну конечно. Она проверит. Учет и контроль. За каждым шагом. И сколько так может продолжаться? Если девочку вовремя не остановить, она превратит жизнь своих близких в ад. Но как ее остановить? Пойти на открытый конфликт? А как же Андрей? Ему и без того несладко. И кроме того, есть еще одно обстоятельство, которое нельзя не учитывать: психика Дины. Здорова она или расстроена? И как девочка поведет себя, если начать с ней войну? Не станет ли она опасной?

— Проверяй, — Аля равнодушно пожала плечами. — Ты можешь даже пойти вместе со мной и убедиться, что я иду в храм. Может быть, тебе после этого надоест блюсти мою нравственность.

Она демонстративно отвернулась к раковине и принялась мыть посуду, давая понять, что говорить больше не о чем. Дина еще немного посидела на кухне и ушла к себе.

Ближе к одиннадцати вечера Элеонора Николаевна начала собираться.

Достала из шкафа единственную длинную юбку, купленную специально для посещения церкви в позапрошлом году, когда познакомилась с Инной Шустовой из соседнего дома. Свободная, из шелка с вискозой, темно-коричневая, с еле заметными бежевыми полосочками-штрихами — никогда подобная вещь не появилась бы в ее гардеробе, если бы не Инна. И в храм Аля ни за что не пошла бы, если бы не Инна, нуждающаяся в поддержке, а чаще просто в присутствии приятельницы. Элеонора Николаевна была твердой сторонницей внутренней честности в религиозных делах, глубоко верующей себя не считала и церковь не посещала, полагая, что Божьи заповеди можно и должно соблюдать и не будучи воцерковленным, а стоять на службе и делать вид, что идешь в ногу со временем, отменившим обязательный атеизм и введшим в моду показное православие, считала для себя неправильным. Однако ради соседки пришлось отступить от принципов.

В первый раз это случилось в позапрошлом году, на Пасху, когда Инна вдруг заговорила о том, что если Христос воскрес, то, может быть, и ее Танечка воскресла, и надо бы пойти если не на службу, то хотя бы на Крестный ход и помолиться о вознесшейся душе ее девочки.

— Сходи, — согласилась тогда Элеонора.

— А ты со мной пойдешь? — робко и в то же время как-то настойчиво спросила Шустова.

Аля растерялась.

— Не знаю. Я никогда не ходила.

— Ну пожалуйста, Эленька, пойдем со мной, а? Мне одной так одиноко, так тоскливо...

Але казалось, что для общения с Богом компания не нужна, но отказать она не смогла, уж очень жаль ей было соседку, потерявшую дочь.

Она купила длинную юбку, ибо среди ее вещей не нашлось ничего подходящего для посещения церкви, юбки были слишком короткими, а в брюках, как ей сказали, нельзя. И в одиннадцать вечера они с Инной Шустовой пришли на Пасхальную службу. Сперва Але было не по себе, она даже перекреститься не смогла — не умела, привычки не было, просто стояла и думала о своем, изредка поглядывая на подругу — как она? Не плачет ли? Не нужно ли вывести ее, успокоить, накапать валокордина, который Элеонора Николаевна предусмотрительно захватила с собой вместе с реланиумом и какими-то спазмолитиками. В какой-то момент ей показалось, что Инна сейчас упадет в обморок: та сильно побледнела и покачнулась, и Аля подхватила ее под руку и прижала к себе. В храме было душно, и подруге могло стать плохо не от сердечной боли, а от недостатка кислорода. Но Инна устояла на ногах, только глубоко вздохнула и отерла лоб ладонью. Когда вышли на воздух, Инна отдышалась и вместе с хором неуверенно подпевала: «Христос воскресе из мертвых, смертию смерть поправ, и сущим во гробе живот даровав».

— Вот видишь, — прошептала она Элеоноре, прикрывая рукой от ветра пламя тоненькой церковной свечи, — так и говорится: тем, кто умер, он даровал жизнь. Как ты думаешь, это правда?

Элеонора Николаевна никак не думала, она была очень далека от религии, но в утешение подруге ответила:

— Давай будем надеяться, что правда.

Они обошли вместе с Крестным ходом вокруг храма и снова вошли внутрь, чтобы простоять уже до окончания службы.

— Знаешь, Эленька, а мне полегче стало, — сказала Шустова, когда они прощались во дворе перед тем, как разойтись. — Правильно я сделала, что пошла. И тебе спасибо огромное за то, что ты была со мной. Мне в какой-то момент даже показалось, что Танечка со мной рядом шла вокруг церкви и пела, тихонечко так, тоненько. У нее голосок такой высокий был...

Она зарыдала так горестно, так горько, что у Элеоноры тоже слезы навернулись на глаза. Инна все не успокаивалась, рыдания становились громче и уже перешли в истерику, на них оглядывались немногочисленные жильцы стоящих вокруг двора домов, возвращающиеся со службы. Аля нащупала в кармане упаковку реланиума, выдавила две таблетки и буквально силой засунула подруге в рот. Усадила на скамейку и просидела с ней еще добрых минут сорок, пока та окончательно не успокоилась.

На следующий год Шустова снова предложила вместе пойти на Пасхальную службу. И хотя с гибели Тани прошло уже больше года и Инна стала заметно спокойнее, Элеонора Николаевна не рискнула, помня о той истерике, оставлять ее одну. Надела длинную юбку, покрыла голову шелковым длинным шарфом и пошла в храм. И в этом году пошла. А как откажешься? Какая-никакая, а традиция, да и голос у Инны, когда та звонила и приглашала пойти вместе, был таким испуганным, робким, словно ее собирались одну отправлять на муку мученическую.

Встретиться договорились во дворе без десяти одиннадцать, до церкви совсем близко, минут пять пешком. Когда Элеонора Николаевна вышла из подъезда, Шустова уже ждала ее, сидела на той самой скамейке.

Аля машинально сунула руку в карман плаща, проверила таблетки — на месте, и маленькая плоская алюминиевая фляжка с водой тоже там, на всякий случай взяла, ведь иногда для того, чтобы успокоиться, достаточно просто сделать несколько глотков воды, и можно обойтись без лекарств.

— Эленька! — кинулась к ней Шустова. — Здравствуй, родная. Ну что, идем?

— Идем.

По дороге Инна поведала о визите людей «с Петровки» и передала их просьбу встретиться с семьей убитой несколько лет назад Кристины Лозинцевой.

— Я не понимаю смысла, — осторожно, тщательно скрывая недовольство, ответила Элеонора. — Ну, с вами все понятно, преступление не раскрыто, убийца не найден, работа до сих пор идет. Но у нас-то убийцу поймали и осудили, он пожизненное получил. Зачем им с нами встречаться? Ты хоть выяснила точно, чего они хотят?

— Элечка, родненькая, мой Михаил устроил им такую безобразную сцену, что я уже почти ни о чем у них не спрашивала, от стыда готова была сгореть. Я только поняла, что это что-то по научной части, какой-то анализ, что-то с чем-то сравнивать будут... Ну прости, Элечка, я правда плохо слушала, пока они объясняли, мне так стыдно было за Михаила, что я уж на все вопросы готова была ответить, чтобы как-то сгладить... Ты сердишься?

— Да нет, с чего мне сердиться?

— Если ты против, я скажу, что вы не хотите с ними встречаться, и не дам ваш телефон. Мы так и договорились, что я сначала спрошу у тебя, а уж потом дам им знать. Может, тебе надо с Андреем посоветоваться?

— Не надо. Позвони им завтра с утра и скажи — пусть приходят, только прямо завтра, в воскресенье. Андрей со Славиком по воскресеньям ездят в пейнтбол играть, их не будет. Я сама с этими милиционерами поговорю. А Андрюше лишние переживания ни к чему, не нужно ему эту историю ворошить.

В церкви, во время службы, Элеонора Николаевна снова вернулась мыслями к собственным словам, сказанным Инне Шустовой. Дескать, Андрюше лишние переживания ни к чему. И от Динкиных странностей она пытается его оградить, так и не поговорила с ним, несмотря на совет матери, и от тяжелых воспоминаний, которые непременно вернутся во время разговора о

Кристине и обстоятельствах ее смерти. Она — старшая сестра, которая хочет защитить своего младшего брата. А правильно ли это? Разве она спрашивала у Андрея, хочет ли он, чтобы его ограждали? Нет, не спрашивала. Потому что ответ знала сама: он этого не хочет. Только ужас-то весь в том, что он этого не понимает. Или не хочет понимать.

Он просто подсознательно стремится к тому, чтобы ему было плохо, вот и все. Он чувствует себя хорошо только тогда, когда ему плохо...

* * *

...Ее брат был прирожденной жертвой. Об этом твердила ему вся его жизнь с самого рождения, а потом, уже став взрослым, он сам выстраивал свою судьбу так, чтобы стать жертвой или чем-то жертвовать. Он мог существовать только так и никак иначе. Иначе — просто не получалось.

Один раз, всего один раз он попытался вырваться из порочного круга бесконечной жертвенности, и закончилось это тем, что пришлось принести очередную жертву, самую, наверное, серьезную за всю его жизнь.

Его мать была малолетней шалавой, оставшейся без родителей и выросшей с немощным сильно пьющим дедом. Ее крепеньким соблазнительным телом могли пользоваться все желающие, небесплатно, разумеется. Иногда давали деньги, иногда — водку, и по этой причине дед внучке никоим образом не препятствовал. Сама Надька не пила, у нее, несмотря на сомнительный образ жизни, в юные годы еще было стойкое отвращение к спиртному, и деньги она оставляла себе, а водку отдавала дедушке, чему тот был несказанно рад, ведь на пенсию не больно-то разгуляешься. Деньги Надька копила, копила старательно и трепетно, на пустяки не тратила, складывала бумажку к бумажке. Она хотела красивой жизни, а для красивой жизни нужны не копеечки, а настоящие деньги. Суммы.

Забеременела она в шестнадцать лет, по легкомыслию и неопытности первые признаки беременности проглядела, закрутилась в своей шальной жизни и не заметила, а когда спохватилась и начала метаться, сразу ничего не получилось, а потом уж и сроки вышли, после двенадцати недель делать аборт никто не брался, а те, кто готов был рискнуть, требовали денег. Денег, накопленных с таким трудом, скуповатой Надьке было отчаянно жалко, и пока она боролась с собственной жадностью, прошло еще какое-то время, после которого за дело уже не брались даже опытные абортмахеры. Пришлось вынашивать и рожать. Еще в роддоме ее посетила мысль отказаться от ребенка, подписать все бумаги — и с плеч долой, но тут одна соседка по палате подсказала, что с этим делом торопиться не следует. Отказаться-то она всегда успеет, а сперва надо попробовать получить от государства хоть что-нибудь, что полагается новому гражданину. Улучшение жилищных условий, к примеру. Живут-то они с дедом в бараке. Таких бараков на их улице целых шесть, четыре уже снесли и на их месте построили большой красивый дом с балконами и лифтами, и всем, кто в бараках жил, в этом доме квартиры дали. А если их барак тоже снесут и дом будут строить, то и им с дедом перепадет. И если их будет трое, а не двое, то и площадь выделят побольше, это уж как пить дать.

А когда выделят, то потом фиг отнимут, даже если ребенка в приют отдать.

Дед к появлению внука отнесся равнодушно, все человеческие чувства он давным-давно пропил и интересовался только тем, чтобы в доме была выпивка. Ну, это дело Надька ему обеспечивала, после родов она налилась, округлилась, похорошела и стала пользоваться еще большим спросом, чем прежде. Однако время шло, мальчик подрастал, а о сносе бараков и улучшении жилищных условий пока никаких разговоров не было.

Мальчик, Андрюша, был на удивление крупненьким, здоровеньким, сообразительным и спокойным. Как ни ломала беспутная Надька голову, так и не припомнила, кто же мог быть его отцом, не больно-то она всматривалась в тех, кто звал ее с собой и потом расплачивался, а уж о том, чтобы помнить их через два часа, даже и речь не шла.

Когда ей исполнилось двадцать, а сыну, соответственно, три годика, появился на ее горизонте Прекрасный Принц. При деньгах, при квартире, модно одетый. Готов был жениться, Надькины округлые прелести приводили его в неистовство, а ее легкий веселый характер и умение не задавать вопросов более чем устраивали. Но — ребенок. Ребенка он не хотел. И не в том дело, что не хотел чужого, он не хотел его в принципе, ни чужого, ни своего, никакого вообще. И вот тут очень кстати возникли живущие в стоящем рядом новом доме с балконами и лифтами супруги Лозинцевы, Николай Михайлович и Ольга Васильевна.

Эле в ту пору было уже пятнадцать, шел 1963 год, и насмотревшись на мучения матери, много лет безуспешно пытавшейся побороть болезнь и родить второго ребенка, она с радостью приняла решение родителей усыновить мальчика. Надьку-Шалаву из барака знали все, и история ее была всем хорошо известна. Ее презирали, ей сочувствовали, ею восхищались: среди жильцов нового дома и двух оставшихся старых бараков наличествовал весь спектр эмоций, которые может вызвать юная мать-одиночка с солидным опытом проституции. Хорошенького послушного мальчика с большими умными глазенками и умилительными перевязочками на ручках и ножках тоже все знали и не переставали удивляться, как это у такой матери мог родиться такой славный здоровенький ребеночек. Местные сплетницы даже перебирали поименно жильцов мужеска пола из всех окрестных домов в попытках установить, хотя бы предположительно, отцовство, и сошлись на том, что это либо народный артист, известный всей округе шумными пьяными выходками, либо жутко засекреченный военный из «сталинской» семиэтажки. Артист по пьяному делу мог и малолетнюю шалаву завалить, в таком состоянии разве разберешь, сколько ей лет? Про военного было известно, что он ученый и часто уезжает в длительные командировки на секретные объекты, а на этих объектах-то мало ли чего с людьми случается, отклонения всякие и вообще... И жены у него нет. Так что дело, как говорится, житейское. Сама Надька на вопросы не отвечала и только фыркала в ответ, давая понять, что родила от такого мужика, что ого-го! На самом деле ответа она не знала, да и не особенно задумывалась. Так, повспоминала-повспоминала, уперлась лбом в глухую стену и отступила.

Когда стало известно, что Надька подцепила приличного с виду мужика, но мужик этот не хочет брать ее с ребенком, и молодая мамаша собирается писать отказ и отдавать мальчика в детский дом, Николай Михайлович взял супругу под ручку и отправился в барак с визитом. Должность у него была в ту пору солидная, связи крепкие и обширные, и обойти чиновничьи препоны для Лозинцевых труда не составило. В обычных случаях требовалось, чтобы мать официально отказалась от ребенка, его поместили бы в детский дом, а уж потом начали бы процедуру передачи для усыновления с длительными мытарствами и проверками приемных родителей на предмет их здоровья, благосостояния и благонадежности, но для Николая Михайловича Лозинцева сделали исключение. Надька подписала все бумаги, и мальчика Андрюшу увели в его новый дом прямо из барака.

Но одна деталь все же ускользнула от внимания чиновников, оформлявших документы. Надьке ведь было все равно, как отдавать сына, через детский дом или напрямую новым родителям, будь то Лозинцевы или кто другой. Более того, она быстро уловила явную заинтересованность супругов из дома с балконами и лифтами именно в ее сыночке. Они побаивались брать ребенка из детдома, неизвестно кем рожденного и неизвестно с каким характером и здоровьем, а Андрюшу они видели с самого рождения и знали, что он ничем не болеет и нрав у него спокойный и покладистый.

Да и мать, хоть и проститутка, но тоже здоровьем не обижена, и водку до рождения ребенка не пила, и внешностью вышла по всем статьям. Так что своего Надька упускать не собиралась и выдвинула условие: или Сумма, или отдаю мальчика в детский дом, и еще не факт, что он вам достанется, других желающих усыновить ребенка пруд пруди, в очереди стоят.

Разумеется, Сумму она получила. И не преминула в простой и доступной форме проинформировать об этом трехлетнего Андрюшу.

— Я жертвую своим материнством ради своего и твоего будущего, — с пафосом повторила она раз двадцать во время этого никому не нужного объяснения.

И где только такие слова вычитала? Или в трофейном кино услышала?

— Если ты останешься со мной, мы так и проживем в нищете, в ней же и помрем, — твердила она ребенку. — А теперь ты будешь жить в богатой семье, они дадут мне за тебя много денег, и я тоже смогу устроить свою жизнь. Так что всем будет лучше.

Вряд ли мальчик мог что-то понять, но запомнить мог, особенно самые простые слова: за него дадут деньги. Слова эти отложились в его голове, как брошенные в землю зерна, и ждали своего часа, чтобы пустить сначала корни, а потом и ростки.

Пятнадцатилетняя Эля нового братика полюбила искренне и горячо уже за одно то, что мама перестала страдать, прекратила бессмысленное и подрывающее здоровье лечение гормонами и очень быстро стала превращаться из бесформенной толстухи в женщину нормального вида и с нормальным весом. Девочка готова была любить Андрюшу, даже если бы тот оказался противным, злым, тупым и непослушным. Но он оказался милым добрым ребенком, к тому же необыкновенно способным.

Николай Михайлович и Ольга Васильевна с первого же дня не скрывали ни от кого правды: ребенок приемный, у него есть родная мать, отдавшая сына им на воспитание, поскольку живет в весьма стесненных условиях, как жилищных, так и материальных. Офицер разведслужбы, Николай Михайлович Лозинцев не мог допустить даже малейшей возможности шантажа или давления на себя и свою семью, поэтому в серьезных вопросах ложь исключалась. Около двух месяцев маленький Андрюша очень тосковал, много плакал и спрашивал, когда мама заберет его домой. Новые родители и сестра и тут не обманывали ребенка, терпеливо объясняя, что мама его не заберет, потому что решила, что с ними ему будет лучше. Бывает, что у ребенка только одна мама, бывает, что есть еще и папа, а бывает, что две мамы. Всякое случается, и любое положение нормально. Никаких разговоров о том, что мама умерла или уехала навсегда, никаких попыток заставить его забыть Надьку-Шалаву. Время вкупе с любовью, заботой и лаской — лучший лекарь, решили они, и все должно идти естественным путем.

Сразу же после оформления усыновления Лозинцевы стали искать обмен и примерно через полгода переехали в другой район города. К этому времени Андрюша полностью освоился в новой семье и о родной матери не вспоминал, его отдали в детский садик, он обзавелся друзьями в новом доме, с которыми подолгу и с упоением играл то во дворе, то у себя дома, потому что у него было больше всех игрушек и игрушки эти были самыми лучшими. Тут Николай Михайлович постарался, благо, возможности были.

Когда Эля закончила школу и поступила в институт, то есть ощутила себя совсем взрослой, Андрюшка еще ходил в садик, и на всю оставшуюся жизнь брат остался для нее маленьким ребенком, которого надо опекать, оберегать и лелеять. И даже когда он в свои двенадцать лет перерос миниатюрную Элю, а в пятнадцать — отнюдь не низкорослого Николая Михайловича, он все равно оставался для нее малышом, несмышленышем, птенчиком.

Училась Эля в Институте стран Азии и Африки, изучала английский, французский и хинди, потом работала во Внешторге. В двадцать пять лет вышла замуж за своего коллегу и уехала с ним в Дели, в торговое представительство. Через три года вернулась, забеременела, родила ребенка и развелась с мужем. Как-то нескладно все получилось... Нет, он не был плохим человеком, даже наоборот, он был чудесным, но она... все дело в ней, в Эле. Не может она забыть того, чей взгляд отравил ее на всю оставшуюся жизнь. Всех меряет по нему, хочет

найти похожего, такого же умного, необычного, перед
которым не стыдно и не страшно признаваться даже в
таких вещах, о которых порой и самой себе не скажешь.
Думала, что это глупости, просто воспоминания, и вполне возможно жить и растить детей с совсем другим мужчиной. Оказалось — нет. Невозможно. Не получается.

С двадцати пяти лет, то есть с момента выхода замуж,
Эля не жила с родителями. Андрюше тогда было всего
тринадцать, и считать его взрослым было бы смешно.
Поэтому ее не насторожила фраза, промелькнувшая в
одном из его писем, написанных сестре в Индию: «Ее
продали приемным родителям, так же, как меня когда-
то». Контекст фразы был самым невинным, брат пересказывал Эле содержание французского фильма, который видел вместе с родителями на закрытом просмотре в Доме архитекторов.

В тридцать пять лет Эля вышла замуж во второй раз,
решив, что юношеские бредни окончательно покинули
ее трезвую голову, и уехала с новым мужем и шестилетним сыном в длительную командировку, на этот раз во
Францию, в Париж. И вот тут стали происходить события, заставившие ее вспомнить и ту, на первый взгляд
невинную, фразу в письме Андрея, и многое другое. Например, историю о том, как накануне соревнований по
баскетболу среди юношеских команд брат сказался
больным, чтобы на поле выпустили его друга, не попавшего в основной состав. Или историю о том, как он отдал совершенно незнакомому мальчишке все деньги,
которые родители дали ему на покупку новой спортивной обуви, потому что нога выросла и в старой обуви
ему было больно и неудобно тренироваться.

Мальчишку ограбили в подворотне, забрали деньги,
шапку и куртку, дело было зимой, он горько плакал и
трясся от холода, и Андрей, ни минуты не раздумывая,
потащил его в ближайший универмаг и купил какую-то
одежду, чтобы парень не простыл окончательно. Тогда
все отнеслись к этому с пониманием и одобрением, казалось, что Андрей просто очень добрый мальчик, которому всех жалко, и своего друга, не вылезающего со
скамейки запасных, и постороннего обиженного гра-

бителями мальчугана. И только значительно позже Эля стала понимать, что это и так, и одновременно не совсем так. Андрей действительно был потрясающе добрым человеком. Но было кое-что еще.

Андрей к тому времени с блеском закончил финансово-экономический институт и поступил в аспирантуру. Ученые мужи были в восторге от талантливого юноши и прочили ему большое будущее. Уезжавшая на пять лет Эля торжественно вручила ему ключи от своей трехкомнатной квартиры и шутливо сказала на прощание:

— Смотри, братишка, у тебя есть пять лет на решение всех вопросов. К моему возвращению ты должен, во-первых, стать кандидатом наук, во-вторых, устроить свою личную жизнь и жениться и, в-третьих, постараться не загубить мои цветы. Через пять лет вернусь — проверю. Правда, когда мы будем приезжать в отпуск, тебе придется возвращаться к родителям, но я надеюсь, это не слишком помешает ни твоей научной работе, ни личной жизни.

Андрей с благодарностью принял ключи, поцеловал сестру и честно признался, что насчет кандидатской степени и женитьбы ничего обещать не может, но сохранность и благополучие цветов гарантирует.

В ректорате института, где он учился, работала красивая девушка по имени Верочка. Андрей был, естественно, знаком с ней, но ни малейшего мужского интереса к красавице не испытывал, полностью погрузившись в работу над диссертацией. Однажды, зайдя в ректорат за каким-то документом, он застал Верочку в слезах. Было бы неправдой сказать, что девушка тут же кинулась рассказывать молодому аспиранту о своих невзгодах, нет, конечно, она отмалчивалась и уверяла, что все в порядке, но Андрей проявил настойчивость, тем более что ректора на месте не оказалось и все равно пришлось долго ждать, и он вполне справедливо рассудил, что лучше поговорить, чем сидеть молча и смотреть, как красавица Верочка глотает слезы.

— Я жду ребенка, — наконец выдавила Вера и встала из-за стола, за которым все это время сидела, спрятавшись за громоздкой пишущей машинкой.

Это точно, подумал Андрей Лозинцев, когда она встала. Беременность была настолько очевидна, что ее факт даже не нуждался в озвучивании. Просто удивительно, как он раньше-то не замечал Верочкиного выпирающего живота! Наверное, это оттого, что не засматривался на девушку и не интересовался ею. Ну сидит себе и сидит в ректорате, печатает что-то там на машинке.

— А плачешь почему? — непонимающе спросил он.

Это было выше его разумения. Да, многие женщины переживают и даже плачут, когда выясняется, что они забеременели, и особенно сильно мучаются они в тот период, когда принимают решение, оставлять ребенка или нет. Но тут-то! Месяцев восемь, если не больше. Значит, решение давно обдумано и принято, чего же сейчас плакать?

— Он умер, — зарыдала Вера. — Завтра похороны.

— Кто умер? — ужаснулся Андрей. — Твой муж?

Вера отчаянно затрясла головой и заплакала еще горше.

— Не-е-ет, — провыла она сквозь слезы.

— А кто же?

— Отец ребенка.

— То есть ты с ним не расписана? — уточнил Андрей, любивший ясность формулировок.

— Не-е-ет, — снова провыла Верочка. — Мне жить теперь негде, она меня выгнала.

Эти слова поставили Лозинцева в тупик, он налил Верочке воды из сомнительной чистоты графина, погладил по голове, велел успокоиться и рассказывать все по порядку.

История оказалась до оскомины банальной и до тошноты некрасивой.

Разумеется, Верочка ее таковой не видела и многое преподносила в несколько, мягко говоря, искаженном свете, но у Андрея хватило ума услышать за ее путаными фразами то, что произошло на самом деле.

Семья у Веры была большой, работящей и бедной. То есть с голоду никто, конечно, не умирал и от холода не замерзал, напротив, все были уверены, что живут не хуже многих, однако девушку это «не хуже» никак устроить не могло, она хотела жить не «не хуже» других, а лучше. В трехкомнатной хрущевке-распашонке ютились друг у друга на головах дед с бабушкой — родители отца, мать с отцом, старший брат с женой и маленьким ребенком и младшая сестра Веры. Высшего образования никто в семье не получал и даже не пытался, отец был рабочим высочайшей квалификации, его портрет уже много лет бессменно висел на Доске почета, а сам он, став членом парткома своего завода, имел все основания считать, что жизнь его удалась во всех отношениях и за жизнь эту, прожитую в честном и нелегком труде, ему никогда и ни перед кем не будет стыдно. На этом заводе работали в свое время и бабушка с дедом, там и познакомились когда-то, там же и отец познакомился с матерью, там же работал и старший брат. «Мы — династия!» — с гордостью повторяли родители и с восторгом приняли известие о том, что их старший сын нашел свою половинку все на том же заводе, в отделе технического контроля.

Однако Верочка семейной гордости не разделяла, она давно, еще в школе, решила, что на завод не пойдет ни за какие коврижки. Она устроится на работу в приличное место, найдет себе приличного мужа с квартирой и съедет из этой теснотищи к чертовой матери. Первые конфликты начались, когда она заявила о своем решении родителям. Разумеется, о матримониальных перспективах не было сказано ни слова, на это у Веры ума хватило, но и одного того, что она после десятилетки не пойдет на завод, оказалось достаточным, чтобы спровоцировать скандал.

Ей повезло, подвернулось место машинистки в финансово-экономическом институте, и Вера сочла это добрым предзнаменованием. А что? Кругом молодые аспиранты, почти сплошь неженатые, а еще доценты и даже профессора, которых можно развести, если действовать умело, не говоря уж о холостых веселых студентах. Девушка она более чем хорошенькая, просто, можно сказать, красивая, так что проблем не будет.

Их и не было. В том смысле, что не было проблем с

ухажерами. Зато начались проблемы дома, с родителями и старшим братом. Каждое позднее возвращение домой сопровождалось очередным скандалом, отец кричал, что не позволит ей таскаться по мужикам, что на нее смотрит младшая сестра и берет с нее пример, что, если бы кавалер был приличным, она привела бы его в дом и познакомила с родителями, а коль не приводит, стало быть, понимает, что связалась не с тем, с кем надо. Ни о каких ночевках вне дома и речи быть не могло, но Вера тем не менее поступала так, как считала нужным, оставалась ночевать там, где хотела, и с тем, с кем хотела, а выслушивая очередной шквал претензий и упреков, молча стискивала зубы и говорила себе: как только — так сразу, и минуты лишней здесь не проведу, а напоследок скажу им все, что думаю.

Наконец удача ей улыбнулась, очередной поклонник, «запавший» на ее яркую красоту, оказался не только важным функционером при должности, полномочиях и связях, но и потерял голову настолько, что готов был жениться на ней, предварительно, естественно, расторгнув уже имеющийся брак. Ему было около пятидесяти, и был он, как шекспировский Гамлет, «тучен и одышлив», но это никоим образом не умаляло в глазах Верочки его достоинств. Функционер немедленно нашел квартирку, в которой и поселил свою юную прелестную возлюбленную, как он уверял, временно, до окончательного решения всех проблем. Квартира принадлежала кому-то из его знакомых и пустовала, поскольку хозяева предпочитали круглый год жить на хорошо оборудованной теплой госдаче.

Три года они прожили в любви и согласии, функционер брал взятки и втайне от законной супруги строил кооперативную квартиру, в которую собирался въехать после развода вместе с молодой женой.

— Пока дом построится, как раз дочке исполнится восемнадцать, и можно будет развестись без скандала в парткоме, — объяснял он Верочке. — А иначе можно и должности лишиться, у нас там такие интриги подковерные...

Вера относилась с пониманием, насчет разводов

при несовершеннолетних детях она была хорошо осведомлена. Когда потенциальный жених радостно сообщил ей, что был на собрании кооператива и что через два месяца дом сдадут и можно будет заезжать, она решила, что самое время завести ребенка. А чего тянуть-то? Ей уже двадцать два, через пару месяцев у нее будет свой дом и законный муж, так что самое время.

Сказано — сделано. Дом сдали с небольшой задержкой, да пришлось потратить еще некоторое время на дополнительную отделку и покупку мебели, так что в новое свое жилище Верочка въехала с шестимесячной беременностью. Дочери функционера как раз за несколько дней до переезда исполнилось восемнадцать, и через месяц после новоселья новоявленный Гамлет сделал своей любимой подарок: подал заявление о расторжении брака. Жизнь засияла для Верочки такими радужными перспективами...

Но перспективы эти потухли и рухнули в один момент. Не выдержав напряжения последних лет и издергавшись от всяческих переживаний, связанных с разводом и объяснениями с женой, функционер скончался прямо на службе от обширного инфаркта. На следующий день в новую кооперативную квартиру явилась его официальная вдова, которая оказалась вовсе не настолько несведуща в делах мужа, как предполагалось, и выгнала Веру вместе с ее беременностью. Квартира куплена в законном браке, так что никто, кроме вдовы и дочери, претендовать на нее не может. Вера пыталась скандалить, грозилась нанять самых лучших адвокатов, взывала к женской солидарности и демонстрировала огромный живот, но все было впустую. Вдова была дамой жесткой, решительной и вдоволь настрадавшейся в свое время от мужниной неверности, так что ни на какие уступки идти не желала. Более того, запретила Верочке появляться на похоронах и в качестве большого одолжения позволила ей пожить в квартире ровно неделю, пока не найдется, куда переехать. Но только неделю, ни днем больше.

— Ровно неделю, — повторила на прощание вдова, уже стоя в дверях. — В следующий четверг я приду сюда с милицией, и если ты, сучка, будешь все еще здесь, я тебя посажу за попытку кражи. Эта квартира принадлежит мне, ты не имеешь никакого права здесь находиться, и скажи спасибо, что я сегодня пришла без милиции.

Положение было пиковым. С родителями она порвала окончательно, когда три года назад переехала от них в съемную квартиру. Как и собиралась когда-то, на прощание высказала им все, что думала о них самих, о нищете, в которой, по ее мнению, они прозябали, и об их рабочей гордости. Сказанные ею слова были мерзкими и оскорбительными, но самой Верочке они казались правильными и справедливыми. Мать схватилась за сердце, отец же побелел и даже посерел и тихо, но четко произнес:

— Убирайся. И больше на наши глаза не появляйся. С этой минуты у нас больше нет дочери Веры. Сын Саша и дочка Катя есть, а Веры нет. Я вычеркиваю тебя из нашей жизни навсегда.

Вера тогда гордо удалилась, громко хлопнув дверью, ей казалось, что никогда и ни при каких обстоятельствах она не захочет сюда вернуться, и радовалась, что сбросила с себя эту тягомотную обязанность каждый день быть здесь, слушать опротивевшие голоса, произносящие опротивевшие фразы о девичьей чести и приличных кавалерах, помогать матери обслуживать ораву из девяти человек и по ночам просыпаться оттого, что мимо тебя кто-то ходит то в туалет, то на кухню попить водички. Ни разу за три года она не навестила родных и не позвонила им.

«Меня для них нет? — думала она с облегчением. — Тем лучше. Их для меня тоже нет и не будет».

Конечно, три года — срок большой, и родители наверняка остыли и готовы уже ее простить... Но тут Вера подумала о том, что им ведь отлично известно, где и кем она работает, однако за все три года они не сделали попытки найти ее, разузнать, как она живет, здорова ли. Значит, не простили. Значит, действительно выкинули из своей жизни. И если сейчас она принесет домой повинную голову, никто не кинется ей навстречу с распростертыми объятиями и слезами радости. Нет, ее не выгонят, все ж таки беременная, на большом сроке, ей дадут приют, накормят, уложат спать, а когда придет срок — отправят в роддом и потом примут вместе с ребенком. Но все это будет происходить в гордом молчании и холодном отчуждении. О, Верочка прекрасно знала, как умеют это делать ее непреклонные родители! И за меньшие провинности награждали они детей многонедельным молчанием. А уж тут-то... Однажды Вера в запале назвала отца дураком, так понадобилось два месяца, чтобы он отошел и снова начал с ней разговаривать, а ведь в тот раз, когда она покидала родительский дом, слова были сказаны куда более страшные и резкие. И случится все именно так, как они и предсказывали: дочка принесет в подоле, да еще от женатого мужика. Мало того, что гулящая, так вдобавок разлучница. Нет, такого мать с отцом ей не простят.

Вот в этих горестных раздумьях и застал Верочку высоченный симпатяга аспирант Лозинцев. Вера уже находилась в декретном отпуске, но сегодня пришла на работу в надежде поговорить с сослуживцами насчет квартиры, а вдруг да у кого-нибудь что-нибудь найдется, такое, чтоб недорого или даже вовсе бесплатно.

— Ну, на первое время я смогу тебе помочь, — сказал Лозинцев, подумав всего минутку. — Переезжай ко мне, я сейчас у тетки живу, у нее большая «трешка», тесно не будет. Перекантуешься какое-то время, пока не решишь вопрос, а то ведь тебя и вправду с милицией выселять будут.

Верочка предложение приняла без колебаний, да и какие могли быть колебания в ее-то пикантном положении? На следующий день Андрей попросил приятеля с машиной помочь перевезти Веру с вещами, и началась у обоих новая жизнь. Вернее, они-то оба думали, что жизнь продолжается старая, просто с некоторыми временными нюансами, но оказалось, что это надолго. Проблема жилья для Веры никак не решалась, да и не могла решиться, ведь шел 1985 год, когда жилье еще распределялось государством, получить комнату в институтском общежитии, имея московскую прописку, было невозможно, а на то, чтобы снимать квартиру, Верочкиной зарплаты машинистки ну никак не хватало, да и не так просто в те времена было найти эту самую квартиру. А тут и время рожать подоспело...

Из роддома Веру забирали две подруги и Андрей Лозинцев. И началось. Пеленки, соски, погремушки, подгузники, ночной плач, не дающий выспаться, сцеживание молока, детская кухня, мастит, вечно усталая и плохо себя чувствующая Вера, беспрестанно льющая слезы над своей порушенной жизнью. И Андрей, как в омут кинувшийся помогать несчастной и взявший на себя практически все хлопоты и заботы. Над диссертацией он работал в основном по ночам, к ребенку — девочке, которую Вера назвала Диной, — искренне привязался, но прошел по меньшей мере год до того дня, вернее, той ночи, когда Вера сама пришла к нему в комнату.

— Андрюша, — сказала она, — ты знаешь, я только сейчас поняла, что у меня на всем свете ближе тебя никого нет. Ты самый лучший, ты даже не представляешь, какой ты.

Он действительно не представлял. Он думал, что просто помогает человеку, попавшему в трудное положение, он так поступал всю жизнь.

Ему и в голову не приходило, что на самом деле он ищет возможности принести очередную жертву, ибо только жертвуя чем-то, может чувствовать себя комфортно. Но Вера — надо отдать ей должное — понимала это очень хорошо, даже если не могла так точно сформулировать. Она от природы была наделена феноменальным чутьем на людей, абсолютно точно определяла слабые и сильные их стороны и те струны, играя на которых можно добиться результата. Впоследствии, наблюдая за женой брата, Эля с тоской думала о том, что встречала в своей жизни только одного человека, наделенного таким же чутьем, того самого, глаза которого отравили ей всю последующую личную и семейную жизнь. Хотя, если честно признаться, у Веры эта способность чувствовать людей и управлять ими была развита, пожалуй, даже посильнее. Как бы там ни было,

Вера знала, как заставить Андрея Лозинцева поступать в выгодном для нее ключе, и знание это использовала в полной мере.

Они поженились в 1987 году, и в этом же году родился сын Ярослав.

Андрей успешно защитился, отец, Николай Михайлович, задействовал свои связи, чтобы отправить сына на стажировку за границу, в крупную финансовую компанию. Невестку с двумя малышами Лозинцевы-старшие взяли к себе, одна она с детьми не справится, тем более что Эля с мужем должны были вот-вот вернуться из командировки и квартиру все равно пришлось бы освобождать. Получив солидный и, как оказалось, весьма своевременный опыт работы с ценными бумагами, Андрей после стажировки нашел в Москве не только прекрасную и высокооплачиваемую работу, но и возможность стать по-настоящему состоятельным человеком. На рубеже девяностых таких специалистов, как он, можно было пересчитать по пальцам, а если прибавить к этому природные способности и невероятную усидчивость, то станет понятно, почему так быстро продвигалась его карьера и так удачно делались его личные денежные вложения. Вера могла позволить себе не работать и наслаждаться жизнью даже в большем объеме, нежели ей когда-то мечталось, ведь мечталось-то при советской власти, когда и возможности были другие, и масштабы не те. Андрея она не любила, как, впрочем, и своего функционера, и многих других мужчин, в отношения с которыми вступала исключительно из меркантильных соображений. Однако эмоциональный и сексуальный ресурс у нее был большой, и теперь Верочка тратила его на тех мужчин, которые ей действительно нравились. Теперь она могла позволить себе выбирать их по вкусу, а не по кошельку и не по служебному положению. Она и выбирала, ни в чем себе не отказывая и даже не особенно стараясь скрывать от мужа свои похождения, нутром чуяла, что ему нужны жертвенность и страдания, а безоблачного счастья он просто не вынесет. И он все терпел, заботился о детях, кормил их, делал с ними уроки, водил на прогулки, стирал, гладил и при этом зарабатывал деньги в должности ведущего аналитика крупного банка. Вернее, сначала-то был банк поменьше и попроще, но по мере роста количества правильных прогнозов, на основании которых банк заключал удачные сделки, репутация Андрея Лозинцева укреплялась, и его перекупил банк посерьезнее, потом крупный банк, а потом — но это уж совсем потом — мощная финансовая корпорация, и с каждым переходом зарплата его увеличивалась. Он никогда не приносил домой всю зарплату до копейки, он хорошо умел считать деньги и точно знал, сколько нужно на жизнь, а сколько можно оставить для того, чтобы покупать ценные бумаги. Талант финансового аналитика верой и правдой служил не только финансовой структуре, в которой работал Лозинцев, но и ему самому, он делал вложения, покупал ценные бумаги, сбрасывал, снова покупал и снова продавал, и его личный капитал потихоньку рос, а в период с 1994-го и до дефолта 1998 года рос уже не потихоньку, те годы были самыми бурными в смысле роста фондового рынка, и вложенные средства увеличивались почти в три раза.

И тут чутье и опыт спасли Андрея, от дефолта он не пострадал.

А Верочка тем временем порхала и развлекалась, посещала косметические и массажные салоны, фитнес-клубы, рестораны и казино, крутила романы и общалась с подругами. Пока в один прекрасный день не влюбилась до смерти. То есть так влюбилась, что белый свет в глазах померк.

Он был весьма успешным бизнесменом, и материально Вера почти ничего не проиграла бы, разведись она с Андреем и выйди замуж за свою первую по-настоящему страстную любовь. Однако не все было так гладко, как ей хотелось, ибо бизнесмен, хотя и отвечал ей взаимностью, был все-таки женат, но бездетен, и вот тут Верочка решила пойти ва-банк. Если в законном браке детей нет, то ребенок от любовницы может сыграть весьма существенную роль в деле продвижения к разводу. Разводить женатых мужчин ей было не впервой. И Вера перестала предохраняться.

Просто удивительно, до чего порой неразборчиво раздает природа свои милости! Есть женщины, страстно мечтающие родить ребенка и не имеющие такой возможности в силу разных причин, а есть те, кто совершенно равнодушен к детям, но легко беременеет, легко носит и легко рожает, при этом и детки получаются здоровенькими, и у матери фигура не портится. Вера Лозинцева была как раз такой. Та часть природы, которая отвечает за физиологию, предназначила ей быть многодетной матерью, но другая часть, в ведении которой находятся душа и мысли, имела, вероятно, на Верочку совсем другие виды и тоже постаралась как могла. Дети для Веры были не более чем инструментом для привязывания к себе мужчин. Диной она забеременела, чтобы функционер не вздумал в последний момент взбрыкнуть, испугаться парткома и увильнуть от развода, Ярослава родила, чтобы женить на себе Андрея, и вот новая беременность, в результате которой Вера надеялась стать женой своего первого настоящего любимого. В 1993 году тридцатилетняя Вера Лозинцева родила очаровательную девочку Кристину.

Никогда в жизни она так жестоко не ошибалась. Ни с одним мужчиной, а было их весьма и весьма немало, не случалось у нее такого прокола. Оказалось, она совсем ничего не поняла в своем любимом, не прочувствовала ту струну, на которой можно играть, и сделала ставку не на то поле. Он бросил ее, даже не пожелав увидеть своего ребенка, свою маленькую дочку. Бросил с милой улыбкой и без всяких объяснений. Впервые в жизни Веру бросил мужчина, прежде такого не случалось, она сама их бросала.

Андрей точно знал, что ребенок этот — не от него, ибо, как уже говорилось, хорошо умел считать, а интимная близость с женой никогда, даже в самые первые годы, не была регулярной и частой. Но Веру это ни капли не смутило, для него чем хуже — тем лучше, пусть принесет на семейный алтарь еще одну жертву и будет счастлив. Расчет ее оказался верен, Андрей жертву с готовностью принес и принял Кристину так же, как в свое время Дину. И поступил точно так же, как в свое время поступил его приемный отец: не стал ни от кого, в том числе и от детей, скрывать правду. Кристина — не его родная дочь, но она мамина, и это все равно, что родная. Нужно уважать мамины чувства, и если так случилось, что она полюбила другого мужчину и захотела родить от него ребенка, ничего противоестественного в этом нет. Женщины должны рожать детей от любимых мужчин, так мир устроен. А уж кто этих детей будет воспитывать и растить — другой вопрос. Мама сочла, что будет лучше, если Кристина вырастет здесь, с ними, с Андреем, Диной и Ярославом. Любить людей надо не за то, что они родные по крови, а за их личные качества... И все в таком духе. Он добросовестно повторял все то, что когда-то неоднократно говорил его приемный отец и что он сам впоследствии говорил по поводу Дины. О том, что тайну отцовства ребенка нужно сохранять, он даже и не думал, с детства был приучен к мысли: чем меньше секретов, тем меньше проблем и меньше рисков для будущего.

Ярослав — с головы до ног папин сын — относился к маленькой сестренке по-братски, возился с ней, нянчил, тетешкал, таскал на руках, играл. С Диной было сложнее. Кристину она невзлюбила сразу, как только почувствовала, что для матери этот ребенок — особенный. Ревновала она безумно, даже к детской кроватке не подходила и долгое время не называла Кристину по имени, ограничиваясь местоимениями «она» или «эта».

Интуиция девочку не обманула. Вера действительно относилась к младшей дочери не так, как к старшим детям, но длилось это ровно столько, сколько она еще продолжала любить своего бизнесмена и страдать по нему, то есть примерно лет пять. После чего остыла, оставила малышку на попечение няни и снова кинулась развлекаться и получать всеразличные удовольствия.

1998 год стал для Андрея Лозинцева удачным, ибо, с одной стороны, он не пострадал от дефолта, а с другой — сильно подешевел рынок жилья, что и позволило ему купить за городом участок в сосновом бору и построить дом. В последующие годы он по-прежнему делал правильно спрогнозированные вложения, и его банковский счет продолжал постоянно увеличиваться. Жизнь стала спокойной и стабильной, дети росли, Дина готовилась поступать в институт и записалась на подготовительные курсы, высоченный Славик активно занимался баскетболом, Кристина уже ходила в школу...

В тот день Вера, ежедневно забиравшая детей из школы на машине, поскольку учились они в Москве, заболталась со своей массажисткой и приехала позже, чем обычно. Как правило, уроки у Кристины заканчивались раньше, и Вера встречала ее и вела куда-нибудь обедать, пока не выйдут из школы старшие дети. Так должно было случиться и сегодня, но она опоздала, уверена была, что дочка ждет ее на школьном крыльце, но Кристины нигде не было. Вера позлилась, поискала девочку в школе, спросила у классной руководительницы, но никто ничего не знал. Уроки закончились, одних детей забрали, другие — те, что живут недалеко, ушли сами. Когда прозвенел звонок на очередную перемену, Вера разыскала в коридоре Дину и велела ей после уроков найти сестру и вместе со Славиком ждать на улице, а сама умчалась пить кофе с приятельницей, с которой еще с утра договорилась о встрече. Она не особенно волновалась, даже, можно сказать, не волновалась совсем, потому что у Кристины была задушевная подружка-одноклассница, жившая где-то поблизости, и частенько случалось так, что девочки уходили вместе, где-то гуляли, играли, пили чай с пирожными у подружки дома, а к окончанию уроков у Дины и Славика Кристина появлялась возле школы. Правда, раньше она всегда звонила матери и спрашивала разрешения, но ведь сегодня Вера дольше обычного проторчала у массажистки и забыла вовремя включить телефон, который всегда выключала на время оздоровительных процедур, дабы ничто не мешало целительному расслаблению и не отвлекало от главного — от поддержания красоты и хорошего самочувствия.

Когда Вера подъехала к школе во второй раз, старшие дети уже ждали ее, но младшей дочери с ними не было.

— Мам, я всю школу обошел, все классы проверил, нет ее нигде, — сообщил ей испуганно Ярослав.

Дина молчала, презрительно поджав губы, дескать, чего еще ждать от избалованной и заласканной девчонки, не желающей признавать установленный для всех порядок. Мамина любимица, для нее закон не писан.

Она так и не смогла простить Кристине особенного отношения к ней матери, хотя отношения этого, по сути, давно уже не было. Разъяренная Вера ринулась в учительскую, чтобы узнать адрес подружки-одноклассницы, пойти туда и забрать дочь, она ни минуты не сомневалась, что Кристина, как и она сама сегодня, заболталась с подругой и забыла о времени. Адрес ей дали, это было действительно рядом, через дорогу от школы, но вот Кристины там не оказалось.

— Я пошла домой, а Кристя осталась вас ждать, — растерянно сказала семилетняя толстушка с тоненькими косичками.

И даже в тот момент Вера еще не испугалась, она всего лишь злилась, потому что из-за непослушной девчонки сбивался составленный еще утром график и рушились выстроенные на весь день планы. Вместе с детьми она сначала обошла, потом объехала на машине окрестные улицы, заглянула во все кафетерии, где можно было поесть мороженого или десертов, проинспектировала залы игровых автоматов, но девочки нигде не было. Как в воду канула.

Паника начала охватывать Веру только часов в шесть, когда стало смеркаться. Где бы Кристина ни заигралась, с кем бы ни заболталась, но она уже должна была бы появиться. К семи часам к поискам подключился приехавший с работы Андрей, которому Вера соизволила позвонить только в конце рабочего дня, а к восьми часам вся семья уже общалась с работниками милиции.

Кристину нашли через двое суток, за городом. Она была изнасилована и убита. Как семилетняя девочка там оказалась, почему ушла из школы вместе с незнакомым мужчиной, каким образом дала себя обмануть и завезти в лес — все это стало известно много позже, когда убийцу наконец поймали и осудили.

После гибели младшей дочери Вера сильно изменилась, никто не знал, какие чувства в ней проснулись, какие мысли одолели, но она прекратила развлекаться и осела дома. Проведя двадцать лет в роли красивой и желанной женщины, она полностью переключилась на роль матери и жены, варила обеды, вела хозяйство и из дому выходила только для того, чтобы купить продукты и съездить на кладбище. Андрей нанял водителя, который отвозил детей в школу и привозил обратно, в загородный дом.

Нет, Вера не опустилась, не ходила по дому в халате и стоптанных тапочках, она по-прежнему была при полном параде, но к роли матери и жены истово добавляла один нюанс: черную краску. Она скорбела, скорбела искренне и глубоко, но при этом требовала, чтобы вся семья скорбела вместе с ней.

А дети, как известно, горя не любят. И уже через месяц после похорон Кристины Вера с негодованием заметила, что Дина по-прежнему гуляет с подружками и ходит с ними в кино, а Славик, придя с тренировки, с упоением поедает котлеты и смотрит по телевизору боевики. Дети разговаривают по телефону и смеются, делают уроки, читают, уходят куда-то, одним словом, живут своей жизнью и не собираются посвящать себя без остатка оплакиванию младшей сестренки. Андрей много работает, приходит уставший, быстро ест и уединяется в кабинете с бумагами и компьютером.

— Вы ведете себя так, словно ничего не случилось, — выговаривала Вера своим домашним. — Кристина погибла, а вы ходите в кино и рассказываете по телефону анекдоты. Как вы можете?

— Ну мам, — виновато бормотал Ярослав и старался побыстрее скрыться в своей комнате.

— Ты родила Кристину от любовника, вот и горюй вместе с ним, — хамила в ответ вечно всем недовольная Дина.

Справиться со старшей дочерью Вера не могла, да и не пыталась, она никогда не занималась ее воспитанием и ни малейшим уважением у девочки не пользовалась. Видела, что растет злобная хамка, своевольная и обидчивая, но списывала недостатки ее характера на дефекты внешности: Дина росла на удивление некрасивой и, по разумению Веры, жутко комплексовала от этого. Что творилось в душе Дины на самом деле, она не знала и не интересовалась.

В течение первых трех месяцев после гибели Кристины вся семья раз в неделю, по субботам, ездила на кладбище, потом одну субботу пришлось пропустить, потому что у Андрея сломалась машина, а у водителя был выходной, потом у Ярослава случились соревнования, которые он не мог пропустить, и поехали без него, потом Дина заявила, что у нее болит нога и она не может никуда идти, и как-то так сделалось, вроде бы само собой, что еженедельные посещения могилы Кристины оказались нужны только одной Вере. «Никто не разделяет моего горя, — тоскливо думала она, глядя на оживленные лица детей и отстраненное, словно ставшее чужим лицо мужа, — никому нет дела до Кристиночки, никто не хочет ее помнить, никто не хочет горевать вместе со мной». Она изо всех сил пыталась вызвать сочувствие к себе, пробудить в детях и муже сопереживание, и в этих попытках прошло еще два-три месяца, пока, наконец, Вера не поняла, что в своем горе осталась совсем одна. Более того, она стала замечать в Андрее что-то такое... ну, необычное, что ли, то, чего прежде в нем не было. Или было, но она не видела, потому как вообще мало обращала на него внимания, занятая исключительно собой, своей внешностью, своими удовольствиями и своими романами?

Вера, будучи весьма искушенной в вопросах супружеских измен, быстро осознала, что у Андрея появилась другая женщина. И это сейчас, когда всего полгода прошло после гибели дочери! Не тогда, когда сама Вера гуляла напропалую и супружеские обязанности выполняла кое-как, через пятое на десятое, а сейчас, когда она всегда дома, подает ему еду, моет за ним посуду, стирает ему сорочки и носки, старается побольше с ним общаться, быть ласковой и внимательной и тесно прижимается по вечерам, уже в постели, к его длинному нескладному телу! Чего ему не хватает? Чего он ищет на стороне? Другой такой красавицы не сыщешь, да еще чтоб была хорошей хозяйкой и матерью твоих детей. Ну ладно, пусть только одного сына, но все равно же... Как он смеет развратничать, когда в семье такое горе!

Она, такая проницательная и хорошо изучившая мужа, не поняла совсем простую вещь, которую давно уже понимала Элеонора Николаевна: примерная жена-домохозяйка не требует от мужчины жертвенности. И подсознательно Андрей Лозинцев выстроил схему, при которой все повернется привычным ему образом. Он влюбится, жена узнает и потребует развода, и чтобы не разрушать семью и не разлучаться с детьми, он пожертвует своей любовью. Вот тогда все будет нормально.

Поглощенная своими переживаниями, чувствующая себя страшно одинокой в такой большой семье, Вера не сумела разобраться в подоплеке поступков мужа. Ей нужен был хоть кто-нибудь, кто разделит ее горе, и она кинулась искать своего давнего любовника, бизнесмена, отца Кристины. С момента их разрыва прошло девять лет, за эти годы многое изменилось, бизнесмен, как оказалось, развелся, пребывал в свободном полете и собирался уезжать за границу. Насовсем. С бизнесом вышли какие-то накладки, денег почти не осталось, так, кое-что, только-только хватит, чтобы купить разрешение на выезд и попытаться там, за бугром, начать все с начала. О собственном деле и речи нет, но друзья обещали помочь устроиться хотя бы наемным менеджером.

Он принял Веру с распростертыми объятиями, очень ей сочувствовал, сожалел, что поступил когда-то так глупо и теперь уже никогда не увидит свою дочь... Одним словом, Вера услышала все то, что хотела услышать, и получила все то, чего не могла получить в своей семье. И очень скоро приняла решение уехать в Германию. Не ждать, пока муж окончательно увязнет в своем романе и потребует развод, после чего она останется с детьми и алиментами, а сыграть по своим правилам.

— Нам пора расстаться, — устало заявила она Андрею как-то вечером, когда он после ужина уже собрался запереться в кабинете, чтобы поработать с документами. — Я тебе не нужна, у тебя другая женщина, я это чувствую. Я заберу детей и уеду.

— Куда? — испугался Андрей.

— В Европу. Им там будет не хуже, чем здесь. Я не могу оставаться там, где все напоминает мне о Кристине.

Вера произносила заранее заготовленную речь, исподтишка пристально наблюдая за мужем. Она, кажется, рассчитала верно, пока говорила о том, что надо расстаться и что она подозревает измену, Андрей был более или менее спокоен, но как только она сказала про детей, в его глазах мелькнула паника. Детей он любил, особенно, конечно, Славика, кровиночку свою, точную свою копию.

— Почему обязательно уезжать? — дрогнувшим голосом спросил он. — Если тебе так тяжело здесь, давай продадим этот дом и купим новый, в другом месте.

— Андрюша, ты меня не любишь, — мягко заговорила Вера, — не надо закрывать на это глаза. Ты женился на мне исключительно из порядочности, потому что я была беременна Славиком. И когда ты только начал со мной спать, ты меня не любил, просто ты был молодым и здоровым, а я все время у тебя под боком крутилась, мы жили в одной квартире, ну кто бы устоял? Дети уже достаточно большие, чтобы мы с тобой перестали играть этот спектакль, а мы с тобой еще достаточно молоды, чтобы попробовать устроить свою жизнь. Ну скажи, разве я не права?

Конечно, она была права, Андрей это отчетливо понимал, но дети...

Расставаться с детьми он не хотел ни за что. Разговор вышел тяжелым и долгим, и в конце концов Вере удалось подвести его к финальной точке.

Она готова оставить детей мужу, но при условии, что он даст ей достаточно средств, чтобы купить квартиру в том городе, где она хочет жить, и чтобы вложить деньги в какое-нибудь дело, приносящее стабильный и удовлетворительный доход. Андрей Лозинцев, как ни странно, только в этот момент впервые подумал о том, что женился на женщине, очень похожей на его мать. На женщине, с готовностью меняющей детей на деньги.

Кажется, кто-то из великих психологов, чуть ли не Фрейд, утверждал, что мужчины ищут в своих женах своих матерей, таким способом реализуя эдипов комплекс. Неужели правда?

Разумеется, он с готовностью принес и эту жертву. Продал загородный дом, купил на окраине Москвы самое дешевое жилье, какое смог найти, снял львиную долю со своих счетов и отдал Вере вместе с разницей между ценой дома и ценой квартиры. Они развелись и расстались. Вера купила квартиру в Баден-Бадене, она давно мечтала жить именно там, еще с тех пор, когда они ездили туда отдыхать, получила вид на жительство и исчезла с горизонта, периодически по телефону справляясь о детях. К себе она их не приглашала и в Москву больше не приезжала.

Вот, собственно, и вся история... Элеонора Николаевна, стоя в толпе прихожан, мельком взглянула на часы: без десяти двенадцать, еще несколько минут, и будут выносить хоругви. Надо же, час прошел, а она и не заметила, уйдя в воспоминания. Да, как ни крути, а Андрей — прирожденная жертва, он ведь даже со своей пассией расстался, как только развелся с Верой, пожертвовал чувствами, чтобы уделять больше времени детям. А жаль. Элеоноре эта женщина нравилась, Андрей как-то при случае их познакомил. Она была бы ему хорошей женой. Однажды Аля попыталась поговорить об этом с братом, но Андрей ответил:

— Да, Элечка, она вполне могла бы заменить Славику мать, но как быть с Диной? Она ведь знает, что я ей не отец, так каково ей будет жить не только с неродным отцом, но и с неродной матерью? Она и без того уверена, что ее никто не любит.

— Но ты же вырос с неродными родителями, и ничего, — возразила Аля. — И ты всегда знал, что они неродные, от тебя с самого начала этого не скрывали.

— Когда тебе всего три годика, можно смириться с чем угодно, а когда тебя родная мать продает неродному отцу в шестнадцать лет, это трудно принять. Для Динки это и без того огромная травма, так что не надо ее усугублять.

Он хотел жертвовать, жертвовать и жертвовать, поэтому на все доводы сестры находил весомые и разумные контраргументы. Несколько раз Элеонора Николаевна пыталась собраться с духом, чтобы поговорить с братом откровенно, попытаться объяснить ему его же собственные ошибки, его заблуждения и детские комплексы, из-за которых его жизнь складывается так чудовищно и странно, но мужества в себе не находила. Андрей всегда был для нее младшеньким, маленьким птенчиком, крошечкой, и поэтому между ними не было той глубокой дружбы, при которой позволительно лезть другому человеку в самое нутро. Какая может быть дружба, когда тебе пятнадцать, а ему — три? Или когда тебе двадцать пять и ты уже замужем, а ему только тринадцать и он гоняет с мальчишками в футбол, а на девочек даже еще и не смотрит? Сейчас Эле уже пятьдесят шесть, а Андрею осенью исполнится сорок четыре, но отношения остались такими, какими сложились когда-то, в далекие шестидесятые. Брат и сестра обожали друг друга, но друзьями не были.

«Так надо ли оберегать его от волнений и переживаний? — спрашивала себя Элеонора Николаевна, идя рядом с Инной Шустовой вокруг храма и держа одной рукой зажженную свечу, а другой придерживая обрезанную пластиковую бутылку, защищающую пламя от холодного апрельского ветра. — Я все стремлюсь его защитить, укрыть под своим крылом, а может, напрасно? Андрюша хочет жертвовать и страдать, жертвовать и страдать, а я ему мешаю. Но я так не хочу, чтобы он страдал! Я так его люблю, моего маленького, мое солнышко... Иногда я даже не понимаю, кого люблю сильнее, Андрюшку или собственного сына. Если он будет страдать, он будет счастлив. А если будет спокоен и счастлив, начнет страдать. Порочный круг какой-то».

Ладно, она подождет до завтра. Пусть завтра придут эти, «с Петровки», Аля поговорит с ними и потом решит, надо ли подключать брата.

Она не знала, чего ждет от этого разговора и на основании чего будет «потом решать», просто ухватилась за повод не принимать решение прямо сейчас.

* * *

В это же самое время, в Пасхальную ночь, в начале первого, Юра Коротков сидел у себя дома и вместе с Серегой Зарубиным раскладывал пасьянс из информации, собранной по двум убийствам московских студенток. Вернее, убийств было не два, а пять, но тут сыщики как-то сомневались, ибо два были выполнены совершенно точно одной рукой и похожи до мельчайших деталей, а три других все-таки отличались, и важно было понять, являются ли эти отличия существенными или ими можно пренебречь и с полным основанием считать, что в серии уже целых пять преступлений. Сидели они давно, часов с семи, Ирина, Юрина жена, приготовила пасхальный стол и ушла на Крестный ход. Она не была религиозной, но на Крестный ход почему-то ходила уже много лет, как она говорила, «на всякий случай». И Великий пост соблюдала, но это уже больше из соображений здоровья, все-таки семь недель без мяса — это очень неплохо для самочувствия.

Пять жертв, пять убитых девушек и молодых женщин, три студентки, одна — менеджер из дорогого бутика и одна — неработающая папина дочка и по совместительству чья-то любовница. Все задушены, причем трое — руками, а двое — удавкой. Все убийства произошли поздним вечером или ночью. Во всех пяти случаях потерпевшие не проводили вечер убийства с компаниями, поэтому никто из близких не мог точно сказать, где и с кем они были.

— Ты плохо старался, — ныл Зарубин, уныло глядя на разбросанные по всей комнате бумаги, — надо было что-нибудь придумать.

— Ну что, что придумать? — сердился Коротков.

— Что-нибудь душераздирающее, чтобы она нас пожалела. Черт, ведь надо же такому невезению случиться, серии бывают не каждый день, все-таки это дело редкое, так именно под эту серию она в отпуск ушла. А ты как начальник куда смотрел? О чем думал-то своей головой плешивой? Зачем отпустил Палну? Что мы теперь с этой горой информации делать будем?

— Да пойми ты, — кипятился Юра, — когда Аська

рапорт подписывала, никакой серии не было, было одно убийство с удавкой и одно с этой дурацкой розочкой на лбу у потерпевшей. Кто ж мог знать, что вторая удавка появится? Тем более что первая студентка с удавкой была в середине марта, про нее уже на территории забыть успели. А на розочку вообще внимания не обратили, потому что накануне взорвали машину депутата Госдумы Корякина, и всех из-за этого взрыва на уши поставили. А менеджера и папину дочку мы с тобой уже для подстраховки сюда пристегнули, просмотрели все нераскрытые убийства за три месяца и отобрали то, что может лечь в серию. А может и не лечь.

— Юр, а пожрать когда можно будет? — жалобно спросил Зарубин, который первые признаки голода ощутил еще часа в три пополудни, но перекусить случая не представилось.

— Вот Ирина придет, и поедим, — строго ответил Коротков. — Разговеемся. Не отвлекайся.

— Да не могу я! У меня от голода в мозгах спазмы, я не соображаю ничего.

— А ты напрягись, уже недолго ждать. Давай все сначала. Вот смотри, менеджер из бутика у нас жгучая брюнетка, тип внешности точно такой же, как у первой удавки, и цвет волос совпадает, и рост, и комплекция. Но, с другой стороны, способ убийства не тот. А вторая удавка у нас по способу абсолютно идентична первой, но девушка — рыжеватая блондинка, и фигурка у нее другая, хотя обе студентки и обе любят посещать развлекательные заведения одного и того же профиля. Папина дочка тоже блондинка и тоже любит такие заведения, но она не студентка.

— Ага, а розочка не блондинка и в заведения не ходит, но зато студентка. Юр, мы, по-моему, топчемся на одном месте и переливаем из пустого в порожнее. Тут нужна схема, система, алгоритм какой-то, чтобы работать с информацией. Чего там Пална в таких случаях делала?

— Карточки писала, — мрачно изрек Коротков. — Так мы с тобой их тоже написали, вон весь пол ими усыпан. А толку? Еще она схемы чертила, связи потерпевших графически изображала, вон они, в рулонах, в углу стоят. Я, Серега, и так знаю, что делать надо, только, кроме этого, надо еще уметь увидеть, схватить глазами несколько факторов одновременно и отслеживать их. Мы с тобой не умеем, а Аська, чтоб ей пусто было, умеет. Сколько там натикало?

— Тридцать пять минут первого.

— Слушай, и вправду что-то жрать хочется — сил никаких нет. Ничего, потерпим, еще минут двадцать осталось.

— А чего так долго? — забеспокоился Зарубин, ерзая на стуле и с жадностью поглядывая в сторону кухни, откуда доносились дразнящие аппетитные запахи. — Я думал, как двенадцать стукнет — так все, можно разговляться.

— Ирку надо дождаться, у нас тут поблизости церкви нет, она куда-то далеко ездит, в Елоховский собор, кажется, или в Новоалексеевский монастырь, в общем, куда-то в те края.

— А без нее нельзя? — с робкой надеждой спросил Сережа.

— Ты что?! — возмутился Коротков. — Как это — без нее? Она семь недель постилась, в последнюю неделю вообще только на хлебе и воде сидела, похудела на шесть килограммов, стала такая тощая, что без слез не взглянешь, вся извелась, а ты говоришь: без нее. Она этой минуты, когда можно будет мяса с салатом поесть, знаешь как ждала? Вот у нее сегодня настоящий праздник, а мы с тобой так, примазавшиеся. Ну ты представь, у тебя день рождения, ты приходишь домой, а там гости уже весь стол разорили, всю красоту порушили, все выпили и съели и пьяными голосами анекдоты травят и песни поют. Приятно тебе будет?

— Ладно, не бухти. Ну можно я на кухню схожу понюхаю? Юр, я таскать ничего не буду, я только посмотрю и понюхаю.

— Сиди, я сказал! — прикрикнул Юра. — Вспоминай лучше, что Аська еще делала.

Зарубин замолк и несколько минут просидел с надутой физиономией, которая неожиданно прояснилась:

— Она еще графики строила с временными интервалами.

— Точно! — радостно воскликнул Коротков. — Как же я про графики-то забыл, кретин! Ты знаешь, я вот тут подумал, что Аська нас всех распустила и разбаловала. Она же всегда была под рукой, всегда рядом, никогда от работы не отказывалась, даже если в отпуске была, и мы всегда знали, что она есть, что она знает, как обрабатывать информацию, наше дело — раздобыть нужные сведения, ножками побегать, зубками поклацать, ручками помахать и все, что требуется, ей в клювике принести, а остальное она сама сделает. Вот мы и не держим в голове даже самые элементарные приемы анализа. Теоретически все знаем, а практически не применяем и забываем, навыки утрачиваются. Зачем географию учить, когда есть извозчик, он довезет. А как извозчика не стало, тут мы и забуксовали. Чего сидишь-то?

— Так ты сам сказал сидеть, — растерялся Сережа.

— Чистый лист тащи, будем график строить. Все равно Ирку ждать нужно, так хоть отвлечемся. И дверь в комнату закрой, а то действительно пахнет так, что можно сознание потерять.

Они успели только начертить оси, когда хлопнула входная дверь и из прихожей раздался низкий звучный голос Ирины Савенич:

— Мальчики, Христос воскресе!

— Воистину воскресе!!! — дружным ревом отозвались сыщики и ломанулись из комнаты целоваться-христосоваться и садиться за стол.

Глава 6

В Баден-Бадене была русская церковь, и Вера половину субботы боролась с соблазном сходить на службу. В ней не было ни капли религиозности, но Пасхальная ночь так же, как и Рождество, служили для нее прекрасным поводом включиться в русскую общину, помелькать, напомнить о себе, обзавестись новыми знакомствами. Ей было очень одиноко здесь, в маленьком — всего пятьдесят тысяч жителей — курортном городке с непомерными ценами и мировой известностью. Вера была общительной, легко заводила контакты, и захоти она, вся русская диаспора Шварцвальда и Баден-Вюртемберга с удовольствием общалась бы с ней. Но она не хотела.

Вернее, хотела, очень хотела, но не могла. У нее было дело, занимаясь которым приходилось соблюдать определенную осторожность и прилагать усилия к тому, чтобы тебя знали как можно меньше людей. Пока. Когда-нибудь все переменится...

В церковь Вера не пошла. Посидела перед видеомагнитофоном, покрутила свои любимые кассеты, а ужинать отправилась на Лангештрассе, где совсем рядом друг с другом располагались два привлекательных для нее заведения. Одно — русское кафе «Артист», владела которым славная московская пара, бывшая певица и бывший танцовщик. В «Артисте» была отменная русская кухня и упоительно-чудовищный бордосский дог по кличке Иборг, страшный, огромный, брыластый, слюнявый, точь-в-точь такой, как в кинофильме «Тернер и Хуч». Только в отличие от кинематографического Хуча Иборг был игрив, ласков и готов любить всех без разбора. Метрах в ста от «Артиста», на Гинденбург-платц, рядом с фонтаном находился немецкий ресторан, в котором работал хорошо говорящий по-русски официант из Югославии по имени Кемаль. Когда Вере не хотелось напрягаться и возникало желание перекинуться парой-тройкой слов на родном языке, она выбирала одно из этих двух заведений.

Окна в «Артисте» были темными, дверь заперта, и даже табличка с надписью мелом «Здесь говорят по-русски» куда-то исчезла. То ли владельцы уехали в отпуск в Россию, то ли оправдываются слухи о том, что кафе перекупил какой-то ресторатор из соседнего Карлсруэ и собирается делать здесь полноценный русский ресторан с эстрадной программой...

Вера вздохнула и отправилась «к Кемалю». Вечер был теплым, дождь давно закончился, и она заняла столик на улице. Отсюда хорошо просматривался вход в дорогой отель «Бадишер Хоф», где частенько останавливались русские. Вере не нужно было слышать, на каком языке говорят люди, своих соотечественников она распознавала с одного взгляда — по одежде, по походке, по прическе, по выражению лица, и абсолютно безошибочно могла определить, куда направляются выходящие из отеля гости: на вечерний променад и к Фатткуэлле за целебной водичкой для пищеварения, на романтическую прогулку с заходом в бар или знаменитое кафе-мороженое, на встречу с друзьями, остановившимися в другом отеле, или же в казино.

Мужчины, жившие в «Бадишер Хофе» и посещавшие казино, ее мало интересовали, но ровно до тех пор, пока не переселялись в отель подешевле.

Вот в этот-то момент они становились объектом пристального внимания Веры Лозинцевой...

Но это все в прошлом. По крайней мере, ей хотелось бы на это надеяться. Теперь все по-другому.

Кемаль, красивый молодой брюнет, принес ей ребра барашка и большую тарелку с салатом.

— Еще пива? — вежливо наклонившись, спросил он.

— Нет, пока достаточно, — улыбнулась в ответ Вера. — Чуть позже.

Она не была ярой поклонницей пива, по крайней мере тогда, когда жила в Москве, но здесь, в Германии, пиво пили поголовно все и практически с любыми блюдами, и она понемногу втянулась, выпивала за ужином одну-две кружки светлого нефильтрованного, которое называли коротко: Hefe. И не сказать, чтобы оно ей нравилось больше всех прочих сортов, просто слово оказалось удобным для запоминания и произнесения. «Хефе» и все тут. При всем природном уме и недюжинных способностях к различным человековедческим наукам к языкам Вера Лозинцева ни склонностей, ни интереса не имела и изучать их не стремилась. Так, осталось в голове кое-что из школьной программы, да и то из английского языка, но в Баден-Бадене она этим вполне обходилась. Здесь достаточно много бывших русских немцев, да и тех, кто уехал по еврейской визе, тоже достаточно, не говоря уж о совсем «новых русских», покупающих собственность и оседающих на постоянное проживание, так что решить можно почти любой вопрос. Вон в парикмахерской, например, где Вера стрижется и делает маникюр, работает девушка Оля из Омска, в одном из гостиничных ресторанов — Валечка из Талды-Кургана, в магазине дорогого белья — Света из Новосибирска, в книжном магазине — Галя из Мурманска, а в римско-ирландских банях — там вообще целая смена девчонок из Харьковской области, и массаж делают, и простыни выдают. Ничего, она и без языка прекрасно проживет.

Вера медленно, с аппетитом обкусывала сочное мясо и обсасывала аккуратные, одна к одной, изогнутые косточки, делая маленькие глоточки светлого пива и привычно поглядывая на освещенный вход отеля. Вот вышли двое мужчин, обоим лет по тридцать пять, в строгих костюмах и дорогих плащах, сделали несколько решительных шагов в сторону дороги, ведущей в казино, потом остановились, посмотрели на часы, о чем-то посовещались, перешли дорогу и уселись за соседний с Верой столик. На беглом английском заказали два двойных эспрессо и два коньяка. «Готовятся, — машинально отметила про себя Вера, — куражу набираются. Или стратегию еще раз обсуждают, чтобы за игровым столом не вступать в дебаты. Знакомая картина».

Между собой мужчины говорили по-русски, и Вера затаенно улыбнулась про себя. Можно расслабиться. Ей это уже не нужно. Или пока не нужно? Хорошо бы, чтобы «уже».

В сумке, висящей на спинке стула, запереливался звонком мобильник. Вера неторопливо вытерла пальцы салфеткой и достала трубку.

— Веруня, это я.

«Жаль, — подумала она. — Было бы лучше, если бы это был не ты». И ответила спокойно-приветливо:

— Привет.

— Ты где?

— В ресторане, ужинаю.

— Говорить можешь?

— Конечно, — сказала она, надеясь, что ее собеседник не видит злорадной усмешки на ее лице.

Разумеется, ему куда приятнее было бы услышать, что она не может говорить, это означало бы, что она «в деле», работает, и, стало быть, скоро и у него появится работа, а потом и деньги. Большие.

— Ну, как у тебя дела? — спросил Воркуль, даже не пытаясь скрыть разочарование.

— Все в порядке, — беззаботно ответила Вера. — А у тебя?

— Да как тебе сказать... Веруша, а... ничего нового нет?

— Нет, — сладострастно протянула она, наслаждаясь своей властью над бывшим любовником.

Краем глаза она заметила, как замолчали и стали

искоса поглядывать на нее мужчины за соседним столиком, родную речь услышали и теперь прикидывают, стоит ли начинать знакомство или ну его.

— Жаль, — вздохнул Воркуль. — Что-то долго в этот раз. Или ты не в форме?

— Может быть, — неопределенно откликнулась она. — Человек не машина, сам понимаешь. Да не переживай ты так, все будет в порядке. Будем считать, что я взяла кратковременный отпуск. Ты тоже отдыхай, наслаждайся жизнью, ты же это очень хорошо умеешь.

— Ты... что, собственно, имеешь в виду?

В голосе Воркуля зазвучала неприкрытая тревога.

— Ничего, дорогой, только то, что сказала. Ты же там, в Страсбурге, не скучаешь, у тебя своя жизнь, друзья, бизнес, я у тебя не свет в окошке. Не нарушай наши договоренности. Как только что-нибудь появится, я сама тебе позвоню.

— Можно, я приеду к тебе?

— Когда? Сейчас, на ночь глядя?

— Когда ты скажешь. Могу прямо сейчас, тут езды-то меньше часа. Можно?

— Нет, у меня другие планы на сегодняшний вечер.

— Какие?

— Сегодня Пасха, я собираюсь пойти на службу, — нагло соврала Вера и неслышно усмехнулась, глядя прямо в глаза одному из мужчин за соседним столиком.

— Ну хорошо, а завтра? Завтра можно?

— Я не понимаю, зачем? Мы виделись с тобой на днях, какая необходимость?

— Вера, я соскучился.

«Врешь! — с яростной убежденностью подумала Вера. — Просто у тебя кончились деньги. И ты готов на все, чтобы их получить у меня. Ты будешь изображать страстную любовь и надеешься, что я тебе поверю. Впрочем, не так уж ты и ошибаешься, еще несколько месяцев назад я действительно верила в то, что ты меня любишь. Потом я начала сомневаться.

Потом — всего одна поездка в Страсбург, и я убедилась в том, что мои сомнения обоснованны. Ты же сам сказал: езды-то меньше часа. Неужели ты думал, что расстояние, которое ты сам преодолеваешь меньше чем за час, для меня станет межконтинентальным? Неужели ты думаешь, что на меня магически действует слово «Франция» и я, находясь в Германии, просто не поеду к тебе в другую страну? Мы с тобой всегда встречались на территории Германии, обычно не в Бадене, а в других близлежащих городках, и ты решил, что на преодоление больших расстояний я не способна? Ты, вероятно, думаешь, что я вообще ни на что не способна, кроме как давать тебе деньги не считая. Как же мало ты меня знаешь!»

— Вера!

— Да, — рассеянно отозвалась она, не отрывая взгляда от загорелого красивого лица мужчины, который так и продолжал в упор смотреть на нее.

— Ты что, не слышишь меня? Почему ты молчишь?

— Я не молчу, я думаю.

— О чем?

— О том, когда мы могли бы встретиться. Вероятно, месяца через два-три, не раньше.

— Ты что, с ума сошла?! — Воркуль явно забеспокоился, чтобы не сказать: запаниковал. — Какие два-три месяца? Почему так долго? Я с ума сойду!

— Дорогой, раньше вряд ли получится, — пропела Вера, соблазнительно улыбаясь своему визави. — У меня очень много дел. Я сама позвоню тебе, когда освобожусь.

Она отключила связь и убрала мобильник в сумку. Вот так. Не все коту масленица. Пусть теперь подергается. Жлоб. Альфонс. Крыса.

— Поклонники прохода не дают? — Мужчина за соседним столом понимающе улыбнулся и слегка приподнял широкую рюмку с коньяком, словно бы чокаясь с Верой.

— Бывшие поклонники, — ответила она, приподнимая в ответном жесте бокал с пивом, — которые никак не хотят смириться с тем, что они бывшие.

— Вы здесь на отдыхе? — поинтересовался второй, не такой привлекательный, как его товарищ, но зато обладающий глубоким красивым баритоном.

— Я здесь живу, — просто ответила Вера и мило улыбнулась.

— Постоянно?

— Ну да.

— И давно?

— Без малого три года.

— Ого! Это солидно, — снова вступил первый, тот, что покрасивее. — А мы здесь впервые. Мы можем рассчитывать на вашу консультацию в части времяпрепровождения? Приехали только сегодня, через три дня уезжаем, и хотелось бы, чтобы ни одна минута не была потеряна напрасно. Вы нам подскажете, куда имеет смысл сходить, что посмотреть?

— Ну, во-первых, здесь находится самое знаменитое казино, в котором проигрывались дочиста Достоевский и Лев Толстой, — начала было Вера, но красивый баритон перебил ее:

— Это, пожалуй, единственное, что мы знаем о Баден-Бадене, поэтому как раз сегодня мы туда и собрались. А еще что посоветуете?

— Термы Каракаллы, римско-ирландские бани, розовые сады, один поближе, туда дорога ведет вдоль реки, а другой — подальше, надо идти в гору, но он больше, и там изумительно красиво. Посмотрите виллу Тургенева, ее специально построил один итальянский архитектор, чтобы Ивану Сергеевичу было удобнее ходить в гости к Виардо. Посмотрите дом, где жил Достоевский, дом, где жил Жуковский, виллу князя Гагарина. Поднимитесь наверх, в замок, оттуда потрясающий вид. Вот и все, пожалуй.

— И все? — удивились мужчины почти хором. — Здесь больше нечего смотреть?

— Да вы и этого не успеете, — засмеялась Вера. — Это только кажется, что за три дня можно многое успеть. Если пойдете в Термы Каракаллы и попробуете все, что там есть, так вы оттуда полдня выйти не сможете, а потом придете в отель, плюхнетесь в кровать и заснете как убитые, а там и день прошел. Термальные воды очень полезны, но это большая нагрузка на сердце, вы потом с непривычки даже прогуляться не сможете.

«Не мой контингент, — параллельно думала она, объясняя вновь приехавшим особенности баден-баденской жизни. — Эти не играть приехали, а отдохнуть, сбежали небось с какой-нибудь выставки-ярмарки во Франкфурте или с семинара и хотят оторваться на полную катушку. Играть они, конечно же, пойдут, и пойдут прямо сейчас, они уже нацелились на казино, но игра для таких — не способ существования, а вид развлечения.

Потом будут рассказывать, как играли в баденском казино! Нет, не мои вы, ребятки. А даже если бы и были моими, я бы все равно вас выпустила. Мне вы уже не нужны. Или пока не нужны? Хорошо бы все-таки, чтобы «уже», а не «пока».

— Мы можем пригласить вас составить нам компанию? — спросил тот, что покрасивее. — Если вы не заняты, конечно. А то мы тут ничего не знаем...

— Мне очень жаль. — Улыбка у Веры была такой искренней, что мужики поверили, будто ей и впрямь жаль.

И в этот момент очень кстати снова затюлюлюкал мобильник.

— Добрый вечер.

Это был тот звонок, которого она ждала весь вечер.

— Здравствуй, — радостно ответила она. — Какие новости?

— Пока никаких, но готовность номер один. Как только подвернется удобная ситуация, она будет немедленно использована.

— Сколько у тебя вариантов?

— Четыре. Пока четыре, но, возможно, скоро будет больше. Программа, которую я разработал, оказалась на редкость продуктивной. Всю новую информацию я сброшу тебе через Интернет. И знаешь, у меня появилась еще одна идея...

— Говори, — потребовала Вера.

— Если удобная ситуация слишком долго не складывается, ее ведь можно сложить, верно?

— Я подумаю, — медленно ответила она, сглатывая колючий сухой ком, вставший в горле.

— Конечно, это будет стоить дорого, но зато вся программа будет полностью поддаваться планированию.

— Я подумаю, — еще медленнее повторила она, чувствуя, как между ладонью и пластиковым корпусом телефона пробежала струйка пота.

Она не ошиблась в нем. Вот кто нужен ей был с самого начала. Такой, как он, а не жадный до чужих денег разгильдяй Воркуль. Ну что ж, на ошибках учатся.

Вера быстро взяла себя в руки, махнула Кемалю, чтобы принес счет, расплатилась, оставила приличествующие случаю чаевые и встала из-за стола.

— Извините, дела, — обратилась она к своим собеседникам. — Желаю вам приятно провести время в нашем городе.

Домой Вера направилась не через Леопольдплатц, что было бы ближе, а мимо Фридрихсбада, сделав изрядный крюк. Вот оно, ее любимое место в городе. Огромное старое дерево, вокруг него — скамейка, напротив дом, где жил Достоевский. На втором этаже — балкончик с бюстом писателя и книгой, на обложке которой легко прочитывается название «Игрок» на русском и немецком языках. Вера могла часами сидеть здесь, смотреть на голову Федора Михайловича и представлять себе его по дороге из казино в этот дом, проигравшегося дотла, отчаявшегося, ненавидящего самого себя, испытывающего острую и горькую вину перед беременной женщиной, которая ждала его в этой квартирке и которой завтра не на что будет купить еды. Интересно, как далеко мог бы зайти этот неординарный, непохожий на других, остро чувствующий человек ради того, чтобы повернуть время вспять, вернуть проигранное, получить возможность начать все сначала и вовремя остановиться? Мог бы он украсть? А обмануть? А убить? Она так глубоко погружалась в выдуманный, воссозданный из обрывков прошлого мир, что порой ей начинало казаться, что она чувствует писателя, слышит его шаги, ощущает спиной его дыхание, и в такие моменты она всем своим существом понимала ответ: да, обмануть мог. Но не украсть и не убить. Потому что такие, как он, падают в глубины отчаяния и омерзения к самому себе куда быстрее и безогляднее, чем многие другие, он не успеет даже обдумать мысль об убийстве, как почувствует, что ненавидит сам себя. Если судить по книгам, он был болезненно совестлив, но если судить по его жизни, — столь же болезненно безволен.

Он играл и не мог остановиться, он бросил беременную жену без денег и уехал в другой город, где сошелся с другой женщиной и продолжал играть. Слабый, безвольный человек, не уважающий сам себя.

А вот нынешние — не такие. С ними легче. И проще. Таких, как Федор Михайлович, теперь нет. Поэтому и проблем куда меньше.

* * *

Вечер субботы и даже половину Пасхальной ночи Настя Каменская провела за компьютером. Ей не понадобилось ждать понедельника, чтобы взять в архиве Верховного суда дело Семагина, приговоренного к пожизненному заключению за девять убийств, в том числе и за убийство Кристины Лозинцевой. Семагин был «узкоспециализированным» гастролером, преступления совершал только в Москве и Московской области, и почти все необходимые сведения были в Настином компьютере. Ловили Семагина так же долго и так же плохо, как небезызвестного Чикатило, он трижды попадал в руки милиционеров, и трижды его отпускали либо за недостаточностью улик, либо за полным их отсутствием, либо вследствие необъяснимой, магической какой-то невнимательности сотрудников розыска и патрульно-постовой службы. Кристина Лозинцева была последней, девятой жертвой детоубийцы, то есть у нее, строго говоря, были самые высокие шансы остаться в живых, если бы хотя бы один из трех случаев задержания Семагина закончился бы действительно задержанием, а не разведением рук и сквозь зубы процеженными извинениями.

Просматривая записи, сделанные во время беседы с матерью Тани Шустовой, Настя недовольно морщилась, вполголоса ругала себя и досадливо дергала намотанные на кулак пряди отросших волос. Вот ведь всегда она знала, что к любому разговору нужно готовиться, только тогда он даст результат, к любому разговору, будь то проводимый по поручению следователя официальный допрос, оперативный разведопрос или просто беседа. Когда есть представление о том, что ты хочешь в итоге получить, то заранее выстраиваешь план и готовишь вопросы, а когда все с бухты-барахты, то и толку никакого. Сто раз проверено!

Вернувшись домой после встречи с Шустовой, Настя позвонила знакомому психологу, объяснила, что собирается проводить комплексное монографическое обследование семей потерпевших, выслушала длинную и толковую лекцию о том, какие сведения необходимо собрать и какими методиками при этом лучше всего воспользоваться, и приуныла. Ничего этого она не сделала, так, посидели на лавочке, поговорили о погибшей девушке, о ее характере, подружках, поклонниках, привычках. По неопытности Насте показалось, что этого вполне достаточно, но оказалось — нет. Далеко не достаточно. Более того, это вообще все не то.

Ну что ж, стало быть, с Инной Семеновной Шустовой придется встретиться еще раз и заранее попросить уделить для беседы часа два, не меньше. Но уж к завтрашней встрече с семьей Кристины Лозинцевой, ежели таковая состоится, надо подготовиться как следует. Настя основательно перерыла книжные полки, обнаружив, к вящей радости, огромное количество книг по криминологии и психологии, да не учебников, которые она и так наизусть помнила, а монографий и сборников, в которых публиковались результаты отдельных глубоких исследований. Некоторые книги даже имели гриф «для служебного пользования», и Настя долго недоумевала, как она ухитрилась их раздобыть и не вернуть вовремя. Впрочем, во времена бесконечных перестроек, слияний, вливаний и разделений, сотрясавших органы внутренних дел с начала девяностых годов и по сей день, это было делом нехитрым, ведь её отчим и огромное количество его знакомых работали в учебных заведениях и научных учреждениях системы МВД, а в каждой такой организации имелась библиотека специальной литературы, и каждая библиотека разделяла общую судьбу организации. Настя просила книги, отчим их приносил... В суете и хаосе можно было даже разжиться любой нужной литературой, даже целыми диссертациями, не то что книжками по криминологии и пособиями по изучению личности преступника. Кстати, совершенно непонятно, зачем этим книгам присваивали гриф ограниченного распространения? Ну какой толк иностранной разведке от сведений о личности советских воров и насильников? В начале девяностых гриф сняли, литература эта стала открытой, и за ее сохранностью в библиотеках следить вообще перестали.

Обложившись монографиями, пособиями и сборниками трудов и положив перед собой распечатку материалов по делу Семагина и конспект прослушанной по телефону лекции, она принялась за работу. Леша тут же оккупировал освободившийся компьютер и занялся очередным докладом, с которым ему предстояло ехать в середине лета на симпозиум в Лондон.

— Аська, у нас сегодня рабочий день до которого часа? — крикнул он из комнаты, когда стрелки часов стали подкрадываться к полуночи.

— Пока не сломаемся. А что, ты уже спать хочешь?

— Нет, еще терпимо, часа на полтора сил хватит. А подъем завтра во сколько?

— Как проснемся. Мы же ничего вроде не планировали на утро.

— А ты про какую-то встречу говорила...

— Так это еще неизвестно, состоится ли. Я думаю, часов в одиннадцать мне позвонят и скажут, а до одиннадцати можно дрыхнуть. Да, Леш, я хотела тебя предупредить насчет Короткова. Он может попытаться позвонить ночью, якобы поздравить меня с Пасхой, так ты не поддавайся на провокации, скажи, что я сплю глубоким атеистическим сном. Ладно?

— Ладно. Только зря ты боишься, он наверняка спит без задних ног. Куда ему при его-то работе в Пасхальную ночь бдеть?

— Ой, Лешик, не обольщайся, он тут на прошлой неделе какие-то разговоры со мной вел насчет того, что Ирина собирается на Крестный ход, и вроде он с ней тоже пойдет... Молодожен же, понимать надо.

— Ну, тебе виднее. Кстати, я все хотел спросить... Ничего, если мы на пять минут прервемся?

— Давай.

Настя встала из-за стола, потянула затекшую спину и вышла из кухни в комнату. Привычным жестом ухватила стоящего на холодильнике Дедка — деревянную фигурку старичка-странника, с которым теперь почти не расставалась. Особенно нравилось ей гладить и ощупывать кончиками пальцев морщины на его лице и крепкие мускулистые ноги, это отчего-то помогало сосредоточиться и при разговорах, и при размышлениях. А еще, когда никто не видел, она потирала губы тульей его старенькой шляпы.

Кажется, физиологи что-то такое говорили насчет губ и кончиков пальцев, якобы они как-то там связаны с мыслительной деятельностью... Настя точно не помнила, но эффект, как ей казалось, ощущала вполне. Не зря же, в конце концов, многие люди в задумчивости пощипывают большим и указательным пальцем нижнюю губу, значит, что-то в этом есть.

— Что ты хотел спросить?

Она уселась на пол у ног мужа и запрокинула голову. Из такого положения и без того высокий Чистяков казался совсем огромным, он нависал над Настей и создавал у нее чувство полной и абсолютной защищенности.

— Тут дружок твой Коротков, пока тебя ждал, рассказывал мне какие-то страшные истории про грядущие перемены в вашей конторе, в частности, про то, что теперь вас разделят на управления по видам преступлений и в каждом управлении будут свои аналитики. И ты, как самый крутой специалист по анализу убийств, найдешь там свое законное место и такую должность, при которой тебе дадут звание полковника и возможность служить до полного поседения. Ты считаешь, это реально?

— Леш, я в это не верю. Вот посмотри: я служу в органах с восемьдесят второго года, еще со времен Щелокова. За эти годы сменилась чертова туча министров, и каждый затевал свою реорганизацию, а то и не одну, если времени хватало. Конечно, был у нас министр, который просидел в кресле ровно сутки, но были и такие, которые по нескольку лет держались и предпринимали всяческие попытки нашу службу усовершенствовать. Знаешь, как это обычно происходит?

— Расскажешь — узнаю.

— Так вот, сверху спускается команда: подготовить предложения по реорганизации. Команда в виде бумажки с приказом рассылается во все подразделения, и в научные, и в учебные, и в практические. Начальники эту бумажку отписывают подчиненным, и те начинают сочинять предложения. Назначается кто-нибудь ответственный, кто в данном подразделении все предложения соберет, в один документ сведет и отправит наверх. При этом он может какие-то предложения в окончательный документ включить, а какие-то не включить, тут уже аппаратные игры начинаются, ведь у каждого свое представление о том, чего хочет министр, и каждый стремится ему угодить. А наверху, в министерстве, тоже назначается ответственный, который обобщает все, что приходит снизу. И тоже может что-то выпятить, что-то закамуфлировать, а что-то выкинуть к чертовой бабушке. Это я тебе к тому рассказываю, что каждый раз, когда к нам на Петровку такая бумага приходила, ее рассылали по отделам и Колобок сажал меня писать предложения. И каждый раз я писала о необходимости создания специализированной аналитической службы не вообще по главку, а по направлениям, по видам преступлений. Вот, хочешь посмотреть?

Она вскочила с пола, достала с полки пухлую папку и швырнула на стол перед мужем. Папка была довольно пыльной, и Чистяков выразительно чихнул. Настя быстро сорвала с папки резинки-держатели, выхватила толстую пачку листов и потрясла ими перед Лешиным лицом.

— Вот они, мои предложения, развернутые, аргументированные, года не проходило после того, как сняли Щелокова, чтобы я их не писала. И что? Кто-нибудь где-нибудь их читал? В них вникал? Их обдумывал? Обсуждал? Двадцать лет прошло, и вдруг нате вам, пожалуйста, выплыли. Последний приказ о подготовке предложений по реорганизации был в феврале, когда стало понятно, что кабинет министров будет меняться и новому министру надо что-то предложить, чтобы себя показать, но мне в этот раз уже не поручали ничего писать, Афоня сам сочинял предложения. Допускаю, что он мог взять мои прежние документы, они у него в сейфе лежат. Но все равно я не верю, что кто-то наконец меня услышал. Впрочем, не обязательно именно меня, наверняка таких, как я, не один десяток, и предложения о создании специализированных аналитических служб шли со всех сторон. Только их все равно за двадцать лет никто не услышал. Так что же изменилось? Министру уши прочистили? Или что? Я, Леш, в чудеса не верю. Я слишком долго вожусь с человеческой грязью, чтобы верить в чудо. Так что не слушай ты Короткова, он это специально говорит, чтобы меня от диссертации оторвать и к делу пристегнуть, — с горечью закончила она.

Чистяков помолчал немного, полистал содержимое папки, несколько страниц даже прочитал, потом аккуратно все сложил и застегнул угловыми резиночками.

— Асенька, я не хотел тебя дергать, но мне показалось, что после того, как Коротков ездил за тобой на автобусную остановку, ты вернулась какая-то расстроенная. Я потому и завел этот разговор... подумал, что ты жалеешь о своем решении и хочешь отказаться от работы над диссертацией, но не знаешь, как это сделать и надо ли это делать... Я хотел это обсудить с тобой.

— Спасибо, солнышко, — Настя снова опустилась на пол и потерлась лбом о его колени. — Диссертацию я все равно не брошу, потому что даже если Юрка не наврал, то это еще долгая песня. Министр пока не назначен, он исполняет обязанности, и хотя все уверены, что его назначат, последнее слово все равно скажет

Президент. А вдруг он назовет другое имя? Или наш исполняющий обязанности заболеет? Или, не дай бог, конечно, еще что похуже? Кто тогда будет министром? И понравится ли ему тот план реорганизации, который готовит нынешний министр? Или даже, допустим, исполняющего обязанности утвердят, но прежний-то министр ушел в Госдуму, и сейчас меняется весь аппарат, люди прежнего министра уходят, люди нового садятся в их кабинеты, но это происходит постепенно, не сразу, не в один день, и не исключено, что сегодня реформой в МВД занимаются еще люди прежнего министра, а завтра на их место придут другие, и эти предложения им не понравятся. Это аппарат, Леша, и в нем свои игры, иногда имеющие очень мало общего со здравым смыслом. А диплом кандидата наук — он всегда диплом, с ним хоть на преподавательскую работу иди, хоть на руководящую. Даже если все мои мечты сбудутся, от желающих уйти с практики на аналитику отбоя не будет, и что мне там светит? У нас ведь и сейчас есть аналитическая служба, только она занимается статистикой по городу в целом, так, знаешь, всем понемногу и ничем конкретно. Я давно могла бы туда перейти, только должность там меня ждет точно такая же подполковничья, с которой в сорок пять лет меня вежливо попросят, чтобы я освободила место другому желающему. И то если повезло бы, потому что подполковник на Петровке — это в любом случае руководитель, хоть маленький, но начальничек, а женщин начальниками у нас делать не любят. Так что я, скорее всего, выше майорской должности не поднялась бы. Это еще спасибо Колобку, он меня вовремя к Ивану Заточному в главк сплавил, чтобы я смутное время пересидела и звание на подполковничьей должности получила, на Петровке у меня этот фокус вряд ли прошел бы. Неужели ты думаешь, что в новой аналитической службе мне удастся стать полковником? Да никогда в жизни! Для этого нужно, чтобы меня назначили начальником отдела, а у нас полно мужиков, которые спят и видят, как бы им стать хоть каким-нибудь начальником. Вот их и назначат. Они себе эти должности зубами выгрызать будут. И диплом кандидата наук, да еще с темой диссертации, посвященной конкретно анализу убийств, в этой ситуации может стать хорошим козырем.

— Логично, — кивнул Алексей. — А почему же ты была такая грустная после встречи с Юркой?

— А потому, что мне было стыдно, — призналась Настя и крепче прижала к щеке деревянного Дедка. — В Москве девчонок-студенток убивают, а я в кусты прячусь. Юрке моя помощь нужна, и не потому, что я такая умная и без меня никуда, а просто потому, что он зашивается, замещает Афоню, ничего не успевает, и ему нужны лишние рабочие руки. А я ему отказываю в помощи. Никогда так не поступала, вот в первый раз... Попробовала...

Она неожиданно расплакалась, судорожно сжав Дедка в кулаке.

Плакать Настя собралась всерьез, со вкусом, надолго, но помешал телефонный звонок. Она вскинула мокрое покрасневшее лицо и исступленно замотала головой, напоминая мужу: если это Коротков, я сплю.

— Да, добрый вечер, — голос Чистякова, отвечающего на звонок, был немного растерянным.

Это явно не Коротков.

— Спасибо, и вас также. То есть извините, воистину воскресе. Нет, не спит. Да, пожалуйста.

Он протянул Насте трубку с выражением полного недоумения на лице.

— Мухомор твой, — произнес он одними губами.

Настя схватила трубку, зажала ладонью микрофон и прошипела в ответ:

— Он не Мухомор, а Никотин, балда. Мухомор — это у «Ментов».

Сделала глубокий вдох, тыльной стороной руки, сжимающей трубку, вытерла глаза, пару раз хлюпнула носом и уже громко сказала:

— Да, Назар Захарович, слушаю вас.

— Христос воскрес, православная, — задребезжал в трубке голос Никотина. — Ладно, не отвечай, все равно не умеешь. Я тебя чего побеспокоил-то... Напомни-ка мне, как фамилия тех людей, у которых девочку убили?

— Вы про соседей Шустовых?

— Ага, про них.

— Лозинцевы. А что?

— Да так, ничего... А Шустова эта еще вроде бы имена какие-то называла. Не припомнишь?

Настя поднялась с пола и прошла в кухню, где на столе лежал открытый блокнот с записями.

— Сейчас скажу, — она перелистала странички. — Вот, отец девочки Андрей и его сестра Эля, которая у них хозяйство ведет. Имени матери Шустова не назвала, по-моему, она его просто не знает. А что случилось-то?

— Да так, ничего, — загадочно повторил Назар Захарович. — Ты завтра к ним собираешься?

— Пока не знаю, Шустова обещала поговорить с Элей и утром мне позвонить. Если Лозинцевы не возражают против встречи, то поеду, конечно. Я уже готовлюсь, со специалистами проконсультировалась, выяснила, какие сведения надо собирать, сижу, вопросы формулирую. Дядя Назар, что-то вы, по-моему, голову мне морочите посреди ночи.

— Да нет, дочка, это тебе показалось. Слушай, если Шустова тебе позвонит и даст добро, не сочти за труд, возьми меня с собой к этим Лозинцевым, а?

— Господи, да зачем? — изумилась Настя. — Насчет Шустова вы были совершенно правы, я без вас с ним не справилась бы, но Шустов — прожженный мент, у меня против таких зубки действительно слабоваты. А там-то что? Тоже милиционеры, судьбой обиженные? Или вообще фээсбэшники? Или контрразведчики?

Никотин тяжело вздохнул в трубку.

— Ты, дочка, не понимаешь.

— Чего я не понимаю?

— Ничего ты не понимаешь, потому что молодая еще. Какие твои годы? Смех один. У тебя муж, мама с папой, родственники всякие, работы выше головы. А я — одинокий, никому не нужный старик. Ты не подумай, что я жалуюсь, ни в коем разе, я всем доволен. Но и мне порой бывает скучно. Особенно в воскресенье. Я по воскресеньям частенько к Юрке своему в гости напрашиваюсь, его подружка сердечная уж больно вкусно готовит, да и поболтать с ней есть о чем, но завтра так складывается, что Юрка дежурит, так что в гости мне идти не судьба. Вот я и подумал, схожу-ка я вместе с тобой, и мне развлечение, и тебе, глядишь, пригожусь. Мало ли какие там люди попадутся.

— Мало ли, — согласилась Настя. — А фамилию и имена зачем спрашивали?

— Для поддержания разговора, — скрипуче захихикал Бычков. — Надо же было с чего-то начинать, так почему не с фамилии? Ну так что, возьмешь меня с собой?

— С удовольствием, дядя Назар. Как только Шустова мне позвонит, я дам вам знать.

Настя положила трубку поверх бумаг, разжала кулак, поставила перед собой Дедка.

— Какие наши с тобой годы, Дедочек? — вполголоса сказала она. — Смех один. Правильно дядя Назар говорит. И комплексное монографическое исследование мы с тобой сделаем. И диссертацию напишем. И даже защитим ее. И завтрак утречком приготовим, вкусненький такой завтрак, чтобы Чистяков был доволен и чтобы у меня появилась вера в то, что я еще что-то могу начать сначала и чему-то научиться. И знаешь, что мы еще сделаем?

Она выдержала паузу, словно давая Дедку возможность ответить.

— Мы с тобой завтра попросим у Чистякова машину и поедем к Лозинцевым на личном автотранспорте. Если, конечно, они согласятся меня принять. А если не согласятся, то я придумаю, куда можно поехать, на рынок, например, или в большой супермаркет за продуктами, и все равно поеду на машине. Потому что водить машину я умею, но страшно не люблю. А с этим надо как-то бороться. В конце концов, все же ездят, а я что, не могу? В семье есть машина, а я вечно делаю из Лешки извозчика. Это не дело.

— Ася, — раздался из комнаты голос мужа, — у тебя что, приступ шизофрении? Тихо сам с собою?

— Нет, — откликнулась она, — это мы с Дедочком беседуем.

— И о чем же, позволь узнать?

— Строим планы на завтра.

— Но ты уже не ревешь?

— Нет, я в порядке.

— Тогда ладно, — успокоился Чистяков и вернулся к своему докладу.

* * *

На следующий день, в воскресенье, 11 апреля, ровно в час дня Настя Каменская, с трудом разогнув затекшую с непривычки спину, вылезла из машины, припарковав ее в том самом дворе, где накануне они разговаривали с Инной Семеновной Шустовой. Бычков уже ждал ее, сидел на лавочке, дымил неизменным своим «Беломором». Однако если вчера он был в весьма потертом и видавшем виды плаще, надетом поверх джинсов и свитера, то сегодня Настя углядела под все тем же плащом нечто, напоминающее костюм. Подойдя ближе, она убедилась, что глаза ее не обманули, Никотин и в самом деле был при костюме и даже при галстуке. Одежда его не была сверхмодной даже лет десять назад, но зато тщательно вычищена и отглажена.

— Ну что, дочка? Готова? — спросил он, поднимаясь со скамейки.

— Готова. Можем идти. Да, пока не забыла, вот, держите. — Она вынула из сумки и протянула Бычкову кассету с фильмом «Слепая ярость». — Вы хотели на Хауэра посмотреть.

Никотин повертел кассету в руках, с любопытством вглядываясь в фотографии на обложке.

— И который тут Хауэр?

— Вот этот, — Настя ткнула пальцем в фотографию кадра. — Как, ничего?

— Ничего, — протянул Назар Захарович, — знатная рожа. А я его, оказывается, много раз видел, только не знал, что это он. Ну и скажи ты мне, что между нами общего? Чего эта шмакодявка, Юркина подружка сердечная, мне голову морочит? Глаза, глаза... — заворчал он, пряча кассету в безразмерный карман плаща. — Ничего похожего. У него глаза вон какие, голубые, яркие, бабы за одни только глаза должны за ним табунами ходить. А у меня что?

— А ну повернитесь, — нахально скомандовала Настя. — И кассету давайте сюда.

Она остановилась, внимательно всмотрелась в лицо Никотина, потом перевела глаза на фотографию актера.

— Все ясно, — наконец изрекла она с умным видом.

— Чего тебе ясно?

— У вас глаза победителя. Глаза человека, который не может проиграть по определению, потому что даже когда он проигрывает, он в конечном итоге все равно выигрывает. Кстати, у вашего сына глаза точно такие же. Неужели не замечали?

— Вот, и эта шмакодявка то же самое говорит... Сговорились вы, что ли?

— Да бросьте, дядя Назар, я с ней даже не знакома, и имени ее не знаю. Ее что, так и зовут Шмакодявкой?

— Никой ее зовут, — буркнул непонятно отчего рассердившийся Никотин. — Вероникой то есть. А шмакодявка — потому что молодая еще.

— Малолетка, что ли? — прищурилась Настя.

— Да прям, ей лет тридцать пять, что ли, или тридцать шесть, что-то около того.

— Интересно у вас получается. Если она в тридцать пять лет для вас шмакодявка, то я-то в свои почти сорок четыре кто?

— И ты шмакодявка, только Ника добрая, а ты злая.

Он неожиданно рассмеялся и ухватил Настю под руку.

— Ладно, пошли.

Дверь им открыли сразу. То ли ждали, то ли квартира была маленькой, а может, хозяйка в этот момент за какой-то надобностью находилась в прихожей. Настя уже разговаривала с ней по телефону и знала, что зовут ее Элеонорой Николаевной, что Андрея Николаевича, отца Кристины, и среднего сына, Ярослава, дома не будет, но зато будет старшая девочка, Дина, так что на все вопросы она надеялась получить более или менее полные ответы.

Элеонора Николаевна оказалась миниатюрной симпатичной женщиной, как Насте показалось, чуть за пятьдесят, с фигурой статуэтки и с точеными ногами, высоко открытыми довольно короткой трикотажной юбкой.

— Здравствуйте, — говорила Настя, проходя в квартиру и снимая куртку, — спасибо большое, что согласились встретиться с нами. Со мной вы уже знакомы, я — Каменская Анастасия Павловна, а это наш сотрудник...

Она собралась было представить Никотина, но он перебил ее и представился сам.

— Полковник Бычков, — коротко назвался он, и Настя несколько удивилась такой официальности. Почему звание и фамилия вместо имени и отчества? Ведь не в служебном кабинете они встречаются, а в домашней обстановке. Впрочем, у Никотина всегда были причуды, он вообще ни на кого не похож, такой особенный, не всегда понятный и всегда неожиданный. Ладно, ему виднее, пусть представляется как хочет. Бычков так Бычков, полковник так полковник, хоть генерал.

В прихожей было темновато, но Насте вдруг почудилось, что Лозинцева сильно побледнела и даже покачнулась. Чего она испугалась? Неужели разговоров о погибшей племяннице? Странно... Прошло три с половиной года, за такой срок уже и родные родители перестают падать в обморок при воспоминаниях о постигшем их горе, а уж тетка-то... Что-то тут неладно.

— Вы извините, у нас тесновато, общей гостиной нет, так что нам придется устроиться в моей комнате, — неуверенным, дрожащим каким-то голосом произнесла Элеонора Николаевна. — Или вы предпочитаете на кухне? Там есть стол, за которым мы все поместимся, и чай можно пить...

Голос ее сорвался, и Насте стало не по себе. Что это с дамочкой-то творится? Если уж ей так тяжело говорить о племяннице, то могла бы не соглашаться на встречу, и дело с концом.

— Я думаю, на кухне будет в самый раз, если мы никому там не помешаем, — бодро взял дело в свои руки Никотин. — Разговор у нас с вами, Элеонора Николаевна, будет долгим, так что ваше предложение насчет чаю звучит очень привлекательно.

Они расселись вокруг стола в относительно просторной, очень светлой и уютной кухне, сверкающей чистотой и радующей глаз продуманностью и изяществом каждой мелочи. Здесь не было ничего дорогого, мебель не из натурального дерева, а из шпона и пластика, и плита стояла наша, отечественная, «Де Люкс», из самых дешевых, не какой-нибудь там навороченный «Электролюкс» или «Бош». В материалах по убийству Кристины Лозинцевой Настя нашла указание на то, что отец девочки работал в крупной финансовой корпорации ведущим аналитиком, стало быть, зарабатывал отнюдь немало. А живут-то они небогато. Долги, что ли? Или Лозинцев потерял работу и теперь получает куда более скромную зарплату?

Или пагубные пристрастия? Проблемные дети? Квартирка, хоть и четырехкомнатная, но из самых-самых дешевых, в панельном доме на окраине города. И хотя Настя, кроме прихожей и кухни, никаких других помещений не видела, она отчего-то была убеждена, что в квартире все остальное такое же, как на кухне: идеально чистое, практичное и дешевое, и ни одной лишней вещи.

Насте очень хотелось получше разглядеть Элеонору Николаевну при ярком дневном свете, льющемся из широкого идеально промытого окна, но Лозинцева хлопотала у плиты, стоя спиной к гостям. Кстати, почему она Лозинцева? Неужели старая дева? А если была замужем, то почему не меняла фамилию? В том, что именно «была», Настя не сомневалась, ибо в противном случае Элеонора Николаевна никак не смогла бы постоянно жить в семье брата.

Она бросила взгляд на Никотина и поразилась тому, с каким пристальным вниманием Назар Захарович изучает спину и ноги хозяйки дома.

Это ж просто неприлично так разглядывать женщину! И в его-то годы!

— Вот, прошу вас. — Лозинцева поставила на стол красивые чашки, заварочный чайник, сахарницу, молочник и вазочку с домашним рассыпчатым печеньем.

Теперь взгляд Никотина был прикован к ее рукам, и Насте казалось, что он по очереди ощупывает глазами каждый палец, очертания ладони, запястья, необычной формы кольцо из белого золота и такой же браслет на правой руке. Руки у Лозинцевой были ухоженными, с безупречным маникюром. Настя невольно посмотрела на свои ногти, попыталась вспомнить, когда в последний раз покрывала их лаком, и с огорчением поняла, что вспомнить не может. Значит, давно. Даже очень.

А руки-то у Элеоноры Николаевны, хоть и ухоженные, а дрожат...

Неужели в убийстве ее племянницы есть какая-то тайна, которую она изо всех сил пытается скрыть и смертельно боится, что она выплывет наружу?

Хорошо, что Никотин здесь, как чувствовал, что его знания и опыт снова пригодятся.

Настя открыла блокнот, нашла страницы с вопросами и начала разговор. Назар Захарович все больше молчал, только изредка вставлял какую-нибудь незначащую реплику. К сожалению, Элеонора Николаевна могла дать ответы далеко не на все вопросы.

— Кристина росла не у меня на глазах, — словно оправдываясь, говорила она, — брат жил своей семьей, а я — своей. Лучше бы вам, конечно, поговорить с ним, но он так много работает, у него совсем не бывает свободного времени.

— Лучше бы нам поговорить с матерью девочки, — заметила Настя. — Она ведь жива, не так ли?

— Это невозможно. Она действительно жива, но ее нет в Москве.

— А где она?

— В Германии, — раздался прямо у Насти за спиной ехидный громкий голос, — в прекрасном курортном городе под названием Баден-Баден. Там еще во времена Тургенева русская интеллигенция тусовалась, нервы лечила. У них с крепостными крестьянами столько проблем было, столько нервотрепки, что нигде, кроме как в Баден-Бадене, они в себя прийти не могли. Очень, знаете ли, большая нагрузка на психику у них была в России. Вот они в казино и расслаблялись. Водички попьют — и за рулетку.

Настя вздрогнула и обернулась. На пороге кухни стояла девушка, до того некрасивая, что даже не верилось. Близко поставленные глаза, длинный нос, узкие злые губы — и все это на непропорционально широком лице с обвисающими, как у хомячка, щеками. На девушке был длинный балахон с широкими рукавами из какой-то яркой материи с цветными разводами.

— Дина! — с упреком воскликнула Лозинцева. — Ну зачем ты так? Познакомьтесь, это наша Дина, старшая дочь...

Она не успела договорить, потому что девушка довольно невежливо ее прервала:

— Я не ваша. Я вообще ничья. И не надо делать вид, что я для тебя родная.

Настя ошеломленно молчала, переводя глаза с тетки на племянницу.

Она ничего не понимала. Лозинцева резко поднялась, уронила чайную ложку, нагнулась, чтобы поднять ее. Дина даже не пошевелилась, чтобы помочь тетке. И снова на помощь пришел Бычков.

— Ну, положим, чья ты есть — это не наше дело. Дело это ваше семейное, вот между собой и разбирайтесь. А вот скажи-ка, что ты можешь рассказать о Кристине? Ты же ее с самого рождения видела, она росла рядом с тобой. Элеонора Николаевна нам тут мало чем помогла, папы твоего дома нет...

— Он мне не папа, — снова перебила Дина, злобно сверкнув глазками.

— Ну извини, я имел в виду Андрея Николаевича. Но его нет, и он нам рассказать ничего не может. А Ярослав тебе кто?

— Брат, — с вызовом ответила Дина. — По маме. У нас разные отцы. Но Славка Кристю любил, возился с ней все время, вы лучше с ним поговорите. Папа все время работал, он ее мало видел, мне она вообще до фонаря была, а Славка про нее все знал.

Ах, значит, все-таки папа. Девочка просто хочет эпатировать гостей и позлить тетку. Может, Лозинцев ей и не родной отец, и она об этом знает, но называть его она привыкла папой. Настя постепенно приходила в себя и под убаюкивающий, чуть дребезжащий говорок Никотина начинала разбираться в ситуации. Ярослав, значит, Кристину любил и с ней возился, а Дина, которая была ненамного старше брата, на младшую сестричку внимания не обращала. Почему? Ревновала? Но почему именно ее, а не брата, который родился раньше, и, по идее, вся детская ревность и вызванная ею ненависть должна была достаться именно ему. Была слишком мала, когда родился брат, чтобы что-то понимать и ревновать, а к тому моменту, когда появилась Кристина, девочка уже оказалась способной на ревность и ненависть? Все может быть. Уж не здесь ли зарыт тот камень, о который так боится споткнуться побледневшая Элеонора Николаевна? Когда погибла Кристина, Дине было пятнадцать лет. Много это или мало для того, чтобы убить сестру? История показывает, что вполне достаточно, бывали убийцы и помоложе. А как же Семагин? Он же осужден... А как же неправосудные приговоры, которые в девяностых годах пачками выносили наши российские суды, не разбираясь в доказательствах и закрывая глаза на явные прорехи в следствии? Что вчера сказал разъяренный Шустов? Нашли придурка, которого побоями заставили взять на себя чужое убийство, чтобы «висяка» не было. Так, может быть, и Семагин не убивал Кристину Лозинцеву? Восемь девочек убил действительно он, а вот девятую, последнюю — нет. Ее убил кто-то другой. И Элеонора Николаевна прекрасно это знает. Хотя там же было изнасилование... Допустим, Дина могла убить сестру, но не могла же она ее изнасиловать. Да, но изнасилования могло и не быть, просто был маньяк, которого к тому времени ловили по всей стране, и поймали его, кстати, через три дня после убийства Кристины. К тому времени судебно-медицинская экспертиза еще не была закончена, и ее результаты с благословения начальства сфальсифицировали, чтобы подогнать под стереотип действий пойманного Семагина, на всякий случай, а вдруг удастся его сломать и заставить взять на себя еще один труп. Тогда и убийство Кристины можно не раскрывать, надрываться не надо, и у всех грудь в орденах. Или у Дины мог быть сообщник, сексуально озабоченный подросток, вместе с которым она и убила сестру.

Вот черт! Надо же было так влипнуть! Пришли поговорить, называется. Комплексное монографическое исследование, криминология, психология, диссертация... Слова-то какие! И что теперь со всем этим делать?

Надо осторожненько и аккуратненько сворачивать разговор на безопасную тропу и сматываться отсюда. Потом обсудить все соображения с Никотином и принимать решение. Главное — не торопиться и не делать резких движений. Может быть, ничего такого и нет, и Кристину Лозинцеву действительно убил маньяк Семагин, а Дина просто не любила по каким-то причинам младшую сестренку и в силу особенностей характера не считает нужным это скрывать.

— Ну, раз ты нам про Кристину ничего интересного рассказать не можешь, — журчал между тем Бычков, — то, может быть, покажешь семейные альбомы с фотографиями?

— Это еще зачем? — Дина грозно сдвинула реденькие бровки, и ее отвисающие щечки некрасиво дернулись.

— А мы тут с Элеонорой Николаевной их посмотрим, это дело стариковское, неспешное, глядишь, она что-нибудь и вспомнит интересное. У тебя, наверное, своих дел невпроворот, а ты тут из-за нас дома сидишь в выходной день, мне даже и неловко, что мы тебя задерживаем. Ты нам альбомы принеси, а мы уж тут сами как-нибудь...

— Только там Кристиных фоток нету, — строго предупредила Дина.

— Почему же так? — удивился Назар Захарович.

— Их мама с собой увезла. Ни одной не оставила.

— Но почему? — в свою очередь удивилась Настя. — Разве Андрею Николаевичу не хотелось бы иметь что-то на память о дочери? Я уж не говорю о Славике.

Насте казалось, что она соблюла все меры предосторожности, не назвала Лозинцева папой и, памятуя о том, что у Дины другой отец, не сказала, что и Дине, может быть, хотелось бы иметь на память фотографию сестры.

Но оказалось, что она учла не все. Поистине эта семья была непредсказуема!

— А папе по барабану, — хладнокровно заявила Дина. — Кристя не от него была, а от маминого любовника. Так что она ему не дочь. По Кристе только одна мама убивалась, а мы так, терпели.

Ну совсем здорово! Так, может быть, девочку убила вовсе не Дина, а сам Лозинцев? Не стерпел постоянного напоминания о супружеской измене и... Или все-таки маньяк Семагин? О господи, голова кругом идет.

— Так нести альбомы или не надо? — нетерпеливо переминаясь с ноги на ногу, спросила девушка.

— Неси, милая, неси, — закивал Никотин. — Мы тут сами все посмотрим, а ты иди своими делами занимайся.

За все время переговоров Бычкова с Диной Элеонора Николаевна не произнесла ни слова. Она сидела, замерев в одной позе, словно каменное изваяние, и выражение ужаса не сходило с ее лица. Настя понимала, что на ее глазах что-то происходит, что-то невероятное, невозможное, необъяснимое, и от этого терялась, потому что не могла найти точку опоры, отталкиваясь от которой можно было бы выстроить всю картину. Да, Лозинцева нервничает, и нервничает так сильно, что воздух, казалось, вибрирует вокруг нее. С чем это связано? С тем, что неожиданные Настины догадки верны? А девчонка? Отчего она ведет себя так вызывающе, так нагло, почему смеет при посторонних людях так грубо и неуважительно говорить о своих родителях? И почему Элеонора Николаевна ей это спускает, не делая ни единого замечания? Что за странная семейка? И главное — почему так спокоен Никотин, словно ничему не удивляется, словно все идет так, как надо, как положено? Он ведь куда опытнее Насти, он был ее наставником, и не может быть, чтобы он не подумал о том, о чем подумала она сама. Ведь это же очевидно, это просто в глаза бросается! Мать оставляет детей мужу и уезжает на постоянное жительство за границу. Вдруг, ни с того ни с сего, на ровном месте. Меньше чем через год после гибели младшего ребенка. А говорят, что совместно пережитое горе сплачивает людей... Почему она внезапно уехала? Уж не потому ли, что знала: рядом с ней, бок о бок живет убийца Кристины, будь то муж или старшая дочь? Бычков должен был задуматься об этом, а он, судя по словам, которые он произносит, и по тону, которым он произносит эти слова, думает совсем о другом. Что происходит, черт возьми?

Или он видит и понимает что-то такое, чего она, Настя, не чувствует?

Дина вскоре вернулась, неся в руках один-единственный фотоальбом, правда, большой, толстый. Молча положила на стол, резко повернулась, отчего широкие полы просторного балахона взвихрились вокруг ее ног, неприятно резанув глаза сочетанием оранжевого, грязно-коричневого и ядовито-зеленого цветов. И покинула высокое собрание.

— У окна стою я, как у холста... — пробормотал Никотин.

Лицо Лозинцевой еще больше побледнело, она быстро вскинула на Бычкова напряженные глаза.

— Что вы сказали?

— Да песенка такая была во времена моей молодости, смешная... Вы, наверное, не помните. «Будто кто-то перепутал цвета, и Неглинку, и Манеж, за окном встает зеленый восход, по мосту идет оранжевый кот и лоточник у метро продает апельсины цвета беж...» Посмотрел на платье вашей племянницы и вспомнил. Она у вас всегда так экстравагантно одевается или только для гостей?

— Всегда. Вернее, в последние годы, после того, как ее мать уехала. А до того одевалась как все.

— Для нее отъезд матери был, наверное, огромной травмой, — сочувственно покивал головой Никотин. — Вы мне еще чайку не нальете?

— Да-да, конечно, — Лозинцева торопливо поднялась со своего места, захлопотала возле чайника. — Конечно, Диночка очень переживала, ведь мать была ее единственным кровным родственником, и после ее отъезда девочка осталась с совершенно чужими людьми. То есть никто вокруг так не считал, ее все воспринимают как родную, и мой брат, и Славик, и я, и наша мама, но Дина думает именно так. Она здесь чужая, она никому не нужна, и ее никто не любит. Поэтому и ведет себя так... глупо. Вы не сердитесь на нее.

— Скажите, а в вашей семье что, вообще никаких тайн нет? — спросила Настя. — Вот смотрите, я записывала с ваших слов: Дина родилась в восемьдесят пятом году, ее мать и ваш брат поженились в восемьдесят седьмом, но вместе жили с самого рождения Дины. Как так получилось, что девочка знает, что она Андрею Николаевичу неродная? Неужели она в два годика все понимала? Никогда не поверю.

— Ей сказали. От нее никогда не скрывали, что Вера собиралась замуж за другого и родила Дину именно от него.

— Но почему? — недоумевала Настя. — Зачем это нужно было?

— У нас в семье так принято. Андрей ведь тоже приемный у моих родителей, и они этого не скрывали. Мы с ним так воспитаны, и он в собственную семью принес те правила, которые выработались в нашей семье. Никаких секретов.

— А то, что сказала ваша племянница о Кристине? Неужели правда?

— О том, что Вера родила ее не от Андрея? Да, и это правда.

— Как же так получилось, что дети об этом знали? Кто им сказал?

— Андрей. Да и Вера не отрицала, там никаких сомнений не было, все было совершенно очевидным.

— И все-таки я не понимаю, — упрямо стояла на своем Настя. — Это могло быть очевидным для Андрея Николаевича и даже, может быть, для вас, но для детей... Кристина родилась в девяносто третьем, Дине было восемь лет, Ярославу — почти шесть, о каких сомнениях или их отсутствии может идти речь? Откуда дети в таком возрасте могли знать, спят их родители вместе или нет? Откуда им знать, могла мама забеременеть от папы или не могла? То, что Андрей Николаевич принял Кристину, как свою родную дочь, — это его дело, его решение. Но зачем детям-то сказали о том, что она не от него? Вот я чего понять не могу. Вы простите, Элеонора Николаевна, что я так цепляюсь к вам, но мне важно понять, какой была Кристина, а для этого я должна восстановить всю картину семейной атмосферы и взаимоотношений в этой семье, чтобы потом понимать, как формировался ее характер, ее менталитет. Понимаете?

— Понимаю, — вздохнула Лозинцева. Насте показалось, что она немного успокоилась. — Наш отец всю жизнь служил в разведке, и он накрепко внушил нам, что, если человеку есть, что терять, он должен жить без секретов. Иначе появляется повод для шантажа. Если ему терять нечего, тогда другое дело. Отцу было что терять, вы не поверите, но для того, чтобы усыновить Андрюшу, ему в свое время пришлось получать разрешение руководства, и разрешение это он получил, только дав слово, что усыновление не будет тайной. И Андрею было что терять, когда родилась Кристина, он к тому времени был уже довольно состоятельным человеком, а со временем стал еще богаче. Отец же Кристины — человек ненадежный, сомнительных нравственных качеств, и у Андрея были все основания бояться... ну, вы сами понимаете, чего. Для моего брата не существует понятия «кровные» и «некровные», он умеет любить людей просто так, независимо от степени родства, но он — человек разумный и предусмотрительный. Этот Воркуль — неудачливый бизнесмен, и он мог попытаться тянуть из Андрея деньги под угрозой разглашения тайны.

— Воркуль? — вскинула брови Настя.

— Валерий Воркуль, любовник Веры, отец Кристины.

Настя сделала еще одну пометку в блокноте. Валерий Воркуль. Интересно, знал ли он о том, что у него растет дочь? И если знал, то виделся ли с ней? И если виделся, то знала ли Кристина, что это ее родной папа? Все это нужно выяснять, чтобы составить полную картину характера и образа мыслей девочки.

— Вы сказали, что Андрей Николаевич был состоятельным человеком и со временем стал еще богаче. Но мне показалось, что вы живете более чем скромно, — осторожно заметила Настя. — Отчего так?

«Если начнет плести несусветицу, значит, все ложь, — подумала она. — Значит, есть у этой семьи тайны, а все остальное — просто красивые слова. Куда деньги-то девались, если их было много? А если их и не было, то Лозинцеву нечего было бояться шантажа».

— Вера обменяла детей на деньги, — просто ответила Элеонора Николаевна. — Она поставила перед Андреем условие: или она забирает детей, или он дает ей достаточно денег, чтобы она могла купить себе жилье за границей и сделать вложения, на доходы от которых можно жить. Тогда детей она оставит ему. Андрей отдал ей все, себе оставил самый минимум. И детей, конечно, оставил. Он их очень любит.

Н-да, чем дальше — тем страньше, как говорила Алиса, находясь в Стране чудес...

Никотин тем временем неторопливо листал фотоальбом, подолгу всматривался в снимки, хмыкал, что-то бормотал себе под нос. Лозинцева зорко наблюдала за ним и, разговаривая с Настей, не отрывала глаз от альбома.

Они разговаривали еще долго, Настя старательно записывала все, что рассказывала Элеонора Николаевна, но в конце все-таки пришла к убеждению, что без беседы с ее братом обойтись никак невозможно.

— Нет, в рабочие дни вам вряд ли удастся с ним поговорить, — покачала головой Лозинцева, — он приходит поздно и очень уставшим.

— А в выходные? Вот, например, сегодня?

— Сегодня они со Славиком играют в пейнтбол и вернутся часов в восемь, не раньше.

— Где они играют? — Настя приготовилась записывать.

— На базе «Юг», это по Симферопольскому шоссе, десятый километр. Неужели вы собираетесь его там искать?

— А почему нет? Фотографию его мы видели, вы сами сказали, что ваш брат очень высокий, и племянник тоже. Я думаю, мы их без труда там найдем. Если они, конечно, действительно там, — добавила Настя, делая вид, что что-то записывает, и искоса поглядывая на Элеонору Николаевну. Что-то уж очень она старается оградить братца от контактов с милицией...

Бычков поднял голову от альбома и виновато улыбнулся:

— Элеонора Николаевна, можно мне заглянуть к Дине? У меня к ней есть пара вопросов.

— Я позову ее. — Лозинцева собралась встать, но Никотин жестом попросил ее остаться на месте.

— Да не беспокойтесь, я сам. Вы мне только скажите, где ее комната. Такие вопросы лучше задавать с глазу на глаз.

— От кухни вторая дверь налево.

Никотин вышел. В кухне повисло молчание, в котором уже не было напряжения, а был некий вакуум, делающий невесомыми и несущественными любые вопросы, соображения и чувства. Настя подумала, что напряжение было связано с присутствием Назара Захаровича и исчезло вместе с ним.

Но почему? Неужели его неприкрытый мужской интерес к этой немолодой, но очень приятной женщине заставлял ее так нервничать? Да нет же, глупости. Никотин, конечно, вовсе не стар, и вполне нормально, если он интересуется женщинами, но напряжение и нервозность Элеоноры Николаевны возникли сразу же, едва они переступили порог квартиры, а в тот момент никакого мужского интереса дядя Назар еще не демонстрировал да, наверное, и не испытывал. Что там можно было испытывать-то, в полутемной прихожей, когда еще и двух слов не было между ними сказано?

— Анастасия Павловна, — неожиданно заговорила Лозинцева, — можно задать вам вопрос?

— Да, конечно, — рассеянно отозвалась Настя, думая о своем.

Но Лозинцева снова умолкла. Она сидела, отвернувшись к окну, за которым капал холодный апрельский дождик, и в какой-то миг Насте показалось, что она плачет вместе с этим нескончаемым безрадостным дождем. Плачет точно так же безрадостно и нескончаемо.

— Вы что-то хотели спросить? — напомнила она.

— Нет, извините... Это я так.

— Ладно. Тогда я спрошу, если позволите. Вы считаете правильным, когда дети знают правду о своем происхождении?

— Да, — твердо ответила Элеонора Николаевна, — я считаю это правильным. В принципе.

— А не в принципе?

— А не в принципе, то есть в данном конкретном случае — не знаю. До недавнего времени я была уверена, что родители правильно воспитывали нас с Андреем, и я радовалась, что Андрей точно так же воспитывал своих детей, и родных, и неродных. Неважно, чья кровь в тебе течет, важно, какой ты человек. Разве это неправильно?

— Правильно, — согласилась Настя. — А почему до недавнего времени? Что-то произошло?

— Ничего. Просто, наблюдая за Диной, я засомневалась. Есть принципы, основополагающие правила, но есть и конкретные живые люди, которые выбиваются из рамок этих жестко заданных правил. Ярославу было удобно в этих рамках, как было удобно и нам с Андрюшей, и Кристине было удобно. А Дине это оказалось не по силам. И я вот уже который день задаю сама себе вопрос: разве правда может искалечить человеку жизнь? Ложь да, может, и тому есть множество примеров, но правда? А вот, оказывается, может. И как же тогда жить? Где тот предел, за которым правда и открытость становятся смертельно опасными? Правда и честность позитивны, то есть в них должно быть созидающее начало, как во всем позитивном, и вдруг я столкнулась с тем, что правда не созидает, а разрушает и калечит. Значит, вся наша этика неверна. И я растерялась.

— Вы очень откровенны, — заметила Настя, стараясь не показать удивления.

— Мне нечего скрывать, — ответила Лозинцева дрогнувшим голосом. — А... ваш коллега...

— Что?

— Вы ему будете пересказывать то, что я вам сейчас сказала?

— Если не хотите — не буду. Для нашего исследования это значения не имеет.

— Мне все равно, — голос Лозинцевой внезапно стал жестким.

В кухню вернулся Никотин, лицо его выражало удовлетворение и любопытство одновременно. Он не стал присаживаться за стол, остался стоять, и Настя поняла, что пора уходить. Все, что ему было интересно, он выяснил, а больше из Лозинцевой все равно ничего не вытянуть. Огромный блок вопросов остался без ответов, и касались эти вопросы в основном периода беременности Веры Лозинцевой, когда она носила Кристину, и раннего детства девочки. Тут мог помочь только Андрей Николаевич, если уж нельзя добраться до матери.

Но те же самые вопросы нужно было задать и матери Тани Шустовой, ведь вчера Настя разговаривала с ней без подготовки, до того, как психолог объяснил ей самые азы. Раз уж она все равно в этом районе...

— Вы не могли бы позвонить Инне Семеновне? — спросила она Лозинцеву. — Мне нужно задать ей еще несколько вопросов, я вчера не успела.

Элеонора Николаевна молча потянулась к телефону, поговорила с приятельницей и передала Насте трубку. Они договорились встретиться в кафе неподалеку, дома у Шустовой был нетрезвый и агрессивно настроенный муж, а на улице шел дождь.

Они попрощались и ушли.

— Зачем вам понадобилась Дина? — не сдержала любопытства Настя, когда они сели в лифт.

— Да я альбом с фотографиями смотрел и все прикидывал. Девчонка сказала, что фотографий Кристины в альбоме нет, потому что их мать с собой забрала. Ну, это я могу понять, это объяснимо, но почему остались фотографии двух старших детей? И Дины, и Ярослава на этих фотках навалом. Что же она, не взяла с собой их фотографии? Как же так? Почему?

— С чего вы решили, что не взяла? Может, взяла, просто их было много, и часть осталась дома.

— А Кристининых фоток почему не осталось? Их, выходит, мало было, так, что ли? В общем, неувязочка какая-то мне тут показалась, вот я и решил у Дины спросить.

— А почему у Дины, а не у Элеоноры? — не отставала Настя.

— Да потому, дочка, что мне еще кое-чего показалось, вот я и проверил.

Он хитро усмехнулся и посторонился, пропуская Настю в дверь, ведущую на улицу.

— Ну дядя Назар, не дергайте меня за нервные окончания, — взмолилась она. — Говорите, не тяните.

— Показалось мне, видишь ли, что Дина сестричку свою не то чтобы не любила, а люто ненавидела. Чуешь, к чему я веду?

Ну вот, конечно, Никотин подумал о том же самом, о чем Настя размышляла, сидя на кухне у Лозинцевых.

— Чую, — вздохнула она. — А что вам Дина-то сказала?

— Сказала, что мать из всех детей любила только младшую, Кристю, выделяла ее, относилась к ней по-особому, а на других детей, на старших, ей было, мягко говоря, плевать с высокой колокольни. И она действительно забрала из дома все до единой фотографии Кристины и не взяла с собой ни одной фотографии других детей. Вот так-то. Еще сказала, что Кристя была избалованной и залюбленной, и мать перед ней стелилась, в глаза заглядывала и в задницу ей дула... Дина, конечно, грубее выразилась, меня, старика, не постеснялась, но я уж твои ушки пощажу. В общем, и злоба, и ревность, и ненависть из Дины до сих пор как из ведра льются. Нехорошая история.

— Нехорошая, — согласилась Настя, слизывая с губ дождевые капли.

Зонт она не взяла, и даже куртка на ней была без капюшона, и шея уже стала мокрой, и через воротник по плечам расползался озноб.

Они остановились возле кафе, куда обещала прийти Шустова.

— Пошли? — Настя взялась за ручку двери и потянула на себя.

— Ты иди, дочка, а я поеду, пожалуй. У вас с Шустовой, как я понимаю, остались чисто женские вопросы, я вам только мешать буду.

И то верно, подумала Настя, в очередной раз оценив проницательность и деликатность Назара Захаровича Бычкова.

* * *

Они давно ушли, а Аля так и продолжала стоять в прихожей, обессиленно прислонившись к стене. Зачем он ходил к Дине? О чем ее спрашивал? Что вообще они подумали о девочке? Спасибо, что со свечой не вышла, но вела она себя... Кошмар! И альбом семейный смотрел. Зачем? Что он в нем искал? Смотрел, листал, но ей, Элеоноре, ни одного вопроса не задал. Странно. И страшно. Ну почему, почему так все коряво в ее жизни? Ей пятьдесят шесть лет, она уже старуха, жизнь прожита, за бортом остались двое мужей, к которым она испытывает теплые, дружеские чувства, которые были хорошими, порядочными мужчинами, но которых она по-настоящему не любила, она надеялась, что сможет, но не смогла...

Сына вырастила, он хорошо устроен, живет в Питере, у него свой бизнес, семья, друзья, и мать ему уже не нужна. Это нормально. Это даже хорошо, что Аля ему не нужна, потому что мужчина, который в двадцать пять лет нуждается в матери и цепляется за ее юбку, это как-то... неправильно, одним словом.

Она собралась было с силами, чтобы оторвать себя от стены и подойти к зеркалу. Собственно, именно это она и собиралась сделать с того самого момента, как закрыла дверь за посетителями, и именно на это у нее и не хватало мужества. Но прямо над головой тренькнул дверной звонок. Аля открыла сразу, машинально, даже в глазок не глянула, хотя обычно смотрела.

— Здравствуй, Элла, — сказал он.

— Здравствуй, Наджар, — ответила она. — Значит, это все-таки ты?

Она назвала его на восточный манер, смягчая дифтонг «дж» до почти звонкого «ч», отчего следующий звук «а» был больше похож на «я», она хотела показать, что помнит все, каждое его слово, каждую минуту, проведенную вместе. На самом деле она помнила те часы не поминутно — посекундно. Много чего она забыла из того, что происходило в ее жизни потом, и спустя десять лет, и двадцать, даже события прошлого года помнились не вполне отчетливо, с провалами. Но те часы она не забывала никогда.

— А ты что же, сомневалась? — усмехнулся Назар Захарович. — Почти сорок лет прошло, я, наверное, сильно постарел, да? Так постарел, что ты меня и не узнала.

— Я не знала твоей фамилии, ты мне ее тогда не сказал. Я знала только имя. Но сегодня ты его не назвал. Я боялась смотреть на тебя, поэтому не очень хорошо разглядела. Я боялась понять, что ошибаюсь. А я, Наджар? Я сильно постарела? Ты сразу меня узнал?

— Элка, Элка, — засмеялся он. — Ну что мы стоим в прихожей? Пойдем уже куда-нибудь.

— Куда? — растерялась Аля. — Опять на кухню? Или ко мне в комнату? Там нам никто не помешает.

— Да брось ты эти глупости. Давай надевай плащ или что там у тебя на весенний сезон припасено, и пошли отсюда.

— Куда? — снова повторила она, понимая, что выглядит полной дурой, и чувствуя себя от этого совершенно счастливой. Ну просто абсолютно счастливой. Такой, как почти сорок лет назад.

— Да какая разница? Куда-нибудь. Сядем на троллейбус, доедем до метро, выйдем где-нибудь в центре и пойдем в ресторан обедать. А потом ко мне домой пить кофе. Я варю умопомрачительный кофе. Ты помнишь? Тебе нравилось.

— Помню, Наджар, — ей доставляло необыкновенное удовольствие произносить его имя. — Я все помню. Только зачем на метро? У меня машина.

— Тем лучше. Обувайся, одевайся, бери сумочку, и пошли. И зонтик захвати, там дождь идет.

Аля торопливо оделась, крикнула: «Дина, я ухожу, обедай сама!» — и захлопнула за собой дверь. И только в ярко освещенном лифте посмела открыто посмотреть на него. Старый. Глубокие морщины. Он и в молодости не был красив, на этот счет она не обольщалась, и в ее воспоминаниях он не был Прекрасным принцем. Одет чисто и тщательно, но небогато. Волосы редкие. А глаза все те же, точно такие, какими она их помнила все эти годы. Тогда он много курил, а сегодня за все время, что провел в их квартире, ни разу не достал папиросы. Бросил? Здоровье подводит?

— Ты бросил курить? — спросила она.

— Ни за что, — усмехнулся Назар Захарович. — Я просто терпел из вежливости. У вас некурящая квартира, я это сразу почувствовал и решил не создавать тебе проблем. Почему ты живешь с братом? У тебя нет своей семьи?

— Теперь уже нет. Два замужества, два развода, сын живет отдельно. А ты, Наджар? Почему ты приглашаешь меня к себе домой? Ты один?

— Один, — коротко ответил он. — У меня тоже сын и тоже живет отдельно.

— Когда ты женился, я думала, что умру, — неожиданно призналась она и заплакала.

Ее машина стояла рядом с подъездом. Аля на ощупь достала из сумочки ключи, нажала на брелок, отключила сигнализацию, открыла дверь и села на водительское место. Слезы заливали глаза, она ничего не видела, просто сидела, совершенно прямо, не пряча лица, не закрывая его руками, не наклоняя голову. Сидела и плакала.

Глава 7

Для Лили Стасовой воскресенье тянулось невыносимо медленно. Субботу она кое-как с грехом пополам пережила, заняв себя рефератом по истории, в воскресенье же и реферат не писался, и книжки ее любимые не читались, и кино по телевизору как-то не смотрелось. Ей хотелось, чтобы скорее наступило утро понедельника, и тогда в восемь утра она подойдет к метро и сядет в машину Кирилла. И первым делом спросит его, как сложились дела в пятницу и принесла ли она, Лиля, ему в тот день удачу.

Отвлечься было ну просто совершенно не на что, мама уже который день пропадала на фестивале телевизионных фильмов, и никто не мог заставить Лилю поделать что-нибудь полезное по дому, постирать, например, или пропылесосить квартиру. Она маялась с самого утра, пыталась поспать днем, чтобы время прошло незаметнее, но уснуть так и не смогла, прокрутилась часа полтора под теплым пушистым пледом и в раздражении встала с дивана. Подошла к телефону, чтобы позвонить подружке и договориться пойти куда-нибудь, погулять, или в кафе, или в кино, но вдруг поняла, что не сможет говорить с ней ни о чем, потому что говорить Лиля хочет только о Кирилле, а о нем — нельзя. Нельзя, потому что не хочется. То, что происходит между нею и этим красивым взрослым мужчиной, особенное, и никакие подружки ее не поймут, сразу сведут все до уровня пошлости или похабщины. Он тебя лапал? Ты с ним целовалась? А если дойдет до главного, вам есть куда пойти? Он что, даже не намекал? Может, он импотент? Или даже гомосексуалист? Лилю прямо передернуло при мысли о том, что ей придется обсуждать Кирилла на таком примитивном уровне. И вовсе ей не хочется с ним целоваться, и никакого там «главного» ей тоже не хочется, ей просто нравится с ним разговаривать, ехать с ним в машине, вдыхать запах его туалетной воды, смотреть на его мужественный профиль, слушать его голос и чувствовать себя взрослой, интересной и значительной. С ней все обращаются как с ребенком, никто с ней даже серьезно не разговаривает, ни мама, ни папа, ни тетя Таня, папина жена. А Кирилл ведет себя с ней как с равной, хоть и знает, что она намного моложе.

Около пяти часов Лиля подумала, что вопрос про пятницу совсем не обязательно задавать завтра утром, можно ведь сделать это и сегодня.

Позвонить и спросить. А что? Он ведь дал ей номер своего телефона. Ну и как это будет выглядеть? Как будто она ждет не дождется встречи, утерпеть не смогла и позвонила. Как будто ей эта встреча нужна больше, чем самому Кириллу. Как будто она влюбилась... И ничего она не влюбилась, просто знакомство с ним будоражит Лилю, заставляет ее волноваться, переживать, как заставляют волноваться и переживать любые новые ситуации и ощущения. Человек, впервые попавший за границу, тоже волнуется и даже нервничает, потому что все вокруг новое, необычное, непривычное.

Она спорила сама с собой, сердилась, усмехалась, приводила аргументы «за» и «против» того, чтобы позвонить, съела на нервной почве четыре бутерброда со своей любимой сырокопченой колбасой, потом долго ругала сама себя за это грубейшее нарушение диеты и давала себе слово до завтрашнего обеда не есть ничего, кроме нежирной простокваши, кружила вокруг телефонного аппарата, потом вспомнила, что Кирилл поместил ее фотографию на номер мобильника, а не на домашний номер, и решила, что если уж будет звонить, то только с мобильного, чтобы он знал, что это она, и если ему в тот момент будет неудобно с ней разговаривать, он просто не ответит, и она своим звонком не поставит его в неловкое положение. Потом как-то незаметно Лиля уничтожила две сладкие плюшки, намазав их сливочным маслом и запив чаем с лимоном, спохватилась, расстроилась до слез и, всхлипывая и сдирая с себя одежду, помчалась в ванную взвешиваться. Весы показали не совсем то, что ей хотелось бы, и девушка расстроилась еще больше. Придя в полное отчаяние, она все-таки ему позвонила.

— Тебе удобно разговаривать? — первым делом спросила Лиля, когда Кирилл ответил.

Ей хотелось быть деликатной и не казаться навязчивой. Из трубки доносился какой-то шум, видно, Кирилл был где-то в общественном месте.

Может быть, в ресторане или на светской тусовке. И может быть, с женщиной...

— Вполне, — голос его был спокойным и даже беззаботным. — Что-нибудь случилось? Ты завтра не сможешь со мной ехать?

— Нет-нет, смогу, — торопливо ответила она. — Я просто хотела узнать, как прошла пятница. Я принесла тебе удачу? Или все было напрасно?

— Все было отлично! Ты откуда звонишь?

— Из дома.

— А как же мама? Она тебя слышит? — обеспокоенно спросил Кирилл.

— Ее нет, она придет поздно.

Он немного помолчал.

— Лиля, это, наверное, звучит странно, но я соскучился. Ты можешь уйти из дома?

— Прямо сейчас? — растерялась Лиля.

— Прямо сейчас. Можешь?

— Могу.

— А мама когда вернется?

— Поздно. У них весь день просмотры, потом банкеты с фуршетами. Ты хочешь меня куда-нибудь пригласить?

— Давай сначала встретимся, а там решим. Я буду ждать тебя у метро через полчаса. Придешь?

— Конечно, — улыбнулась Лиля.

Ну вот, и ничего страшного. Ничего плохого не случилось. Он не подумал, что она навязывается, не старался от нее отделаться. Он сам был рад, что она позвонила. И даже сказал, что соскучился. Надо было позвонить сразу, как только появилась такая мысль, и сейчас они уже сидели бы вдвоем в каком-нибудь ресторане или еще где-нибудь, а так ей придется целых полчаса ждать! Времени-то уже восьмой час, пока встретятся — восемь, пока решат, куда ехать, да пока доедут — девять, и сколько останется на собственно свидание? Вот дура, в сердцах отругала себя Лиля. Еще и колбасы с булками наелась, а если они пойдут в ресторан, что делать? Объяснять Кириллу про нарушение диеты и пить воду без газа? Глупость несусветная!

Лиля придирчиво выбрала одежду, в которой сама себе казалась стройнее и взрослее и в которой прилично появиться в общественном месте, подкрасила глаза, долго размышляла над тем, красить губы или нет, и решила не красить. Почему-то губная помада казалась ей глупым признаком детскости, может быть, оттого, что именно помада становится у девочек первой косметикой, которой они робко пользуются тайком от мамы. Губная помада быстро наносится и, в случае опасности, так же легко и быстро стирается. А если накрасить глаза, то где их потом смывать, прежде чем переступишь порог дома? Одним словом, от помады Лиля отказалась и, придирчиво оглядев себя в большом зеркале, отправилась к метро на встречу с Кириллом.

Она не опоздала, явилась минута в минуту, но он уже ждал, машина стояла в том же месте, что и в пятницу утром, и Лилю это почему-то обрадовало. Она не была гордой в самом дурацком смысле этого слова, не считала, что девушка обязана непременно опаздывать на свидания, и готова была к тому, что придется подождать Кирилла, потому что ей-то идти из дому пешком и можно точно рассчитать время, а ему надо ехать откуда-то, и тут уж ничего заранее подгадать нельзя. Хоть и вечер воскресенья, а пробки могут ни с того ни с сего появиться.

Лиля села в машину, не скрывая счастливой улыбки.

— Привет!

Кирилл тоже улыбнулся в ответ.

— Здравствуй. Хорошо, что ты мне позвонила, а то я уж совсем не знал, куда себя девать.

— Мог бы сам позвонить, — в недоумении заметила девушка. — У тебя же есть мой телефон.

— Но сегодня воскресенье, я был уверен, что ты дома, при маме, и если ты будешь со мной разговаривать, тебе придется врать и выкручиваться. Не хотел создавать тебе проблемы.

— Так куда мы поедем? — бодро спросила Лиля.

— Поедем? — казалось, Кирилл удивился. — А ты хочешь куда-то съездить?

— Да нет, — смутилась она, — просто я подумала... Извини.

Вот дура, размечталась, в ресторан он ее поведет или еще в какое-нибудь совсем-совсем взрослое место.

— Ты сказал, что мы встретимся и решим, как будем проводить время. Ты решил?

— Я? — переспросил он. — Да, решил. Но теперь я не уверен, что тебе это подойдет. Ты, вероятно, ожидаешь, что я тебя приглашу куда-то, но это в мои планы не входило. Я ведь предупредил тебя, что я за тобой не буду ухаживать. Предупредил?

— Да, — пробормотала Лиля, кляня себя за глупость и пустые ожидания.

— Я сказал, что хочу с тобой общаться. Общаться, понимаешь? Общение — это разговоры или даже просто молчание, когда люди общаются, они делятся друг с другом своими проблемами, надеждами и горестями, задают вопросы и получают ответы, а не стремятся к тому, чтобы вместе нажраться и напиться в кабаке или посверкать фирменными шмотками на тусовках.

— Кирилл, я ничего такого в виду не имела... — тихо проговорила Лиля. — Ты меня не так понял.

— Или, может, ты голодна? — заботливо спросил он.

Она помотала головой. Какой голод может быть после четырех бутербродов и двух плюшек с маслом? Даже хорошо, что ресторан отпал, обидно только, что она так глупо выглядела.

— Вот и славно, — Кирилл явно повеселел. — Тогда я предлагаю объехать парк, найти тихое приятное место и просто поболтать, сидя в машине. Ты маму предупредила, что уходишь?

— Нет. А что, надо было?

— Ну, я не знаю, как у вас в семье принято. А если твоя мама вернется раньше тебя, что ты скажешь? Где и с кем ты была?

— Об этом не волнуйся, вариант отработан, — рассмеялась Лиля, радуясь, что неловкая ситуация наконец миновала.

Она достала мобильник и начала нажимать кнопки.

— Я позвоню мамину приятелю, который тоже работает на фестивале. Он очень хочет, чтобы я к нему хорошо относилась, потому что собирается жениться на маме. Он меня ни разу не подводил, сколько раз проверяла... Алло, Владимир Петрович? Это Лиля, здравствуйте. Вы на фестивале? А мама? Ага, ну, как обычно. Ну, как соберетесь выезжать, ладно? Нет, мне сильно заранее не нужно... Ага, спасибо.

— И что это было? — с любопытством спросил Кирилл.

— Владимир Петрович мне позвонит, когда там все закончится и он соберется везти маму домой. Я часто его прошу, когда они вместе.

— Зачем? Ты что, любовников дома принимаешь, когда мамы нет? Или вытворяешь что-нибудь непотребное?

— Да ну ты что, — улыбнулась Лиля, — просто у моей мамы свои представления о том, какие у меня должны быть подружки, а у меня свои. Я с одной девочкой еще со школы дружу, но маме она не нравится, потому что, во-первых, курит и, во-вторых, у нее богатый папа и всегда много карманных денег. Мама боится, что она меня к чему-нибудь плохому приучит, к наркотикам, например, или к сигаретам, или к спиртному, или к разгульному образу жизни.

— А твоя подружка ведет разгульный образ жизни? — усмехнулся Кирилл.

— У, еще какой! И трахается со всеми подряд. Но она все равно остается моей подружкой, я к ней за много лет привыкла, и когда мамы нет, она приходит ко мне, и мы треплемся о всяких девичьих глупостях. Владимир Петрович позвонит, я быстренько ее выпровожу, квартиру проветрю от табака, все уберу, посуду помою — и полный порядок. К маминому приходу я уже в постели с книжкой лежу или вообще сплю.

— Н-да, — протянул он, — могу себе представить, что будет с твоей мамой, если она узнает про меня. Ведь ни за что не поверит, что мы с тобой просто общаемся.

— Не поверит, — согласилась Лиля. — Поэтому я делаю все, чтобы она не узнала. Ну что, поехали?

Она не очень хорошо представляла себе, о чем они с Кириллом будут разговаривать. Вот когда с подружкой — там все понятно, пока всех ее кавалеров обсудят, каждую новую тряпку, купленную родителями, все впечатления от очередной поездки с предками за границу, все новые фильмы, которые удалось посмотреть, — никакого времени не хватит. Хорошо еще, что подружка эта читать не любит, в отличие от Лили, а то бы еще книги обсуждали. Но о чем говорить со взрослым и, в сущности, совершенно незнакомым мужчиной? Одно дело, когда он подвозит тебя до института, тут и помолчать можно, ведь они просто едут. А когда встречаются для того, чтобы общаться, то ведь нужно именно общаться, не молчать же...

Машина остановилась у одного из въездов в парк, рядом с Дворцом спорта. Место хорошо освещенное, не безлюдное, здесь по выходным круглый год с восьми вечера работал крытый каток для всех желающих, и народу было достаточно много.

— Ты на коньках катаешься? — спросил Кирилл, провожая глазами стайку стройных молоденьких девушек в узких брючках, ярких курточках и с перекинутыми через плечи фигурными коньками.

— Нет. А ты?

— Тоже нет. Когда я был маленьким, открытые катки уже все позакрывали, а закрытые были только для спортсменов, так что научиться негде было.

...Лиля очнулась только тогда, когда зазвенел в ее сумке мобильник. Владимир Петрович, как и обещал, предупредил, что они с Маргаритой Владимировной выезжают из Дома кино. Господи, уже второй час ночи! Как время незаметно пролетело! А она-то беспокоилась, что с Кириллом будет не о чем говорить... Если бы не телефонный звонок, они бы до утра проболтали.

— Пора ехать, — с сожалением сказала она.

* * *

— Когда ты вспомнил песенку про апельсины цвета беж, мне чуть плохо не стало, — призналась Аля. — Я не понимала, ты это или не ты, но ту песенку я только от тебя слышала.

— Неужели за столько лет не забыла? — непритворно удивился Назар Захарович. — Ну и память у тебя.

— Я ничего не забыла, Наджар, — тихо произнесла она. — В этом-то весь и ужас. Ты отравил всю мою жизнь.

— Прости, Элла, — он виновато погладил ее обнаженное плечо. — Я не хотел. Я не думал, что для тебя это так много будет значить. Тебе домой не пора? Или останешься у меня?

Аля откинулась на подушку и уютно завернулась в теплое одеяло.

Еще несколько минуточек... Несколько минуточек покоя, даже не покоя — успокоения. После стольких лет одиночества, забитого до отказа работой, семьей, сыном, мужьями, братом и его проблемами, на нее наконец снизошло успокоение путника, нашедшего тихую гавань, к которой он шел много лет.

— Я поеду, Наджар. Нужно всем приготовить завтрак, всех накормить, одеть, отправить... Кроме Динки, которая никуда не ходит по утрам. Да и мужчин-то всего двое, но зато такие, что за ними только глаз да глаз, чуть не уследишь — непременно не то съедят и не так оденутся. У Андрюши одна работа на уме, он ничего вокруг себя не замечает, а Славка просто маленький еще, хоть и дылда. Ты лежи, не вставай, я дверь захлопну.

Она быстро привела себя в порядок, оделась, причесалась и заглянула в комнату.

— Если ты снова женишься, я тебя убью.

Не стала дожидаться ответа и быстро выскользнула из квартиры.

Простучала каблучками по лестнице, лифт вызывать не стала — всего-то третий этаж. Села в машину, завела двигатель. Половина третьего ночи.

Притихший, умытый дневным дождем город, живущий своей особой жизнью — жизнью темноты. Впервые за многие годы Элеонора Николаевна вела машину, не обращая внимания на эту жизнь.

...В 1967 году ей исполнилось девятнадцать. Был разгар моды на авторскую песню, все ходили в походы, ночевали в палатках, часами сидели у костра и пели под гитару про «сизый дым», который «создает уют», про вечер, который «бродит по лесным дорожкам», пели Окуджаву и Высоцкого, Визбора и Клячкина, Галича, Кукина и Городницкого. Элеонора Николаевна тогда еще была Эллой, миниатюрной и дивно хорошенькой, училась в Институте стран Азии и Африки, который, по сути, был факультетом востоковедения МГУ, и собиралась с однокурсниками в двухдневный поход с ночевкой. Почему-то ее родителям эта идея по душе не пришлась, то ли они испугались за девичью честь дочери, на которую во время неконтролируемой ночевки могли покуситься, то ли отец решил, что авторская песня слишком близка к диссидентству и у Эллы в конце концов могут случиться неприятности, но ехать они ей не разрешили. Разгорелся скандал, Элла разревелась и с криком: «Я все равно поеду!» — выскочила из дома в чем была. Минут через пять она очнулась от душившей ее ярости и обнаружила себя сидящей на скамейке рядом с домом, стоящим через дорогу от ее собственного, в легком домашнем платьице и в тапочках. Конечно, лето, июнь, только-только закончилась сессия, но ведь это сейчас, днем. А ночью будет вовсе не так тепло. И в тапочках далеко не уйдешь.

А без денег и на электричке не уедешь. Не говоря уж об отсутствии спального мешка и еды. Что же делать? Вернуться домой и собраться? Родители ее не выпустят. Ехать так? Смешно. И обидно ужасно, ведь ей так хотелось поехать с ребятами, тем более среди них есть юноша, который так хорошо играет на гитаре и поет, он так ей нравится, и она очень рассчитывала на то, что в темноте и у костра их отношения наконец-то сдвинутся с мертвой точки.

Элла не заметила, как пошел дождь, только почувствовала, что отчего-то стало зябко и мокро. Она снова заплакала, чувствуя себя выброшенной в полном смысле слова, и из дому, и из жизни вообще. Ребята сейчас, наверное, собираются, готовятся, режут бутерброды, укладывают в рюкзаки спальные мешки, тушенку, пачки чаю и сахар, созваниваются, уточняя место и время встречи, а она оказалась вне этого праздника дружбы, нарождающейся романтической любви и ощущения оторванности от строгих родителей. Ее курс уже дважды ходил в такие походы, но оба раза Элле не везло: в первый раз она свалилась с ангиной, во второй родители уехали навестить друзей в Киев и оставили на ее попечение маленького Андрюшку. Разговоров об этих походах было море, ребята вспоминали смешные подробности, девчонки делились интимными воспоминаниями, и Элла страшно завидовала им и мечтала о том, как непременно в следующий раз поедет с ними. И вот, пожалуйста...

— Хорош мокнуть, — раздался у нее над головой чей-то голос.

Она подняла глаза и увидела парня постарше себя, невзрачного, невысокого, но с удивительными веселыми глазами.

— Что? — переспросила она.

— Я говорю, хорош мокнуть, пошли сушиться.

— Куда?

— Ко мне, я в этом доме живу.

— Вы же меня не знаете, — всхлипнула Элла. — Мы с вами незнакомы.

— Ну и что? Это не причина, чтобы позволить девушке промокнуть и простудиться. Пошли, пошли. — Он нетерпеливо потянул ее за руку.

Элла послушно пошла за ним, попутно отметив, что парень тоже промок насквозь. Дождь был сильным, настоящий летний ливень, а он шел без зонта.

Парень привел ее в квартиру, небольшую, но чистую и уютную.

— На, держи. — Он протянул ей синий тренировочный костюм, полотенце и шлепанцы. — Дуй в ванную, раздевайся, вытирайся и надевай сухое, а я пока тоже переоденусь и чайник поставлю. Да иди же ты, — поторопил он, видя ее нерешительность, — смотри, с нас уже лужа натекла. Надо пол протереть.

— Я вытру, — растерянно пискнула она. — Где у вас тряпка?

— Да ладно, я сам.

В те времена о маньяках почти ничего не слышали, зато очень современным считалось знакомиться на улице или в транспорте, в первый же день гулять до рассвета, а утром являться домой и ставить родителей в известность о скорой свадьбе. В жизни так поступали немногие, но в литературе и кино такой стиль поведения встречался довольно часто, поэтому сушиться и переодеваться Элла пошла без всяких дурных мыслей и тревожных опасений.

В те времена не было не только маньяков, но и ручных фенов, поэтому из ванной Элла вышла в сухой одежде, но с волосами, висящими мокрой паклей. Хозяин квартиры уже переоделся и даже успел вытереть пол в прихожей.

— Готова? — весело спросил он. — Пошли в кухню, чайник уже закипел. Тебя как зовут?

— Элла.

— А меня — Назар. Чего смотришь? — усмехнулся

он, заметив удивление, промелькнувшее по ее лицу. — Имя немодное?

— Ну, в общем... да, какое-то непривычное. Ты с Украины, что ли, или из казаков?

— Я с Востока. Точнее, я-то коренной москвич, родился здесь, а вот дед мой родом из Узбекистана. Ты хоть знаешь, что Назар — арабское имя?

— Да ну? — искренне удивилась Элла. — Не может быть. Обманываешь, да? Шутишь?

— Никогда. Истинная правда. Только на Востоке это имя произносится немножко по-другому: Наджар. В русском языке очень много слов, пришедших с Востока, например, «балкон». Это от арабского «балхана». Не знала?

— Нет, — призналась Элла и зачем-то пояснила: — Я не арабский изучаю, а хинди.

— Да-а-а? — изумленно протянул Назар. — Что, серьезно?

— Абсолютно. А ты учишься где-нибудь или работаешь?

— Я уже отучился, теперь работаю в милиции, в уголовном розыске. Да ты садись, чего стоишь-то? Сейчас чай пить будем. Или ты, может, кушать хочешь? У меня макароны есть, могу сварить, и колбаски поджарю.

Скандал в семье разгорелся во время обеда, и по всем меркам Элла не должна была быть голодной, но ей отчего-то вдруг ужасно захотелось есть, и не просто есть, а именно здесь, на этой кухне, вместе с этим веселым парнем с таким необычным именем и романтичной профессией.

— Давай макароны с колбасой, — решительно заявила она, — а то правда что-то есть хочется. Слушай, а ты почему не на работе?

— У меня отгул за дежурство. Так ты будешь чай пить или макароны подождешь?

— Буду чай, — улыбнулась она, — а то я согреться никак не могу.

Назар разлил чай в тонкостенные стаканы в мельхиоровых подстаканниках, поставил на стол сахар и домашнее клубничное варенье.

— Бери варенье, — посоветовал он, — очень вкусное, мама сама варит, ягоды с дачи, отборные.

Элла сунула в рот ложку с вареньем и привычно прижала упругую ягоду языком к небу. Ей казалось, что так вкус ощущается полнее.

— А ты что, один живешь?

— Почему один? С предками. Они сейчас на даче, сезон, сама понимаешь, весь отпуск там пропадают, зато потом целый год на столе варенье, огурчики там всякие, помидорчики и прочая вкуснота. Моя мама еще баклажанную икру делает — закачаешься, ее дед научил. Здесь, в Москве, нормальных баклажанов нет, нам родственники из Узбекистана привозят. Ладно, ты меня не отвлекай, рассказывай давай.

— Что рассказывать? — не поняла Элла.

— Из-за чего ревела. Что там у тебя за трагедия случилась? Милый, что ли, вовремя не позвонил?

Она сперва даже собралась обидеться. За кого он ее принимает? Неужели она похожа на дуру, которая из-за такой ерунды будет сидеть под проливным дождем и лить слезы? Но варенье было таким вкусным, а глаза у Назара из веселых стали такими внимательными, что обижаться как-то расхотелось. Он поставил на плиту кастрюлю с водой для макарон, сел напротив Эллы и закурил «Беломор», а она начала рассказывать. Назар так хорошо слушал, что она зачем-то рассказала даже про юношу из параллельной группы, который так замечательно играет на гитаре и поет...

— Да, — согласился он, когда Элла замолчала, — в таком виде в поход действительно не пойдешь. Так почему ты все-таки не хочешь вернуться домой и собраться как следует?

— Ну как ты не понимаешь, — она начала горячиться, — меня же родители не выпустят! Это я сейчас выскочила, потому что внезапно, они не ожидали, что я убегу, и не успели ничего сделать. А если я вернусь, все, конец.

— Слушай, у тебя в голове полная каша, — покачал головой Назар, закуривая новую папиросу. — Что значит «не выпустят»? Что значит «конец»? Ты вот слова произносишь, а в смысл вдумываешься? Ты вообще понимаешь, что говоришь?

Элла разозлилась. Что он к ней прицепился? Поучает еще...

— Что есть, то и говорю, — огрызнулась она.

— Да нет, Элка, не то ты говоришь, что есть на самом деле. Ты вот уже рассердилась на меня, а зря. Ты лучше послушай внимательно и вникни. Твой отец — он кто?

— Ну... в КГБ работает, а что? — с вызовом ответила она.

— Ясно. А мама?

— Военный переводчик. Тебе-то что?

— Да не огрызайся ты, — Назар миролюбиво улыбнулся. — Я к тому спрашиваю, что они ведь не дикари какие-нибудь, а люди с высшим образованием, интеллигенция, верно? Ты говоришь, они тебя из дома не выпустят, а как ты себе это реально представляешь? Свяжут руки-ноги веревками, запрут в туалете и свет выключат? Ведь нет же, правда?

— Ну, правда, — вынуждена была согласиться Элла. — И что? Они такой скандал устроят, потом разговаривать со мной не будут, если я по-своему сделаю, так что лучше уж не уходить никуда, себе дороже. Или наказание какое-нибудь придумают, денег давать не будут или отправят на дачу с братом сидеть, вместо того, чтобы отпустить меня на море отдыхать.

— Вот именно. То есть у тебя есть выбор: или сделать то, что устраивает твоих родителей, при этом лишить себя чего-то, какого-то удовольствия, или сделать то, что их не устраивает, тем самым сознательно обрекая себя на какие-то неприятные последствия. Ты видишь? Выбор есть. И ты можешь его сделать. А ты говоришь — конец. Какой же это конец, когда есть выбор? Конец, это когда выбора нет.

— Какой же это выбор, если что так, что эдак у меня получаются неприятности?

— Это верно, — кивнул он, — но в одном случае твои родители довольны, а в другом — нет. Ты пойми, Элка, человек можно сколько угодно думать, что он —

сам по себе и никого не касается, что он делает или думает, но на самом деле это не так. Каждый наш поступок, каждое наше слово отзываются на окружающих, это как круги по воде, понимаешь? И когда мы принимаем решение, как нам поступить, мы всегда должны исходить из того, что кому-то это может не понравиться, кому-то это помешает, кому-то наш поступок будет как кость в горле. Это неизбежно, потому что всегда есть конфликт интересов. Ты вдумайся, не смотри на меня как на чучело, а вдумайся в то, что я говорю. Даже когда ты покупаешь хлеб в булочной, ты создаешь конфликт, потому что через час или через два в эту булочную придет человек, а хлеба уже не будет. Кончится. Если бы ты не купила свою буханку, ему бы хватило. А так — не хватило. То есть вольно или невольно, но ты кому-то помешала, создала неудобства. Конечно, это не значит, что ты не должна ходить в магазин и делать покупки, я просто привожу тебе элементарный пример. Конфликт есть всегда. Даже сам факт твоего существования — это уже конфликт.

— Это почему же?

Она так удивилась его словам, что даже перестала злиться. То, что говорил этот странный парень со странным арабским именем, казалось ей невероятным, невозможным, нелогичным и в то же время... убедительным, что ли.

— Потому что твоя мама могла не захотеть тебя рожать, она могла не захотеть беременеть в тот момент, и тогда она забеременела бы в другое время, более подходящее для нее, может быть, через месяц или через год, и соединились бы совсем другие хромосомы, и родился бы совсем другой человек. Но родилась ты, и ты тем самым помешала родиться ему. Понимаешь? Или это слишком сложно для тебя?

— Ничего несложно, — она снова попыталась обидеться, но безуспешно. Ей было интересно, безумно интересно, и Элла решила просто не обращать внимания на то, что может показаться обидным. — Только я понимаю, какое это отношение имеет к походу?

— Да самое прямое. Когда ты принимаешь любое

решение, ты должна держать в голове возможность конфликта и взвешивать свою выгоду и неудобства противной стороны. Посмотри на это под таким углом, и тебе все станет ясно. Когда ты покупаешь хлеб, тебе, в сущности, наплевать на того человека, которому потом не хватит этой буханки, ты его не знаешь, его проблемы и его настроение тебя мало волнуют, кроме того, ты понимаешь, что есть и другие булочные, и в любом случае без куска хлеба он не останется, поэтому ты с чистой совестью делаешь свою покупку и идешь домой счастливая и довольная. Теперь проанализируй точно так же ситуацию с походом.

Вода в кастрюле закипела, Назар встал, чтобы положить в кипяток макароны. Он убавил огонь в конфорке, бросил щепотку соли и снова сел на место.

— Ну, давай, давай, начинай.

— Ну... если я поеду, то я весело проведу время... с ребятами пообщаюсь... может быть, с Геной что-то наладится, а то на лекциях он меня почти не замечает, а семинары у нас в разных группах... Мы с ним только на днях рождения и на институтских вечерах вместе бываем, но это не то, — начала перечислять свои возможные выгоды Элла. — Но папа с мамой будут злиться, нервничать, переживать.

— Тебе это безразлично? — Назар бросил на нее быстрый острый взгляд. — Или ты их любишь и хочешь, чтобы им было хорошо?

— Люблю, конечно, — без раздумий ответила Элла. — Я их очень-очень сильно люблю. Только зачем они мне мешают? Они хотят только своего спокойствия. Почему они не думают о том, чего я хочу?

— А они обязаны?

— Что обязаны? — не поняла она. — Ты о чем?

— Они обязаны думать о том, чего ты хочешь?

— Ну а как же, они же мои родители.

— Вот тут и состоит главная ошибка, — Назар почему-то погрустнел. — Этого никто не понимает. Я всем пытаюсь объяснить, а меня никто не понимает. Будет жаль, если ты тоже не поймешь. Запомни, Элка, никто никому ничем не обязан. Никто никому ничего не должен. Это все мифы, которыми человечеству морочат голову, чтобы сделать его управляемым и внушаемым. Твои предки хотят собственного спокойствия, и это их право. Они не обязаны думать о том, чего при этом хочешь ты. Да, они думают об этом почти всегда, они о тебе заботятся, они часто спрашивают тебя, хочешь ли ты того или этого, но они не обязаны это делать, они просто выбрали для себя стараться, чтобы тебе было хорошо. Это их сознательный выбор, а не долг. Понимаешь? Ты, со своей стороны, хочешь для себя полутора суток удовольствия, попеть у костра под гитару, поприжиматься плечиком к своему Геннадию, и ты тоже имеешь на это право, и ты не обязана думать о том, как к этому отнесутся твои родители. Ты не должна. Тебя нельзя заставить. Но ты можешь сделать выбор, думать об этом или нет, считаться с предками или не считаться. Вот и все. Видишь, как все просто? Никаких слов о том, что тебя не выпустят из дома, никаких слов о том, что это конец, просто выбор. Твой собственный, сознательный. Больше ничего.

Элла подавленно молчала. Ей никогда не приходило в голову то, что она сейчас услышала. Ей трудно было это осознать и принять, слова Назара казались ей бессмысленными, не укладывающимися в ту мораль, в которой она воспитывалась и жила, но в то же время вся ситуация неожиданно предстала перед ней простой, очевидной и не имеющей двух решений. Неужели так бывает, что теория совершенно непонятна, а на практике проста и полезна в применении?

— Где у тебя телефон? — спросила она, стараясь не смотреть ему в глаза.

— В комнате.

— Можно позвонить?

— Конечно.

Она вышла из кухни, нашла телефон и позвонила домой. Трубку взял отец.

— Папа, извини, я вспылила. Я никуда не поеду, если ты против.

— Ты где сейчас? — строго спросил отец.

— В гостях, здесь, недалеко. У девочки из нашей школы.

— Ты не промокла? — в его голосе зазвучала неподдельная забота, и у Эллы слезы выступили на глазах. — Выскочила в чем была, без дождевика, без зонта...

— Нет, я до дождя успела. Я приду попозже, ладно?

— Эленька... Мы тут с мамой посоветовались... И твои ребята с курса несколько раз звонили... Одним словом, если ты очень хочешь, поезжай.

Они не обязаны. Они не должны думать о ее удовольствиях и желаниях. И все-таки они думают. Наступают себе на горло, готовятся провести ночь с валидолом под языком, лишь бы ей было хорошо. Господи, папа, мама, как я вас люблю! В этот момент Гена с его гитарой, длинной челкой, стильной рубашкой и сладким голосом показался Элле таким глупым и таким ненужным, а тот странный парень, что сидел за стенкой, на кухне, и варил для нее макароны, таким близким и таким необходимым... К черту поход, у черту костер с песнями и лирические сопли, она не уйдет отсюда, пока ее пинками не выгонят, она не пожертвует ни одной минутой пребывания рядом с Назаром.

— Нет, папа, спасибо, но я подумала, что лучше я и правда дома останусь. Завтра воскресенье, пойдем куда-нибудь все вместе, мы Андрюшке давно обещали в зоопарк сходить. А потом в кафе-мороженое. Хорошо?

— Хорошо, конечно, — в голосе отца послышалось облегчение. — Андрюшка будет рад. И мы с мамой тоже, давно мы никуда всей семьей не выбирались. Когда ты придешь?

— Попозже. Я на дне рождения. Вы не волнуйтесь, не ждите меня, здесь совсем близко, и меня проводят.

— Кто? — отец снова заговорил строго, даже требовательно.

— Да здесь полно ребят, папуля, весь наш бывший класс.

Элла врала легко и уверенно, даже сама от себя такой прыти не ожидала.

— Ну ладно, — он окончательно успокоился.

Она вернулась на кухню, где Назар уже растапливал

масло на сковороде и резал толстыми ломтями «Любительскую» колбасу.

— Как дела? — спросил он, не оборачиваясь.

— Позвонила домой, сказала, что никуда не поеду.

— От сердца оторвала? — насмешливо бросил Назар. — С кровью выдавила из себя отказ?

— Ты знаешь, как ни странно, нет. Все было легко, как будто только так и может быть. Я даже удивилась.

Он повернулся к ней, в одной руке нож, в другой — круглый аппетитный ломоть темно-розовой с белыми кружочками жира колбасы, и неожиданно запел немного скрипучим высоким голосом:

> А я по улице иду как хочу,
> А мне любые чудеса по плечу,
> Фонари свисают — ешь, не хочу,
> Как бананы в Сомали.

Элла расхохоталась весело, от души.

— Это что еще за классика русского романса?

— Никогда не слышала?

— Нет.

— Ну вот, а туда же, авторская песня, гитара, костры... Слушай, пока я добрый:

> У окна стою я, как у холста,
> Ах, какая за окном красота!
> Будто кто-то перепутал цвета,
> И Неглинку, и Манеж,
> А над Москвой встает зеленый восход,
> А по мосту идет оранжевый кот,
> И лоточник у метро продает
> Апельсины цвета беж...

Потом они вместе жарили колбасу, промывали макароны кипятком и пели хором про «кожаные куртки, сброшенные в угол», про атлантов, которые «держат небо на каменных руках», и про товарища Парамонову, которая, как известно, в это время пребывала за границею.

Потом они жадно и с удовольствием ели, потом Назар угощал ее кофе, сваренным каким-то особым способом, потом в сумерках, не зажигая света, снова пели все, что могли вспомнить. А потом как-то так получилось... Ну, в общем, получилось. Элла в какой-то момент поняла, что очень этого хочет, и когда оно случилось, была на седьмом небе от счастья.

А потом оказалось, что уже почти одиннадцать часов и нужно идти домой. Назар проводил ее до подъезда, на прощание легонько сжал ее плечо, и она, очумевшая от случившегося, окрыленная и полубезумная, взлетела по лестнице и вошла в лифт. И только дома вспомнила, что Назар ничего не сказал на прощание и даже не попросил номер ее телефона.

Но это ничего, думала, засыпая, счастливая Элла, он знает, в каком доме и в каком подъезде она живет, найти ее не составит труда, тем более он же в милиции работает, свое имя и фамилию она ему назвала, так что нет проблем. Уже завтра, ну в крайнем случае послезавтра он ей позвонит. Или даже еще лучше — придет с огромным букетом цветов. Она познакомит его с родителями, против такого кавалера они возражать не будут, взрослый парень, двадцать три года, высшее образование, лейтенант милиции, не обормот какой-нибудь.

Но ничего не произошло ни завтра, ни послезавтра, ни через три дня, ни через неделю. Начались каникулы, в институт ходить не нужно, и Элла целыми днями простаивала у окна в надежде увидеть его. Иногда видела. Назар шел домой или, наоборот, из дома. Иногда один, но чаще — с красивой, модно одетой девушкой. Сердце Эллы сжималось в тугой комок, а потом взрывалось изнутри и разлеталось во все стороны маленькими жалкими кусочками. Она вспоминала свою мимолетную обиду, когда в самом начале их знакомства Назар предположил, что она может плакать из-за парня, который вовремя не позвонил. Тогда ей казалось, что она никогда, ни за что, ни при каких обстоятельствах не стала бы из-за этого расстраиваться. Как же она ошибалась! Элла продолжала надеяться и ждать, потому что не знала точно, что это за девушка идет время от времени рядом с Назаром, может, соседка, которой с ним по пути, или родственница, приехавшая в Москву в отпуск, или еще что-нибудь такое же неопасное и необидное. Она стояла у окна и ждала, слава богу, родители целыми днями на работе и не видят ее, а Андрюшка еще слишком маленький, чтобы что-то понимать и задавать неудобные вопросы.

Примерно через месяц, в субботу, она увидела, как к дому, где жил Назар, подъехали две «Волги», из одной вышли две средних лет женщины и один мужчина, а из другой — Назар в черном костюме и та самая девушка в белом свадебном платье. И еще двое, парень в милицейской форме и молодая женщина.

Элле показалось, что она умирает. Она никому ничего не могла рассказать, она просто легла в постель и проболела до сентября, до начала занятий в институте. Родители приглашали к ней самых лучших врачей, но никто так ничего и не понял и диагноз не поставил. Слово «депрессия» во второй половине шестидесятых было еще не в ходу, а общесоматические заболевания с состоянием нервной системы и психики никак не связывались.

Осенью родители велели Элле съездить в музыкальный магазин на Неглинной, купить Андрюше папку для нот: его отдали в музыкальную школу. Едва миновав Большой театр и свернув в сторону Неглинной, Элла вспомнила смешную песенку про «Неглинку и Манеж» и расплакалась прямо на улице. Ей теперь все время было больно. Купить папку она так и не смогла, она просто не дошла до магазина. Дома наврала, что ей стало плохо в метро, она отсиделась в вестибюле и вернулась, не рискнула ехать дальше. Родители, с учетом недавней такой непонятной и длительной болезни, поверили, пожалели, уложили в постель, принесли горячего сладкого чаю и вазу с фруктами — яблоки, груши и гроздь бананов. Бананы в то время были большой редкостью, и Николай Михайлович, которому эти бананы подарил коллега, вернувшийся накануне из загранкомандировки, искренне радовался, что может побаловать детей экзотическим фруктом. Элла увидела зеленовато-золотистые плоды и забилась в истерике, закончившейся судорогами и рвотой. «Фонари свисают — ешь, не хочу, как бананы в Сомали...»

Она не винила Назара, не считала, что он поступил

плохо, потому что помнила его слова: «никто никому ничего не должен». Да, ей хотелось бы, чтобы он позвонил, пришел, чтобы искал встречи с ней, чтобы между ними установились долгие и прочные отношения. Но он ей этого не должен. С этим было трудно смириться, но за длинные летние дни, проведенные у окна, Элла столько раз воспроизводила в памяти их встречу, каждое сказанное слово, каждый жест, каждую пропетую вместе ноту, что постепенно свыклась с теми идеями, которые он пытался ей внушить. Она признавалась себе, что поняла далеко не все, и далеко не со всем она согласна, и даже то, что никто никому ничего не должен, кажется ей сомнительным и спорным. Но Назар думает именно так, и с этим ничего нельзя поделать.

Постепенно она успокоилась. На Неглинке бывать перестала, но от Манежа деваться было некуда, Институт стран Азии и Африки находился в аккурат напротив него, на проспекте Маркса, рядом с юридическим факультетом и Первым медицинским институтом. К Манежу Элла притерпелась, Неглинку избегала, бананы не ела.

Через год ей показалось, что все прошло. За ней ухаживали юноши и молодые люди, она ходила с ними в кино и театры, успешно училась, осваивала три языка, съездила на стажировку, получила распределение во Внешторг, познакомилась с будущим мужем, сразу после свадьбы уехала с ним в Индию. Она была уверена, что все позади, но уже через полгода поняла, что никуда ей не деться от Назара с его внимательными глазами и странными разговорами. Сексуальные впечатления от той единственной встречи смазались, стерлись, интимные детали Элла помнила плохо, потому что по неопытности и от переполнявшего ее душевного восторга мало что могла различить и понять. Было просто хорошо, и все. Ей и с мужем было хорошо. Возможно, даже лучше, чем с Назаром. Однако когда она попыталась завести с ним разговор о конфликте и выборе, муж ее не поддержал. Он не понимал, чего она от него хочет, и ему не было интересно. Она попробовала еще раз, но результат оказался тем же. Со временем она привыкла мысленно разговаривать с Назаром, он стал ее постоянным собеседником, особенно по ночам, когда Элла бодрствовала, а все спали, и говорить было все равно не с кем.

Потом было рождение сына, развод, несколько лет одиночества, разбавленного периодическими любовными связями, второй брак и второй развод. Она поняла, что обречена на Назара, фамилию которого она не знала, как на неизлечимую болезнь, и приняла это как данность. Она честно пыталась найти кого-то, кто объяснял бы ей сложные и непонятные вещи, развивал необычные и непривычные идеи, смотрел на нее так же внимательно, немного щурясь от напряжения, потому что объяснять такие вещи всегда трудно и стараешься, чтобы неподготовленный слушатель тебя понял... Со всеми другими людьми ей было скучно. Элла искала и не находила. Она надеялась, что сможет быть, как все, сможет жить в браке и растить детей, как это положено, и не тосковать по случайному знакомому из дома напротив. Но ничего у нее не получилось. Случайный знакомый вошел в нее, в ее кровь, в ее мозг, растворился в них и остался навсегда...

— Ты знал, что идешь ко мне? — спросила Элеонора Николаевна, когда они в машине ехали к Бычкову домой.

— Я был почти уверен. Я помнил твое имя и фамилию, отчества, конечно, не знал, но зато знал, что у тебя есть младший брат Андрей. В общем, однофамильцев, конечно, много, и полные тезки встречаются не так уж редко, так что я немного сомневался. А когда вошел в квартиру, сразу понял, что это ты. Хотя узнать тебя трудно.

— Старая стала, да? — горько усмехнулась Аля.

— Другая стала. Была смазливенькой пухленькой девчушкой, а стала красивой зрелой женщиной. И не лови меня на слове, Элка, я стреляный воробей.

— Наджар... когда ты познакомился со своей женой? До нашей встречи или после?

Она задала вопрос, который мучил ее почти сорок лет.

— Конечно, до. Мы с ней к тому времени были знакомы почти год. А что?

— Значит, когда ты со мной... ты уже знал, что скоро женишься?

— Знал. И что это меняет?

— Тогда зачем ты это сделал?

— Дурак был, — он скрипуче засмеялся. — Ну представь, мне двадцать три года, я бравый лейтенант, мне любые чудеса по плечу и море по колено. А ты ведь сама этого хотела, разве нет?

— Хотела, — кивнула Элеонора. — А ты?

— И я хотел. Мы оба сделали то, что хотели, и нам было хорошо.

— Но мне потом было плохо...

— Это был твой выбор, — голос его стал жестким и неприятным. — Ты могла радоваться тому, что провела несколько приятных часов, что не пришлось долго сидеть под проливным дождем, что ты поела, попела песни, поговорила с интересным человеком и в конце концов получила то, чего хотела. К тому же не поссорилась с родителями. Ты могла радоваться всему этому и думать о том, как удачно сложился тот день. Но ты выбрала страдать.

Элеонора молчала. Она на некоторое время отвлеклась, выбирая маршрут и вспоминая, закончен уже ремонт на той улице, по которой она собралась проехать, или нужно искать объезд.

— Мне очень тебя не хватало, — наконец сказала она спокойно, словно не признавалась в сокровенном, а сообщала, который час. — За все эти годы никто не говорил со мной о выборе. Никому это было не интересно. И никто меня не понимал, когда я пыталась продвинуть эту идею. А она во мне зудела и ворочалась, как червяк какой-то. Я все время вспоминала то, что ты мне тогда говорил, многого не поняла, но помнила дословно. С годами стала что-то понимать. Когда жила в Индии, немножко познакомилась с буддизмом, и то, что ты тогда говорил, стало понятнее. Потом даже пыталась развивать эти идеи. Только поговорить о них было не с кем. Наверное, где-то есть такие же люди, как ты, и их, наверное, даже много, но мне они почему-то не попадались. Не повезло.

Ни в какой ресторан они не пошли, купили продукты в универсаме и отправились к Назару домой. Рассказывали друг другу, как прожили последние тридцать семь лет, еще о чем-то говорили и только около полуночи словно спохватились, посмотрели друг на друга удивленно, потом дружно расхохотались и отправились в постель...

Аля по дороге передумала сразу ехать домой, сменила маршрут и доехала до своей квартиры. Сердце гулко колотилось, как и каждый раз за последние два года, когда она выходила из лифта и приближалась к двери. Нет, слава богу, кажется, ничего. На этот раз — ничего. Может быть, все обойдется, и все это лишь пустые угрозы?

Она вошла в квартиру, быстро обошла все комнаты, кухню, ванную, полила цветы. Провела пальцем по экрану телевизора, задумчиво посмотрела на тонкий серый слой пыли, оставшийся на подушечке мизинца. Надо в ближайшее время выкроить полдня и сделать генеральную уборку.

Внезапно ноги ее подогнулись, голова закружилась, и ей пришлось присесть на диван, чтобы не упасть. В суете и переживаниях последних двух дней она как-то ухитрилась не думать о том, что сказал ей Андрей: он нашел свою мать. Сам он больше не заводил об этом разговор, но это ничего не значит, ее брат не очень-то делится со старшей сестрой своими планами. Что он собирается делать? Потихоньку, через третьи руки помогать ей, подкидывать деньги, решать проблемы? Или явиться к ней с цветами и бутылкой хорошего вина? И тогда она ему расскажет...

Ну и пусть, пусть рассказывает! Или не пусть? Дура она, какая же дура, зачем ввязалась в эту историю? Сидела бы себе тихонько, зарабатывала переводами, ни в чем не нуждалась. И чего ее потянуло? И еще раз дура, потому что надо было сегодня поговорить об этом с Назаром, посоветоваться с ним. Не сопли жевать, расписывая, как она страдала от одиночества, не в постель укладываться, а все ему рассказать. Даже если Назар тоже, как и сама Аля, сочтет, что она виновата, то перед ним ей не стыдно. Перед братом совестно, он будет переживать, страдать, ему только повод дай — он и рад сердце себе рвать. Назар не такой, он страданий не любит, он бы обязательно что-нибудь посоветовал. И нашел бы такие слова, которые сделали бы вину Элеоноры маленькой и совсем незначительной. Она почему-то в это верила.

Дурнота прошла, Элеонора Николаевна выпила на кухне стакан воды из-под крана, выключила всюду свет, заперла квартиру и поехала домой.

Проезжая перекресток, на котором всегда подолгу горел красный свет, она привычно вытащила из сумочки зеркальце и критически оглядела лицо.

Была смазливая пухленькая девчушка Элка, изучавшая хинди и мечтавшая о жизни за границей, а превратилась в домохозяйку Алю, старуху с сухим жестким лицом и твердым подбородком. Назар назвал ее красивой зрелой женщиной, но Аля ни на секунду этому не поверила.

Потом, уже возле дома, она долго не выходила из машины, пытаясь удержать в памяти тот час, когда на пассажирском сиденье рядом с ней сидел Назар. Она прикасалась пальцами к обивке сиденья, и ей казалось, что она чувствует ткань его плаща и тепло его спины.

Впереди, в конце улицы, появилась знакомая фигура, Аля зацепила ее краем глаза и сперва даже не поняла ничего, снова задумалась, потом вздрогнула и уставилась на нее через лобовое стекло. Дина. Идет медленно, походка усталая. Впрочем, у девочки такой тяжелый неуклюжий шаг, что никогда не знаешь, устала она или просто так ходит. Длинный просторный плащ, а под ним, наверное, один из ее любимых балахонов.

Откуда она возвращается? Куда ходила? Опять дождалась, когда Андрей уснет, и ушла. Алю она не боится, знает, мерзавка, что тетка брата бережет и ничего такого ему не скажет. Вот и пользуется. Как поступить?

Выйти из машины? Или пересидеть еще несколько минут, подождать, пока Дина войдет в квартиру и скроется в своей комнате, и только потом прийти, чтобы избежать очередной разборки? Девчонка вбила себе в голову, что у Али молодой любовник, и не упускает случая пошипеть по этому поводу. Аля сама виновата, дала повод, теперь расплачивается. Но чутье у нее просто фантастическое, и если уж раньше она на пустом месте позволяла себе высказываться на тему «позорных случек», то что скажет сегодня, если столкнется с теткой?

А что, это даже интересно проверить. Может, и нет у нее никакого чутья? Аля решительно вышла из машины. Дина была уже в десятке метров от нее и, конечно, тетку увидела.

— Ну, и откуда ты возвращаешься, позволь полюбопытствовать? — ехидно спросила Элеонора Николаевна.

Дина остановилась как вкопанная, и Але показалось, что девушка с трудом удерживается, чтобы не убежать. Куда бежать, дурашка? Домой? Так я тебя и дома достану. Не домой? А куда? В такое-то время... Четвертый час, скоро утро. Ничего себе гуляет племяшка!

— Ты... — голос Дины заметно дрожал. — Ты давно здесь стоишь?

— Давно.

Аля вредничала, она просидела в машине от силы минут пять, но негодование на Дину на миг лишило ее взрослой мудрости.

— И ты видела?..

Интересно, что она должна была видеть? А может быть, попробовать... Сблефовать? И тогда, наконец, станет понятно, куда и зачем девочка ходит по ночам?

— Видела.

— Ну... и что теперь?

— А что теперь? — Аля прикинулась непонимающей, хотя она и в самом деле ничего не понимала.

А Дина тем временем, кажется, пришла в себя и опомнилась.

— Будешь мне печень выклевывать? Или отцу скажешь?

Да, выдержке племянницы можно позавидовать, всего несколько секунд растерянности — и она уже в полной боевой готовности, дерзит, огрызается. А Але скорости реакции не хватило, не успела она использовать эти несколько секунд. Не надо было спрашивать: «А что теперь?», время потеряла, а вместе с временем — наступательную позицию.

— Можно поторговаться, — осторожно сказала она. — Допустим, я отцу не скажу. Что тогда? Чем ты со мной расплатишься?

Аля говорила медленно, все равно время упущено, теперь можно не спешить, и даже наоборот, спешить не нужно, нужно быть очень аккуратной и внимательной, чтобы не выдать себя. Что же такое она должна была видеть? Что увидела бы, если бы приехала раньше и осталась сидеть в машине? Черт, не надо было домой заезжать! Ну что ее туда понесло? Ведь только три дня назад проверяла квартиру, все было в порядке.

— А что ты хочешь? — Дина тоже была настороже, сейчас она даже в своем бесформенном плаще напоминала готовящегося к решающему прыжку дикого зверька.

— Да, в общем-то, ничего. Мне от тебя ничего не надо. Да и что ты можешь мне предложить? Денег у тебя все равно нет, работу по дому ты вместо меня не сделаешь, ты же ничего не умеешь, кроме как расходы считать.

И тут произошло то, чего Аля ну никак не ожидала. Дина разревелась, горько, громко, совершенно по-детски. Аля попыталась обнять ее, успокоить, но девушка вырвалась из ее рук и отскочила в сторону.

— Не смей меня трогать! — провыла она сквозь плач. — Мне не нужна твоя жалость! Ты считаешь, что я никчемная? Что я ни на что не гожусь? Ничего не могу? Да? С меня даже взять нечего?

— Ну что ты, Диночка, — растерянно проговорила Элеонора Николаевна, — зачем ты так? Тебя никто не жалеет, тебя просто любят и беспокоятся за тебя. И папа, и Славик, и я — мы все тебя любим.

— Ты все врешь! Никто меня не любит! Ничего, вы еще узнаете...

Больше Але не удалось выжать из Дины ни слова. Она перестала плакать так же внезапно, как и начала, словно рубильник сначала включили, потом выключили. Девушка рукавом плаща отерла лицо и резко пошла к подъезду. Але пришлось отстать — надо было закрыть машину. Когда она вошла в подъезд, слышался ровный гул лифта — Дина уехала. Ничего, не хочет разговаривать — не надо, пусть помолчит. Только в следующий раз Аля не будет такой простодушной, она сделает вид, что уезжает, и выследит-таки девчонку. Пора прекращать это безобразие.

Глава 8

Вой милицейской сирены ворвался в уши и, казалось, мгновенно заполнил голову, вытесняя сон. Настя рывком поднялась в постели, глаза распахнуты, сердце судорожно дергается, и почему-то где-то совсем не там, где ему положено быть, если верить анатомическому атласу.

Тишина. В комнате темно, цифры на электронном будильнике показывают 4.38. Господи, это еще даже не рано, это совсем ночь...

Рядом зашевелился Чистяков, разбуженный резким движением жены.

— Ты чего, Ася? — сонно пробормотал он.

— Леш, ты сирену слышал?

— Какую сирену, господь с тобой? Спи уже.

Она послушно легла. Значит, никакой сирены не было, ей приснилось. Настя уставилась широко раскрытыми глазами в потолок. Конечно, приснилось, потому что бессмысленно включать сирену в половине пятого утра, дороги пустые, можно беспрепятственно ехать с любой скоростью.

Почему же ей это приснилось? Да потому, что она

продолжает мучиться стыдом перед Юркой Коротковым, которому отказала в помощи. Юрке отказала! Юрке, который всегда помогал ей, подставлял плечо, прикрывал и вообще... Вот и приснилась эта сирена как напоминание: ты тут спишь под теплым одеялом и ни о чем слышать не хочешь, а где-то люди работают на износ, ездят ночами на вызовы, принимают на себя первые удары человеческого горя, отчаяния, растерянности, презрения, да-да, презрения к милиции, которая, как принято считать, ничего не может и ничего делать не желает.

Надо сегодня же позвонить Юрке и сказать, что она выйдет на работу. Неофициально, конечно, отпуск прерывать она не станет, но хоть чем-то поможет, хотя бы материалы посмотрит о тех двух убийствах студенток, о которых говорил Коротков, может, что-то свежим глазом углядит. Ну, подумаешь, день-два она от отпуска оторвет, так ведь отпуск этот длинный, до середины июня, целых семьдесят пять суток, сорок пять служебных и тридцать учебных, и один-два дня ничего не решат. Правда, на сегодня она запланировала совсем другие дела, вчера звонил Игорь Лесников и пообещал сегодня утром прислать ей по электронной почте сведения об убийствах по всей стране, а после обеда ей велено явиться к научному руководителю с новым вариантом рабочей программы и обоснования темы диссертации. Встречу с Городничим ни отменять, ни переносить нельзя, а все остальное можно как-то скомпоновать половчее, чтобы оставить время для Короткова. И завтрашний день, вторник, ему отдать.

Ну ладно, средой тоже можно пожертвовать. А с четверга уже заниматься только диссертацией, тщательно рассортировать весь массив убийств, разбить на группы, прикинуть, по каким параметрам проводить статистическую обработку всего массива и каждой группы в отдельности, какое количество преступлений из каждой группы подвергнуть подробному анализу и наметить по одному убийству для монографического исследования.

Ей так и не удалось заснуть, и когда в шесть утра зазвенел будильник, она вскочила вместе с Лешей.

— А ты чего? — удивился Чистяков. — Спи, рано еще, мне на работу надо, а ты отдыхай.

— А завтрак? — Настя решила проявить принципиальность. — Ты же сам требовал, чтобы я на склоне лет начала новую жизнь.

— Требовал, — согласился он, — но не ценой таких жертв. Подъем в шесть утра во время отпуска — это, пожалуй, дюже круто. Я этого не стою.

— Ты стоишь большего, — очень серьезно ответила она, натягивая махровый халат и всовывая ноги в пушистые теплые тапочки. — Я только зубы почищу, а потом пущу тебя в ванную бриться-мыться, ладно? Я недолго. Что тебе сделать на завтрак?

— Блины с икрой. С черной.

— Ну Леш, я серьезно!

— Ладно, не можешь блины, тогда оладушки. Сумеешь?

— Не знаю, — Настя растерялась, — не пробовала. А как?

— Мука, кефир, яйцо. Соду погасить уксусом, сахару побольше, я люблю сладкие. Давай беги в ванную, не задерживай меня.

Н-да, такого она не ожидала, думала, что Лешка попросит что-нибудь простое и привычное, вроде омлета или гренков с сыром и колбасой.

Такие простые вещи она умела делать давно и всю прошлую неделю именно этим его и кормила. И вдруг оладушки какие-то... То есть Настя очень хорошо представляла, какие это должны быть оладушки, потому что Чистяков готовил их отменно и частенько баловал ее этим блюдом, но вот как их сделать — это вопрос. Однако не отступать же, коль вызвалась добровольно. «Если у меня с первой же попытки получатся оладьи, значит, я еще не совсем пропащая, и значит, у меня сегодня все сложится удачно, я все успею и с Юркой, и с научным руководителем, и с собственными планами», — загадала она, ставя зубную щетку в стаканчик и закрывая воду.

— Ну что, дед, — бодро произнесла она, выходя на кухню и привычно найдя глазами стоящую на холодильнике деревянную фигурку, — сейчас будем экспериментировать. Извини, если что не так.

С мукой она просчиталась, тесто получилось жидким, и первая партия оладий растеклась по сковороде, сформировав загадочную фигуру с нечеткими контурами. Воровато оглянувшись, Настя выкинула шедевр абстракционизма в мусорное ведро и добавила муки. Со второй партией вышло лучше, и она с гордостью выложила на большую тарелку четыре замечательные золотистые оладушки. Правда, третья партия почему-то сгорела... Ну, не окончательно, конечно, пожара в доме не случилось, но вместо золотистых оладьи оказались черно-коричневыми. Не то с нагревом не угадала, не то с маслом. Наверное, нужно было жарить не на сливочном, а на растительном. На всякий случай Настя вымыла сковороду и налила растительного масла.

В целом можно было считать, что она справилась. К тому моменту, когда Чистяков вышел из ванной, чисто выбритый, с мокрыми после душа волосами, благоухающий французским лосьоном после бритья, на столе стояла тарелка с оладьями. Их было всего восемь, хотя должно было получиться куда больше, но остальные доживали свой недолгий век в ведре.

Правда, четыре сгоревшие оладушки Настя на всякий случай припрятала, Лешке такое подавать стыдно, а выбрасывать жалко, потому что они ведь не окончательно сгорели и их можно будет потом съесть, когда Чистяков не увидит. Если, конечно, они окажутся съедобными...

— Ну как? — с тревогой спросила она, заглядывая в глаза мужу, когда тот начал есть. — Очень плохо?

— Нормально. Даже почти вкусно. Только они у тебя внутри не пропеклись. Огонь нужно делать меньше, а жарить дольше. А так нормально.

Все ясно, ничего у нее не получилось. Ладно, будем извлекать уроки. В холодильнике стоят еще две пачки кефира, и когда Лешка уйдет на работу, она потренируется. К завтрашнему утру она непременно освоит это блюдо, вот не сойти ей с этого места!

— Леш, извини, — покаянно сказала Настя, — я же в первый раз делала. Я научусь, честное слово. Не давись ты этой дрянью, давай я тебе быстренько что-нибудь другое сделаю.

— Да ладно, все в порядке. Вкус-то нормальный, правильный, я уж доем, а то мне бежать пора, надо ехать, пока на дорогах пробки не образовались. Кстати, Аська, имей в виду, что я могу сегодня не вернуться. Сегодня у нас одного профессора чествуют, ему шестьдесят исполняется, так что если мне не удастся увернуться от банкета, то я останусь в Жуковском.

— Ладно, я буду иметь в виду и наведу полный дом любовников. Леша, а ты про пейнтбол что-нибудь знаешь?

— Кое-что. А что конкретно тебя интересует?

— Ну, например, база «Юг» на десятом километре Симферопольского шоссе.

— А что, там кого-нибудь грохнули? — вздернул брови Алексей, отправляя в рот последний шедевр кулинарного мастерства супруги.

— Надеюсь, что нет.

— Знаю я эту базу, у нас половина лаборатории ездит туда играть.

— А ты ездил?

— Один раз, ради любопытства. Только я не играл, а так сидел, с книжкой. Природа, свежий воздух, деревья кругом, птички поют — красота! И шашлыки там знатные. У них повар отличный, Саша, наши ребята туда с женами ездят, потому что жены тоже хотят Сашиных шашлыков поесть.

— И когда же это ты туда ездил? — Настя подозрительно прищурилась. — Судя по тому, что птички пели, это было летом, да? И почему я об этом слышу в первый раз?

— Аська, не пытайся устроить семейную сцену, тебе это не идет. Ты вспомни, сколько раз я звонил тебе из Жуковского по пятницам и спрашивал, какие у нас планы на выходные, а ты мне говорила, что будешь работать. Я же не устраивал тебе скандал, правда? Я мирно соглашался с тем, что ты работаешь в выходные дни. И в один из таких выходных я поехал со своей лабораторией на пейнтбол. Это было прошлым летом, если тебе интересно. И не знаешь ты об этом только потому, что, когда я приехал домой, ты меня не спросила, как я провел выходные. Вероятно, тебе было не до меня, у тебя там опять кого-то убили и кого-то надо было срочно ловить. Ты не спросила — я не ответил.

— Леш, не сердись...

— Я не сержусь, я просто рассказываю, как дело было. Так зачем тебе эта база?

— А давай поедем туда в воскресенье, а? Я тоже хочу вкусных шашлыков.

— Ладно, — невозмутимо согласился Леша, сделав последний глоток кофе, — поедем. Только объясни мне зачем. Про шашлыки я уже слышал. Так зачем?

— Надо одного человека отловить и попробовать с ним побеседовать.

— Так. Начинается. Ты же в отпуске! Или Коротков все-таки пролез к тебе, минуя мой заслон?

— Леш, это не по работе, это для диссертации. Он — отец девочки, которую убили три года назад.

— А в Москве с ним поговорить никак нельзя?

— Не получается. Он много работает, приходит поздно и очень усталый. А по воскресеньям ездит с сыном на базу «Юг». Лешенька, ну смотри, как все здорово получится, мы с тобой поедем за город, там воздух, природа, шашлыки... А?

— Хорошо, поедем.

Он встал и отправился в комнату одеваться. Через пятнадцать минут Настя закрыла за ним дверь и горестно вздохнула. Какой-то Лешка сегодня недовольный, злой, нет его обычной шутливости и легкости. Хотя каким еще может быть мужчина, которого с утра накормили непропеченными оладьями неизвестно какого вкуса... Был бы на его месте другой, не такой терпеливый и покладистый, так уже убил бы.

Настя уныло посмотрела на часы. Пять минут восьмого. В компьютер лезть глупо, раньше десяти утра

Лесников материалы не пришлет. Звонить Короткову в такое время неприлично. Нет, он, конечно, уже проснулся, как раз минут пять назад, но звонить домой в такую рань, чтобы сказать, что готова помочь, это уж совсем как-то... Можно подумать, она ему такую радостную весть сообщит, что он готов ее выслушать, хоть ночью разбуди! Нет, со звонком Короткову тоже придется подождать. Материалы, которые сегодня она должна везти научному руководителю, давно уже поправлены, распечатаны и лежат в аккуратной папочке. Ну какая же бессмысленная глупость вставать так рано! Позавтракать, что ли?

Она достала из шкафа припрятанную тарелку со сгоревшими оладьями, с сомнением и даже опаской осмотрела кусочки жареного теста, взяла один, надкусила. Господи, и как бедный Лешик это ел? Нет, вообще-то ничего, вкус и вправду вполне пристойный, но консистенция явно никуда не годится. Она с отвращением посмотрела на плоды своих трудов и решила, что нечестно было бы заставлять Лешку мучиться, а самой поедать какую-нибудь вкуснятину. Долой мысли о гренках и омлете, будем до конца нести свой крест. Заварив себе зеленого чаю, Настя мужественно сжевала оладьи и решила оставшееся до начала рабочего дня время посвятить кулинарным упражнениям. Достала кефир, муку, яйца, сахар, соду, уксус, чистую мисочку и со словами: «Ну, благословясь!» — принялась за дело.

В этот раз получилось значительно лучше. Настя учла рекомендации мужа о том, что огонь должен быть меньше, а время приготовления больше. Ни одна партия не сгорела, тарелка наполнялась золотистыми пышными оладушками, и она с тоской думала о том, что вот как же здорово все выходит, а есть это некому, а когда они остынут, все уже будет совсем не так...

В половине девятого зазвонил телефон.

— Не разбудил? — послышался угрюмый голос Короткова.

— Ты что, я как верная жена встала в шесть утра, вместе с Лешкой, — радостно отрапортовала Настя.

— Слышь, подруга, ты как хочешь, а мы сейчас к тебе завалимся. И не смей мне врать, что ты куда-то уходишь. Жди, через десять минут будем.

— Да пожалуйста, ради бога, — растерянно протянула Настя. — А сколько вас?

— Двое. Я и маленький Заточный.

— Максим? — удивилась она.

А он-то тут каким боком? И почему Юрка с утра пораньше не на работу едет, а с Максимом общается?

— Ну, может, у твоего Ивана Алексеевича еще сыновья есть, не знаю. Все, мы едем. Ты там чайничек поставь, а то мы с ног валимся.

Настя заметалась по кухне, соображая, как бы упаковать оладьи, чтобы они сохранили тепло. Вот и удача! Нашлось кого угостить вкусными оладушками! Накрыла тарелку сверху миской, завернула в три полотенца, немного подумала и отнесла в комнату, где засунула «это» в диван, между одеялами и подушками. Диван, правда, такого святотатства не одобрил и закрываться не хотел, но Насте удалось его уговорить.

Они появились ровно через десять минут, Юра Коротков с измученным лицом и мешками под глазами и Максим Заточный, сияющий яркой голубизной глаз, свежестью и энергией. Вот что значит возраст! Юрка сказал, что они оба с ног валятся, так по Короткову это видно невооруженным глазом, а по виду молодого старлея и не скажешь. Настя решила с разговорами не лезть, сперва накормить гостей, а там видно будет. Она, как примерная хозяйка, усадила их за стол, налила чай, подала оладьи, варенье и сметану. Но все-таки не утерпела и спросила:

— Юр, а откуда ты знаешь, что мне не нужно никуда уходить?

— А что, нужно? — откликнулся он с набитым ртом.

— Нет, не нужно, но мне интересно, откуда ты-то об этом знаешь?

— Чистяков сказал. Мы тут неподалеку на трупе работали, а он мимо проезжал, нас увидел, остановился. Мы с половины пятого на месте происшествия, не спавши не жравши, уже в полуобмороке, ну, я и спросил твоего благоверного, будешь ли ты дома где-то через часок и можем ли мы заехать дух перевести? Там еще работы непочатый край, передохнем малость, в себя придем — и назад.

С половины пятого. А ей приснилась милицейская сирена, и было это в 4.38. Так, может, не приснилась?

— Вы что, с сиреной ехали?

— Да нет, с чего ты взяла? — удивился Коротков. — Зачем сирена в такое время? Машин и так нет, дороги пустые. И вообще, я из дома ехал, меня из теплой постели выдернули, а на моем «Форде» сирены нет. Там, конечно, из округа понаехали, кто на своей машине, кто на служебной, но они же нормальные люди, сирену среди ночи включать не стали бы.

Значит, все-таки приснилось. Как странно...

— А что за убийство? — осторожно поинтересовалась она. — Почему ты выезжал? И почему Максим? Он же в другом округе работает.

— Отстань, — сердито проговорил Юра. — Ты же не хочешь, чтобы к тебе приставали во время отпуска, вот и не задавай вопросов.

— Ну ладно, Юр, — примирительно сказала Настя, — не дуйся. Рассказывай. Может, и я на что сгожусь.

— Погоди, доем.

Но доедать почти ничего не пришлось. Молодой старлей Заточный на разговоры не отвлекался и ел быстрее. Горка пышных оладушек растаяла так быстро, что Настя даже засомневалась, а была ли она вообще. Может, она приснилась ей, как и милицейская сирена?

Минут через пятнадцать, после третьей чашки чаю, гости расслабились и даже слегка порозовели.

— Теть Насть, у вас тапочек не найдется? — почему-то виновато спросил Максим.

Настя бросила взгляд на его ноги — парень сидел в одних носках, как снял ботинки в прихожей, так и прошел в кухню, а ведь пол-то холодный! Коротков, как свой человек в этом доме, знал, где стоят «гостевые» тапочки, и сразу их надел, а Максим здесь впервые, видно, постеснялся спросить.

— Конечно, сейчас принесу.

— Теть Насть, теть Насть, — передразнил Юра. — Тебе сколько лет-то? Ты уже старший лейтенант, а все как маленький.

— Да ну вас, Юрий Викторович, — смущенно улыбнулся Максим. — Меня теть Настя знает еще с тех пор, когда я в школе учился.

— Точно, — подтвердила Настя, появляясь на пороге с тапками в руках, — с девяносто пятого года. Ты тогда еще только готовился поступать в школу милиции, я помню, как тебя отец по Измайловскому парку гонял и заставлял подтягиваться. Совсем пацаном был.

— Вот-вот, — подхватил Коротков, — именно что был. А сейчас взрослый мужик, людей за решетку отправляешь, судьбами распоряжаешься, а все как маленький, теть Насть да теть Насть.

— Ну что ты к парню пристал, — заступилась она за Максима. — Энергию девать некуда? Лучше рассказывайте, что у вас там за труп.

— Студентка очередная, — мрачно буркнул Юра. — Уже третья. А может, четвертая или шестая, шут их разберет.

— То есть как? Что значит — третья, четвертая или шестая? Так третья или шестая?

— Ой, мать, я сам голову сломал, ни черта понять не могу. Ты что, правда хочешь вникать?

— Правда, — твердо ответила Настя.

— Ладно, тогда слушай. Первая была месяц назад, этим делом занимались на территории. Екатерина Пенькова из «Керосинки», то есть из Института нефти и газа. Убита при помощи удавки. Где-то с кем-то проводила вечер и часть ночи, домой не вернулась, на рассвете нашли.

— Помню.

— Ну вот, это, значит, случилось в ночь на пятнадцатое марта, с воскресенья на понедельник. Следующий труп случился в ночь со второго на третье апреля, с пятницы на субботу. Некая Наталья Кузина. Тоже студентка и тоже задушена удавкой. Но пока народ прочухивался, пока по сводкам прошло, пока эти сводки прочитали, пока сообразили, что к чему, уж и понедельник настал, и тебя уже не было. Оба дела объединили, на наш отдел повесили, а поскольку второй труп имел место в округе, где Максим работает, нашего старлея к этому пристегнули. Мы с Сережкой Зарубиным все убийства по городу подняли, думали, может, еще где найдется задушенная студентка или что-то похожее.

— И что? — нетерпеливо спросила Настя. — Нашли что-нибудь?

— Да фиг его знает, то ли да, то ли нет. Короче, в конце февраля был еще один труп молодой девчонки, папина дочка, не работала и не училась, тоже с кем-то полночи протусовалась, в общем, все очень похоже, кроме одного: она была задушена руками, а не удавкой. Потом в начале марта был в Северном округе труп молодой женщины — менеджера из дорогого магазина, раньше их продавщицами называли, а теперь, блин, менеджеры по продажам. Красота!

— Она тоже была студенткой? — недоверчиво уточнила Настя.

— Нет, но задушена руками, как и февральская девчушка. Ты меня не сбивай, у меня и так мозги набекрень съехали. И еще одна студентка нарисовалась в ночь с тридцать первого марта на первое апреля, и тоже задушена руками. Это сколько получается? Пять?

— Пять, — подтвердила Настя.

— Ну вот. А сегодня шестая. Студентка, удавка, ночь. Все как положено. Три трупа с удавками, три — ручной работы, из шестерых четверо студентки, вот и пойми, сколько преступлений в серии, три, четыре или шесть. Между прочим, одна из студенток училась в том же институте, где и Лилька Стасова учится.

Ах вот оно что! То-то Лиля звонила и морочила голову про курсовую по криминологии, маньяками интересовалась. Интересно, почему она не сказала все как есть? Врала зачем-то... Вот дурочка!

— Ты имеешь в виду девушку, убитую в ночь со второго на третье апреля?

Коротков моментально напрягся, даже усталые глаза заблестели:

— Как догадалась?

Настя рассказала ему про звонок Лили Стасовой, а Юра в свою очередь поделился тем, что рассказала ему девушка.

— Роман у нее, понимаешь ли, сделался с сокурсником, так она боялась, что, если Стасов узнает про маньяка, убившего студентку из их института, он Лильку дома запрет, пока ситуация не прояснится.

— Стасов такой, — задумчиво протянула Настя, — он может. А материалы все у кого?

— На работе в сейфе лежат, — вздохнул Коротков. — Знал бы, что ночью поднимут на труп и что потом такая удача привалит в смысле твоей благосклонности насчет помочь, с собой прихватил бы. Главное, что обидно-то: мы с Серегой всю Пасхальную ночь над ними сидели у меня дома, а в воскресенье я в контору потащился, ну и материалы прихватил, чтобы дома не валялись. Эх, знать бы...

— Юрий Викторович, у меня есть, — негромко подал голос Максим.

Юра встрепенулся.

— Что у тебя есть? — строго спросил он.

— Материалы. У меня же все копии, вы сами мне дали.

— Ну и?..

— Я их на воскресенье домой брал, думал, может, посижу над ними, подумаю, вдруг чего придумаю. И когда вы сегодня ночью позвонили, я их с собой взял.

— О! Молодое поколение! Смотри-ка, и от вас может быть толк.

Коротков посмотрел на часы и сладко зевнул.

— Значит, так, друзья мои. Я иду в комнату и ложусь спать на полтора часа. Подруга, ты смотришь материалы и выписываешь то, что тебе надо. Молодая поросль тебе помогает. Через полтора часа подъем и возвращение на место происшествия. Там участковый и местный опер с девяти часов должны поквартирный обход начать, мы подключимся.

— А молодая поросль спать не хочет? — Настя вопросительно посмотрела на Максима.

— Не, теть Насть, нормально, я в форме.

Коротков улегся и моментально уснул. Настя включила компьютер, вывела на экран огромную таблицу, которую когда-то разработала сама для себя, и вполголоса, чтобы не разбудить Юру, объяснила Максиму, какие именно сведения и в какой последовательности ей нужны.

— Все понял?

— Все, теть Насть.

— Тогда диктуй, только потихоньку, а то твой шеф проснется.

— Ладно. Теть Насть, у вас в комнате курить можно или только на кухне?

— Можно в комнате. Погоди-ка, а ты что, куришь?

— Ну... в общем, да.

— И давно?

— Давно, еще с первого курса.

— А отец знает?

— Вы что?! — Максим от возмущения даже забыл об осторожности и повысил голос. Потом спохватился и уже шепотом добавил: — Узнает — убьет.

— Неужели боишься? — усмехнулась Настя. — Ты же старший лейтенант, старший опер, вон убийства раскрываешь, правильно Юрка сказал, людей на каторгу отправляешь, судьбы их решаешь, а про то, что куришь, сказать боишься?

— Теть Насть, отцу моя взрослость по барабану, я для него всегда пацаном буду.

— Сам догадался?

— Нет, отец сказал. А я запомнил. Вы же его знаете, он не пьет, не курит, занимается спортом и ведет исключительно здоровый образ жизни. И требует, чтобы я был таким же. Он вообще какой-то непреклонный стал с годами, слова ему не скажи. Лучше бы он на вас тогда женился, может, добрее был бы.

На этот раз пришел черед Насте возмущаться.

— Чего?! Что ты сказал?

— Ну а что такого, теть Насть? Он же за вами ухаживал, я помню.

— Ничего он не ухаживал, что ты выдумываешь? И вообще, мы с ним познакомились за три месяца до моей свадьбы, у меня уже был жених, понимаешь? И ни о каких ухаживаниях речи быть не могло.

— Да бросьте вы, теть Насть, что я, слепой? Я, конечно, тогда еще пацаном был, но уж такие-то вещи я видел и понимал. Он на вас смотрел по-особенному, и, когда по телефону с вами разговаривал, у него голос становился такой... Ну, короче, не такой, как всегда. И вам, между прочим, отец тоже нравился, хоть вы и замуж вышли и все такое. Когда мы все вместе по парку гуляли, я видел, какие у вас глаза делались, когда вы с ним разговаривали. Да ладно, это все было сто лет назад, у истории обратного хода нет. Тем более тогда-то я ужасно боялся, что отец на вас женится.

— Неужели? Почему?

— А вы мне не нравились. Вы только не обижайтесь, ладно? Я маму хорошо помнил, и мне казалось, что, если отец женится еще раз, это будет предательством, поэтому мне вообще все женщины не нравились, если они рядом с отцом появлялись. Это уж потом я поумнел... А теперь думаю, что было бы лучше, если бы он женился. А то сыч сычом, жесткий, несговорчивый, ничем его не проймешь.

Это Иван-то жесткий? Настя вспомнила его удивительные желтые глаза, его солнечную улыбку и даже свою короткую — всего на пару недель влюбленность в генерала Заточного. Надо же, до чего по-разному люди воспринимают друг друга, для Насти Иван Алексеевич — умный и тонкий, а для сына — жесткий и несговорчивый сыч.

— Ладно, — решительно сказала она, пряча улыбку, — закончили с лирикой, давай делом заниматься. Диктуй.

К тому моменту, когда настало время будить Короткова, она ввела в компьютер все необходимые сведения. Где-то в середине работы в голове появилась некоторая, как бы сказать, неуютность, словно какая-то мысль образовалась и пытается найти нужную дверь, чтобы войти в нужное помещение и лечь на нужную полочку, но дверь никак не находится, и несчастная новорожденная слепо тычется во все углы и тихонько поскуливает, как потерявшийся щенок.

Юрка проснулся злой и, казалось, еще более усталый, чем был до того, как лег. И даже чашка крепкого кофе не сделала его добрее.

— Ладно, мать, мы потопали, — сказал он на прощание. — Ежели чего надумаешь — звони.

— Позвоню, — пообещала Настя.

Она вернулась к компьютеру, проверила почту и с радостью обнаружила, что пришли материалы от Лесникова. Ну вот, так всегда, разом густо — разом пусто. Утром она не знала, чем себя занять, а теперь разрывается между желанием посмотреть материалы по стране и необходимостью проанализировать шесть московских убийств. В академию ей нужно к четырем, сейчас только одиннадцать, из дому выходить в три, и нужно по-умному распорядиться оставшимися четырьмя часами. В конце концов она решила отдать предпочтение материалам Лесникова, потому что, если научный руководитель начнет задавать конкретные вопросы по рабочей программе, у нее уже будет первое представление о выборке и, соответственно, об общем объеме предстоящей работы.

* * *

Занятия в институте закончились, и Лиля Стасова собиралась ехать домой. Для подготовки к завтрашним семинарам библиотека не нужна, вся необходимая литература есть у нее дома. Она уже почти дошла до метро, когда ей позвонил Коротков.

— Ты где сейчас?

— Подхожу к метро «Шаболовская», а что?

— Одна?

Лиля помнила всё, что обещала Короткову, поэтому непринужденно солгала:

— Нет. Вы же сами велели...

— Можешь отправить своего ухажера?

— Могу. Надо?

— Надо. Приезжай на «Щелковскую», я тебя встречу на улице. Надо поговорить.

— А что случилось, дядя Юра? — забеспокоилась Лиля.

— Ничего не случилось, — раздраженно ответил Коротков. — Поговорить надо. Жду через полчаса. Потом я тебя сам домой отвезу.

— Хорошо, — послушно ответила девушка.

Добираться было неудобно, с двумя пересадками, сперва на «Октябрьской» с радиуса на Кольцо, потом на «Курской» с Кольца на радиус.

Днем в метро народу не так много, и Лиля использовала время для чтения учебника, благо во всех трех поездах у нее была возможность сидеть.

Только есть очень хотелось. Она не стала обедать в институте, ведь собиралась домой ехать, а теперь неизвестно, когда удастся получить кусочек питания, желательно низкокалорийного и обезжиренного. Все то, что можно было купить в вестибюлях метро или на улице, ей категорически не подходило, от такой еды один сплошной вред, если не для здоровья, то уж для фигуры — точно.

На «Щелковской» Коротков ждал ее вместе с тем симпатичным молодым оперативником, с которым опрашивал студентов в Лилином институте. Как его зовут? Кажется, Максим... Иванович, что ли. И фамилия у него какая-то такая... похожа на фамилию папиного бывшего начальника, отец много раз произносил фразу: «Это было в те времена, когда я еще работал под Заточным...» Вот, правильно, теперь Лиля точно вспомнила, у этого Максима такая же фамилия. Она еще тогда подумала, что они родственники.

— Привет, — хмуро произнес Коротков и привычно чмокнул Лилю в щеку, как делал уже много лет.

— Здравствуйте, — вежливо поздоровался Максим.

— Голодная? — спросил Коротков.

Лиля оторопела от удивления:

— А как вы догадались?

— Да ты всю жизнь голодная, сколько я тебя знаю, — усмехнулся Юрий Викторович. — Читаешь и ешь что-нибудь, читаешь и ешь, я за другими занятиями тебя и не видал никогда.

Лиля залилась краской. Ну что он, в самом деле! Да, в детстве она действительно все время что-то жевала, то бутерброды, то пирожные, потому и была толстушкой, но теперь-то она старается соблюдать диету, и лишних килограммов не так уж и много... Обязательно, что ли, нужно это говорить в присутствии молодого человека?

— Ладно, не красней, пошли, кофе выпьем и сжуем что-нибудь, мы сами голодные как бродячие собаки. Я тут рядышком одно заведение присмотрел — цены божеские, и народу мало.

До «заведения» пришлось идти минут десять, но в остальном слова Короткова оказались правдой: народу было мало, и цены низкие. Лиля с завистью смотрела на огромные отбивные с жареной картошкой, которые официант поставил перед Коротковым и Максимом. Она бы тоже не отказалась, но это уж совсем нельзя. Пришлось ограничиться цветной капустой в сухарях. Лиля медленно ела и ждала, когда же дядя Юра приступит к главному, ведь понятно, что он вызвал ее на «Щелковскую» вовсе не для того, чтобы накормить обедом. Но оперативники ели молча и ничего не говорили, а Лиля не спрашивала: папино воспитание.

— Тут вот какое дело, — начал наконец Коротков. — Еще одну студентку убили сегодня ночью. Здесь, неподалеку. Мы народ опросили, может, кто чего видел, и получили несколько описаний молодых людей, которые засветились в районе убийства. Короче, детали тебе ни к чему, а мы сейчас почитаем тебе описания, которые дали свидетели, а ты эти описания прикинь к тому типу, что к тебе приставал. Ты внешность-то его не забыла еще?

— Ну да, его забудешь, — фыркнула Лиля. — Рожа такая противная, до сих пор перед глазами стоит. Дядя

Юра, а вы почему его фоторобот не сделали? Я же его хорошо помню.

— Что, захотелось в лабораторию на экскурсию сходить? — усмехнулся Коротков. — Толку-то от этого фоторобота... Он так же похож на реального человека, как я на Джеймса Бонда. И потом, опыт показывает, что все люди видят одно и то же по-разному, поэтому, когда очевидцев двое-трое и они друг друга корректируют, еще есть шанс сделать портрет более или менее похожим, а когда только один — сплошное фуфло выходит.

Максим достал из куртки блокнот и начал зачитывать. Лиля внимательно слушала, в какой-то момент ей показалось, что описание очень напоминает того психа, но, когда дело дошло до роста и комплекции, поняла, что это не он. Все остальные даже приблизительно не были похожи.

— Жаль, — расстроенно вздохнул Коротков, — если бы кто-то показался тебе похожим, можно было бы за эту ниточку тянуть. Два свидетеля — не один, глядишь, и с портретом получилось бы. А так опять пустышка.

— Дядя Юра, а как ее убили?

— Точно так же, как вашу Кузину. Удавкой задушили. Ой, Лилька, я тебя умоляю, будь осторожна. Этот парень ничего не боится, он убийство совершил около часа ночи, когда еще улицы не совсем пустые. Ты все соблюдаешь, о чем мы договорились?

— Все, дядя Юра. — Она посмотрела на Короткова огромными темно-серыми и очень честными глазами.

— Ладно, пошли, отвезу тебя домой.

— Да ничего, я на метро доеду.

— Глупости! — решительно возразил Коротков. — На метро будешь сто лет ехать, или с двумя пересадками, или вообще через Центр, а тут по прямой мы минут за десять-пятнадцать доедем. Сокольники же здесь рядом.

— Лиля, — обратился к ней Максим, когда они дошли до машины, — вы мне оставьте свой телефон, чтобы я мог вам позвонить, если вдруг еще найдется человек, который что-то видел.

Коротков метнул на него уничтожающий взгляд, но промолчал. Максим еще о чем-то посовещался с Коротковым, и они уехали.

— Дядя Юра, а почему вы так посмотрели на Максима, когда он мой телефон попросил?

— Как — так?

— Как будто он сделал что-то неправильное. Мне не нужно было давать ему номер?

— Нужно. Но он мог бы спросить у меня, я-то твой телефон знаю.

— Вообще-то да... А зачем же он тогда у меня спрашивал?

— Ты что, Лилька, совсем дитя? — расхохотался Коротков. — Когда молодой человек спрашивает у девушки номер телефона, это о чем говорит?

— Ну вы что, дядя Юра, — возмутилась Лиля, — он же для дела.

— Если бы для дела, он бы у меня спросил. Лилька, можешь мне поверить, у меня глаз — алмаз. Он на тебя запал со страшной силой. Вот увидишь, он тебе сегодня же вечером позвонит с какой-нибудь ерундой. А поскольку ты сама ему телефончик сказала, у него совесть чиста и руки развязаны.

— Не понимаю, — она с удивлением посмотрела на Короткова. — Какая разница, от кого он узнал номер, от меня или от вас?

— Ох, молодая ты еще! — Коротков откровенно веселился, даже недавняя его хмурость куда-то ушла. — Опыта никакого! Если девушка сама дает номер телефона, это означает, что она не возражает против звонка. Если не дает — возражает. Это... ну как тебе объяснить... ну, в общем, во всем этом нет очевидной логики, зато есть столетний опыт человечества по пользованию телефонной связью. И тысячелетний опыт обмена скрытыми посланиями между мужчинами и женщинами. Вот возьми девятнадцатый век, к примеру, или восемнадцатый. Девушка обронила платок, юноша поднял и в карман положил. Девушка это заметила, но не стала требовать платок назад. Понимаешь, о чем я говорю? Тут все тонко, деликатно, на уровне интуиции. Короче, можешь мне поверить, наш маленький Заточный тебе сегодня же позвонит.

— Я еще спросить хотела: он не родственник папиного бывшего начальника?

— Сын.

— А почему вы его называете маленьким Заточным?

— Потому что большой Заточный — это как раз бывший начальник твоего папы. Генерал-лейтенант, крутой профи. А Макс пока еще маленький. Но ничего, это он для меня маленький, а для тебя в самый раз, — он снова рассмеялся. — Окрутишь его, станешь генеральской невесткой. Красота!

— Ну дядя Юра, что вы, в самом деле!

Он окончательно вогнал Лилю в смущение, и она решила больше ни о чем Короткова не спрашивать, потому что поняла, что он все равно будет подшучивать над ней и над симпатичным голубоглазым оперативником Максимом.

Они проехали станцию «Сокольники», Лиля машинально посмотрела на цветочный киоск, где сегодня утром стояла машина Кирилла. И вчера вечером она там стояла... Как несправедливо устроен мир! В час ночи она сидела с Кириллом возле Дворца спорта, и ей было так хорошо, она была такой счастливой, а в это время совсем рядом, всего в нескольких минутах езды, убивали девушку, такую же студентку, как сама Лиля. И ведь это так близко, совсем рядом... Даже в четыре часа дня, когда машин довольно много, они очень быстро доехали от «Щелковской» до «Сокольников», а уж ночью... минут пять езды, не больше.

* * *

Ровно в шестнадцать часов, как и было велено, Настя Каменская сидела перед кабинетом профессора Городничего и уныло наблюдала за лаборанткой Ларисой, которая занималась тем, что делала выписки из расписания для всего преподавательского состава кафедры. Перед ней лежала огромная «простыня», из которой Лариса выписывала на отдельные большие разграфленные листы номера групп и темы курса. Работа требовала внимания, любая ошибка была смерти подобна, поэтому лаборантка ни с кем не разговаривала, на вопросы не отвечала и ни на что не отвлекалась. А то поставит отметку не в ту графу, придет преподаватель Тютькин вместо первой пары на вторую, и занятие окажется сорванным. А кто будет виноват? Лариса, ясное дело. И головы ей за такую халатность не сносить.

Городничего, как и следовало ожидать, еще не было, и Насте ничего не оставалось, кроме как терпеливо ждать. Сначала она немного позлилась, потом решила поблагодарить судьбу за предоставленную передышку и обдумать кое-что.

Инна Семеновна Шустова говорила, что ее муж ждал, когда появится еще одно убийство, в котором будет фигурировать маленькая иконка, чтобы добиться активных действий по расследованию убийства его дочери, но так и не дождался. Получив материалы от Игоря Лесникова, Настя первым делом просмотрела их с точки зрения именно иконки и ничего не нашла.

Куда же девался этот убийца, если он был маньяком? Не мог он совершить одно-единственное преступление и остановиться. Или мог? Умер, например, или его посадили за что-нибудь другое, или психическое заболевание стало столь очевидным, что он попал в больницу на лечение. Но так или иначе никаких других убийств с использованием иконки не было. Это могло означать только одно: Таню Шустову убили все-таки по личным мотивам, и милиция откровенно схалтурила, не проверив и не отработав все ее связи и контакты.

И в этот самый момент, проговорив мысленно фразу до конца, Настя поняла, какая мысль билась в ее голове, не находя нужной двери и нужной полочки, когда она утром заполняла таблицу под диктовку Максима Заточного. Почему работники милиции схалтурили и практически ничего не сделали? Что сказала Шустова? Что убийством Тани занимались кое-как, потому что накануне похитили какого-то олигарха, и вся милиция Москвы стояла на ушах и занималась только этим. А что было в утренних материалах? Одна из студенток убита в ночь на 1 апреля, а накануне была взорвана машина депутата Корякина. При взрыве погибли сам депутат, водитель и еще один человек, который в тот момент проходил мимо. И на голове убитой студентки лежал приколотый к волосам розовый бантик из шелковой ленточки.

Одна потерпевшая — медсестра, другая — студентка. Социальный статус разный, но обе — молодые девушки, незамужем. Что еще? Надо посмотреть фотографию студентки, может оказаться, что у нее и Тани Шустовой один тип внешности. Интервал между убийствами — больше двух лет, многовато, конечно, для маньяка, но кто сказал, что между этими двумя убийствами не было других? Если оба преступления совершены одним человеком, то иконка и бантик могут оказаться элементами ритуала. Просто ему необходимо что-то оставить на теле жертвы. Но способ убийства разный. Таню Шустову ударили чем-то тяжелым по голове, студентку (Настя никак не могла вспомнить ее фамилию) задушили. Мало общего между этими преступлениями, кроме иконки с бантиком и еще одного фактора: накануне имело место громкое преступление, на раскрытие которого отряжались все милицейские силы. Что это? Простое совпадение?

Надо проверять, проверять и еще раз проверять. Просмотреть заново материалы Лесникова в поисках чего-то похожего, ведь Настя искала только упоминания об иконках, на все прочее внимания не обращала. Попросить у Короткова более подробные сведения о девушке, убитой в ночь на 1 апреля, и ее фотографию...

— Вы уже здесь? Проходите в кабинет.

Она вздрогнула и очнулась. Оказывается, Городничий стоит прямо перед ней, а она и не заметила, как он вошел. Настя схватила сумку и пошла вслед за профессором в его научную обитель.

— Ну, показывайте, что вам удалось сделать.

Сегодня Олег Антонович был настроен благодушно, правда, причина его хорошего настроения от Насти не укрылась: от научного руководителя ощутимо тянуло запахом виски. Ну что ж, не только у Лешки в институте отмечают дни рождения, в милицейских академиях такие же люди работают.

Она протянула Городничему тоненькую папку и приготовилась выслушать очередную порцию критики. Однако виски, по-видимому, было хорошим и сопровождалось достойной закуской, и профессор остался доволен не только застольем, но и Настиными документами.

— Это значительно лучше, — одобрительно произнес он, важно кивая, — нужно сделать незначительные поправки, и можно выносить на заседание кафедры. Ближайшая кафедра в среду, но вы, наверное, не успеете переделать...

Настя нащупала в сумке дискету. Сказать, что ей на переделку понадобится десять минут, или не стоит? Что это за замечания научного руководителя, которые можно устранить за десять минут? Обидится еще.

— Я бы постаралась успеть, — осторожно сказала она.

— Но я должен буду посмотреть окончательный вариант до того, как начнется кафедра. И рецензенты должны успеть прочесть. Если вы все принесете завтра, я поговорю с начальником кафедры, попрошу его поставить ваш вопрос дополнительно в повестку дня и назначить рецензентов. А вам нужно будет уговорить их быстренько прочесть программу и обоснование и подготовиться к выступлению. Сумеете?

— Не знаю, — честно призналась Настя. — Переделать с учетом ваших замечаний я точно успею. А уговаривать рецензентов... Я не знаю, как это делается.

— Ну как, — усмехнулся Олег Антонович, — очень просто. Приходите, заглядываете в глаза и очень просите. Они вам отвечают, что ужасно заняты и за один день не смогут выкроить время, чтобы прочесть, обдумать и подготовить замечания. У них ведь тоже должны быть замечания. А вы постараетесь их заинтересовать. Привыкайте, — добавил он, увидев Настины растерянные, полные ужаса глаза. — Пока будете работать над диссертацией и готовиться к защите, вам много кого придется уговаривать, начиная с внутрикафедральных рецензентов и заканчивая ученым секретарем и оппонентами. Я за вас этого делать не буду.

Понятно, подумала Настя. Вот это как раз то, о чем говорил Леша.

Ты ходишь, просишь и уговариваешь, а когда тебе идут навстречу, расплачиваешься подношениями или услугами. В свои без малого сорок четыре года Настя Каменская совершенно не умела этого делать. Ну как вынуть из сумки бутылку или коробку конфет, положить перед человеком и сказать: «Это вам»? Язык у нее не повернется. И руки не поднимутся. Ей гораздо проще спросить: «Сколько будет стоить, если я попрошу вас сделать то-то и то-то?» Любой труд должен быть оплачен, это нормально и естественно, и спросить о стоимости не стыдно. Но как платить за то, что уже оплачено государством, учтено в зарплате и в часах учебной нагрузки? Лешка ей объяснял, что рецензирование засчитывается в научную работу, которую в любом случае обязан вести каждый преподаватель.

Ладно, в конце концов, есть Никотин, можно забежать к нему и проконсультироваться, как и что нужно сделать.

Городничий высказал несколько мелких замечаний редакционного характера, Настя добросовестно все записала, поклялась, что завтра прямо с утра привезет очередной переделанный вариант, и помчалась по длинным запутанным переходам к кабинету полковника Бычкова.

К счастью, Назар Захарович оказался на месте. К несчастью, в его кабинете, кроме него самого, толклись с несчастным видом трое слушателей.

— Заходи, дочка, — махнул рукой в приглашающем

жесте Бычков, — полюбуйся на этих обормотов. Твоя смена растет, погляди, кто после тебя преступления раскрывать будет через пару лет. Все практические занятия прогуляли-просвистели, теперь явились задолженности сдавать. Одно дело оперативного учета от другого отличить не могут. Ну? Это как, по-твоему?

— По-моему, плохо, — пряча улыбку, ответила Настя. — Даже очень.

— Вот и я думаю, что плохо. Так что летите, соколики, в спецбиблиотеку, берите приказы и учите наизусть.

— Ну Назар Захарович, — заныл самый низкорослый из троицы, — ну примите задолженность, а то нас к рубежному контролю не допускают.

— И правильно делают, что не допускают, — сердито произнес Никотин. — Вас вообще ни к чему допускать нельзя с таким отношением к делу. Вы же будущие оперативники, вы философию можете дуриком сдать или иностранный язык, а оперативно-розыскную деятельность будьте любезны назубок знать. Все, свободны.

— Ну товарищ полковник, — попробовал поныть другой слушатель, но безрезультатно. Назар Захарович оставался непреклонным.

— Вот так и готовим оперсостав, — вздохнул он, когда за слушателями закрылась дверь кабинета. — А потом удивляемся, откуда так много неграмотных сыщиков и следователей взялось? Вот отсюда и взялось. Сами их разводим, как в питомнике. Ладно, дочка, не обращай внимания, это я так, ворчу, брюзжу по-стариковски. У тебя-то как дела? Была у Городничего?

— Была.

Настя пересказала ему свой разговор с научным руководителем.

— Ну, это дело обычное, — скрипнул-хихикнул Никотин. — Я тебе сейчас расскажу, как все будет. Ты завтра с утречка приноси свои бумажки, но прежде загляни на кафедру и спроси у Лариски, какие у Городничего завтра занятия. Ежели у него третья пара, то раньше двенадцати он и не появится, а без него ты все равно ничего не сделаешь, только время потеряешь. А вот если у него первая пара, то приходи к половине девятого, садись в приемной у Лариски и жди. Как только он войдет — сразу папочку ему в руки. Начальник кафедры завтра будет с самого утра, это точно, его любовница завтра кандидатскую в нашем совете защищает, защита в одиннадцать утра, так что он прибежит пораньше, будет ее подстраховывать. Надо, чтобы Городничий с твоими бумажками зашел к начальнику, договорился об обсуждении на заседании кафедры и чтобы начальник назначил рецензентов. День завтра, конечно, неудачный, начальник будет нервничать и суетиться, может на твоего профессора и собак спустить, дескать, повестка дня и так перегружена, дополнительный вопрос вставлять невозможно, и ничего страшного, если эти документы обсудят на следующей кафедре. Вполне может быть, так что ты должна быть к этому готова. Но ежели тебе повезет и начальник тебя в повестку поставит, то Городничий тебе скажет, кому он отписал быть рецензентами. А ты уж тогда бегом ко мне, у меня завтра вообще занятий нет, так что я в этом кабинете весь день буду. Скажешь мне фамилии, а я уж подумаю, что можно сделать, чтобы тебе помочь.

— Спасибо, дядя Назар, — от души поблагодарила Настя. — Вы камень у меня с души сняли.

— Да, погоди-ка, не забудь распечатать свои бумажки как минимум в трех экземплярах. А лучше в пяти.

— Зачем в пяти-то? — не поняла она.

— Ой, дочка, вот хоть и возраст у тебя предпенсионный, а молодая ты еще! — картинно вздохнул Никотин. — Каждому рецензенту надо дать по экземпляру? Надо. Научному руководителю надо оставить? А как же, а то за неуважение сочтет. А ну как начальник кафедры захочет лично посмотреть, что ты там наваляла? Уже четыре. И себе-то любимой тоже надо, мало ли что. Вот и пять.

— Думаете, начальник кафедры заинтересуется моей рабочей программой? — засомневалась Настя. — С чего бы?

— Ну я же говорю, молодая ты еще. Ничего в научно-педагогической жизни не понимаешь. Ты, к примеру, знаешь, какие отношения у твоего Городничего с начальником кафедры? Не вообще, а в данный конкретный исторический момент?

— Не знаю, — она пожала плечами. — Откуда?

— Именно что. Представь себе ситуацию: Городничий выводит на кафедральное обсуждение своего диссертанта, со статьей, например, или с материалами к защите диссертации, или с самой диссертацией, или еще с какой-нибудь ерундой. С рецензентами договорились, болванки для них написали, они только подписи поставили и на кафедре выступили со словами, дескать, все хорошо и просто-таки совершенно замечательно. Начальник протокол утверждает, материалы уходят, куда им положено, а там их кто-то вдумчивый прочел и хай поднял, дескать, безграмотно до ужаса или даже полный плагиат. И кто мог такое одобрить?! И где глаза у того начальника, который утвердил протокол?! Что получается? Получается, что Городничий начальника подставил. И что после такого дефиле будет делать начальник?

— Контролировать Городничего? — догадалась Настя. — Проверять и лично читать все, что он выносит на обсуждение кафедры?

— Именно что. Поэтому экземплярчик для начальника припасти надо непременно. А то ведь что еще может выйти? Начальник лично контролировать твоего профессора не хочет, лень ему, да и времени нет, или его вообще не надо контролировать, а просто между ними кошка пробежала или собака какая-нибудь порылась, и вроде высказывать неудовольствие нельзя, и конфликтовать открыто не хочется, но поставить на место человека надо, мордой, так сказать, ткнуть. Поэтому он ни на какие поблажки принципиально не идет, а дополнительный вопрос в повестку дня за сутки до заседания — это именно поблажка, потому как повестка формируется заранее. И срочное задание рецензентам — это тоже поблажка, потому что люди все человеки и хотят время свое как-то планировать и распределять.

Начальнику нужно как-то так отказать твоему научному руководителю, чтобы он не счел это сведением счетов, понимаешь? И что получится, если ты принесешь только один экземпляр?

— Начальник скажет, что один рецензент успеет прочесть, а второй нет, — ответила Настя как на экзамене.

— Правильно. А что будет, если ты принесешь два экземпляра?

— Он скажет, что должен сам посмотреть материалы. Но если он оставит экземпляр себе, то тогда останется только один экземпляр для рецензентов, далее смотри пункт первый.

— Молодец, — похвалил Никотин. — На ходу подметки рвешь. К научному руководителю тоже надо уважение проявить, и вообще, у него твои материалы должны быть под рукой, потому что, если на заседании рецензенты начнут на тебя нападать, а ты не сможешь отбиться, ему нужен текст, чтобы сориентироваться и прийти тебе на выручку. Ежели, конечно, он захочет это сделать.

Настя закручинилась. Всюду свои игры, в министерстве — аппаратные, здесь — научно-педагогические. А ведь она собиралась защищать диссертацию и в случае чего уходить на преподавательскую работу. Не обязательно сюда, милицейских учебных заведений в Москве много, но игры-то, наверное, всюду одинаковые. Как-то сильно смахивает на серпентарий, в простонародье называемый «гадюшником». Ей это надо?

Она посидела у Бычкова еще минут десять, выпила чашку чаю и вернулась на кафедру выполнять программу, составленную для нее Никотином.

Лаборантка Лариса уже закончила возиться с выписками и теперь была доступна контакту. Она заглянула в расписание и сказала, что у Олега Антоновича первая пара — лекция и вторая — зачет. Назар Захарович как в воду глядел! Профессор сказал ей принести завтра материалы и оставить у лаборантки, она, дескать, ему передаст. Если бы Настя сделала так, как велел

Городничий, то что бы получилось? Он взял бы материалы после второй пары, то есть уже после двенадцати, совет, на котором будет защищаться дама сердца начальника кафедры, начнется в одиннадцать, и на этом можно ставить жирную точку. После защиты начальник уже никакие вопросы решать не станет, ему будет не до того, уж это-то Настя знала точно, недаром столько лет прожила замужем за доктором наук. Ох, спасибо Никотину за советы! И что бы она без него делала?

Домой Настя вернулась, чувствуя себя ужасно уставшей. Сперва она даже удивилась, с чего бы так уставать, ведь не работала же, преступления не раскрывала... Потом вспомнила, что встала в шесть часов, а не спала вообще с половины пятого, дважды пекла оладьи, вносила в компьютер материалы Короткова, читала сводки, присланные Лесниковым, ехала через полгорода в академию и обратно. На первый взгляд ничего особенного, даже можно сказать, что она и не делала ничего, так, дурака валяла. А вот надо же, устала. И голова болит. Возраст, что ли? Наверное. Гормональная перестройка, будь она неладна.

Она разделась, закуталась в халат, разогрела вчерашний суп (примитивное изделие из воды, бульонного кубика и пачки замороженных овощей) и съела, почти не ощущая вкуса, потому что голова, хоть и болела, но была занята двумя такими разными и в то же время такими похожими убийствами. Разомлев от горячей еды, она чуть было не уснула прямо на кухне за столом. Надо взбодриться чем-нибудь, решила Настя и для начала позвонила Чистякову.

— Леш, как у тебя дела? Как твой юбиляр?

— Тебе не повезло, любимая, — ответил он, — я уже еду домой. Банкет объявлен на субботу, а сегодня все обошлось легким фуршетом.

— Значит, тебя не кормили? — уточнила она.

Это меняло ситуацию. Если Лешка не после банкета, то он голодный, а продуктов Настя не купила, посчитав, что муж вряд ли приедет сегодня домой, тем более он предупредил, что, скорее всего, так и произойдет.

— Ну зачем такие страсти? Я обедал. А ты?

— Я тоже. Только что, — зачем-то уточнила Настя. — Леш, у нас есть нечего. В том смысле, что я продуктов не купила.

— Да неужели? И почему?

— Ну... я думала, ты не приедешь... тут на пару бутербродов хватит, я бы обошлась. Мне завтра с утра снова в академию ехать, я и подумала, что на обратном пути все куплю, как раз к твоему приезду.

— Увы, приезд случится уже сегодня. Ну и что ты предлагаешь? Чтобы я привез еду?

— Слушай, — рассердилась она, — ты что, воспитывать меня вздумал?

— Я тебя не воспитываю, а тренирую, готовлю к полной трудностей последующей жизни. Ты же собралась диссертацию писать? И даже защищать, если я правильно помню. А потом идти на преподавательскую работу. Или я что-то путаю?

У Насти слезы навернулись на глазах, она почувствовала себя несправедливо и незаслуженно обиженной, и кем? Лешкой, самым близким, самым любимым человеком! От кого угодно она могла ожидать издевки, только не от него.

— Прекрати издеваться! — почти выкрикнула она. — Ты считаешь, что только ты один можешь заниматься наукой, а я — полная дура, интеллектуальное ничтожество и ни на что не гожусь?

— Одну минутку, мне нужно перестроиться, — с ледяным спокойствием ответил Чистяков, — тут авария какая-то и затор. Ага, вот так. Так о чем бишь мы говорили?

Его голос подействовал на Настю отрезвляюще.

— Мы говорили о том, что я сейчас оденусь и пойду в магазин, поэтому, если ты приедешь, а меня нет, не волнуйся, я скоро вернусь, — с вызовом произнесла она.

В трубке раздался веселый смех мужа.

— Да не психуй ты! Я сам все привезу. А ты, матушка, слаба стала, удар не держишь. Я тебе всего несколько неприятных слов сказал, да и то наедине, по телефону, а ты уже взрываешься. Представляешь, что будет, если тебя начнут критиковать публично? А ведь начнут, это я тебе обещаю, ни одного диссертанта сия чаша не миновала.

Настя оторопела и даже не сразу нашла, что ответить.

— Так ты что, на вшивость меня проверял, что ли?

— Я же предупредил, что я тебя тренирую, готовлю к предстоящим трудностям.

— Лешка, — она облегченно перевела дыхание, — предупреждать же надо!

— Ну конечно, можно подумать, твои рецензенты и оппоненты кинутся тебя предупреждать и заранее извиняться. Все удары наносятся неожиданно и всегда с той стороны, с которой ты их не ждешь. В этом и состоит закон всемирной подлости. Так что готовься. Что тебе привезти?

— Печеньица вкусненького, а на завтра — цыпленка. Остальное — себе. Да, еще кефир захвати, я тебе утром оладушек напеку, когда ты ушел сегодня, я еще потренировалась, и у меня получилось как надо, — радостно затараторила Настя.

— Понял. Целую страстно.

Настя еще посидела немножко, потом протянула руку и взяла стоящего на холодильнике Дедка.

— Дед, ты умный? — спросила она, ласково гладя мускулистые деревянные руки старичка. — Умный, я точно знаю. А я, похоже, не очень. То есть круглая дура. И как мне только в голову мою дурную могло прийти, что Лешка может меня обидеть? Это же немыслимо. Это совершенно невозможно. Ты представляешь, что творится с моей нервной системой? Знать человека почти тридцать лет, помнить, что за эти тридцать лет он меня ни разу ничем не обидел, и вдруг в одночасье, на ровном месте поверить, что он может это сделать. Уму непостижимо! Это ж надо вообще мозгов не иметь, чтобы такое подумать про Чистякова. И что с нами, бабами, климакс проклятый вытворяет! Эдак можно не только мужа, но и друзей всех растерять, если на каждое слово с таким вывертом реагировать. Ты, Дедочек, мудрый, ты все понимаешь. Таких истеричек бессмысленных, как я, ты небось в своей жизни сотни перевидал. И что, со всеми так, да? Не со всеми? Что, и хуже бывает? Ну ладно, Дедок, успокоил, спасибо.

Разговор с мужем подействовал на нее вполне взбадривающе, даже головная боль прошла, и Настя села к компьютеру. Теперь можно и поработать, пока Лешка не придет.

Он приехал почти через час, притащил две полные сумки продуктов, которые Настя тут же принялась раскладывать на полки и в холодильник.

— А это зачем? — удивленно спросила она, вынимая две пачки творога. Сама она творог терпеть не могла, да и Лешка к нему никогда особого интереса не проявлял. — И где кефир? Леш, я же просила кефир купить. Забыл, да? Или перепутал?

— Я не забыл и не перепутал. Просто кефир тебе завтра не нужен.

— Как не нужен? А оладушки на завтрак?

— На завтрак будут сырники. Из того самого творога, который ты держишь в руках.

— Как сырники?! — в ужасе закричала Настя. — Какие сырники? Я же не умею...

— Будешь учиться. Оладушки ты уже освоила, теперь осваивай новое блюдо. Нельзя стоять на месте и удовлетворяться достигнутым, надо двигаться вперед и покорять новые вершины. Да, и имей в виду, ужином я себя, так и быть, сам покормлю, поскольку ты недавно обедала и все равно есть не хочешь, а завтрашний обед за тобой. Все поняла?

— Все, — обреченно сказала она.

— Тогда иди к компьютеру и работай дальше.

Чистяков давно уже поужинал и лежал на диване с детективным романом, потом он посмотрел девятичасовые новости по первому каналу, десятичасовые по НТВ и одиннадцатичасовые — по РТР, а Настя все читала присланные из министерства сводки. К полуночи глаза стали слипаться — сказался ранний подъем, но она все равно просмотрела материалы до конца, хотя и не была уверена, что ничего не упустила, потому что читала быстро и сквозь усталость. Она искала нераскрытые убийства, похожие на ритуальные. И нашла.

Февраль 2002 года, Москва, убийство Тани Шустовой, медсестры.

Апрель 2002 года, Рязанская область, потерпевшая — девушка 20 лет, секретарь в местной управе. Убита ножом. На теле — оторванные головки хризантем.

Июнь 2002 года, Воронеж, потерпевший — юноша 19 лет, без определенных занятий, убит ударом обрезка трубы. На теле — книжка о вкусной и здоровой пище, издание карманного формата в мягком переплете.

Сентябрь 2002 года, Чебоксары, потерпевшая — продавщица из магазина компьютерной техники, 22 года. Застрелена. На теле — сувенирная тарелочка с изображением Новгородского кремля.

Январь 2003 года, Рузский район Подмосковья, потерпевший — юноша 18 лет, студент, задушен шарфом. На теле — аккуратно разложенные правильным треугольником три пачки презервативов.

Май 2003 года, Ярославская область, потерпевшая — молодая женщина 25 лет, воспитатель в детском саду, задушена удавкой. На теле — компакт-диск с рок-музыкой, запечатанный, то есть прямо из магазина.

Ноябрь 2003 года, Московская область, потерпевший — юноша 20 лет, студент, застрелен. На теле — клубок сиреневой пряжи и воткнутые в него крест-накрест вязальные спицы.

Апрель 2004 года, Москва, потерпевшая — студентка 21 года, задушена руками, на теле — шелковый розовый бантик.

Восемь убийств. Каждое в отдельности похоже на преступление, совершенное маньяком, но ни разу не повторенное. Так не бывает. Совершенно разные потерпевшие. Разные способы убийства. Это не может быть серией. Ну никак не может, любой судебный психиатр это подтвердит.

И все-таки...

Надо сделать как минимум одну вещь: проверить, не совершались ли накануне этих убийств другие громкие преступления, как это было в случае с Таней Шустовой и девушкой, убитой в ночь на 1 апреля. Может быть, это какая-то новая форма сумасшествия, когда известие о чьем-то убийстве и повальное обсуждение этого убийства в средствах массовой информации и среди населения провоцирует обострение болезни и вызывает у больного неудержимое желание убить? Все равно кого, все равно как, лишь бы убить.

Сегодня уже поздно, завтра с утра Настя съездит в академию, разберется со всеми вопросами, а потом поедет к Короткову на Петровку.

Она уснула мгновенно, привалившись к теплому боку мужа и слушая его ровное тихое дыхание.

Глава 9

Плотно сжав губы и вцепившись руками в руль, Вера вела машину в сторону Страсбурга. Она хорошо знала дорогу, за последние полгода ездила по ней много раз. Он снова позвонил! Вот же неймется ему! Но как разговаривал... Видно, что-то почуял, забеспокоился, был необыкновенно ласков, и голос такой, как когда-то, когда их роман был в разгаре, и слова произносил такие, каких Вера давно уже не слышала ни от Воркуля, ни от кого бы то ни было другого. На этот голос и эти слова она и купилась, когда решила родить ему ребенка и тем самым оторвать от жены.

С другой стороны, что он мог почуять? Ну, предположил, что Вера всерьез увлеклась своим нынешним любовником, которого держала, по ее словам, «для картинки», для удобства. Неужели это могло его так испугать?

Да вряд ли, не любит он Веру, это теперь ей совершенно ясно, и не станет так волноваться из-за того, что ее чувства к нему остыли. Просто ему деньги нужны, вот и пытается покрепче привязать ее к себе. А правды он все равно не знает и не узнает никогда. Вера еще немножко потянет резину, а потом и скажет Воркулю, что решила закончить и больше этим не заниматься. Мол, достаточно. Свое она уже получила. Интересно, как он отреагирует? Чтобы сохранить лицо, вынужден будет согласиться с ее решением, а на самом деле начнет беситься от злости, потому что источник иссякнет. Он небось уже планов настроил — громадье, на деньги рассчитывает.

Но она все равно поехала в Страсбург, чтобы еще раз увидеть своими глазами и подхлестнуть себя. Да, теперь она все знает про Валерия Воркуля, все понимает, но этот голос... и эти слова... Она почти дрогнула. Почти поверила. И почти засомневалась. Ей необходим был допинг, хлыст, катализатор ярости.

Вера так увлеклась собственными переживаниями, что не заметила, как въехала в город. В центр въезжать не нужно, Валерий живет в дешевом пятиэтажном доме на самой окраине. На Западе тоже есть свои хрущевки. Распорядок Воркуля ей хорошо известен, ведь для того, чтобы убедиться во всем в тот самый первый раз, ей пришлось несколько дней наблюдать за домом. Зато теперь Вера знает, что завтракает он дома, а обедает всегда в одном и том же месте и в одно и то же время. Самоуверенный идиот, он ни разу не заметил Веру, хотя она садилась за соседний столик, чтобы лучше слышать, о чем он разговаривает со своей спутницей. Впрочем, в искусстве маскировки Вера достигла небывалых высот, о чем Воркулю знать, разумеется, совсем не обязательно. Она и сегодня была совершенно неузнаваема, в темно-рыжем парике, с веснушками, вполне уместными в апреле, в бейсболке и больших темных очках, тоже естественных при ярком солнце, в потертых джинсах, желтом джемпере с абстрактной вышивкой и весьма игривой надписью, на ногах — кроссовки.

Та Вера, которую знал Валерий Воркуль, никогда в жизни так не оделась бы, она всегда была воплощением дорогой элегантности и строгого вкуса.

Оставив машину в подземном паркинге, Вера пешком дошла до дома, где живет Валерий. Окна на пятом этаже (ну разумеется, на пятом, самом дешевом) распахнуты, квартирка маленькая и душная, кондиционеров нет, поэтому если кто-то дома есть, то окна обязательно открыты. Значит, эта сучка там. Минут через десять-пятнадцать она выйдет и отправится в ресторан, где будет обедать с Воркулем. Не ресторан, конечно, забегаловка, на Верин вкус, но ему теперь приходится быть экономным, ведь денег пока нет, и еще неизвестно, когда будут. То есть Вера-то знает, что их больше не будет, но Воркуль пока еще обольщается на сей счет.

Интересно, в каких ресторанах он обедал, пока еще думал, что денег будет много?

Ровно через десять минут окна закрылись, а еще через пару минут из подъезда вышла юная блондинка. Распорядок соблюдался неукоснительно, и Вера довольно усмехнулась. Еще в те времена, в Москве, когда они с Воркулем были любовниками, она знала это его пристрастие к раз и навсегда установленному графику. Вставать в одно и то же время независимо от дня недели, обедать в одном и том же месте, ежедневно ровно в восемь вечера звонить родителям. Вера над ним тогда подшучивала, а Валерий объяснял ей, что для него очень важно чувство стабильности и незыблемости, которое как раз и достигается одними и теми же действиями, повторяемыми изо дня в день в одно и то же время. Он не любил перемен.

И теперь это его качество сослужило Вере хорошую службу.

Блондинка уверенно шла в сторону ресторана, и Вера быстрым шагом направилась туда же. Необязательно идти следом, можно и обогнать, ведь понятно, куда девушка в конце концов придет. Некоторое время Вера все же шла сзади, придирчиво рассматривая девицу. Молодая, лет двадцать пять, а то и меньше, но уж точно не больше. Славянского типа, однако не из России, Вера слышала, как она говорит, округляя губами звук «л», хотя русским языком владеет свободно. Наверное, полька. Фигура хорошая, ладная, с округлостями во всех положенных местах. Проходя мимо и обгоняя девушку, Вера бросила взгляд на ее волосы: нет, не крашеные, она натуральная блондинка, в таких вопросах глаз у Веры наметанный.

Она решительно вошла в ресторан и заняла тот же столик, что и в прошлый раз. Если Воркуль так любит постоянство в деталях, то и сидит наверняка за одним и тем же столом. И сядет он как обычно лицом к окну и спиной к залу. Он и прежде, много лет назад, садился именно так, была у него такая забавная привычка. Блондинка еще не подошла, и Вера жестом подозвала официанта, чтобы сделать заказ. Она спешила, чтобы ни Воркуль, ни его подруга не смогли услышать ее голос и корявый английский. Бутылка «Перье», суп и салат.

Все происходило, как и ожидалось. Блондинка села за столик рядом с Верой, спиной к окну, и теперь Вера могла спокойно разглядывать ее из-за стекол темных очков. Воркуль явился через несколько минут и сел к Вере спиной. Вот и отлично. Они разговаривали вполголоса, но Вера на слух не жаловалась, тем более — на удачу! — в ресторане вдруг сломался музыкальный центр, и музыка смолкла. Ей отчетливо слышно было каждое произнесенное ими слово, и она с удовлетворением отмечала, как уходят из ее души сомнения, как тает предательское «почти», которое чуть не сбило ее с толку сегодня утром, как растет, поднимает голову и скалит зубы проснувшаяся ненависть. Он уверял, что продолжает любить ее, назначал ей встречи в небольших городках между Страсбургом и Баден-Баденом, снимал номера в гостиницах, укладывал ее в постель, смотрел в глаза и говорил слова, а сам все это время жил с молоденькой полькой и тратил на нее те деньги, которые воровал у Веры. Наверное, и на Юг Франции, на дорогой курорт, он ездил вместе с ней, купался в море, валялся на песке, ходил на яхте. Украденных у Веры денег было в тот момент более чем достаточно. Когда он обмолвился, что должен съездить на несколько дней в Ниццу по делам, Вера сказала, что хочет поехать с ним, но Воркуль отговорился, дескать, у него там встречи, переговоры, он будет занят и, возможно, не останется на одном месте, а вынужден будет съездить еще в пару мест. Короче говоря, не взял он с собой Веру, а эту сучку взял. И не было у него там никаких дел.

Блондинка потянулась к Валерию, он наклонился к ней, и они нежно поцеловались. Сквозь стекла очков глаза Веры буквально впились в парочку. Точно так же когда-то и она целовалась с Валерием в ресторанах, барах, в клубах и на вечеринках. И точно таким же было движение, которым он поворачивал голову перед поцелуем. И точно так же он клал руку на плечо Вере, как сейчас положил ее на плечо блондинки. Ничего не меняется. Приверженец собственных привычек. Хранитель традиций.

Вера опустила глаза и неторопливо доела салат. Сделала последний глоток из стакана с водой. Помахала рукой официанту и сделала в воздухе движение кистью, как будто что-то писала. Тот понял, что она просит счет, и кивнул издалека. Через минуту перед ней лежал счет, она оставила деньги с умеренными чаевыми и вышла из ресторана. Достаточно. Ей вполне хватило увиденного, чтобы прогнать прочь сомнения и подспудное желание поверить Воркулю. Этого заряда ей хватит недели на две, а то и на три. Зависит от того, как он будет себя вести. Станет ли звонить, и что будет говорить, и как, каким голосом, с какими словами... Подонок.

Вор. Ее не обманули в тот раз, когда открыли глаза на его махинации.

Она сначала долго не верила, потом съездила в Страсбург и убедилась.

Дошла до паркинга, вывела машину, потом передумала сразу уезжать и подъехала поближе к дому Валерия. Поставила машину в переулке, так, чтобы возвращающийся из ресторана Воркуль ее не увидел, а ей, в свою очередь, были видны и окна его квартиры, и подъезд. Вера не была уверена, что Валерий зайдет после обеда домой, скорее всего, блондинка вернется одна, а он побежит по делам, ему же надо крутиться, бизнес делать. Но если он все-таки придет вместе с девушкой, то, может статься, Вера получит дополнительный допинг, который позволит ей ненавидеть Воркуля и не верить ему куда дольше, нежели две-три недели.

Она ждала не напрасно. Минут через двадцать они появились. Зашли в подъезд. Но окна не открылись ни через пять минут, ни через десять, ни через полчаса. Это могло означать только одно, и Вера отлично знала, что именно. Он никогда не занимался любовью при открытых окнах.

Это тоже было привычкой, которая с годами не изменилась. Ну что ж, тем лучше. И тем легче.

На обратном пути, уже въехав в Баден-Баден, Вера вытащила мобильник и набрала номер Георгия.

— Если ты в настроении, можем сходить сегодня куда-нибудь, — ласково сказала она.

— Давай, — радостно согласился тот. — Когда?

— А когда ты заканчиваешь работу сегодня?

— У меня сегодня выходной, могу прийти к тебе хоть прямо сейчас.

— Нет, прямо сейчас не надо. Давай через час.

— А почему не сейчас?

— Я занята. Через час, детка.

Прямо сейчас! Она будет дома уже через пять минут, но совершенно ни к чему Георгию видеть ее в парике и так странно одетой. Конечно, для него это не будет новостью, он караулил иногда Веру возле дома и видел, в каком виде она выходила из машины, но каждый раз это сопровождалось ненужными вопросами и дурацкими подозрениями. Обычно из Страсбурга она возвращалась в приподнятом настроении, но то была приподнятость не радости, а кипящей, клокочущей злобы. Только злоба давала Вере силы, и только ненависть эти силы подпитывала. После таких поездок ей не нужен был Георгий с его притворными ласками и плохо скрываемым ожиданием очередной подачки, и он чувствовал это, и сердился, и ревновал, думая, что она ездила на свидание к другому любовнику.

Но сегодня Вера была настроена вполне благодушно. Она ездила в Страсбург не за очередной порцией ненависти, а за противоядием, позволяющим ей не поддаваться Воркулю. Она получила то, что хотела, и почему бы теперь не доставить мальчику парочку часов удовольствия? Ей это ничего не будет стоить, ну, подумаешь, заплатить за ужин в дорогом ресторане и дать ему пару сотен, чтобы поиграл в казино, а человеку приятно. Не надо отталкивать Георгия, он еще пригодится.

* * *

— У тебя есть машина? — спросила Аля, когда Назар позвонил.

— Нет. А что, нужна?

— Нужна.

— А твоя где? Сломалась?

— Моя в порядке. Но нужна другая. Сможешь организовать?

— Само собой. Только ты объясни, что происходит.

Аля оглянулась на дверь своей комнаты — закрыта. Но все равно не нужно обсуждать это по телефону, мало ли что, а вдруг Динка стоит в коридоре и подслушивает.

— Наджар, я обещаю, я все объясню, когда мы увидимся. Ты только скажи, сможешь ли достать машину.

— Я уже сказал — смогу. Тебе любая подойдет или какая-то конкретная нужна?

— Совершенно любая.

Они договорились встретиться в одиннадцать вечера у Назара дома.

Аля сказала, что принесет с собой что-нибудь вкусное, и, готовя ужин на всю семью, ловила себя на странном чувстве: вот они, сбывающиеся мечты из далекой юности. Когда она простаивала у окна и ждала, что Назар объявится, она представляла себе, как они живут вместе, и как она ждет его с работы, и как готовит ему еду. Что же приготовить сегодня такое, чтобы доставить ему удовольствие? Аля остановила выбор на осетрине, запеченной по ее собственному рецепту, который она освоила еще во время жизни в Париже, но потом в России долго не могла применить, потому что свежей осетрины не бывало в продаже. Теперь в магазинах есть любые продукты, и можно упражняться в кулинарных изысках без каких бы то ни было ограничений. Если деньги есть, конечно.

Андрей после работы такой измученный, что ест все без разбора и не вникает. Але показалось, что он даже не заметил, какое блюдо ему подали. Поел, запил двумя чашками крепкого кофе — хотел еще поработать с бумагами — и ушел к себе. Ярослав вернулся с тренировки веселый и голодный, как дикий волчонок, в две секунды смолотил две порции вкуснейшей, тающей во рту рыбы с обильным гарниром, зашвырнул в ванную мокрую от пота форму и скрылся в своей комнате. А вот Дина заметила. Несмотря на то, что всю вторую половину дня, впрочем, как и первую, она просидела дома, племянница не вышла ужинать ни с отцом, ни с братом. Она предпочитала есть одна.

— Опять осетрина?

Она взглянула на Алю строго и осуждающе.

— Что значит — опять? Два месяца прошло. Я ее делала в феврале, на день рождения Славика, а сейчас апрель.

— Да хоть декабрь! Сколько раз я говорила: незачем покупать такие дорогие продукты. Незачем тратить деньги на всякую ерунду! Куда, интересно, ты девала своего молодого хахаля?

Вот так вопрос! И главное — в прямой связи с осетриной. Неужели и впрямь у девочки мозги съехали?

— Почему ты решила, что я его куда-то девала? — с любопытством спросила Аля, забыв, что обычно на слова племянницы о молодом любовнике отвечала полным отрицанием, мол, нет его у меня и вообще это не твое дело.

— Потому что для него ты никогда не готовила. А осетрину ты приготовила для своего очередного мужика. Он, наверное, еще моложе и совсем нищий, да? Тебе не стыдно? Мало того, что ты нас разоряешь, покупая дорогие продукты, ты еще и его прикармливаешь за наш счет.

Значит, все-таки подслушивала. Ай да Динка! Хорошо, что Аля проявила осторожность и не стала объяснять Назару по телефону, зачем ей другая машина.

— Если тебе так будет спокойнее, могу тебя заверить, что продукты сегодня я покупала на свои деньги. Я наконец получила гонорар за перевод, который делала еще в прошлом году, и в честь этого события решила накормить вас праздничным ужином. Тебе понятно?

— Более или менее, — буркнула Дина, которая, несмотря на пафосные высказывания, все-таки эту самую осетрину ела, причем с явным удовольствием.

Сказанное было почти правдой. В прошлом году в Москве проходил фестиваль индийских фильмов, и Элеонору Лозинцеву пригласили синхронить просмотры. Голос у нее был приятным, дикция — четкой, и ее знание хинди использовали уже много лет, еще с тех времен, когда индийские фильмы покупались для проката в кинотеатрах, только тогда она не синхронила, а писала перевод, по которому потом профессиональные актеры записывали дубляж. Нельзя сказать, что приработок этот был частым, большинство индийских фильмов снималось не на хинди, а на английском, но случалось, что Алины знания оказывались востребованными. Гонорар она действительно получила с некоторым опозданием, но все равно это произошло еще в прошлом году.

— Диночка, ешь быстрее, — поторопила Аля, — мне нужно уходить.

— Куда?

Вопрос был традиционным, и не менее традиционным оказался ответ.

— Это не твое дело.

Аля с трудом удержалась, чтобы не ляпнуть что-нибудь вроде: «Я же не спрашиваю, куда ты уходишь по ночам». После той ночной встречи на улице Дина упорно делала вид, что ничего не произошло, а Аля точно так же упорно к этому не возвращалась. К чему разговоры, в которых каждое слово — ложь? Лучше все узнать самой.

— К новому любовнику?

— К старому, — усмехнулась Аля.

И мысленно добавила: «Ты, деточка, даже не представляешь себе, до какой степени старому. Во всех смыслах. Возобновить любовные отношения спустя без малого сорок лет — это, знаешь ли, мало кому удается».

— Послушай, ну сколько можно? — зло заговорила Дина. — Что ты нашла в этом уроде? Мало того, что он моложе тебя, так он еще и тупой, как пробка, у него это на роже написано. Неужели тебе не стыдно спать с таким ничтожеством?

— Это не твое дело, — устало ответила Аля. — Ешь, пожалуйста, мне нужно еще посуду вымыть и в кухне убраться.

Первое время она еще пыталась объяснить Дине, что та ошибается, что нет у нее никакого молодого любовника, но девушка так уперлась в своем убеждении, что Аля махнула рукой и решила отговариваться коротким и ничего не отрицающим, но и не подтверждающим: «Это не твое дело».

Так было проще. В конце концов, она сама виновата, дала Дине повод. В тот самый день, когда случайно столкнулась с ней у подъезда собственного дома, откуда выходила вместе с Петром. Дина даже не взяла на себя труд придумать правдоподобное объяснение тому факту, что оказалась возле дома, в котором находится квартира тетки. Делать ей там было совершенно нечего. Но она тем не менее там оказалась. И увидела Петра, который и в самом деле был значительно моложе Али. Аля, будучи дамой воспитанной, представила их друг другу, не вдаваясь ни в какие объяснения по поводу личности своего спутника, и предложила Дине ехать домой.

Все трое сели в машину, возле метро Петр вышел, а Аля с племянницей поехали дальше. Вот тогда Дина и завела впервые разговор о теткином молодом любовнике. Аля не понимала, что отвечать. Рассказать все как есть? Или солгать? Никакой лжи заготовлено не было, она отчего-то ужасно растерялась, столкнувшись с Диной, да еще и Петр, идиот, добавил масла в огонь, ведя в те несколько минут, что они ехали до метро, свои разговоры с Алей. Дескать, подумай хорошенько над тем, что я тебе сказал, да как бы тебе потом жалеть не пришлось, да он, мол, надеется, что у них еще все будет хорошо, и зря она отказывается от его предложения. Ну какую ложь тут на ходу придумаешь, чтобы эти его слова в нее вписывались, да еще чтобы складно вышло?

И Аля промолчала. Ничего Дине объяснять не стала. А молчание, как известно, знак согласия...

Закончив все дела на кухне, Аля переоделась, поставила в сумку с твердым днищем прямоугольный контейнер с рыбой и поехала к Назару.

* * *

— Машина есть? — спросила Элеонора Николаевна, едва переступив порог его квартиры.

— Ну я же обещал, — пожал плечами Назар Захарович. — А ты еду принесла?

— Я же обещала, — улыбнулась она в ответ. — Только я твоих вкусов совсем не знаю. Помню, что макароны с колбасой ты любишь, а то, что я принесла, ты, может быть, и не ешь.

— Да брось, Элка, менты привыкли есть, что дают, им не до жиру. Это греть надо?

— Надо.

— Тогда пошли греть, и ты мне будешь рассказывать, что за эдакая надобность у тебя в чужой машине.

Он поставил принесенный Алей пластиковый контейнер в микроволновую печь и приготовился слушать. Аля неторопливо и со всеми подробностями поведала ему о своих сомнениях и подозрениях по поводу племянницы, о ее агрессивности и загадочных ночных отлучках, о ее странном поведении и необъяснимых словах, сказанных два дня назад во время встречи ночью на улице. Никому она не рассказывала о Дине так подробно, с Андреем вообще старалась не делиться, чтобы его не волновать, да и мать излишне грузить не хотела. Самое главное — история с молодым любовником, о которой она вообще не смела заикнуться ни брату, ни матери. Хорошо, что в ее жизни снова появился Назар, которому можно рассказать все.

История же с Петром была скучной и, по большому счету, омерзительной. Несколько лет назад, когда Кристина была еще жива и Вера еще была в Москве с мужем и детьми, а сама Аля переживала естественный для всех матерей кризис в отношениях с сыном, который заканчивал институт, активно крутился в бизнесе и отрывался от дома, заставляя Алю испытывать острые приступы страха перед грядущим одиночеством, так вот, в этот самый период Элеонора Николаевна случайно натолкнулась на Надьку-Шалаву, мать Андрея. Разумеется, теперь она была уже не Шалавой, но все равно оставалась Надькой, несмотря на свои «хорошо за пятьдесят».

Былая красота стерлась с ее лица, по которому годы прошлись наждачной бумагой, пропитанной нищетой и пьянством, и оставили вмятины, морщины и потертости. Но узнать ее все равно можно было, и Аля узнала. Тем более что и Надька ее узнала.

Надежды на удачное замужество, которое непременно состоится, как только она избавится от сына, не оправдались, тот красивый и богатый, который рассматривался Надькой в качестве потенциального жениха, сыграть свадьбу не успел, потому как сел в тюрьму всерьез и надолго по статье «Хищение государственной собственности», да к тому же в особо крупном размере. Но в круг своих друзей-приятелей он Надьку ввести успел, так что после его ареста девчонка пошла по рукам, прилипая к тому, кто сделает больше подарков, купит больше тряпок и будет водить в рестораны. В конце концов, она таки вышла замуж, не за «делового», конечно, но за вполне приличного паренька, имеющего, помимо основной работы, еще и приработок: он в свободное время шоферил у тех самых «деловых». Родился сын Петька. Надька в очередной раз взбрыкнула из-за какой-то ерунды, собрала вещи и ушла, а через месяц подала на развод.

Совершенно непонятно, как случилось, что их развели сразу, на первом же судебном заседании, обычно при наличии детей с первого раза брак не расторгали, но здесь что-то засбоило в отлаженной системе советского правосудия. Надька пустилась во все тяжкие, подбросив Петьку бывшему мужу, и очень скоро нашла себе жениха. В годах, при деньгах и лысине, а она-то, наоборот, при молодости и красоте. Новый жених готов был принять ее с ребенком, Надька забрала у бывшего мужа Петьку, радостно переехала к будущему мужу, они зарегистрировались, но через полгода она и от этого мужа ушла. И вернулась к тому, первому, Петькиному отцу. Какое-то время все шло хорошо, и муж любил, и деньжата водились, а потом все пошло хуже и хуже. Муж Володя начал попивать, и чем больше он себе позволял, тем меньше становился приработок, поскольку ехать в машине с нетрезвым водителем желающих как-то не находилось. Надька таскала его к докторам, определяла на лечение, один раз даже на принудительное, которое вроде бы помогло, потому что Володя некоторое время не пил совсем. Впрочем, пить-то особо было не на что, это при советской власти можно было втроем прожить на две рабочие зарплаты и еще оставалось на водку. А в девяностые годы этот фокус уже не проходил.

Хоть и прибавилась третья зарплата — Петькина, но все равно жили они в такой беспросветной нищете, что хоть вешайся. Фабрика, на которой работала Надька, закрылась, и снова остались они при двух зарплатах, потому что в ее-то годы и с таким испитым лицом ее ни на какую работу не брали. Потом прошло сокращение на заводе у мужа, и он, само собой, под это сокращение попал, потому как имел репутацию человека пьющего и ненадежного. Петька денег родителям давать не хотел, у него жизнь молодая, она своего расхода требует. В общем, перебивались кое-как, начали вещи продавать, мебель и посуду по дешевке отдавали, хватались за любой заработок, хоть подъезды мыть, хоть у метро петрушкой торговать.

Вот в такой тяжкий момент их жизни и попалась им на пути холеная и обеспеченная Элеонора Николаевна.

Одиночество не так тяжело, как страх перед ним. Из этого страха Аля и сделала то, что сделала. Она включилась в помощь Надькиной семье. Пожалела. Свободные деньги были, и немалые, и Аля занялась обустройством их быта. Дала средства на косметический ремонт квартиры и даже привела знакомых рабочих-ремонтников, которые — она точно знала — делают качественно и берут недорого. Купила им новую мебель, сходила с Надькой в ГУМ, приодела ее. Привезла новый хороший телевизор вместо того, который был продан год назад за триста рублей. Потом Надька, смущаясь, попросила денег на приличный костюм для мужа: вроде бы нашелся человек, готовый взять его на работу в какой-то автосервис, и надо прилично выглядеть. Аля деньги дала. Потом Надька еще несколько раз жаловалась на какие-то возникающие надобности и получала от Али деньги.

А потом сын Элеоноры Николаевны получил диплом и уехал в Санкт-Петербург, куда его отправила та фирма, в которой он вот уже три года работал. В Питере у этой фирмы открывался филиал, и туда требовался молодой, энергичный и имеющий специальное образование управляющий. Аля поехала вместе с сыном, чтобы помочь ему обустроиться на новом месте и наладить быт. Ее не было в Москве полгода.

Через полгода она вернулась и зашла к Надьке, навестить, узнать, как дела, не нужно ли чего. Зашла — и обмерла. Ни телевизора, ни прочих вещей, кроме, пожалуй, мебели, в квартире не осталось. Зато посреди большой комнаты, на стене, красовалась фотография Надькиного мужа Володи с повязанной по диагонали черной траурной ленточкой. Он сорвался. И за полгода пропил все, что появилось благодаря Але. Вещи, посуду, одежду. Денег все это стоило приличных, и пил он много. Его нашли в скверике возле соседнего дома, в сугробе, с бутылкой в руке.

Надька кинулась на Алю с кулаками.

— Это ты во всем виновата! — орала она, срываясь на визг. — Если бы не твои проклятые деньги, Володька был бы жив! Если бы нечего было продавать, так он бы и не продавал, и не пил бы! И не умер бы!

— Прости, — только и смогла выдавить из себя Аля.

Она развернулась и ушла, тихонько закрыв за собой дверь. А через пару недель на арену вышел Петр, которого прежде Аля видела всего несколько раз, да и то мельком. Сначала он позвонил и попросил разрешения зайти к ней домой. Аля недоумевала, зачем это нужно, но согласилась.

Петр пришел с цветами и тортом. Он был вежлив, спокоен, извинялся за истерику, устроенную матерью. Делился жизненными планами, сетовал на отсутствие образования. Восхищался картинами, висящими в Алиной квартире, говорил комплименты уму, образованности и вкусу хозяйки.

Аля в тот, самый первый раз ничего не поняла. С чего он приходил? Зачем? Извиниться за мать? Это можно было сделать по телефону.

Через несколько дней он снова позвонил и снова попросил разрешения зайти.

— А что случилось? — встревоженно спросила Аля. — С мамой что-нибудь?

— Да. Мне нужно с вами посоветоваться.

Он пришел снова с цветами, но теперь уже не с тортом, а с бутылкой дешевого плохого вина, пить которое Аля наотрез отказалась. Петр говорил о том, что мать стала совершенно невыносимой, она все время или плачет, или пьет, без конца орет на него, не готовит еду и не убирает в квартире. Одним словом, жить с ней вместе никак невозможно. А денег на то, чтобы снять квартиру, у него нет, зарплаты хватает еле-еле на прокорм.

— Тебе нужны деньги? — прямо спросила Аля, внутренне морщась от омерзения. Одно дело помогать немолодой и не очень здоровой женщине, которая сама уже не в состоянии изменить свою жизнь и которая — и за это ей огромное спасибо! — родила Андрюшу, принесшего столько радости Алиным родителям и ей самой, и совсем другое дело — давать деньги здоровому мужику, которому едва за тридцать. Это уж совсем ни в какие ворота не лезет!

— Мне нужна работа, — ответил Петр. — Такая, на которой платят достаточно, чтобы я мог прилично жить и снимать квартиру. И матери помогать.

— Хорошо, — вздохнула Аля, — я посмотрю, чем можно тебе помочь. Но я ничего не обещаю.

Знакомых у нее было множество, и работу она ему нашла. Оклад пятьсот долларов. В то время однокомнатную квартиру подальше от центра можно было снять за сто пятьдесят, оставшихся денег вполне хватит на еду, пристойную одежду и помощь Надьке. Вскоре после этого жена Андрея уехала в Германию, Аля переселилась к брату и решила, что вопрос с Надькой и ее семьей закрыт раз и навсегда.

Она приезжала в свою квартиру дважды в неделю, забирала почту, поливала цветы. В один из таких приездов она обнаружила в двери записку от Петра с номером телефона и просьбой непременно позвонить. Аля позвонила.

— Ну что же вы пропали, — посетовал Петр, — соседи сказали, что вы живете где-то в другом месте, ни адреса не оставили, ни телефона.

— Зачем тебе мой телефон? — сухо спросила Аля.

— Ну как... мы же все-таки не чужие, почти родственники. И вообще, я к вам привык, а теперь скучаю.

Как он мог привыкнуть за несколько встреч, Аля не понимала. Но не дать ему номер своего телефона не смогла — не было повода отказать. Да и зачем отказывать? Парень вроде приличный, ничего не просит, к чему от него скрываться?

Петр начал названивать регулярно, разговоры были короткими — о чем им разговаривать-то? О Надькином здоровье да о погоде в Москве, вот и вся тематика. Потом спросил, могут ли они встретиться. Аля легкомысленно, не предвидя ничего дурного, сказала, что по понедельникам и четвергам приезжает поздно вечером на свою квартиру, так что ради бога, если есть надобность во встрече, в любой понедельник или четверг между двенадцатью и часом ночи он может ее там найти.

Петр нашел. И с ходу понес какую-то околесицу о неземной любви.

Аля даже как-то не сразу стала понимать, о любви кого и к кому он толкует. А когда поняла, начала так хохотать, что слезы потекли. Почему-то этот хохот взбесил Петра настолько, что он набросился на нее и попытался раздеть. Хрупкая миниатюрная Аля не сумела бы оказать ему достойного сопротивления, и ее спасло только то, что она так и не смогла перестать смеяться. От этого хохота Петр малость подрастерялся и ослабил натиск, что позволило ей вырваться, выбежать на кухню и схватить огромный нож для разделки мяса.

— Тронешь меня — зарежу, — заявила Аля, вытирая свободной рукой слезы.

— Да ты что? Я же тебя люблю, Элла...

— Не меня ты любишь, а мои деньги. Не надо мне голову морочить.

— Вот ты какая, оказывается, — злобно протянул Петр. — У тебя только одни деньги на уме. Сволочь!

— Правильно, — кивнула она, перехватывая нож поудобнее. — Я сволочь. И любить меня не надо. Зачем же любить сволочей? Найди себе молодую бабу с хорошим характером, а меня оставь в покое.

— Ах вот как ты заговорила? А кто отца до смерти довел? Из-за кого мать теперь совсем невменяемая сделалась? Все наши несчастья из-за тебя.

— Так, — кивнула Аля. — Из-за меня. Из-за моей глупости. И что дальше?

— А дальше ты должна свою вину искупить.

— Как? Выйти за тебя замуж, быстренько умереть и оставить тебе все вот это? Квартиру, картины, мои украшения, машину, гараж, деньги. Или как ты себе это представляешь?

— Ну... это... умирать-то зачем? — пробормотал Петр, явно не ожидавший таких слов. — Не надо умирать, живи. Я тебя любить буду, спать с тобой буду, и все такое...

— Какое — такое? — насмешливо переспросила Аля. — С чего ты взял, что мне спать не с кем?

— Да кому ты нужна, — неосторожно вырвалось у Петра. — А я бы тебя...

— Все, — жестко произнесла Аля. — Хватит. На работу я тебя устроила, дальше давай сам. Как хочешь. Больше ты от меня не получишь ни копейки. И мать свою содержать ты будешь сам, я тебе в этом не помощница.

— Ага! Как отца угробить и мать до сумасшествия

довести, так ты первая, а как отвечать — так в кусты, так, да? В общем, так, Элла. Или ты за меня выходишь, или я тебе такое устрою — мама не горюй!

— Да? И что конкретно ты устроишь?

— А увидишь.

Петр как-то по-детски шмыгнул носом, и Аля снова рассмеялась, но ее смех подействовал на него как красная тряпка на быка.

— Что, не веришь? — в его голосе слышалась нарастающая агрессивность.

— Верю. Но давай поговорим как взрослые люди, ладно?

Они так и стояли на кухне, Аля — спиной к окну и с ножом в руке, Петр — у двери. В такой ситуации предложение поговорить «как взрослые люди» звучало по меньшей мере нелепо.

— О любви у нас с тобой речи нет и быть не может. У нас с тобой может быть только договор. Если я выхожу за тебя замуж, твоя выгода очевидна: ты въезжаешь в эту квартиру, причем живешь здесь один, потому что я вынуждена жить в семье Андрея. Живешь как кум королю, квартиру снимать больше не надо, значит, появляются дополнительные деньги. Водишь сюда девок и друзей, воруешь потихоньку мои вещи, продаешь их и горя не знаешь. Это мне понятно. А моя-то выгода в чем? Мне это все зачем нужно?

— Так я ж тебе сказал: я тебя любить буду.

— Я слышала. И что это значит для меня?

— Ну так я же тебя трахать буду сколько захочешь. Хочешь — три раза в неделю, хочешь — каждый день. Даже по два раза. Ты что, сомневаешься? Я могу.

— Да кто бы сомневался... — вздохнула Аля.

Он был непробиваем в своей самонадеянной тупости. Или тупой самонадеянности? Вот они, плоды дворовых мифов, на которых воспитываются мальчишки. Все бабы хотят, чтобы их трахали. Чем больше — тем лучше. За это они готовы все отдать. Настоящий мужчина должен ежедневно и как минимум два раза быть способным удовлетворить женщину, иначе он неполноценный. Какой идиот это придумал? Кому такое в голову могло прийти?

И ведь огромное количество парней в это верят, пока не поживут с женой хотя бы лет десять и не поймут, что в детстве их обманули. Дворовое мифотворчество, сколько мужских душ ты искалечило! Сколько мужиков, поверивших в эти бредни, начинают комплексовать и сходить с ума из-за своей якобы импотенции! А сколько мужчин начинают ревновать своих жен на пустом месте, только из-за того, что жены не хотят этой радости каждый день?

Они вышли из квартиры вместе. Аля сперва хотела умыться и привести себя в порядок, но потом решила выйти как есть. В конце концов, два часа ночи, кто ее увидит? Она не хотела отпускать Петра одного, кто его знает, придурка этого, проколет еще шины, пока она будет умываться и причесываться. Или затаится в темном подъезде и нападет из-за угла.

С него станется.

Прямо у подъезда они и столкнулись с Диной. Аля — с черными потеками от туши под глазами, с размазанной губной помадой, растрепанная, на блузке не хватает двух пуговиц. И Петр, молодой, здоровенный, сердитый. Ну что Дина могла подумать? Вот это она и подумала.

Петр продолжал названивать, Аля бросала трубку. Иногда случалось, что к телефону подходила Дина, и когда мужской голос просил позвать Элеонору Николаевну, укреплялась в своей уверенности: у тетки молодой любовник. Через неделю Аля встретила его возле своего дома, когда приехала проверять квартиру. Он снова пытался говорить какие-то глупости о любви, она резко оборвала его и в квартиру не пустила. После чего поменяла дни поездок с понедельника и четверга на среду и субботу. На какое-то время этого хватило, потом он, прокараулив ее неделю, высчитал и эти дни. Але пришлось ездить домой не в одни и те же дни, а произвольно, иногда через день, а иногда пропуская почти неделю. Не ездить она не могла, цветы-то ладно, их можно раздать приятельницам, но ведь может лопнуть батарея отопления и затопить всю квартиру, или сосед сверху устроит протечку, или еще какая-нибудь гадость, которая регулярно случается в домах. Не говоря уже о взломах и кражах.

Так тянулось несколько месяцев. Наконец Петру надоело «изображать из себя», и он приступил к делу.

— Или ты будешь давать деньги, или пожалеешь, — заявил он, позвонив в очередной раз по телефону.

— Я не понимаю, почему я должна давать тебе деньги.

— Не мне, а матери. Потому что она по твоей милости осталась без кормильца.

— Ну да, я буду давать ей деньги, а ты их будешь забирать. Я уж не говорю о том, что без кормильца она осталась не по моей вине, а исключительно по воле твоего отца, который сам решил все продать и пропить. А твоя мама, между прочим, этому не препятствовала. Вот с ней и разбирайся. Отец выносил вещи и продавал, а она-то куда смотрела? Она вместе с ним пила на эти самые деньги. А ты сам куда смотрел? Ты же с родителями жил. Ты что, не видел, что из дома вещи исчезают? Видел. Так чего ты теперь от меня хочешь?

— Давай матери деньги, — тупо твердил Петр.

Аля перестала обращать внимание на его звонки. До тех пор, пока однажды не приехала к себе домой и не обнаружила, что обивка двери в квартиру изрезана ножом. На другой день Аля вызвала мастеров, дверь привели в порядок, а она отправилась на телефонный узел, сунула главному инженеру конверт с деньгами и договорилась, что им сменят номер.

Теперь Петр не сможет ей звонить.

Звонки, само собой, прекратились. Но Аля то и дело натыкалась на очередную выходку Петра. То перед дверью ее квартиры обнаруживалась куча дерьма, то рядом, на стене лестничной клетки, появлялись угрожающие надписи, то в двери оказывалась записка с требованием немедленно принять решение, позвонить и дать денег. То еще мерзость какая-нибудь.

Петр проявлял завидную настойчивость и удивительное терпение. Ему очень хотелось денег и очень не хотелось много и трудно работать. Он искренне не понимал, как женщина может отказываться от такого счастья, как ежедневный гарантированный секс, и отказ Али счел банальным кокетством, которое вполне можно переломить, нужно только уметь ждать.

Каждый раз после поездки к себе домой Аля возвращалась разбитой. Сперва мучительный страх перед тем, как сделать шаг из лифта на лестничную площадку: что там сегодня? Подожженная дверь? Разлитые помои? Потом не менее мучительные угрызения совести: как она могла допустить такое развитие событий? Ничего не происходит само собой, если все так повернулось, значит, она дала повод. Она сама виновата. Так, может быть, и в смерти Володи, Петиного отца, она тоже виновата? Настроение портилось, и возвращалась она с холодным железным комом в груди и с теми самыми «черными мыслями», которые так точно улавливала своим обостренным чутьем Дина...

— Хорошая история, — покачал головой Назар Захарович. — Это ж надо еще поискать людей, которые могут в такую влипнуть. Редкий ты человек, Элка. Почему ты брату-то не рассказала?

— А зачем? То, что я помогала Надьке, это мое личное дело. У меня к ней никакой неприязни нет, я даже благодарна ей за Андрюшу, а как он отнесся бы к этому? Может, он ей не простил, что она его продала, видеть ее не хочет, слышать о ней не желает, а я тут приду, видите ли, и начну рассказывать, как я ей помогаю.

— Но ты же сказала, что он ее нашел и собирается с ней встретиться. Значит, он о ней не думает ничего плохого.

— Ой, Наджар, так ведь он только сейчас мне сказал, что нашел Надьку, только на прошлой неделе. Я даже не знала, что он ее ищет. А теперь, как представлю, что он с ней встретится и с этим уродом Петей, мне прямо плохо делается. Ведь они в него вцепятся, как пиявки. И будут ныть, что я во всем виновата, и теперь мы все должны стройными рядами идти искупать свою вину. Со мной этот номер не пройдет, а Андрюшка попадется. Ему только дай повод чем-нибудь пожертвовать... Характер такой, — Аля горестно вздохнула. — И потом, он так долго ее искал, наверное, представлял себе, как они встретятся, какая она чудесная, и как он будет ей помогать, и как он облагодетельствует ее сына. А что увидит? Жалкую пьянчужку, думающую только о том, где бы достать денег на водку, и ее тупого наглого сынка, который не желает ничему учиться, а желает исключительно жениться на престарелой бабе и тянуть из нее деньги. Был бы Андрюшка другим, я бы сразу все ему рассказала, но с его страстью к жертвенности... Нет, не рискнула. Что делать, Наджар?

— Ничего, — он пожал плечами. — Тут, Элка, уже ничего не поделаешь. Допустим, я могу устроить так, что твой Петр к тебе больше не сунется. Это несложно, нужно только заплатить, есть люди, которые этим займутся.

— Я заплачу, — торопливо сказала Аля, — у меня есть деньги. А с Андреем что делать?

— Я же сказал — ничего. Тут ничего сделать нельзя. Он хочет встретиться со своей матерью — он с ней встретится. Он хочет ей помогать — он будет это делать.

— Но она же все пропьет! — в отчаянии воскликнула Аля. — Или этот кретин у нее все отберет и на себя истратит, на девок и на ту же водку. Все кончится тем, что Надька тоже умрет от пьянства, и Андрюша будет себя корить, угрызаться и считать себя виноватым. Я этого не хочу.

— Элка, Элка, — Назар Захарович укоризненно покачал головой, — я уж сколько лет назад тебе про конфликты рассказывал, а ты все, видно, позабыла. Ты сама-то себя слышишь? Ты слышишь, что говоришь?

Ей на мгновение показалось, что время повернуло вспять, и ей снова девятнадцать, она сидит с Назаром на кухне, как и тогда, тридцать семь лет назад, и слышит точь-в-точь те же слова.

— Ты боишься, ты чего-то там не хочешь, ты брата жалеешь, ты за него беспокоишься, переживаешь. Всюду одна только ты. А он-то где? Где твой Андрей? Он-то сам чего хочет?

— Страдать он хочет, вот что. И жертвовать.

— Так и пусть себе страдает и жертвует. Это его желание. Это его выбор. И тебе придется этот выбор уважать. При всей твоей горячей любви к брату и привязанности к нему у вас жесточайший конфликт. Либо он живет так, как ему нравится, и ты при этом страдаешь, потому что умираешь от жалости к нему, либо он наступает себе на горло, но ты счастлива.

— И какой же выход?

— Да элементарный, Элка. Пусть твой Андрей живет так, как ему нравится, вот и все дела.

— А я как же? Я же с ума сойду, переживая за него...

— А ты не сходи. И не переживай. Это был твой собственный выбор: страдать от жалости к брату. Или уважай свой выбор, скажи себе: это мой собственный выбор, никто меня не заставлял страдать, я сама себе это выбрала, я это люблю, мне это нравится, и я буду жить с этим всю жизнь, или скажи себе: нет, мне это не нравится, я этого не люблю, это был ошибочный выбор, и больше я его не делаю. Или — или. Твой брат сделал свой выбор — страдать. И он с этим живет и никому, как я понимаю, не жалуется. Ведь не жалуется?

— Да нет, — подтвердила Аля, — не жалуется.

— Вот видишь. Он сделал свой выбор и уважает его. И ты прояви уважение. Это тебе со стороны кажется, что брату плохо. А ему-то как раз отлично. И не нужно за него переживать. Человек, который сделал такие деньги, как Андрей, уж как-нибудь понимает, что ему нужно в жизни и чего не нужно, можешь мне поверить. Не надо за него думать. Ты за себя думай.

— Но я не могу перестать его жалеть, Наджар, — жалобно проговорила Аля. — Он для меня навсегда остался маленьким птенчиком, ласточкой моей, котенком. Что я могу с собой поделать?

— У-у, Элка, вот с собой-то мы как раз можем сделать все, что угодно. Это с другими людьми мы не можем ничего сделать, да и не нужно это, а с собой — все, что угодно. Ты хочешь перестать его жалеть или не хочешь?

— Хочу, конечно.

— Не ври, — он строго посмотрел ей в глаза. — Ты хочешь совсем другого. Ты хочешь, чтобы твой брат вел себя так, чтобы тебе не было его жалко. Вот чего ты на самом деле хочешь. Ты хочешь, чтобы кто-то, в данном случае — твой Андрюша, что-то для тебя делал. А я тебя чему учил? Что никто не обязан ничего для тебя делать. Человек существует на этом свете вовсе не для того, чтобы быть кому-то приятным и удобным. Научись уважать людей такими, какие они есть сами по себе, безотносительно к тому, удобно тебе это или неудобно. Андрей — такой, какой он есть, — тебе неудобен, хоть ты его и любишь до безумия. Так это, девочка моя, твои личные проблемы. Это ТЕБЕ неудобно, понимаешь? А ему отлично. И тебе надо не с Андреем что-то делать, а с собой, со своим отношением к нему. Перестань хотеть от брата, чтобы он вел себя и жил так, как тебе приятно. Начни хотеть от себя самой. Загляни в себя поглубже и спроси, действительно ли ты хочешь перестать его жалеть или нет? И если да, то просто перестань. И все.

— Думаешь, это так просто?

— Я не думаю. Я знаю. Знаю, что это невероятно трудно. Но жить постоянно в жалости к человеку и в страхе, что его что-то может расстроить, точно так же трудно. У тебя есть выбор, Элка. Или одна трудность, или другая. Кстати, нам ехать-то не пора?

Она посмотрела на часы. Без четверти час. Пожалуй, пора.

Машина — темно-синие «Жигули» с тонированными стеклами — стояла напротив соседнего подъезда.

— Сама за руль сядешь? — спросил Назар Захарович.

Аля отрицательно покачала головой.

— Давай лучше ты. Знаешь, меня так давно никто не возил... Всегда сама за рулем, всегда всех везу. И вообще, всегда сама... Надоело.

— Это правильно, — скрипнул усмешкой Бычков.

К дому, где жили Лозинцевы, они подъехали через двадцать минут. И сразу увидели Дину. Девушка медленно шла вдоль дома, дошла до угла, развернулась и пошла в обратную сторону. Прошла мимо машины, в которой сидели Аля и Назар Захарович, дошла до противоположного угла, снова развернулась...

— Чего она тут ходит? — спросил Назар Захарович. — Ждет кого-то?

— Сама не пойму. Давай еще посмотрим. Может быть, кто-то должен подойти, и дальше они пойдут вместе.

Но ничего не происходило. Время шло, Дина ходила взад-вперед вдоль дома, иногда заворачивала за угол и снова появлялась минут через пять-семь, на часы не смотрела, по сторонам не оглядывалась, так что совсем не похоже было на то, что она кого-то поджидает. Постепенно походка ее становилась все более грузной — она явно устала.

— Наджар, — вдруг потрясенно прошептала Аля, хватая его за руку, — она никуда не ходит. Она просто гуляет по ночам. Рядом с домом, потому что страшно. Господи, бедная девочка! Она так хочет, чтобы ее любили, чтобы на нее обратили внимание, чтобы за нее волновались, заботились о ней! Она ходит в жутких балахонах, слушает чудовищную музыку и несет мистическую ересь не потому, что ей это нравится, а потому, что хочет привлечь к себе внимание Андрея. Пусть бы он начал волноваться, разбираться, что это за учение она проповедует, вести с ней душеспасительные беседы об опасности сект. Пусть бы ругался, запрещал, орал, да все, что угодно, только проявлял бы свое небезразличие к ней. Она так понимает любовь. Сейчас поздно разбираться, откуда у нее в голове такие представления появились, надо просто с этим считаться. Любит — это когда обращает внимание и беспокоится. Все остальное называется «не любит». А Андрей не обращает внимания и не беспокоится, потому что ему не до этого, ему надо деньги зарабатывать. Я обращаю внимание, но молчу, беспокойства не проявляю, и главное — Андрею не говорю, чтобы его не волновать. А для Дины это означает «не любит». Тогда она стала уходить по ночам. Чтобы хоть как-то заставить Андрея переживать за себя. Но она делает это достаточно тонко, то есть не уходит, пока отец не уснет, давая тем самым мне понять, что хотела бы от него это скрыть. А я, как дура, на это повелась и действительно ничего ему не сказала, чтобы он не расстраивался. Она боится, что я увижу, как она ходит вокруг дома, и пойму, что в ее поведении нет тайны и вообще ничего тревожного, поэтому исчезает, когда меня нет, и старается вернуться до моего прихода, но так, чтобы я непременно заметила, что она уходила. А позавчера она испугалась, что я видела, как она тут вышагивает... Боже мой, Наджар, ну почему я такая дура, а? Почему я такая слепая? Почему не вижу очевидных вещей?

Аля не замечала, что по ее лицу катятся слезы.

— Ведь я понимала, что Динка боится остаться одна, но я думала, что она хочет всех нас зажать в кулак, чтобы мы дернуться не могли. А она всего-навсего хочет обратить на себя внимание...

— Погоди, — Назар Захарович ласково сжал ее плечо, — ну Элка, ну хватит рыдать-то! У меня идея появилась.

— Какая? — всхлипнула Аля.

— Хочешь, я с ней поговорю?

— С кем? С Динкой?

— Ну да. У нее зрительная память хорошая?

— По-моему, нет, — Аля немного успокоилась и уже не плакала. — Во всяком случае, Инну Шустову она начала идентифицировать, наверное, раз на пятнадцатый, а то и двадцатый. А до того не узнавала.

— Знаешь, я заметил, она посторонним людям в лицо не смотрит, — задумчиво произнес Назар Захарович. — Вот когда мы у вас были, я у нее насчет фотографий спрашивал, потом еще в комнату к ней заходил, так она мне ни разу в глаза не посмотрела. Уставится в сторону и отвечает сквозь зубы. А с домашними она так же себя ведет?

— Нет, — удивилась Аля. Надо же, она никогда не обращала внимания на то, как Дина ведет себя с чужими. А Назар сразу заметил. — С нами она нормально разговаривает, да еще так в глаза вопьется — хоть беги. Интересно, почему?

— Маленькая потому что, — усмехнулся Бычков. — Помнишь, как детки маленькие в прятки играют? Зажмурятся и думают, что раз им темно, то и другим тоже. Раз они никого не видят, то и другие их не найдут. Твоя племяшка с ума сходит от собственной некрасивости и подсознательно хочет, чтобы ее лица никто не видел. Вот и отводит глаза. Так это я к тому веду, что она меня вряд ли узнает, особенно в темноте. Так что случайного прохожего я вполне могу изобразить. Хочешь?

— А зачем? — не поняла Аля.

— Могу с ней побеседовать о любви и дружбе. И внушить всякие правильные мысли.

— Нет, Наджар, — она отрицательно покачала головой. — Я должна сама. Или пусть Андрей... Но в любом случае это должен быть кто-то из нас. Иначе детский сад получится. Сами завели отношения с девчонкой в полный тупик, а потом зовем доброго дядю, дескать, поговори с ней, объясни, что мы хорошие и пусть она на нас не обижается. Это не дело.

— Правильно, — одобрительно крякнул Назар Захарович. — Я надеялся, что ты именно так и ответишь. Умница ты, Элка.

— Зачем же предлагал?

— Ну, я же мужчина, а ты плачешь... Я должен был предложить тебе помощь.

— Спасибо, — она слабо улыбнулась.

— За что?

— За то, что предложил. Мне уже сто лет мужчины не предлагали помочь. Все сама да сама. Ладно, Наджар, поехали обратно. Все понятно. Заберу свою машину и вернусь домой.

Он завел двигатель, аккуратно развернулся через две сплошные линии и пробормотал:

— Нарушим чуть-чуть...

* * *

Вторник и среда сложились у Насти совсем не так, как она планировала. Было много суеты, беготни по лабиринтам коридоров академии, поиски свободного компьютера, чтобы исправить текст в соответствии с очередными замечаниями научного руководителя (как будто эти замечания нельзя было сделать раньше!), срочные консультации с Бычковым, его звонки и туманные разговоры по телефону с рецензентами и множество всяких прочих мелочей, на которые в результате ушел целый день. Но главное было сделано: ее вопрос попал в повестку дня заседания кафедры. Ее вежливо попросили приехать в среду пораньше, потому что одному из рецензентов нужно набрать на компьютере текст, небольшой такой, страничек пятнадцать — раздел в коллективную монографию. Он бы сам этим занялся, но ведь нужно срочно читать материалы адъюнкта Каменской.

— Конечно, — покорно ответила Настя.

Вот оно. Началось. Лешка ее предупреждал. Умеешь водить машину — будешь возить. Умеешь делать деньги из воздуха — будешь делать. Умеешь быстро набирать тексты — этим и займешься. Адъюнкты-аспиранты-диссертанты рассматриваются как источник различных удобств, благ и выгод, а иначе с какой радости ими заниматься? Платят за это такие копейки, что просто смешно. А научный руководитель должен вникать, читать по сто раз, делать замечания, что-то объяснять, растолковывать, одним словом, руководить. Любой труд должен быть вознагражден, и не абы как, а должным образом.

Заседание кафедры было назначено на три часа, Настин вопрос был последним, и на Петровку она снова не попала, хотя собиралась съездить туда еще во вторник. Рабочую программу и обоснование темы в целом одобрили, накидав, как и положено, еще небольшую кучку замечаний, а после заседания ее пригласил в кабинет Городничий и велел, не откладывая, готовить материалы для утверждения темы диссертации на ученом совете. Начинался очередной цикл бумажной волокиты.

— Сходите к ученому секретарю, он даст вам образцы, — сказал Олег Антонович. — У нас в совете с этим строго, если документ не соответствует образцу, его не примут. Сегодня уже поздно, рабочий день закончился, а завтра обязательно зайдите к нему, проконсультируйтесь и готовьте документы.

«Ладно, — утешала себя Настя по дороге домой, — завтра прямо с утра наведаюсь к ученому секретарю, а потом — к Юрке, на Петровку».

Но и тут все оказалось не так просто, как ей представлялось. Ученого секретаря попросту не было до обеда, сказали, что он уехал в Высшую аттестационную комиссию, а потом ему еще надо в министерство заглянуть. Настя терпеливо стояла в коридоре перед запертой дверью, переминаясь с ноги на ногу. Она могла бы посидеть на кафедре или у Никотина в кабинете, периодически наведываясь сюда и проверяя, не появился ли долгожданный ученый секретарь, но она боялась упустить его: а вдруг придет, а через пять минут уйдет куда-нибудь, и ищи его потом... Вроде он и на службе, а достать его невозможно.

Ученый секретарь появился в половине третьего. Он шел по коридору не один, рядом с ним вышагивал какой-то бравый подполковник с двумя толстыми папками под мышкой.

— Сергей Петрович, — кинулась Настя к секретарю.

— Подождите, — бросил он, не глядя на нее. — Вы же видите: я занят.

Он вместе с подполковником скрылся за дверью кабинета, и Насте ничего не оставалось, как снова ждать.

«Похоже, работа над диссертацией состоит процентов на восемьдесят из тупого ожидания», — сердито думала Настя, приваливаясь к подоконнику. Ноги гудели, спина разламывалась, очень хотелось пить, есть, сесть, а лучше — лечь и вообще оказаться дома.

«Я дождусь, — упрямо твердила она себе, стараясь найти такое положение, при котором спина болела бы не так сильно, — все равно полдня потеряла; уж достою до победного конца».

Но победный конец все не наступал. Дверь в кабинет ученого секретаря не открывалась, и бравый подполковник из нее не выходил. Настя, поколебавшись немного, достала мобильник и набрала номер Бычкова. Никто не отвечал. Тогда она позвонила Короткову.

— Ты чего не едешь-то? — с ходу накинулся на нее Юра. — Обещала ведь.

— Извини, Юрочка, замоталась. Тут на одно только ожидание полжизни можно потратить. Полдня стою в коридоре, как корова на выставке. Все мимо ходят, а толку — ноль. Ты сделал то, что я просила?

— Ну а то! Я ж думал, ты во вторник приедешь, старался успеть, а ты меня продинамила, как первокурсника.

— Ну ладно, Юр, я же извинилась. Так что там получилось?

— А то и получилось, что ничего не получилось.

— Это как же?

— Да вот так. У меня память пока еще не отшибло, я тебе сразу сказал, что накануне этих убийств ничего эдакого не происходило, кроме девушки с розовым бантиком, а ты мне: проверь, проверь, сводки прошерсти. Не было ничего. Депутата Корякина взорвали, это да, а во всех остальных пяти случаях ничего такого не происходило.

— Понятно. А сводки по стране ты посмотрел?

— Ну ты, мать, даешь! Я что, двужильный? Откуда они у меня, эти сводки-то? Их еще добывать надо. И потом, сводки по Москве нужны были за три месяца, а по стране ты за три года запрашиваешь.

— Юра, ты что, не начальник? Тебе поручить некому?

— А кому я могу поручить? Что я буду объяснять? Что нашей Каменской для диссертации сведения нужны? Меня сразу пошлют и будут правы.

— Ну при чем тут моя диссертация? Тебе убийство девушки с розовым бантиком надо раскрывать. Или не надо?

— Не надо, — сердито отозвался Коротков. — Оно не наше. Я его на всякий случай имел в виду, потому что с серией непонятно. У меня студентки, задушенные удавками, а девушку с розовым бантиком руками задушили.

— Ну и исключи его из серии. Оно не твое.

— Думаешь? — с надеждой спросил Юра. — Точно?

— Почти точно. И менеджера из магазина исключи. И «папину дочку» тоже. Слушай, Коротков, я тебе из шести убийств оставила три. Я заслужила благодарность?

— Ты ж не пьешь, — усмехнулся он.

— Зато я пишу диссертацию. С данными по стране я сама разберусь, Лесникова попрошу, он не такой зануда, как ты. Но хотя бы в область ты можешь позвонить? У тебя там знакомых три кучи. А мне нужен только ноябрь прошлого года, в моем списке одно убийство, совершенное в Московской области. И даже не весь ноябрь, а примерно неделя до убийства. Ну? Сделаешь?

— Ладно, — проворчал Юра. — Веревки из меня вьешь.

— Из тебя совьешь, — засмеялась Настя. — Разве что удавку.

— Да тьфу на тебя! Не напоминай мне, и без того тошно.

Ученый секретарь освободился около четырех часов. Бравый подполковник вышел из его кабинета расстроенный, красный и вспотевший, и Насте на мгновение стало не по себе. Может, не входить?

Но она все-таки вошла. Сергей Петрович быстро ответил на все ее вопросы, дал образцы документов и напомнил о необходимости получить официальную справку о том, что аналогичные темы больше нигде раньше не утверждались и диссертации такие не писались и не защищались. Еще одна инстанция, где тоже нужно ждать. А может быть, и просить... Черт возьми, да где же во всем этом собственно наука? Сплошные оргвопросы. Разговор на десять минут, а сколько она прождала? С десяти до четырех, шесть часов. Кошмар!

Выйдя, наконец, из здания академии, Настя мысленно похвалила себя за последовательность, иными словами — за то, что сегодня снова поехала на Лешкиной машине. Сделала она это исключительно в рамках борьбы за освоение новых вершин, но теперь автомобиль оказался как нельзя более кстати. В нем можно хотя бы сидеть. Конечно, ехать во второй половине дня через центр Москвы — удовольствие ниже среднего, больше в пробках стоишь, нежели движешься, но сидя же, сидя! А то пришлось бы идти до метро, а потом стоять всю дорогу. Ни ноги, ни спина этого не вынесут. А еще можно по пути купить какой-нибудь фаст-фуд и пакетик сока, потому что до дому она точно не доедет, в обморок упадет от голода. А можно еще одну штуку сделать... А что? Очень даже можно, если правильно выбрать маршрут. Надо только, чтобы немножко повезло.

Ей повезло. Игорь Лесников был на работе.

— Можно, я подскочу к тебе минут на двадцать? — спросила Настя.

— Когда?

— Если в пробках не застряну, то минут через тридцать пять. А если застряну, тогда не знаю.

— Лучше застрянь, — очень серьезно посоветовал Игорь. Он вообще был ужасно серьезным. — У нас через десять минут начинается совещание. Сколько оно продлится — никто не знает. Будешь ждать?

— Буду.

— Что, очень надо?

— Позарез, — абсолютно искренне ответила она.

— Ну, тогда говори, что надо.

— Сводки по стране за три года.

— Я же тебе все убийства посылал, — удивился Игорь.

— Так то убийства. А мне теперь нужны вообще все тяжкие.

— Погоди, я не понимаю. Убийства тебе нужны для научной работы. Так?

— Так, — подтвердила она.

— А теперь еще и остальные тяжкие преступления?

— Да, остальные. Любые.

— А почему не вообще все преступления?

— Ну, если тебе проще все — давай. Я хотела, чтобы тебе работы меньше было.

— Да мне в общем-то все равно, все преступления или только тяжкие. Просто дурную работу делать не хочется. Ты хотя бы можешь объяснить, зачем это все? Ну, убийства — это я еще могу понять, твой профиль, диссертация и все такое. Но другие-то тяжкие тебе для чего?

Пожалуй, она погорячилась, когда заявила Короткову, что Игорь Лесников не такой зануда, как он. Ох, погорячилась! Конечно, Игоря тоже понять можно. Все-таки сводки — материал не то чтобы совсем уж открытый, и посылать его электронной почтой на частный компьютер... Н-да, одно дело убийства, которые точно нужны для чистой науки, и совсем другое дело — полная сводка, которая неизвестно к кому попадет и неизвестно как будет использоваться.

— Слушай, если у тебя есть пять минут, я тебе сформулирую конкретные вопросы. И тогда можешь вообще ничего не посылать, сам посмотришь и мне все скажешь, если тебе времени не жалко.

— Да, так будет лучше, — суховато ответил Игорь.

Настя припарковалась, вытащила из сумки список, который уже третий день возила с собой.

— Бери ручку и бумагу, пиши. Меня интересуют любые тяжкие преступления, совершенные...

И начала медленно диктовать. Апрель 2002 года, Рязанская область... Июнь 2002 года, Воронеж... Телефон предательски забибикал, предупреждая, что садится батарея. Только бы заряда хватило!

Ей снова повезло, телефон не подвел, дал Насте возможность закончить разговор. Лесников обещал посмотреть и позвонить или прислать ответ по электронной почте.

Но на этом везенье закончилось. Дороги оказались наглухо забиты автомобилями, и домой Настя добиралась больше двух часов. Хорошо хоть на пути попался «Макдоналдс», где можно было купить еду, не выходя из машины. Настя въехала в какой-то тихий заброшенный дворик, выключила двигатель и с жадностью набросилась на двойной чизбургер и картошку «по-деревенски», запивая их довольно противным на вкус кофе. В тот момент ей казалось, что ничего вкуснее она в жизни своей не ела, а котловой кофе был просто-таки амброзией. Однако в виде компенсации за полученное удовольствие судьба подбросила ей еще одно невезенье, которое, правда, обнаружилось уже тогда, когда Настя поднималась в лифте к себе домой и искала в сумке ключи. Ключи-то она нашла, а вот кошелька не было. Он совершенно точно был, когда она покупала еду в «Макдоналдсе», Настя вынимала из него деньги и расплачивалась. Ну и где он? Вытащить из кармана или из сумки никто не мог, она ведь не выходила из машины. Значит, обронила. Забирала одновременно сдачу, пакеты с едой и пластиковый стакан с кофе, сделала неловкое движение, а про кошелек забыла, и он упал. И лежит там, бедненький, на мокрой холодной земле... Впрочем, это вряд ли, наверняка кто-нибудь уже подобрал. Денег в нем, правда, было не так много, рублей семьдесят, что ли, или восемьдесят, Настя отчетливо помнила одну пятидесятирублевую купюру и две или три десятки. Ну, еще мелочь в отделении для монет. Не бог весть какое богатство. Но! Во-первых, кошелек был Лешкиным подарком на Новый год, фирменный, кожаный, жутко дорогой. Во-вторых, в нем лежали квитанции из химчистки, куда Настя сдала два своих свитера и костюм Чистякова, и из мастерской по ремонту сумок, где должны были починить Лешкин портфель, который он очень любил, не мог с ним расстаться и поэтому все время отдавал в ремонт, вместо того, чтобы выбросить и купить новый. Теперь придется идти в химчистку и в мастерскую, писать заявление, подробно описывать в нем вещи... Короче, дополнительная морока. И в-третьих, в кошельке лежали несколько визитных карточек с телефонами, которые Настя так и не удосужилась переписать в записную книжку. А телефоны были нужные. Ну почему она такая растяпа! Почему никогда ничего не делает вовремя!

Нет, положительно, сегодня не ее день. Ну что ж, бывает. Бывают дни, когда все получается, а бывают и такие, как сегодня.

— Ты чего такая убитая? — спросил Леша, встречая ее в прихожей.

— Кошелек посеяла, — расстроенно призналась Настя.

— С миллионом долларов?

— Нет, с семьюдесятью рублями.

— Ну тогда и фиг с ним, — философски заметил Чистяков.

— А кошелек? Это же твой подарок!

От огорчения она чуть не плакала. Деньги, квитанции, телефоны — это все ладно, это можно пережить, но терять подарки Настя не любила в принципе, а к подаркам мужа относилась особенно трепетно и не выбрасывала даже тогда, когда они от длительного употребления приходили в полную негодность. В таких случаях она переставала ими пользоваться и прятала в шкаф, где у нее лежал специальный пакетик, куда она складывала то, что называла «бывшими подарками».

— Да-а-а? — угрожающе протянул Алексей. — Это резко меняет дело. Теперь я буду думать, что ты небрежно относишься к моим подаркам, потому что меня самого ни в грош не ставишь. Аська, ну когда ты повзрослеешь, а? У тебя пенсия на носу, кризис среднего возраста цветет в полный рост, а ты готова расплакаться из-за какого-то кошелька.

— Он не какой-то, — упрямо ответила она, — он — твой подарок. Леш, ты же знаешь, подарки — это мой пунктик. Особенно твои подарки.

— Хорошо, давай так: судьба забрала у тебя один подарок и взамен дает другой. Тебя это утешит?

— Какой еще другой?

— Ну мы что, так и будем в прихожей судьбоносные решения обсуждать? Пошли в комнату, я тебе все расскажу.

Настя вползла в комнату и рухнула на диван. Стопы горели, словно к ним приложили горчичники, и страшно ломило поясницу. Все-таки нельзя ей подолгу стоять, нужно или сидеть, или ходить, но стоять — ни в коем случае!

— Звонил твой брат Александр, — торжественно начал Леша, — с очень интересным предложением. Они с Дашкой и сыном собираются на майские праздники поехать куда-нибудь отдохнуть и хотят, чтобы ты поехала с ними. Ты же в отпуске, так что никакие разговоры о службе не пройдут.

— Куда? — равнодушно спросила Настя. — В Подмосковье куда-нибудь?

— Ну конечно! — фыркнул Леша. — С каких это пор твой братец отдыхает в Подмосковье? Они собираются или в теплые края, на Средиземное море, или туда, где полезный воздух, типа в Альпы.

— Интересно, как они себе это представляют? Я так вот, ни с того ни с сего соберусь и попрусь в Альпы, что ли? — недовольно проговорила она. — Бред какой-то. У нас и денег таких нет, чтобы по Альпам разъезжать.

— Ася, не придуривайся, — строго сказал Алексей. — Ты прекрасно понимаешь, о чем идет речь. Саша дарит тебе эту поездку. Он ее полностью оплатит. И все хлопоты берет на себя, тебе даже визой заниматься не придется, он сам все сделает. Дашь ему загранпаспорт — и никакой головной боли. Асечка, солнышко, — голос его стал ласковым, — я очень хочу, чтобы ты поехала. Ну пожалуйста. Ты так устала, ты вся издергалась, в твоем организме места живого нет. Можешь ты, в конце концов, один раз в жизни отдохнуть по-человечески, не с книжкой на диване или с переводом каким-нибудь очередным, чтобы еще сто рублей заработать, а там, где здоровье, море, воздух? Погуляешь, поплаваешь... А? Ну Асечка, я прошу тебя, не упрямься.

Она лежала на спине, закрыв глаза и борясь с подступающими слезами. Море... Средиземное... Говорят, оно чистое, прозрачное, теплое. И светло-желтый песок. И солнце. И никаких убийств, никаких смертей. Десять дней покоя и безмятежности... Как это здорово, если сравнить, например, с сегодняшним многочасовым подпиранием стены в коридоре академии, когда боишься отлучиться на четверть часа, чтобы купить в буфете бутылку воды.

— Дай мне телефон, — сказала она, не открывая глаз.

Леша подал ей трубку, и Настя набрала номер брата.

— Санечка, что это за история с отдыхом?

— Я надеюсь, ты окажешься более благоразумной, чем твой благоверный. Его же не прошибешь...

— Погоди, — перебила его Настя. — При чем тут Чистяков? Я что-то не поняла.

— Я хочу, чтобы вы поехали вместе. Оба. Я хочу подарить вам эту поездку. В конце концов, мы уже столько лет говорим о том, что хорошо бы куда-нибудь съездить всем вместе, но не складывалось. И вот теперь такой случай: ты в отпуске, а у всех майские праздники. Ну грех не воспользоваться, Настюша!

— Грех, — рассеянно согласилась она. — А Лешка-то при чем?

— Так он же отказался. Сказал, что не может ехать. А вот тебя надо уговорить непременно, а то ты ужасно уставшая и плохо себя чувствуешь. Это его слова, передаю дословно.

— Отказался, значит? — медленно повторила она, с трудом поворачивая голову, чтобы увидеть мужа.

Алексей сидел у письменного стола и делал вид, что что-то читает с экрана компьютера, но по его напряженной спине Настя поняла, что ничего он не читает, а внимательно прислушивается к разговору. Точнее, к ее репликам.

— А почему отказался?

— Ой, Настюша, ну ты же знаешь своего мужа, он обожает делать подарки, но принимать их — ни в какую. Даже под угрозой расстрела. Снова завел старую песню, которую уже пел, когда я тебе машину хотел подарить. Дескать, он отдыхает ровно на столько, на сколько сам себе в состоянии заработать, а отдыхать на незаработанное он не может, это противно его принципам.

— Сань, — она слегка улыбнулась, — у меня принципы точно такие же, мы с Лешкой совершенно одинаковые, иначе не прожили бы вместе столько лет. Не обижайся, ладно?

— Все с тобой понятно, сестрица ты моя безумная, — вздохнул Саша. — Но я не теряю надежды. Может, ты еще одумаешься, или Лешка тебя уговорит. На решение проблемы у тебя есть три дня, до понедельника. В понедельник я должен дать отмашку насчет гостиницы и билетов, во вторник сдать документы на визу. Так что до утра понедельника подумай, время есть. И представь себе, как это будет здорово: мы все вместе, веселые, счастливые, Дашка щебечет, мы с тобой наговоримся всласть, а кругом воздух, зелень, покой, море, горы...

— Так море или горы? Мне о чем мечтать-то?

— Настюха, ты пойми, нам с Дашкой все равно, куда ехать, лишь бы всем вместе, мы с ней и так всю Европу объездили и на всех курортах отдыхали. Ну понятно, что не в Шотландию, там пока еще погоды нет, и не в Исландию, там вообще холод собачий и день коротий, и не в Египет, там жулья полно и антисанитария всяческая, а так — без разницы. Куда ты захочешь, туда и поедем. Ты куда хочешь?

— Саня, я никуда не поеду.

— Это я понял. А хочешь-то ты куда?

— Не знаю... Я не умею хотеть за границу, никогда не приходилось.

— Ну вот и потренируйся до понедельника. А в понедельник утром я позвоню.

Настя положила трубку рядом с собой, стараясь, чтобы Лешка не услышал, что она плачет. Он отказался от поездки. Отказался сразу, не раздумывая. И ей даже не сказал об этом. Мол, Саша хочет подарить тебе поездку. Тебе. А не нам. Лешка хочет, чтобы она поехала, искренне хочет. Он переживает за нее, за ее здоровье, он видит ее усталость и сочувствует. Но разве сам он не устал? И разве у него самого такое уж могучее здоровье? Он точно так же вкалывает долгие годы, хватаясь за любой приработок вплоть до репетиторства, читает какие-то бесконечные лекции в коммерческих вузах, он тоже вымотан до предела, и ему тоже нужен этот отдых — десять дней сплошных положительных эмоций в обществе родных и любимых людей. Но он отказался. Так неужели Настя сможет бросить его здесь и поехать?

— Леш, — тихонько позвала она мужа.

— Ау, — так же негромко откликнулся он.

— Я тебя очень люблю.

— А ревешь почему?

— Я не реву.

— А что же ты делаешь?

— Тебя люблю. Это занятие, требующее эмоционального напряжения.

— Асенька, если ты меня любишь, то поезжай, пожалуйста, с ребятами. Я тебя прошу.

— Леш, поскольку я тебя люблю, я хочу провести праздники с тобой. Неужели это так сложно понять? И вообще, я тут распинаюсь, в любви к тебе признаюсь, а ты хоть бы слово в ответ сказал, мол, я тебя, дорогая, тоже очень люблю. Джентльмен ты или как?

— Я почтальон Печкин. Принес заметку про твоего мальчика.

— Про какого мальчика? — оторопела Настя.

— Про Игоря Лесникова. Он тебе письмо прислал. Наверное, любовное. Распечатать или вслух прочитать?

— Читай.

Наверное, у судьбы какой-то другой отсчет суток, не с нуля часов до полуночи, а с десяти вечера или даже с восьми. Неудачный день закончился. То, что читал вслух Чистяков, мгновенно высушило Настины слезы и заставило ее широко улыбаться. Ничего не понятно, но, главное, она попала в точку. Значит, она еще ничего, рано ее в тираж списывать!

Глава 10

Лиля Стасова злилась, расстраивалась и недоумевала, причем делала это одновременно. С Кириллом все складывалось совсем не так, как пишут в книжках и показывают в кино. Сколько захватывающих историй она читала и слышала о том, как находят друг друга зрелый мужчина и молоденькая девушка и как, несмотря на разницу в годах, любят друг друга до гробовой доски. Да вот хотя бы взять мировую классику — «Джейн Эйр» или знаменитого кинорежиссера Соловьева, который со своей женой познакомился, когда она еще вообще школьницей была, классе в девятом, что ли, или в десятом, и у них сразу сделался роман. Истории эти не вызывали у Лили ощущения необычности или неправдоподобности, они казались естественными, редкими исключительно в силу своей красивости, но нормальными. И вот когда она начала встречаться с Кириллом, в ее переполненную прочитанными книжками голову стали закрадываться сомнения.

Нет, первые несколько встреч и совместных поездок в институт были просто замечательными, как замечательными были и их вечерние посиделки в машине в минувшее воскресенье. Лиле казалось, что разговорам не будет конца, общаться с Кириллом было легко и интересно. Но вот уже к концу этой недели девушка почувствовала некоторое не то напряжение, не то неудобство. Кирилл все больше молчал, хотя и улыбался ей приветливо и ласково, и не похоже было, что у него настроение плохое или он чем-то озабочен. Но как-то так получалось, что им вроде бы и разговаривать больше не о чем. Нашлись какие-то общие темы, которые они с пылом и увлечением обсудили в первые две-три встречи, и оказалось, что на этом все и закончилось. Может быть, дело в ней, в Лиле? Она глупая, и Кириллу с ней не интересно? Она просто еще маленькая для такого взрослого мужчины. Сколько ему лет? Около тридцати, наверное. А ей только в декабре исполнится восемнадцать. Так уж получилось, что она приносит ему удачу, и он поэтому старается каждый день, кроме выходных, встретиться с ней, чтобы дела потом шли хорошо, но вообще-то ему с ней скучно. А ей с ним? Лиля с удивлением понимала, что и ей тоже.

Вот ведь ужас-то! Пока она высматривала Кирилла в метро, он казался ей удивительным и замечательным. Когда он познакомился с ней и предложил по утрам отвозить в институт, Лиля была на седьмом небе от счастья, она казалась себе ужасно взрослой, вот ведь какого замечательного мужчину, красивого и умного, сумела заинтересовать. Но уже к середине второй недели восторги ее поутихли, всю дорогу до института, сидя рядом с Кириллом в машине, она маялась, а к пятнице отчетливо поняла, что эти утренние поездки внезапно превратились для нее в повинность, которую нужно отбыть, потому что обещала, но радости никакой они не приносят.

«Да почему же так? — мучилась девушка. — Вон сколько девчонок крутят романы с мужиками намного старше себя, и ничего, им не в тягость. Правда, Кирилл предупредил, что у нас будет не роман, а дружба, но все равно же это общение, так почему же оно мне надоело?

Им не надоедает, а мне надоело. Да еще так быстро! Наверное, дело во мне, что-то со мной не так».

В голову то и дело приходило отвратительное слово «пробросаешься», почерпнутое из какой-то давно прочитанной книги. Лиля гнала его прочь, слово казалось ей совершенно неуместным, ведь его говорили тогда, когда девушка отвергала жениха и рисковала остаться одной и не выйти замуж. Кирилл — не жених, ни о какой свадьбе и речи нет, и слово это сюда ну никак не подходит. Лиля испытывала неловкость, ей почему-то было немного совестно перед Кириллом. Она не могла бы четко сформулировать, чего именно ей совестно и отчего так неловко, но ощущения были сильными и вполне определенными. Она не хочет этих встреч.

Ей скучно. Конечно, в машине ездить куда комфортнее, чем в метро с пересадками, но зато в метро Лиля обычно читала или учебники, или конспекты, или художественную литературу, а тут... Сорок минут потерянного времени.

Лиля в детстве ужасно завидовала своей подружке, той самой, с которой мама не разрешала водиться, потому что у нее был старший брат.

Разница в возрасте примерно такая же, как у нее с Кириллом. И размышляя над странными своими чувствами, так быстро вспыхнувшими и так внезапно потускневшими, она все чаще припоминала, как однажды, когда они еще в школе учились, подружка сказала:

— Дети в семье должны быть однополыми, иначе это сплошная морока.

— Почему? — удивилась тогда Лиля. — Вот у тебя старший брат, разве это плохо?

— А чего хорошего-то? Толку мне от этого брата никакого, — фыркнула подружка. — И ему от меня, кстати, тоже. Если бы у меня была старшая сестра, она бы мне свою косметику давала, учила бы ею пользоваться, подсказывала бы, как одеться поприкольнее, я могла бы с ней насчет мальчиков советоваться, сигаретки бы у нее стреляла и всякое такое... А с братом что? У него всю жизнь на уме пацанские дела, футбол там, спорт, рыбалка, машины, оружие, ему только это и интересно, ни о чем другом он не разговаривает, а мне оно надо? Мы даже по телику разное смотрим, ему одни боевики и стрелялки подавай. Нам даже музыка разная нравится, он же старше меня на одиннадцать лет, это вообще другое поколение. Ну просто ничего общего! Была б я пацаном, он бы меня на футбол таскал, на рыбалку, машины обсуждал бы со мной, а так я ему зачем? Ну ты сама подумай, мне сейчас пятнадцать, а ему двадцать шесть, я еще упражнения по русскому пишу и Пушкина учу, а он уже фирмой руководит. Между нами пропасть в буквальном смысле слова. Но это я уже что-то соображаю, а когда мне было десять, а ему двадцать один? Или мне пять, а ему шестнадцать? Я еще в садик хожу, а он уже девок трахает. Вообще катастрофа!

Лиля тогда отнеслась к словам подружки с определенной долей скепсиса, поскольку подружка, хоть и была славной девчонкой, но в голове имела не особенно много, и преимущественно это были соображения насчет «прикида», «тусовок» и секса. Книг она не читала принципиально, даже в школе старалась обойтись Лилиным подробным пересказом обязательной литературы. И Лиля подумала, что если бы подружка побольше читала и умела пользоваться мозгами, то и с братом у нее проблем не было бы.

Выходило теперь, что Лиля была слишком самонадеянной. Уж она-то книжек в своей жизни прочла тьмутьмущую, и мозги у нее неплохие, во всяком случае, родители и учителя всегда ее хвалили и называли умницей, а вот оказалось, что ей с Кириллом говорить не о чем. Неужели она такая глупая? Или они действительно, как и говорила подружка, принадлежат к разным поколениям и никогда не найдут общего языка? Если бы у них был роман, настоящий, полноценный роман, то скуки не было бы, потому что каждую свободную минуту они целовались бы или занимались чем-нибудь глубоко интимным и разговаривали бы о своей любви друг к другу, а когда романа нет, то приходится искать темы для беседы, а они все закончились... Может, именно поэтому так часто молодые девчонки крутят с мужиками старше себя и никакой скуки не испытывают? Когда им скучать-то? Они или в постели, или в магазине подарки себе покупают, или вместе где-то на людях находятся. О романах с большой разницей в возрасте Лиля много слышала, а вот о дружбе между мужчиной и женщиной из разных поколений — что-то не приходилось.

Она попыталась честно ответить себе, хочет ли она, чтобы у нее с Кириллом было то, что она называет «полноценным романом» со всеми входящими в это понятие интимными деталями. Да, еще на позапрошлой неделе она и мечтать об этом боялась, а на прошлой — хотела, он ей очень нравился, такой красивый, с мужественным профилем, хорошо одетый, вежливый, и улыбка у него ласковая, и глаза теплые. А на этой неделе, ближе к утру пятницы, Лиля Стасова вдруг поняла, что никакого романа с Кириллом ей не хочется. Зачем ей роман, если с ним разговаривать не о чем? Даже если она кажется Кириллу физически привлекательной и он решится на сближение, для него это тоже будет голый секс, потому что не только Лиле с ним, но и ему с Лилей скучно. Так зачем ей вся эта головная боль?

Лиля была девушкой не только доброй, но и очень ответственной.

Если она действительно приносит Кириллу удачу и коль уж она согласилась быть для него талисманом, она будет нести свою ношу. Уговор дороже денег. Она не станет без уважительных причин уклоняться от совместных поездок. Согласилась, пообещала — будь любезна выполнять.

И она с облегчением вздохнула, когда Кирилл в пятницу утром предупредил, что уезжает в командировку дней на десять и позвонит, когда вернется. Более того, в ее голову закралась неприличная мысль сказать маме, что потеряла мобильник, и попросить денег на новый. Не скажешь же, что потеряла сим-карту, никто не поверит. Мобильники теряются, их часто крадут, с ними все понятно, а карту как потерять? На мобильник мама денег даст. Пойти в салон, оформить новый договор и получить новый номер. Если она и в самом деле так необходима Кириллу, он найдет ее в метро или возле института. А если не станет искать — тем лучше. Значит, все как бы само собой и рассосется.

* * *

Выходные наступили так быстро, что Настя даже огорчилась. Ведь только что был понедельник, когда рано утром она проснулась от приснившегося воя милицейской сирены, и ей казалось, что за предстоящую неделю она так много успеет, а вот уже утро воскресенья, и выходит, что успела она не так уж и много. То есть неделя была забита какими-то делами, разговорами, поездками, документами, а толку? Самое главное для нее сейчас — научная работа, подготовка диссертации, и в этом самом главном деле она не продвинулась ни на миллиметр. Нет, конечно, она преувеличивает, кое-что все-таки сделано, например, материалы, которые прислал ей Игорь Лесников, были частично обработаны. Но все равно лишь частично... Настя просидела над ними, не отрываясь, два дня подряд, в пятницу и субботу, но когда речь идет о классификации десятков тысяч фактов, два дня — это капля в море.

В субботу Чистяков вернулся поздно, был на банкете у именитого ученого, и теперь Настя боролась с желанием его разбудить. Пусть бы поспал подольше, все-таки выходной день. Но, с другой стороны, она хотела сегодня съездить на базу «Юг» и попробовать поговорить с Андреем Лозинцевым о маленькой Кристине, а без Лешки это невозможно, она даже не знает, где эта база находится.

Повздыхав над крепко спящим мужем, она отправилась на кухню готовить завтрак. Несмотря на банкетные возлияния, Леша ничего не забыл и еще вчера дал ей указания по части покорения очередной вершины: утром Насте надлежало сварить манную кашу. Сладкую и без комочков.

Алексей проснулся, когда каша была не только сварена, но и успела основательно остыть.

— Ну наконец-то, — проворчала Настя, увидев взлохмаченного мужа с сонным помятым лицом, — твоя каша уже холодная.

— Ничего, я горячую не люблю, я ее ем холодную и с вареньем.

Настя смотрела, как он ест кашу, и внутренне содрогалась, потому что с детства не любила ее и не понимала, как вообще можно получать от нее удовольствие, да еще от остывшей... Сама она ограничилась банальнейшим бутербродом, согретым в микроволновке.

— Леш, ты не забыл, что обещал отвезти меня на пейнтбол?

— Забыл.

— Ну вот... — огорченно протянула она. — Ты что-то запланировал на сегодня, да?

— Успокойся, нет у меня никаких особых планов, сейчас доем и поедем.

Настя повеселела и стала просматривать записи, относящиеся к Кристине Лозинцевой. Надо составить список вопросов, чтобы ничего не упустить. На основании информации о Тане Шустовой она разработала схему сбора сведений и таблицу, в которую эти сведения занесла. По Шустовой таблица оказалась заполнена целиком, а вот что касается Кристины, то многие разделы пустовали. Все-таки есть вещи, которые знают только родители, а есть и такие сведения, которые может дать только мать ребенка. Например, в каком возрасте его отняли от груди? Отец может помнить лишь приблизительно, а вот мать всегда знает точно. Насте до консультации с психологом даже в голову не могло прийти, что это имеет какое-то значение для формирования личности.

— Ты не хочешь мне рассказать, что ты собираешься искать на базе? — спросил Алексей, когда они выехали на Кольцевую автодорогу.

— Искать я собираюсь Андрея Николаевича Лозинцева и его сына Ярослава.

— Зачем?

— Хочу поговорить об убитой девочке. Какая она была, какой характер, привычки, вкусы, уровень развития? Я же тебе объясняла.

— А, ну да, помню. Но почему непременно в воскресенье и на пейнтболе? Других мест нет?

— Леша, он много работает и поздно приходит, вечером он для беседы не пригоден. И вообще, чего ты придираешься? Мы же договорились, что поедем дышать воздухом и есть чьи-то там великолепные шашлыки.

— Не чьи-то там, а Сашины, — поправил Чистяков. — Они действительно великолепны. Между прочим, сегодня уже воскресенье, Асенька.

— Ну да, — согласилась она, удивившись. — И что?

— А завтра — понедельник. И с самого утра тебе будет звонить твой любимый брат. Ты что-нибудь надумала?

— Леш... Ну что я могу надумать? Ты сам все знаешь.

— Знаю. Только давай честно, Ася, ладно? Ты хочешь ехать? Вот в чистом виде, без всяких оговорок. В принципе. Хочешь?

— Хочу, — кивнула она. — Я за границей была один раз, в Италии, и то в командировке. Если в чистом виде и без оговорок, то я бы с удовольствием поехала. Но оговорок-то миллион!

— Начинай с первой, — усмехнулся Леша. — Давай по порядку.

— Первая оговорка. Я не хочу ехать за Санькины деньги.

— Ася, он твой брат. И нет ничего зазорного в том, что ты примешь от него этот подарок. Ты же понимаешь, что он не последнее с себя снимает, чтобы заплатить за твой отдых.

— Да? — Она скептически прищурилась. — А как же машина? Когда он хотел подарить мне машину, а я отказалась, ты меня поддержал. У тебя изменились принципы?

— Во-первых, твой отдых будет стоить значительно меньше, чем новая машина. Раз эдак в пять, а то и в десять. Во-вторых, машина — не жизненная необходимость. В конце концов, машина в нашей семье есть, и если она тебе нужна, я ее тебе безропотно уступлю. А отдых тебе действительно необходим, иначе ты свалишься. Нельзя столько лет жить, не отдыхая нормально.

— Но ты же живешь, — возразила Настя. — И ничего.

— Не ничего, а плохо, Асенька. Очень плохо. Я очень устал, и у меня периодически появляется ощущение, что я уже ни на что не годен и у меня ни на что нет сил. Но у меня, в отличие от тебя, бывают пару раз в год длительные командировки, то в Европу, то в Штаты или Канаду, и там я веду здоровый образ жизни, плаваю в бассейне дважды в день по километру, много хожу пешком и дышу не нашим загазованным воздухом, а нормальным кислородом. Хожу в фитнес при гостинице, в сауну, высыпаюсь. Конечно, я при этом много и напряженно работаю, но все остальное время провожу в здоровой обстановке. И я, между прочим, не курю так много, как ты. А ты? У тебя же ничего этого нет, ты не высыпаешься, не бываешь на чистом воздухе... Одним словом, тебе понятно, что я хочу сказать. Отдых в настоящий момент тебе жизненно необходим. У тебя наступает сложный период в жизни, а у тебя совсем нет сил, чтобы с ним справиться.

— Ага, ты еще про климакс вспомни, — надулась Настя.

— И вспомню!

— А про мою диссертацию ты тоже вспомнишь? Вот тебе и вторая оговорка.

— Ася, но это же десять дней! Неужели ты думаешь, что при работе над диссертацией десять дней могут иметь хоть какое-то значение? Ну глупо же, ей-богу!

— Лешенька, если писать ее годами, то и три месяца значения не имеют. А у меня резерв времени — до середины июня, я должна успеть за оставшиеся два месяца как можно больше, чтобы потом только потихоньку доделывать в свободное от работы время и успеть закончить до того, как мне стукнет сорок пять. Чтобы встретить пенсионную перспективу во всеоружии. У меня на все про все — год с небольшим. И десять дней, свободных от работы, — это очень много. Я не могу ими пожертвовать.

— Можешь. И должна, — убежденно ответил Чистяков. — Потому что если ты полноценно отдохнешь за эти десять дней, то за оставшееся время сможешь сделать куда больше, у тебя силы появятся, голова будет лучше работать. Поэтому твою вторую оговорку я тоже не принимаю.

— А у меня и третья припасена. Я не хочу ехать без тебя. Ты — мой муж, и отдыхать я хочу только вместе с тобой. Никакой другой отдых мне не нужен.

— Что ж, это серьезно, — улыбнулся Леша. — А если я поеду?

— Честно? — обрадовалась Настя. — Ты хочешь поехать?

И тут же радость ее потухла. Ну зачем она задает такие вопросы?

Ясно же, что ехать Лешка не хочет. Да, он считает, что Настя может принять подарок от своего брата, если он не запредельно дорогой. Но он, Алексей Чистяков, никаких подарков от Саши Каменского принять не может, кроме вполне естественных знаков внимания, которые оказывают в связи с днем рождения или на Новый год. Когда брат дарит дорогой подарок сестре, он просто выражает свою любовь к ней. Когда такой подарок делается ее мужу, это уже сильно смахивает на облагодетельствование.

Так считал Леша Чистяков, и поделать с этим ничего нельзя. У каждого, как говорится, свои тараканы в голове. Но Лешка готов поступиться принципами и наступить себе на горло ради того, чтобы его жена отдохнула за границей, получила удовольствие и массу новых впечатлений, не говоря уже о здоровье, которое хлынет в ее ослабленный организм мощным потоком. Может Настя принять подарок от брата? Может. А может ли она принять такую жертву от мужа? Ответ был для нее очевидным и вполне категоричным: нет, не может. Не будет она получать удовольствие от отдыха ценой Лешкиного унижения, пусть и надуманного, пусть существующего только в его воображении, но от этого не менее болезненного.

— Нет, Лешик, — медленно проговорила она, качая головой, — ничего не выйдет. Я на это не пойду.

— На что?

Лешка прикинулся непонимающим и сделал вид, что внимательно изучает надписи на дорожных указателях.

— Сам знаешь, на что. Не хочу, чтобы ты мучился ради меня.

— Ася, я не буду мучиться...

— Будешь. Я знаю, что будешь. Ты мог бы сразу согласиться с Санькиным предложением, и тогда я бы ничего не заподозрила. Но ты же отказался, и теперь я точно знаю, что тебе это будет неприятно. Все, Лешенька, давай закрывать дискуссию. Я тебе очень благодарна за то, что ты готов принести жертву ради меня, но я ее не приму.

— Ладно, — вздохнул Алексей, — в конце концов, у тебя есть еще весь сегодняшний день. Может, передумаешь.

К базе «Юг» они подъехали ближе к полудню. Парковка оказалась забита машинами, и Леша с трудом втиснул «Жигули» между двумя массивными внедорожниками, проявив при этом ювелирную точность. Они прошли на территорию, и Настя обомлела. Вокруг ходили люди в камуфляжных костюмах и в масках. Все были совершенно одинаковыми, различаясь только ростом. Даже комплекцию можно было угадать с большим трудом. Иногда, правда, попадались люди, одетые в куртки и джинсы, но их было куда меньше.

— Это персонал, — пояснил Леша, — причем персонал неиграющий. Судьи тоже в форме и в масках.

Он остановил проходящего мимо молодого человека в черной куртке и спросил, играют ли сегодня сотрудники института из Жуковского.

— Да, они сейчас в «Доме Павлова», — кивнул парень.

— Пошли, — Алексей потянул Настю за руку, — найдем наших ребят, спросим, какой у них шатер.

— Шатер? — удивилась Настя. — Это еще что?

— Это то, на что ты в данный момент смотришь, — засмеялся он, показывая рукой на нечто похожее на большую палатку, только стены были не из брезента, а из маскировочной сетки. — Все эти сооружения называются шатрами, команда их заказывает заранее, оставляет там свои вещи, отдыхает в перерывах между играми, пьет чай, ест шашлыки. Мы сейчас подойдем в буфет, закажем шашлычки и скажем, в какой шатер приносить.

— Круто, — восхитилась она. — А чай у них в буфете есть?

— А как же. У них все есть. Кстати, заодно покажу тебе, где туалет. Между прочим, как ты собираешься своего Лозинцева искать? Ты хоть знаешь, с какой командой он играет?

Настя пожала плечами.

— Понятия не имею. Будем высматривать двух самых высоких мужчин, они оба баскетбольного роста.

— Но он точно здесь?

— Точно. Я утром его сестре звонила, она сказала, что Андрей с сыном уехали на пейнтбол.

— И ты уверена, что они играют именно на этой базе?

— Ой, Леш, ну откуда я могу быть уверена? — с досадой ответила она. — Мне так его сестра сказала, а почем я знаю, может, она ошибается, путает что-то, или они с сыном вообще на разные базы ездят.

Чистяков внимательно посмотрел на жену и легонько приобнял ее за плечи.

— Ася, если бы я знал тебя две недели, я бы это скушал. Но я знаю тебя двадцать девять лет и никогда не поверю, что ты просто так, без веских причин поедешь неизвестно куда в поисках неизвестно кого. Не твой репертуар. Чего ты мне не сказала?

Она вздохнула и потянула его к пустому шатру.

— Давай присядем на полминуточки, я тебе объясню. Значит, представь себе семью, в которой трое детей, причем только один — средний ребенок — рожден от мужа и жены. Старшего ребенка жена родила от любовника, с которым встречалась до брака, младшего — тоже от любовника, но уже в замужестве. И муж, то есть господин Лозинцев, в обоих случаях полностью в курсе. Детей любит, воспитывает и растит как родных, при этом точно знает, что из троих родной только один. Более того, семейка эта такая специфическая, что все все про всех знают. В том числе старший ребенок, девочка, знает, что рождена вне брака и от другого отца, и знает, что и младшая девочка — от любовника. Средний ребенок, мальчик, знает все про своих сестер. И вот младшую девочку убивают. Какие у тебя возникают идеи?

— У-у-у, масса всяческих, — протянул Чистяков. — Возраст-то у детей какой?

— Когда девочку убили, старшей сестре было пятнадцать, а брату двенадцать.

— И брат, как ты говоришь, рослый?

— Ага, высокий и спортивный.

— А папа?

— Ну, сам понимаешь... Конечно, детей он вроде любил, но всему есть предел, и ангельскому терпению тоже.

— Понимаю, — кивнул он. — Убийство-то раскрыли?

— В том-то и дело, что раскрыли. Человек пожизненное получил, у него серия была, девять эпизодов. Убивал и насиловал девочек. Но, Леш, ты же знаешь цену нашим раскрытиям. Вон специалисты исследования проводили, так у них получилось, что процент судебных ошибок равен чуть ли не тридцати. Даже если эта цифра завышена — ну ладно, пусть в два раза, то есть не тридцать, а пятнадцать процентов, но все равно это означает, что каждый шестой-седьмой осужденный сидит за то, чего он не совершал. То есть что-то он, конечно, совершил, но плюс к его собственным достижениям ему еще и чужих подвигов навешали полную котомку.

— Ты хочешь сказать, что у тебя появились подозрения насчет этого убийства?

— Ну... не то чтобы совсем уж подозрения, но какую-то неуютность я ощущаю. И мне нужно поговорить с

Андреем Николаевичем не только как с отцом убитой девочки, но и как с отцом двух потенциальных подозреваемых, и как с подозреваемым тоже. Поэтому мне не хотелось договариваться о встрече с ним лично. Он бы не отказал мне, но морально подготовился бы. А так все получится внезапно... Не знаю, Леш, может, я и не права. Может, мне просто надоело готовить обеды и я захотела поесть шашлыков, о которых ты так вкусно рассказывал.

— Значит, мы сегодня не отдыхаем, а работаем, — констатировал Чистяков. — Ладно, чего рассиживаться, пошли твоих баскетболистов искать, а заодно и моих балбесов.

Они прошли к игровому полю под названием «Дом Павлова». Игра только что закончилась, и пейнтболисты, сняв маски, стояли у входа на поле, пили воду, некоторые ушли заряжать газом баллоны, а мальчики-менеджеры подносили коробки с желатиновыми шариками для стрельбы.

— Алексей Михалыч! — завопил один из игроков, бросаясь к Чистякову. — Вы играть приехали?

— Да бог с тобой, Женя, какой из меня игрок. Я вот супругу привез воздухом подышать, шашлыков покушать. Женя, ты не видел, случаем, двух очень высоких игроков? Отец с сыном, баскетбольные такие.

— Андрей Николаевич со Славкой? Видел, — кивнул Женя. — Они, по-моему, на «Сайгоне» играют.

— А ты что, знаешь их?

— Ну так мы все друг друга знаем, я имею в виду, те, кто постоянно играет. Они каждое воскресенье приезжают, у них своя команда. Мы с ними часто играем.

Чистяков еще минут пять поболтал с коллегами, и когда судья объявил начало новой игры, пожелал им удачи, помахал рукой и повел Настю по узкой тропинке в ту сторону, куда показывала деревянная стрелка с надписью «Сайгон».

Отца и сына Лозинцевых они увидели сразу. Сын стоял за пределами поля и отчаянно «болел» за своих, а отец с поднятым вверх маркером в этот момент выходил из игры.

— Андрей Николаевич? — обратилась к нему Настя.

— Да, слушаю вас.

Лозинцев снял маску, взял со столика бумажный платок, вытер вспотевший лоб. Сын тут же подошел и встал рядом. Одно лицо. Конечно, между ними почти тридцать лет разницы, старшему сорок четыре, Настин ровесник, младшему шестнадцать, но в том, что они отец и сын, не смог бы усомниться никто.

— Меня зовут Анастасия Павловна, я из...

— Да-да, — перебил Лозинцев, не давая ей договорить, — мне Эля говорила про вас. Вы насчет Кристины?

— Да. Вы сможете уделить мне время?

— Пожалуй...

Он вопросительно посмотрел на сына. Тот неопределенно пожал плечами.

— Мы же еще играть собирались, — сказал Ярослав неожиданным для его возраста басом.

— Не обязательно прямо сейчас, — поспешила заверить его Настя. — Мы подождем, пока вы закончите.

— У нас еще три игры, потом обед, — Лозинцев посмотрел на часы. — Давайте в два, хорошо? Мы на два часа как раз шашлыки заказали. Вы найдете нас в зоне отдыха.

Настя молча кивнула.

— Не рвется он с тобой разговаривать, — заметил Леша, когда они отошли от поля. — Так что все твои ухищрения пошли прахом: если ему есть что скрывать, то за три игры он вполне может подготовиться.

— Я же не знала, что здесь так все устроено, — виновато пробормотала она. — Я вообще плохо представляла себе, что такое пейнтбол и как в него играют. Думала, одна большая игра, а потом она заканчивается — и человек свободен и доступен контакту. Подойти к нему после игры и сразу можно разговаривать. Кто ж знал, что они длятся всего по десять-пятнадцать минут и идут подряд.

— Кто знал? — сердито откликнулся Леша. — Да я знал! И ты могла бы у меня спросить, а не разводить тайны мадридского двора.

— Ну Леш, не злись. Я дура, не спорю. И на меня тоже бывает проруха.

Настя поскребла мужа ногтем по ладони — она всегда так делала, когда хотела мириться. Чистяков безнадежно махнул рукой и знак примирения принял. Они выпили в буфете чаю с бутербродами, заказали шашлык на половину второго и отправились гулять по лесу.

Шашлык и впрямь был восхитительным, мягким и сочным, Лешка не обманул. Настя умяла свою порцию с такой скоростью, что сама испугалась.

— Что это со мной? — ошарашенно спросила она, глядя на пустую тарелку. — Я что, все это съела?

— Ну не выбросила же, — заметил Леша. — На полу вроде ничего не валяется, значит, съела. И как тебе знаменитые Сашины шашлыки?

— Не то словечко, — она с трудом переводила дыхание. — Смерть диетам, удержаться невозможно. Дай мне слово, что в следующее воскресенье ты снова привезешь меня сюда. И еще я возьму из дома термос с широким горлом, одну порцию съем, а вторую заберу домой.

— Планов — громадье, — засмеялся он. — Я еще посмотрю, как в следующее воскресенье ты начнешь ныть, что тебе нужно работать, а не прохлаждаться за городом.

В начале третьего они зашли в зону отдыха. Лозинцевы сидели со своей командой, обедали. Настя и Леша принялись кружить неподалеку, чтобы не упустить момент, когда Андрей Николаевич и Ярослав закончат есть и можно будет к ним подойти. Обед не затянулся, спиртного на столе не было, только вода и соки, и очень скоро игроки поднялись и стали надевать шлемы с масками и готовить оружие. Похоже, начиналась послеобеденная серия игр. Лозинцев тоже встал, огляделся, заметил Настю и помахал рукой.

— Славик, иди играй! — крикнул он сыну.

— А ты?

— А мне уже достаточно.

— Ну пап...

— Я устал, сынок. Ты все-таки не забывай, что я старше.

Славик ушел вместе с командой, и Лозинцев пригласил Настю и Чистякова в шатер.

— Что вы хотели узнать о Кристине?

Он, кажется, действительно очень устал. Или это была усталость не физическая, а от жизни вообще? Настя теперь могла спокойно рассмотреть Андрея Лозинцева. Высокий, немного нескладный, худой, с длинным лицом, глубокими мимическими морщинами на лбу и ярко-синими глазами. Под глазами синева, уголки губ горько опущены. Его сестра говорила, что Лозинцеву приходится очень много работать, чтобы восстановить утраченное благосостояние и выполнить обещание, данное жене при разводе: дети будут жить в комфорте и достатке, в противном случае она заберет их к себе. А может быть, это усталость от переживаний, от мук совести? Ведь труд-то нелегкий: знать, что кто-то из твоих любимых детей совершил страшное зло, и молчать, и виду не подавать.

Настя раскрыла блокнот и начала задавать вопросы. Лозинцев отвечал почти не задумываясь, он хорошо помнил, как протекала беременность его жены, какой вес был у девочки при рождении, в каком возрасте она стала держать головку, начала ходить, когда отняли от груди, когда прорезался первый зубик.

— Ваша сестра сказала, что вы знали, кто является отцом Кристины, — осторожно заметила Настя, боясь показаться бестактной и нарваться на резкую отповедь.

Лозинцев, против ожиданий, отреагировал спокойно. Даже голос не дрогнул.

— Да, я знал, что Кристина не моя дочь. И что это меняло? Она ребенок, живое существо, прелестное, невинное. Я любил ее только за это, а вовсе не потому, что она дочь Веры.

— То есть жену свою вы не любили?

— Какое это имеет значение, — он налил себе воды, сделал несколько глотков. — Любил, не любил... Меня вырастили в представлении, что человека любят потому, что он — человек, а не потому, что в нем течет твоя кровь. Каждый человек достоин любви.

— Так уж и каждый? — усомнилась Настя. — И Семагин тоже?

— Семагин? — переспросил он. — Ах, этот... Ну, ведь наверняка на этом свете были люди, которые его любили. Он был кому-то сыном, братом, другом, мужем. Но я ведь не об этом говорю. Я не утверждаю, что мы должны любить всех, мы имеем право кого-то любить, а кого-то не любить. Я хочу только сказать, что кровное родство не является обязательным условием любви. Можно не любить родного человека и любить совершенно постороннего, это нормально. Мы не обязаны во что бы то ни стало любить тех, в ком течет одна с нами кровь. Но и никто не может запретить нам любить тех, кто для нас неродной. Я для своих родителей был чужим, меня усыновили, и что? Они и Эля вырастили меня в такой любви, какой иной раз в кровной семье не встретишь. Так почему вас так удивляет, что я одинаково любил всех троих, и Дину, и Славика, и Кристину, хотя родным по крови для меня является только Славка? Откуда эта косность? Миллионы детей вырастают в приемных семьях, и никто не удивляется, что их любят.

— Но в приемных семьях отношение к ребенку не окрашивается фактом супружеской измены, — возразил Чистяков. — У вас другая ситуация, ваша жена родила Кристину от другого мужчины, находясь в браке с вами. Это обязательно должно было отразиться на вашем отношении к девочке.

— Как видите, не отразилось, — сухо ответил Лозинцев. — Мы кого обсуждаем, Кристину или меня?

— Ваше отношение к ней. Характер ребенка формируется под воздействием множества факторов, и одним из главных является отношение к нему родителей и близких, братьев и сестер, бабушек и дедушек, — объяснила Настя, не прекращая записывать в блокнот ответы Лозинцева. — Мои вопросы могут показаться вам странными, но только получив на них ответ, я смогу нарисовать психологический портрет ребенка, который решился уйти неизвестно куда с незнакомым мужчиной. Так что я еще буду спрашивать вас о том, как относились к Кристине ваши старшие дети.

— Славик очень ее любил, нянчился с ней, возился. Ему было пять лет, когда она родилась, и Кристя была для него живой игрушкой, он мог часами сидеть и наблюдать, как она ножками шевелит, трогает пальчиками погремушки... Он ее обожал.

— А Дина?

— А Дина — нет.

Лозинцев поднял глаза и посмотрел на Настю в упор, но ей показалось, что он думает о чем-то своем и лица собеседницы не видит.

— Дина ее ненавидела. Но это не ее вина. Это вина Веры, моей жены. Вера из всех детей любила только Кристю и не считала нужным это скрывать.

— Почему так?

— Вероятно, потому, что Кристя была единственным ребенком, рожденным от мужчины, которого она действительно любила. Дину и Славика моя жена родила исключительно по расчету, чтобы удачно выйти замуж и устроиться в этой жизни. С первым претендентом не получилось, он умер, когда Дина еще не родилась, и не успел оформить брак с Верой, тогда она проделала этот же фокус со мной. А Кристя была истинным плодом страстной любви, как ни высокопарно это звучит. В первое время Вера надышаться на нее не могла. Одевала ее как куколку, как маленькую принцессу, покупала нарядные платьица, туфельки, самые лучшие игрушки. Дине было восемь, когда Кристя родилась, она уже все понимала и могла сравнивать. Она отчетливо видела, что была для матери вторым сортом, а то и третьим. Вера никогда не уделяла столько внимания и заботы ни ей, ни Славику. Я старался, как мог, быть всем детям хорошим отцом, но мне приходилось много работать, и у меня не всегда было время, чтобы заниматься ими. А Вера не работала, и все равно ее хватало только на Кристину. Точнее, она считала нужным тратить себя только на младшую дочь. Она могла, например, посадить Кристю в машину в выходной день и повезти ее в зоопарк или в Парк Горького. Славик относился к этому равнодушно, он больше любил поиграть со мной в футбол или посмотреть фильм, мы с ним оставались дома и занимались мужскими делами, а Дину это очень задевало. До слез. До истерики. Она ведь знала, что я ей не родной отец, а тут еще мать на ее глазах отдает явное предпочтение другому ребенку. Как она должна была к этому относиться?

— Наверное, плохо, — заметила Настя.

— Конечно, плохо. Она страдала. Она чувствовала себя очень одинокой. А уж когда Вера уехала...

Он замолчал и стал смотреть куда-то поверх Настиной головы.

— Андрей Николаевич, после смерти Кристины Дина сильно изменилась? Если все так, как вы говорите, она должна была ждать, что теперь мать обратит внимание и на других детей, раз нет больше той, которая забирала себе все внимание и заботу. Разве нет?

— Нет. То есть я хочу сказать, что не знаю. Я не заметил никаких изменений в Динке. Она всегда была грубиянкой и очень своенравной, что до смерти Кристины, что после нее.

Настя с сожалением констатировала, что вопрос не прошел. Вернее, не получился внятный ответ, из которого можно было бы сделать хоть какие-то выводы. Если Дина имеет отношение к убийству своей сестры, то поведение ее обязательно должно было измениться, ведь даже взрослые люди не могут перешагнуть через тяжкое преступление и спокойно идти дальше, в их поведении обязательно что-то меняется, что уж говорить о подростке, тем более о девочке.

— Вы хотите сказать, что смерть сестры ее особенно не задела?

— В чужую душу не заглянешь... Мне показалось, что нет. Для нее смерть Кристи, конечно, была шоком, но он быстро прошел.

— А Славик? Он тяжело переживал?

— Тяжело. Но у него это тоже скоро прошло. Дети быстро приходят в себя, в отличие от взрослых. Собственно поэтому Вера и ушла от нас. Ей казалось, что никто не разделяет ее горя.

— Даже вы?

— Я много работал, — жестко ответил Лозинцев, снова глядя прямо в глаза Насте. — Какое бы горе ни было, но я должен был ходить на службу и делать свое дело, причем от того, насколько хорошо я его сделаю, зависело благосостояние и в конечном итоге судьбы многих людей. Я не мог позволить себе распускаться.

«Ладно, не хочешь откровенничать — как хочешь», — подумала Настя.

Попробуем подобраться с другой стороны.

— Андрей Николаевич, вы ходили на суд, когда слушалось дело Семагина?

— Ходил. Я был представителем одного из потерпевших.

— Почему вы? — удивилась Настя. — Почему не ваша жена? Она же мать.

— Вера к тому времени уже уехала в Германию, она не стала дожидаться суда, следствие шло очень долго. Знаете, на нее очень сильное впечатление произвело то, что Семагина три раза задерживали и отпускали. Если бы милиция сработала лучше, Кристина была бы жива. Вера очень долго не могла прийти в себя, когда об этом узнала. А потом как-то сразу приняла решение развестись со мной и уехать. Наверное, это было последней каплей.

Опять мимо. Если бы Лозинцев хоть на секунду подозревал, что к убийству девочки причастен кто-то из его детей, он бы обязательно сейчас начал рассказывать о том, какое чудовище Семагин, и рожа у него преступная, и весь он — средоточие зла. Он постарался бы сконцентрировать разговор именно на Семагине. Но он этого не сделал. Ладно, примем к сведению, а потом на досуге обдумаем и сделаем выводы. Но, скорее всего, дети Лозинцева действительно ни при чем. Хотя... Лозинцев далеко не самый глупый человек на свете, более того, у него шахматный ум, быстрый, точный, умеющий просчитывать ходы и варианты. Финансовый аналитик банковской корпорации, не кот тебе начхал.

Они разговаривали еще долго, пока не вернулась команда. Игры закончились, все стали собираться домой.

На обратном пути Настя подробно, шаг за шагом, с записями в руках обсуждала с Чистяковым ход беседы с Лозинцевым.

— Слушай, — внезапно сказала она, захлопнув блокнот, — по-моему, Саня говорил, что ему все равно, куда ехать отдыхать. А? Мне не показалось?

— Не показалось, — подтвердил Алексей, — мне он тоже это говорил. Дескать, выбирайте сами, куда хотите ехать, а нам с Дашкой все равно, лишь бы вместе с вами.

— А если я попрошу его поехать в Баден-Баден? Как ты думаешь, он согласится? Это же курорт, там, наверное, хорошо отдыхать.

— Ты хочешь в Баден-Баден? — обрадовался Леша. — Значит, все-таки надумала? Аська, ты молодец, там замечательно, там грязи, воды, массажи и вообще классно! Я там был два раза, когда ездил в Германию на конференции.

— Не хочу я ни в какой Баден-Баден, — сердито отозвалась Настя. — Я хочу, чтобы туда поехал Санька, если ему действительно все равно.

— Все с тобой ясно, — удрученно сказал он. — Ты хочешь ему поручить найти жену Лозинцева и задать ей сто двадцать пять вопросов. Ася, а может, тебе лучше самой, а? Заодно и отдохнешь. И не будешь казниться, что над диссертацией не работаешь.

— Чистяков, не делай из меня дуру, я ее сама из себя сделаю.

* * *

Ей нужно было все-таки доехать до Петровки, поговорить с Юрой Коротковым, объяснить, на основании чего она сделала свои выводы и из предполагаемых шести преступлений оставила в серии неизвестного маньяка только три. Анализ анализом, но две головы всегда лучше, чем одна.

Тем более в последнее время она так часто стала

ошибаться! Пусть Юра посмотрит сравнительные таблицы вместе с ней, они все обсудят и, вполне возможно, придут к совсем другому выводу.

Она позвонила Короткову поздно вечером в воскресенье, они договорились встретиться завтра после двенадцати. Но утром в понедельник Юра неожиданно позвонил сам.

— Аська, хорошо, что я тебя поймал дома. Сиди и никуда не выходи.

— Совсем никуда? — ехидно уточнила Настя.

— Я в том смысле, что в конторе не показывайся. Тебя шеф хочет поиметь.

— А что случилось?

— Ты понимаешь, явился сегодня и начал трясти меня насчет задушенных студенток. А потом и говорит: а где у нас Каменская? Я, натурально, грудью кинулся тебя закрывать, мол, ты уехала в санаторий работать над диссертацией, а он намекает, что надо бы тебя вызвать. Короче, это насчет той девушки, у которой на голове розовый бантик.

— А что с девушкой не так? Этим убийством на территории занимаются, разве нет?

Она пока не говорила Юре о своем странном открытии, сделанном в четверг при помощи Игоря Лесникова. Она ни в чем не была уверена, да и само открытие, если даже оно подтвердится, звучало как-то уж совсем... нелепо. Неправдоподобно. И в любом случае обсуждать такие вещи нужно не по телефону, а лично, и желательно не в служебном кабинете.

Собственно, она и планировала сначала поговорить с Юрой о московском маньяке, убивающем студенток, а потом пригласить его выйти на улицу пройтись и там уже поделиться с ним остальной информацией.

— Занимаются. Но нашему Афоне звонил, видите ли, отец потерпевшей и очень настойчиво просил подключить лучшие силы. Лучших сил у нас нет, все средненькие, да и те по уши в делах, вот Афоня и решил тебя выдернуть и поручить изобразить активность. Тебе, кстати, фамилия Николаев знакома?

— Ну ты спросил! — возмутилась Настя. — Ты бы

еще Иванова назвал. Или Кузнецова, их, говорят, даже больше.

И тут же вспомнила, что фамилия девушки, на голове которой убийца оставил шелковый розовый бантик, была именно Николаева. Ну да, Оля Николаева.

— Ты про потерпевшую спрашиваешь?

— Не столько про нее, сколько про ее отца, который Афоне звонил. Это какой-то ваш общий сокурсник. Не припоминаешь?

Настя напрягла память. Да, был у них на курсе Ленька Николаев, был. И, кажется, учился в той же группе, что и Афоня. Как ни силилась Настя, лица его она вспомнить не смогла, но фамилию из глубин памяти все-таки вытащила. Значит, это его дочь погибла...

— А где он сейчас, Николаев этот? — спросила она дрогнувшим голосом. — Я имею в виду, чем занимается, где работает?

— Шеф сказал, что он в Минюсте обретается, не то начальник отдела, не то начальник управления, я внимания не обратил.

— Юра, — решительно сказала Настя, — кажется, плохи наши дела. Надо встретиться, и побыстрее. Только давай договоримся прямо сейчас, потому что мобильник я отключу и дома к телефону подходить не буду, раз уж я в санатории. Ты меня далеко упрятал?

— Да нет, сказал, что ты в Подмосковье.

— Ну, спасибо, что в Сочи не загнал, — усмехнулась она. — Лешки у меня сегодня нет, к телефону подходить некому, так что я остаюсь без связи. А мне обязательно надо с тобой поговорить прежде, чем меня Афоня достанет.

Юра пообещал приехать, но не раньше пяти. Настя снова вывела на экран компьютера данные о нераскрытых убийствах, но уже минут через десять почувствовала, что заломило глаза, и распечатала таблицы. Разложив их на полу, она улеглась на живот, поставив рядом чашку с зеленым чаем и пепельницу.

Что же получается? Таню Шустову убили через два дня после похищения миллионера Татищева, Олю Николаеву — на следующий день после взрыва машины депутата Госдумы Корякина. На теле Тани Шустовой преступник оставил маленькую иконку, на теле Оли — шелковый розовый бантик. Бывают такие совпадения? Бывают. Чего только в жизни не бывает! Особенно если учесть, что между преступлениями прошло больше двух лет. Но если добавить к этому еще один фактор, то вряд ли правомерно говорить о чистом совпадении. Отец Тани — работник милиции, отец Оли — сотрудник Министерства юстиции. Такого уже не бывает, это не может быть случайностью. Теперь вводим в схему рассуждений остальные убийства, в которых фигурируют элементы ритуальности, то есть оставленные на телах жертв сувенирные тарелочки, мотки пряжи со спицами, кулинарные книги и прочее. За день-два до каждого из них в том же месте происходили громкие преступления. Ну, относительно громкие, потому что убийство директора крупнейшего в области градообразующего предприятия — это шум на всю Россию, и побег восьмерых рецидивистов из колонии строгого режима — это тоже не фунт изюму, и взрыв на вещевом рынке в областном центре, а вот, к примеру, убийство главы администрации небольшого района является «громким» только для самого этого района. Но независимо от того, на всю страну гремело преступление или только на область или даже район, всех их объединяет одно: на раскрытие этих преступлений и поимку преступников бросаются все милицейские силы, весь личный состав правоохранительных органов занимается только этим, а все прочие преступления, которые совершаются в эти дни, остаются без должного внимания.

Восемь убийств за два с лишним года. Или не восемь, а семь и одно? Самое первое убийство Тани Шустовой поставим особняком. Что говорила ее мать? Что отец Тани был совершенно раздавлен реакцией коллег на его несчастье: им-де Татищева искать надо, все на ушах стоят, и заниматься раскрытием убийства некому и некогда. Может бывший майор Шустов рассвирепеть до такой степени, что решится мстить? Может. Может он мстить именно таким чудовищным способом? Почему нет? Совершает преступления почти сразу после того, как где-то происходит что-нибудь серьезное, требующее максимального напряжения милицейских сил. И выбирает для этого не просто первых попавшихся потерпевших, а детей сотрудников правоохранительной системы. Таких же, как он сам. Пусть им будет так же больно и горько, когда убийством их детей никто не станет заниматься как положено.

Да нет, чушь, бред! Для этого надо быть абсолютно сумасшедшим. А что, Шустов нормальный? С виду — да, только пьет сильно, а на самом деле кто его знает. Но ведь он пьет... Может ли сильно пьющий человек оказаться таким мобильным, чтобы мгновенно оказываться в любой точке страны, где совершается серьезное преступление, и в считаные часы находить подходящую жертву?

Или он не такой уж пьющий, и все его пьянство — не более чем маскарад? Запах перегара, агрессивность и красное лицо — вот и достаточно, чтобы тебя считали нетрезвым. Невелик фокус.

Нет, все равно бредятина. Нужно как можно скорее выяснить, чем занимаются родители остальных шестерых убитых, и когда окажется, что они не имеют к правоохранительным органам никакого отношения, успокоиться и перестать думать о Шустове...

Коротков явился не в пять, как собирался, а в половине восьмого, но это и понятно: разве замначальника убойного отдела в столице может планировать свое время? К этому времени уже и Чистяков вернулся, и Настя даже успела накормить его ужином, который старательно, пыхтя и отдуваясь, готовила к его приезду. Сама она есть не стала, решила подождать Короткова. Быстро поев вместе с гостем, она принесла на кухню свои таблицы и разложила на столе.

— Только не это! — заорал Юра, увидев огромные распечатки. — Мне, пожалуйста, на словах и на пальцах, как для тупых.

— Хорошо, — согласилась Настя, — давай на пальцах. Только не кричи потом, что я это выдумала. В таблицах вся фактура. Не хочешь смотреть — тогда слушай и верь на слово.

Он внимательно слушал, то и дело крякая и запуская пятерню в редеющую шевелюру.

— И зачем только ты с этой диссертацией связалась, — горестно сказал он, когда Настя закончила рассказывать. — Жили себе спокойно...

— Юрочка, но труп девушки с розовым бантиком все равно нам бы достался, коль Афоне насчет ее звонили. Ты же знаешь, при всех его недостатках, он дружить умеет, и просьба знакомого человека для него равносильна приказу. Он с отцом убитой в одной группе учился, старая дружба для него много значит. Он пойдет к руководству и докажет, что нам необходимо принять участие в раскрытии. Сто раз проверено, забыл, что ли? А без всех остальных трупов, — она ткнула рукой в таблицу, — мы это убийство не раскроем.

— Да мы его и так не раскроем, — все-таки Коротков был неисправимым оптимистом, — серия межрегиональная, ее в главк заберут и нас пристегнут. И что мне теперь со всем этим кошмаром делать прикажешь?

— Афоне доложить надо. Пусть напишет бумагу в главк о том, что выявлена серия и есть подозреваемый, а они уж сами решат.

— Да? Больно ты умная. Я ему доложу, а он мне велит бумагу писать. Я что, Лев Толстой? Мне другой писанины не хватает?

— Ладно, я сама напишу, — кивнула она. — Мне проще, я всю фактуру наизусть помню. Но у меня есть предложение.

— Валяй, — в голосе Короткова была полная безнадежность.

— Ты пока ничего не докладывай, а помоги мне быстренько собрать сведения о родителях потерпевших. Все-таки на сегодняшний день у нас с тобой совпадают в каждом эпизоде по два фактора: на трупе лежит некий предмет, а накануне совершено серьезное преступление. Все жертвы — совершеннолетние, но молодые, но это за совпадение не сойдет, тем более что среди них и девушки, и юноши, и способ убийства всюду разный, так что при желании отмотаться от работы возможность такая есть. Два фактора могут показаться неубедительными. Но если их будет три, в главке точно зашевелятся.

— Мне нравится это «у нас с тобой», — съязвил Юра. — Пока что это только у тебя. А ты хочешь, чтобы это было еще и у меня. Сидишь в отпуске и горя не знаешь. Господи, ну зачем мне все это? За что, Господи?

Он молитвенно воздел глаза к потолку, но не увидел ничего интересного, кроме того, что из трех лампочек одна перегорела.

— Тебе лампочку надо менять, — скучно заявил он.

— А тебе надо подумать, — зло сказала Настя. — Твоему сыну сколько лет?

— Двадцать два.

— А сам ты кто? Дворник дядя Петя? Или сотрудник криминальной милиции? У меня детей нет, я в определенном смысле могу спать спокойно, но если я права и этот тип, Шустов он или кто другой, убивает детей наших сотрудников, то твой парень может оказаться следующим.

— Да ладно, чего ты завелась? — примирительно буркнул Юра. — Устал я, понимаешь? Сил у меня никаких нет. И потом, Николаев не в милиции работает, а в юстиции. Нечего меня стращать на ночь глядя.

Настя принялась собирать со стола разложенные таблицы. На Короткова она не глядела.

— Если тебе не хочется этим заниматься, я сама пойду к Афоне. Я бы еще сегодня утром с ним поговорила, но не хотела делать это через твою голову, потому что ты, во-первых, мой друг, и, во-вторых, ты официально исполняешь его обязанности, пока он в отпуске. И в-третьих, ты всегда был сыщиком, настоящим сыщиком, а не ментом, случайно оказавшимся в розыске. Рапорт будет готов завтра утром. Так что, идти мне к начальнику?

— Ну ладно, Аська, брось ты, честное слово... — виновато сказал Юра. — Просто я действительно из сил выбился. Наверное, я уже старый для этой работы. И ничего мне не хочется — ни раскрытий, ни задержаний, ни успехов каких-то невероятных. Можешь меня осуждать за это, но я выдохся. Пусть приходят молодые и тащат этот воз, а я больше не могу. Мне уж полтинник вот-вот стукнет.

— А Колобок мог? Он до шестидесяти лет работал. И не ныл, между прочим.

— Да, не ныл. А сколько он в последнее время в госпитале провалялся, ты не считала? Сколько болячек он себе нажил на этой богом проклятой работе?

— Много, — согласилась она. — Но он не женился в твоем возрасте на молодой женщине. Так что не надо мне тут петь трогательные романсы о том, какой ты старый и немощный.

— Злая ты, — вздохнул Юра. — Недобрая.

— Я чудесная, — улыбнулась Настя, — шелковистая и мягкая. Значит, так, солнце мое незаходящее. Давай договоримся. Срок у нас с тобой неделя на все про все. Сегодня у нас девятнадцатое апреля. Я пишу болванку докладной записки, ты ищешь ходы в криминальную милицию по месту совершения убийств, из восьми эпизодов по двум у нас сведения о родителях есть, осталось всего шесть. Не надорвешься.

— Аська, но у нас же студентки! — взмолился Коротков. — Маньяк по Москве ходит, газеты шум подняли, уже по телику это обсуждают...

— Юра, — жестко произнесла она, — собери мозги. Я понимаю, тебе наплевать на следующую жертву, ты устал всех жалеть и за всех переживать. У тебя профессиональная деформация и атрофия чувств. Но посмотри на ситуацию с точки зрения службы. Если этот условный Шустов, будем его пока так называть, совершает убийства там, где что-то гремит, то его следующая жертва не за горами. Тебе крупно повезет, если он положит на труп не розовый бантик, а что-нибудь другое. Тогда, кроме нас с тобой, никто ничего не заметит. Но если, не приведи господь, ему изменит фантазия и он снова положит бантик, то ты получишь еще одну серию, причем сразу, официально и в полный рост. Два трупа с розовым бантиком на территории Москвы — от этого ты не отвертишься. И кому ты потом будешь объяснять, что эта серия тянется два года и касается не только Москвы, и поэтому ее должен взять главк? Как только ты заикнешься о том, что ты уже что-то знал, но молчал, тебе голову снесут вместе с остатками волос. Сегодня у нас с тобой еще есть возможность ткнуть главк носом в то, что они просмотрели. До тех пор, пока оставленные на трупах предметы не повторяются, мы еще можем сохранить лицо, потому что московских эпизодов только два, соединить двухлетней давности убийство Тани Шустовой с сегодняшним убийством Оли Николаевой практически невозможно, если не знать обо всех остальных эпизодах. А ты о них знать не мог и не должен, это работа главка и их информационно-аналитической службы. Тебе просто случайно повезло, что я именно сейчас затеяла собирать материал для диссертации по нераскрытым убийствам.

Она помолчала, машинально разглаживая руками стопку листов с таблицами.

— Юрка, я не верю, что тебе все равно. В то, что ты устал, — верю, я тоже устала. И в то, что сил нет, и куража нет, и надоело все — тоже верю. Но в то, что двадцатилетние пацаны и девчонки должны отвечать непонятно за какие грехи своих родителей, — не верю. И в то, что тебе это безразлично, — не верю. Ты все врешь.

— Вру, — тихо согласился Коротков. — Мне не все равно.

— Тогда почему ты?..

— Аська, я это не потяну. Меня текучка окончательно засосала, особенно теперь, когда шеф в отпуске. Сережка Зарубин загружен выше головы, ему вздохнуть некогда. Ты раньше середины июня не выйдешь, а без тебя я не справлюсь. Мне бы маньяка поймать! Уж обо всех прочих трупах я вообще молчу.

— Так тебе и не надо будет это тянуть, если сейчас мы все проверим и передадим материал в главк, как же ты не понимаешь! А вот если ты дождешься еще одного розового бантика, то крутить это дело придется именно тебе и отделу, которым ты так ловко руководишь.

— Ладно, — вздохнул он, — черт с тобой. Говоришь, неделя сроку?

— Неделя, — подтвердила Настя.

— А почему так много? — с подозрением спросил

Коротков. — Позвонить в шесть регионов, задать вопрос, потом перезвонить через два часа и получить ответ, это работа на полдня. Ну, в крайнем случае, на день, если не повезет и кого-то придется долго разыскивать. Ты хочешь, чтобы я еще что-то сделал?

— Конечно, — рассмеялась она. — Догадливый ты — ужас! Я хочу, чтобы ты аккуратненько узнал, был ли господин Шустов в Москве в те дни, когда совершались эти убийства, или же он куда-то уезжал. Например, в те самые регионы, где потом находили трупы.

— Ну ты сильна! — восхитился Юра. — Ты хоть понимаешь, о чем просишь?

— Я не прошу, Юра, я объясняю тебе, что нужно сделать в первую очередь. Хотя ты и сам это прекрасно знаешь, не мне тебя учить. Я не могу этим заняться, меня и Шустов, и его жена видели. Придумайте с Сережкой Зарубиным какую-нибудь красивую легенду, и пусть он навестит Шустовых и все выяснит. Если все сойдется, то ты сможешь передать в главк не пустые материалы, а практически готовое раскрытие. И они довольны, и Афоня счастлив. И тебе почет и слава.

— А тебе?

— А мне — материал для диссертации и ученая степень, если повезет, — усмехнулась Настя. — И то не сейчас, а года через два. Каждому свое. Ты табличку-то сводную возьми, я специально для тебя распечатала.

Кряхтя и ворча что-то себе под нос, Коротков сложил лист в четыре раза и сунул в карман.

— Слушай, — внезапно оживился он, — я забыл тебе рассказать, я же Лильке Стасовой жениха сосватал.

— Это кого же?

— Маленького Заточного.

— Да ты с ума сошел! — ахнула Настя. — Лильке еще восемнадцати нет, а Максиму уже двадцать пять.

— Ну и что? Она девочка умненькая и красивая, и, между прочим, наш маленький Заточный на нее со страшной силой запал. Он — оперативник, она — будущий юрист, они оба из приличных семей, родители — не проходимцы какие-нибудь, так чем не пара?

Настя расхохоталась:

— Юрка! Старый ты сводник! Ты знаешь, что с тобой Стасов за это сделает? Он же сумасшедший отец, а все сумасшедшие отцы не могут представить себе, что их куколка принадлежит кому-то, кроме них самих.

— А Стасов ничего не узнает. Кто ему скажет? Ты?

— Нет, я не скажу.

— Ну и я не скажу.

— А Лилька?

— Ой, я тебя умоляю! Как будто ты нашу Лильку не знаешь. Она сроду с родителями ничем не делилась, из нее вообще лишнее слово не вытянешь.

В этом Коротков был прав. Настя помнила, как Стасов много раз жаловался на Лилину скрытность и корил в этом себя и свою первую жену, Лилину мать. Когда девочка родилась, они были слишком молодыми, чтобы с удовольствием заниматься дочерью, поэтому быстренько научили ее читать и уже с пяти лет оставляли одну в обществе книжек и бутербродов.

Лиля привыкла быть одна, и потребность делиться с родителями своими переживаниями, чувствами или просто информацией о собственной жизни у нее так и не появилась. И еще Настя вспомнила, как Стасов переживал, когда выяснилось, что с его второй женой, Татьяной, Лиля куда более откровенна, чем с ним самим.

— Да, Стасову Лиля, конечно, ничего не скажет, а вот Татьяне может рассказать, — заметила она. — Так что головы тебе так или иначе не сносить.

— А у меня и на этот случай спасательный круг припасен, — рассмеялся Юра. — Я уже с Таней заранее все обсудил. И она мне обещала ничего Стасову не говорить, даже если Лилька с ней поделится. Но я думаю, до этого еще далеко.

— Почему?

— Так это ж маленький Заточный на Лилю запал, а не она на него. Она его, по-моему, даже не заметила.

— Уф-ф! — Настя с облегчением перевела дух. — А я уж испугалась, что там все серьезно.

— Да ты чего! Чего ты испугалась-то? Ничего с твоей Лилей не сделается, Макс — хороший парень, он ее не обидит. Тоже еще... Испугалась она... Дуэнья в джинсах. Вот вечно так: хочешь людям добро сделать, а они...

Коротков с обиженным видом принялся натягивать куртку в прихожей.

— Да я не за Лильку испугалась, а за обоих Заточных.

— Это почему же?

— Потому что у Лили матушка — ой, не подарок! Ей на язычок попадешься — считай, калека. Без рук без ног останешься.

Коротков задумчиво оглядел угол прихожей, в котором стояли Настины и Лешины ботинки, и кивнул:

— Вообще-то да. Она обалденно красивая. И обалденная стерва. Значит, неделя, говоришь?

— Неделя.

— До двадцать шестого? — уточнил он.

— До двадцать шестого. И давай молиться, солнце мое, чтобы этот странный тип до двадцать шестого никого больше не убил. Иначе я себе не прощу. И тебе тоже, — добавила на прощание Настя.

* * *

— Ну вот, это мой дом.

Элеонора Николаевна быстро прошла по квартире и включила всюду свет. Назар Захарович с любопытством огляделся.

— Не бедствуешь, Элка, — с одобрением произнес он, пройдя по всем трем комнатам и заглянув в кухню и ванную.

— Я всегда неплохо зарабатывала, — улыбнулась она, — а мои мужья еще лучше. Они были хорошими мужиками и при разводе имущество не делили. Я, честно признаться, пыталась отдать им часть, не квартиры, конечно, но хотя бы вещей, картин, денег...

— Не взяли? — усмехнулся Бычков.

— Не взяли. Как-то так получалось, что я хотела развода, стремилась к нему, а уходили они сами, да еще к другой женщине. Потому и не брали ничего. Наверное, начинали в какой-то момент чувствовать, что мне этот брак в тягость, искали утешения на стороне... В общем, все логично.

— Логично, — согласился Бычков. — И все это роскошество хочет заполучить твой Петюнчик? И заплатить за это своим хорошо работающим мужским достоинством. Ты когда попросила его прийти?

— К двенадцати. Наджар, а что будет, если он не придет? Когда я ему позвонила, он как-то вроде растерялся... Не ожидал, наверное.

— Придет, — уверенно сказал он, — никуда не денется. Когда ты в последний раз обнаруживала следы его пакостей?

— Месяца два назад... Да, в конце февраля. Засунул в дверь записку с омерзительным текстом.

— Дурак. Он же жениться на тебе хочет, а не довести до нервного срыва. Цветы надо приносить и любовные письма писать, а не пакости делать.

— Ну, в его поведении тоже есть свой смысл. Он пытается довести меня до нервного срыва, хочет, чтобы я решила, что лучше уступить, чем терпеть эти издевательства до конца дней.

— Все равно дурак. Ты не беспокойся, он придет. Если он еще два месяца назад не отступился от своих планов, то придет. Давай пока чайку, что ли, выпьем.

Звонок в дверь раздался, когда чайник только-только закипел.

— Сиди, — строго произнес Назар Захарович, увидев, что Аля направилась к двери. — Я сам открою. Надо сразу лишить его всех иллюзий.

Аля покорно села за стол и внутренне сжалась. Она не любила драматических сцен и истерических выяснений отношений, всегда старалась их избегать. Взгляд ее упал на металлическую планку с круглыми магнитами, к которым крепились ножи. Вон он, тот самый нож, которым она защищалась от Петра. Здесь, на этой кухне... Нет, лучше перетерпеть один раз и покончить с этим. Назар сказал, что сперва надо попробовать уладить конфликт своими силами, а если уж не получится, тогда нанимать людей, которые делают это, как он выразился, «быстро, четко и профессионально».

— А Элеонора где? — послышался из прихожей голос Петра.

— Здесь. Но говорить с тобой буду я, — ответил Назар Захарович.

— Ты? А кто ты такой?

— А я жених Элеоноры.

При этих словах Аля едва не прыснула, но сдержалась.

— Да-да, чего ты так смотришь? Я женюсь на ней, через месяц у нас свадьба. Так это я к тому веду, что тебе надо бы перестать сюда приходить и гадить.

— Да пошел ты!

Аля услышала быстрые уверенные шаги Петра, он направлялся из прихожей в гостиную. Шагов Назара она не услышала, решила, что он остался стоять в прихожей, и очень удивилась, когда голос его раздался именно из гостиной. Надо же, как бесшумно он ходит!

— Да я-то пойду, сынок, мне нетрудно, — миролюбиво заговорил, словно зажурчал, Бычков. — Только с тобой как быть? Все твои пакости в протоколах зафиксированы, Элеонора Николаевна с самого первого раза милицию вызывала и жалобы на тебя писала. Сперва обивку на двери порезал. Это раз. Потом дверь поджег, ее менять пришлось, это два. Слова нехорошие писал на белой стене, Элеонора Николаевна краску покупала и маляров нанимала, чтобы эту красоту убрать. Это три. Бросил с улицы камень и стекло разбил, пришлось мастеров вызывать и новое стекло вставлять. Это четыре. Коврик перед квартирой вместо туалета три раза использовал, коврики выбросили, новые купили. Это четыре плюс три уже семь получается. И чеки с квитанциями к протоколам приложены, материальный ущерб ты нанес в размере восьмидесяти пяти тысяч рублей. Платить придется, сынок. Иначе никак не получается.

— Да пошел ты, — снова выступил Петр, но на этот

раз менее уверенно. — Откуда ты насчитал восемьдесят пять тысяч?

— Так из чеков же! Элеонора Николаевна женщина состоятельная, она дешевые вещи не покупает. Дверь стальная, дорогая, коврики немецкие, тоже больших денег стоят. Так что давай, мил-друг, по-хорошему разойдемся. Или ты отваливаешь и больше никогда на горизонте не появляешься, или протоколы в дело пойдут.

— Да где они, протоколы эти?! — вдруг взорвался Петр. — Чего ты меня пугаешь, старый пень? Чего фуфло мне гонишь? Думаешь, я тебя испугался?

— Пока еще нет, — послышался спокойный голос Бычкова. — Но сейчас, я думаю, испугаешься. Погляди-ка на это. Читать умеешь? Глаза есть?

Повисла тишина. Аля на цыпочках выбралась из кухни и осторожно прокралась по коридору к гостиной. Ей было ужасно интересно, что же такое Назар показал Петру. Неужели протоколы? Состряпал специально для этого случая?

То, что она увидела, ее ошеломило. Впрочем, по-видимому, Петра тоже, потому что стоял он в нелепой позе, вытянув вперед голову, словно ноги его приросли к полу и он не мог двинуться вперед, а очень хотелось, и руки при этом висели, как у гориллы. В одной руке Назар Захарович держал раскрытое удостоверение в красной обложке, в другой был пистолет.

— Ну как, сынок, все прочитал? Все увидел? Понимаешь теперь, что я не шучу? Мне ведь только пальцем на спусковой крючок нажать — и нет тебя. Или есть, но сильно покалеченный. Ты находиться здесь никакого права не имеешь, квартира не твоя, ты здесь не прописан, у меня заявления Элеоноры лежат в папке о том, что ты ее домогаешься и регулярно приходишь сюда, нарушаешь ее право собственника и покой ее нервной системы. Вот и сегодня она пришла цветочки полить, не одна пришла, а вместе с мной, со своим законным женихом, полковником милиции при служебном оружии, а ты ворвался, стал ей претензии предъявлять, силу применял, за руки хватал, ножом угрожал. Меня-то ты не видел, я в ванной был или даже в туалете, ты и подумал, что Элеонора, как обычно, одна в квартире. Ан нет, не одна она. И я применил оружие, потому как нахожусь в полном своем праве. А потом ты уже совсем мертвый будешь и никому не объяснишь, как оно было на самом-то деле. Ну что, сынок? Уговорил я тебя?

Петр по-прежнему молчал. Але вдруг стало невыносимо тошно от всего происходящего, но главным образом — от себя самой, допустившей такую ситуацию и увязшей в ней. Стараясь не шуметь, она тихонько вернулась на кухню и прикрыла за собой дверь, чтобы ничего не слышать.

Прошло еще какое-то время, потом хлопнула входная дверь и на кухне появился Назар.

— Ну вот, Элка, а ты боялась. Видишь, как все просто? Петюнчик твой до денег страсть как жаден, на этом и сыграли. Не хочет он платить за причиненный ущерб, ой не хочет!

— Что за удостоверение ты ему показывал? — спросила Элеонора Николаевна. — Там написано, что ты доцент?

— Ну прям-таки! — усмехнулся Бычков. — Там написано, что я оперуполномоченный по особо важным делам МВД России. Это мое прежнее удостоверение, я его не сдавал, когда в академию переводился. Сказал, что потерял, рапорт написал, выговор получил — и все дела. У нас все так делают.

— А пистолет у тебя откуда? Ты же преподаватель.

— Наградной, — коротко ответил он. — И разрешение имеется. Ты чаю-то нальешь или как?

Он уселся за стол, вытащил пачку «Беломора» и с удовольствием закурил. Аля подала ему пепельницу и налила чай в красивые английские фарфоровые чашки.

— Ты уверен, что он больше не появится?

— Что ты, Элка, разве можно в нашей жизни быть в чем-то уверенным? Конечно же, он появится. Но с сегодняшнего дня ты будешь приезжать сюда только вместе со мной. А я каждый раз, когда мы будем обнаруживать следы его присутствия, буду ему звонить. Думаю, ему это скоро надоест.

— Но, Наджар, я приезжаю по ночам, днем у меня много дел дома, — растерялась она. — Разве ты сможешь?

— А ты предложи мне разумный компромисс. Приезжай не в три часа ночи, как ты привыкла, а в двенадцать, как сегодня, или даже в одиннадцать. Я ведь не такой полуночник, как ты, я на работу к девяти утра хожу. И вообще, Элка, заканчивай ты с этой ночной жизнью. В нашем с тобой возрасте по ночам надо спать.

— Я не могу, — грустно сказала Аля. — Я привыкла поздно ложиться. Утром встану, всех покормлю, отправлю и ложусь досыпать. И потом, я люблю ночь. И ночную Москву люблю. Еще чаю подлить?

— Нет, пожалуй, достаточно.

Он посмотрел на часы.

— Давай-ка поедем, у нас еще одно дело осталось.

Аля быстро убрала со стола, вымыла чашки, и они вышли на улицу. К дому Лозинцевых вплотную подъезжать не стали, остановились за углом.

Назар Захарович вышел из машины, прошел несколько метров вперед, потом вернулся.

— Ну что там? — тревожно спросила Элеонора.

— Ходит. Сейчас как раз к нашему углу идет.

— А если она завернет за угол и увидит мою машину? — забеспокоилась она.

— Да пусть видит.

— Так ничего же не получится!

— И ладно. Сегодня не получится — в следующий раз получится. Не дергайся, Элка, это не вопрос жизни и смерти, время терпит.

Но ей хотелось покончить со всем уже сегодня. Она вдруг поняла, что у нее больше нет сил жить в постоянном напряжении, ожидая удара то от Дины, то от Петра.

Прошло минуты две, и Дина из-за угла не появилась. Назар Захарович снова прошел вперед и моментально вернулся.

— Она завернула за угол с противоположной стороны. Иди быстрее, пока она не развернулась и не пошла назад.

Аля поняла, что Дина ходит одним и тем же маршрутом, не удаляясь от дома слишком далеко. Просто обходит квартал, но не по периметру, а проходит две стороны и возвращается, чтобы не проходить мимо стройки, на которой ночью ошиваются бомжи. Боится.

Она быстро добежала до своего подъезда, вскочила в лифт. Оказавшись перед дверью своей квартиры, принялась истошно давить на кнопку звонка, одновременно прильнув ухом к двери и прислушиваясь. Андрюша и Славка спят крепко. Кто из них проснется первым? Кто откроет дверь? Как поведут себя? Ей кажется, она хорошо знает характер брата и племянника и правильно просчитала их поведение. Но вдруг она ошиблась?

Откроют дверь, удивятся, что на площадке никого нет, и спокойно лягут спать дальше. Нет, не должно быть, не такой у них характер. Или такой?

Ей показалось, что в глубине квартиры раздались какие-то звуки.

Аля отпрыгнула назад, нажала кнопку лифта, двери тут же плавно разъехались. Она не стала спускаться вниз: была опасность столкнуться на улице с Диной. Вместо этого она поднялась тремя этажами выше, вышла на площадку и прислушалась. Дверь квартиры открылась, послышались приглушенные мужские голоса. Значит, проснулись оба, и брат, и племянник.

Голоса сперва были сонные, потом недовольные и раздраженные, потом Аля уловила в них нарастающие тревожные нотки. Дверь закрылась. Ну вот, настал решающий момент. Или — или.

Спустя еще несколько минут дверь снова открылась, потом закрылась, раздались шаги и гудение лифта. Все получилось! Они обнаружили отсутствие Дины и помчались ее искать. Да еще этот странный звонок в дверь... Они испугались. Аля была уверена, что они вдвоем, отец и сын.

Лифт остановился на первом этаже. Аля вызвала его наверх, спустилась, подошла к двери черного хода. Она запиралась на замок, который изнутри открывался вручную, а снаружи — только ключом, и ключ этот был только у дворника и уборщицы, моющей лестницы в подъезде. Дверь выходила во двор, и если бы Аля могла ею воспользоваться с самого начала, ей не пришлось бы выгадывать момент, когда Дина ее не видит. Во двор можно было войти с двух соседних улиц. Но у нее не было ключа.

Она захлопнула за собой дверь, пробежала через двор, выглянула на улицу. Ее машина стояла совсем рядом. Улица пустынна, ни одного человека, кроме сидящего в машине Назара. Андрей со Славиком, видно, побежали в другую сторону. Аля набрала в грудь побольше воздуха, сделала три больших шага, нырнула в машину, Назар Захарович тут же завел двигатель, и они сорвались с места.

— А твои мальчики быстро бегают, — заметил он.

— Ты их видел?

— Они в мою сторону как раз и побежали, — пояснил Бычков. — Я даже мигнуть не успел, а их уж и не видно. Молодцы. Спортсмены. Но не опера.

— Что ты хочешь сказать? — нахмурилась Аля.

— Надо было в разные стороны бежать, их же двое, — рассмеялся Бычков. — Что ж они вместе-то побежали? Так не ищут. Куда тебя везти?

— К тебе, — решительно ответила Аля. — Давай отвезем тебя домой, потом я вернусь. Надеюсь, к моему возвращению все уже будет кончено.

— Я в этом просто уверен, — хмыкнул Бычков.

Что-то в его интонации насторожило Алю. Она повернулась на сиденье и внимательно посмотрела на него.

— Почему ты уверен?

— Да потому, что они ее найдут минут через десять, а то и раньше. А ты вернешься домой как минимум часа через три.

— Почему через три? — не поняла Аля. — Я буду дома через полчаса.

— Это ты так думаешь. Мы с тобой, Элка, уже не в том возрасте.

— А при чем тут наш возраст? Водишь ты отлично, и дороги пустые.

— Вожу я хорошо, что есть — то есть, — согласился Назар Захарович, — а вот на все остальное нам нужно побольше времени, в пять минут мы точно не управимся. Годы, Элка, годы...

Он притворно вздохнул, и только тут до неё дошло, о чем он говорит. Аля с удивлением почувствовала, как кровь прилила к щекам. Неужели она смутилась?

— Наджар, — робко начала она.

— Да?

— Мы с тобой, наверное, смешны... Ты правильно говоришь: в нашем возрасте. Тебе шестьдесят, мне пятьдесят шесть. А мы устраиваем гонки по ночным улицам, я бегаю по лестницам, ты пистолетом размахиваешь. И еще про постель разговоры ведем. Как в плохом кино.

— Так жизнь, Элка, всегда похожа на плохое кино. Когда в кино все как в жизни, про него говорят: плохое. Потому что такое кино никому не интересно. Все люди и так живут своей жизнью и знают ее досконально, им не интересно про эту жизнь еще и в кино смотреть. А вот когда кино на жизнь не похоже, тогда его называют хорошим, потому что можно помечтать, представить себя на месте героев. В плохом кино герой — все равно что ты сам. Это скучно.

— Наджар... Я никогда не встречала таких людей, как ты. У тебя мозги как-то по-особому устроены, они производят какие-то совсем особые мысли. Ты ни на кого не похож.

— И это может тебе помешать?

— Помешать? В чем?

— Выйти за меня замуж.

— Ты что, делаешь мне предложение? — изумилась Аля.

— Ни в коем случае. Как ты могла подумать!

В его голосе было такое возмущение, словно Аля заподозрила его в чем-то чудовищном.

— Тогда я не понимаю, — растерялась она.

— Я хочу знать, как ты отреагируешь, если я сделаю тебе предложение. А вот буду ли я его делать, это еще вопрос.

— Наджар Джохарович, вы — негодяй и гадкий соблазнитель.

— Ничего подобного. Я — мужчина на склоне лет, который боится сделать непоправимую ошибку.

— Послушай, тридцать семь лет назад ты уложил меня в постель, потом выкинул из своей жизни и женился на другой. Неужели ты посмеешь проделать этот финт еще раз?

Она все еще смеялась, потом неожиданно стала серьезной и добавила:

— Наджар, не надо на мне жениться. Только не бросай меня опять, ладно? Я без тебя пропаду.

Глава 11

Третья неделя отпуска пролетала еще быстрее, чем две предыдущие.

И куда только время уходило? Настя терялась в догадках, злилась, расстраивалась, но это ничего не меняло: время таяло с невероятной скоростью, и замедлить этот необратимый процесс у нее никак не получалось. Она готовила документы для утверждения на ученом совете темы своей диссертации, ездила в координационный центр за справкой о том, что такие темы раньше никому не утверждались, стояла в очереди в химчистке и в мастерской по ремонту сумок, долго и нудно объяснялась с приемщицами и писала заявления, в которых подробно перечисляла вещи и их отличительные особенности, ходила в магазины и готовила еду. Почему-то на занятия собственно диссертацией времени совсем не оставалось. Правда, Настя сходила в библиотеку академии и набрала кучу книг по криминологии и криминалистике, в которых шла речь об убийствах и лицах, их совершающих, а также о потерпевших от этих преступлений, и еще она съездила к отчиму на работу и взяла литературу, которую он по ее просьбе отобрал в своей библиотеке. Но разве это серьезно? Разве это может считаться работой над диссертацией? Это всего лишь подготовка к работе. А время шло и шло...

В среду позвонил Сережа Зарубин, которому Коротков поручил запросить в авиакомпаниях и на железной дороге сведения о том, не приобретал ли господин Шустов билеты для поездок.

— Хорошо, что теперь есть единая компьютерная система «Пассажир», мороки меньше. Твой Шустов выезжал и вылетал три раза в Магнитогорск и по одному разу в Санкт-Петербург, Иркутск, Благовещенск и Воронеж. Годится?

Воронеж. Настя быстро пролистала свои записи. В июне 2002 года в Воронеже был убит юноша, на теле которого преступник оставил книжку о вкусной и здоровой пище.

— Когда он ездил в Воронеж?

— Месяц назад.

— А раньше?

— А про раньше сведений насчет Воронежа нет. Другие города есть, а Воронеж больше не мелькал.

Магнитогорск, Санкт-Петербург, Иркутск и Благовещенск. Ничего общего с Чебоксарами, Рязанью и Ярославлем. Впрочем, в Рязанскую и Ярославскую области, где были совершены аналогичные убийства, Шустов мог съездить и на машине, расстояние не такое уж большое. Или на электричке, билеты на которые продают без паспорта. Правда, провисают Чебоксары, но ведь истинные автолюбители и не такие концы на колесах проделывают.

— Сережа, узнай в ГИБДД, есть ли у Шустова машина. И все-таки придется тебе поговорить с ним и его женой.

— Да я уж понял, что мне не отвертеться, — вздохнул Зарубин.

На следующий день он позвонил снова.

— Неужели сделал? — обрадовалась Настя, услышав голос Сергея. — Как ты быстро! Ну, что узнал о Шустове?

— Да не, Настя Пална, ничего я по Шустову не сделал, не успел. Мне Коротков велел обзвонить регионы насчет родителей потерпевших и тебе доложить.

— И что получилось?

— Примерно как ты и говорила. Из шести потерпевших у двоих кто-то из родителей служит в ментовке, и далее по одному: прокурорский работник, адвокат, судья арбитражного суда, налоговый полицейский.

Вот, значит, как...

— Сережа, сегодня уже четверг. Мы с Юркой договорились, что до утра понедельника проясним картину. Ты не тяни, ладно? Надо раскручивать Шустова, пока он еще чего-нибудь не сотворил.

— Да понял я, — проворчал Зарубин без энтузиазма. — Я все записи Короткову оставлю, если что — они у него на столе будут, в синей папке. Все, Пална, побегу я, ни минуты нет свободной.

Она хотела было попросить Сергея, чтобы тот продиктовал ей все сведения по родителям потерпевших в подробностях, но устыдилась. Гоняет ребят со своими идеями, еще и поторапливает, а ведь у них столько работы! Ничего, сейчас она оденется, выйдет на улицу и спокойненько съездит на Петровку, возьмет все сведения и о родителях убитых девушек и юношей, и о передвижениях Шустова. Спокойно посмотрит дома, разнесет по таблице, подумает, глядишь — что и придумается...

Настя уже стояла в прихожей, когда вспомнила о предупреждении Короткова: ее ищет начальник. Правда, он в отпуске, появился в понедельник и теперь, наверное, снова дома сидит, но рисковать все же не следует, а то получится, что она Юру подвела. Он поклялся шефу, что Каменская в санатории, а она по коридору идет.

В кабинете Короткова никто трубку не брал. Настя позвонила на мобильник:

— Ты на работе?

— А где же мне быть? — усмехнулся Юра. — На выезде.

— Тебе Зарубин материалы оставлял для меня?

— Материалы? — удивился он. — Какие?

— По поездкам Шустова и по родителям. Я с ним полчаса назад разговаривала, он пообещал оставить все материалы у тебя.

— Так меня с утра на месте нет, я еще в конторе не был.

— Что-то случилось? — испугалась Настя.

Юрка на выезде. Не рядовой опер из округа, а зам-начальника убойного отдела МУРа. Значит, что-то серьезное. На обычные трупы руководители такого уровня не выезжают.

— Как всегда, — рассеянно ответил Коротков. — Сейчас, подожди минутку.

Он, видимо, опустил руку с телефоном и начал с кем-то разговаривать. Слов Настя разобрать не могла, но голос у Юрки был сердитым и очень «начальственным». Вскоре в трубке раздалось:

— Да, так что ты хотела?

— Я хотела подъехать в контору за материалами, но раз тебя нет и Сережка тебе ничего не оставлял...

— Давай часам к восьми, я уже буду на месте. Лады?

— Лады, — грустно ответила она.

Ну что, зря одевалась, что ли? Настя подумала немного и решила сходить в магазин за овощами для салата к ужину. Она все приготовит, оставит на плите и поедет на Петровку, а Лешка сам покормится, когда придет. Нет, ну совершенно непонятно, как это женщины, обремененные семьей и детьми, ухитряются писать диссертации? Вот у Насти семья маленькая, детей нет, муж — золото, и то она ничего не успевает. А остальные как же управляются? Загадка.

* * *

Новый аппарат Лиля выбирала долго и придирчиво. И не в том дело, что у нее были какие-то особые требования к мобильному телефону, просто в салоне мобильной связи она чувствовала себя очень взрослой. Здесь все такое серьезное, деловое, и цены не копеечные, самый дешевый аппарат стоит не меньше двух тысяч рублей. Мать на сообщение о потере мобильника отреагировала спокойно, сама телефоны теряла раз пять, не меньше, и деньги дала, двести долларов. Рассматривая выставленные в витрине аппараты, Лиля боролась с собой, пытаясь принять решение, тратить ли на новый телефон все деньги или сэкономить и оставить сдачу себе на карманные расходы. Нет, мама ее в деньгах не ограничивала, и отец постоянно что-то подбрасывал, но привычка экономить деньги, данные родителями, сформировалась у Лили еще в раннем детстве. Она просила «на мороженое», но не покупала его, а откладывала, чтобы потом купить книжку, которую мама с папой ни за что ей не купят. Не потому, что жадные, а потому, что ей еще рано «такое» читать. Лиля с детства сама привыкла решать, что ей «рано», а что «в самый раз», поэтому родителей она регулярно обманывала, делая при этом вид скромный и послушный.

Вот этот аппаратик очень симпатичный, и стоит совсем не дорого, а вот этот существенно дороже, но зато в нем есть всякие полезные функции... Лиля совсем измучилась и в конце концов остановила свой выбор на самом дешевом из имеющихся телефонов.

Выбрав аппарат, она села к менеджеру оформлять договор.

— Если хотите, вы можете за дополнительную оплату выбрать престижный номер, — предложила девушка-менеджер. — Показать вам, что у нас есть?

— Нет, спасибо, — отказалась Лиля. — Меня любой номер устроит.

Очень ей нужен этот престижный номер! Да еще за дополнительную оплату. На эти деньги она лучше в книжном магазине три сумки новых книг накупит. Скоро лето, каникулы, вот уж начитается она в полное удовольствие!

Получив, наконец, новый мобильник с новым номером, она вышла из салона и направилась в сторону дома.

— Лиля!

Она оглянулась и увидела Максима, того симпатичного оперативника, который работал вместе с Коротковым.

— Привет, — удивленно протянула она.

— Здравствуй. А где твой кавалер?

— Какой кавалер? — неосторожно ляпнула Лиля и спохватилась даже не сразу, а только тогда, когда Максим задал свой следующий вопрос:

— Ты Юрию Викторовичу обещала, что тебя из института домой будет провожать твой парень. Что-то я его не вижу.

Вот черт возьми! Она и забыла совсем.

— Он... заболел. Его сегодня не было на занятиях.

— Так его и вчера не было, и позавчера тоже, — усмехнулся Максим. — Как же так, Лиля? Ты обещала, что не будешь ходить одна, пока мы не выясним насчет того парня, который к тебе приставал. И что мне прикажешь делать? Звонить Юрию Викторовичу?

— Не надо звонить, — поспешно сказала Лиля. — Он... то есть мой парень, уже завтра будет в институте, он уже поправляется. Честное слово, Максим, завтра я буду не одна.

Значит, он знает не только про сегодня, но и про вчера, и про позавчера. А про прошлую неделю он тоже знает? Ой, как нехорошо выходит!

Максим наверняка скажет дяде Юре Короткову, и тот устроит ей выволочку, а еще и папе сообщит. И тогда... А что, собственно, тогда? Папа запретит ей ходить в институт? Ну и ладно, она с удовольствием посидит дома. Вот прямо сейчас пойдет в книжный магазин, он здесь рядом, недалеко от метро, купит книжек побольше и может сидеть дома сколько угодно. Теперь ей не нужно во что бы то ни стало каждое утро ехать в метро. И подходить к цветочному киоску тоже не нужно. Так что все и к лучшему. Однако есть одна загвоздка: папино доверие. До тех пор, пока он уверен, что знает о дочери все, он ей доверяет. А если всплывет эта история с обманом и дядей Юрой?

— Лиля, может, хватит, а? Нет у тебя в институте никакого парня, и никто тебя домой не провожает.

— Почему ты решил, что нет? — огрызнулась она. — Очень даже есть.

— Нет. Я проверял. И всю прошлую неделю смотрел,

с кем ты домой идешь. Ты хоть понимаешь, что ты глупо рискуешь? Юрий Викторович тебе все объяснил, а ты как маленькая, честное слово! Взрослая умная красивая девушка, а ведешь себя хуже ребенка. Ну на фига тебе так рисковать? Ради чего? Ради чего ты Короткову наврала?

И в самом деле, ради чего? Ради Кирилла, который очень быстро стал ей в тягость, потому что с ним, как оказалось, не о чем разговаривать, у них нет общих интересов, общих знакомых, общих дел. И он даже не интересуется ею как девушкой, не ухаживает, не пытается поцеловать. Он до такой степени ей в тягость, что она даже номер телефона сменила, чтобы он не смог до нее дозвониться. Вот ведь идиотизм! Ежедневно рисковать жизнью ради человека, который ей совершенно не нужен.

— Значит, ты все эти дни за мной следишь?

— Я не слежу за тобой, а наблюдаю, чтобы быть уверенным, что ты в безопасности. По городу маньяк разгуливает, вполне возможно, он — тот самый тип, от которого ты сбежала, и он может тебя искать. Ты что, в самом деле не понимаешь или придуриваешься?

— Придуриваюсь, — Лиля обезоруживающе улыбнулась. — Значит, раньше твой папа командовал моим папой, а теперь ты решил принять эстафету и покомандовать мной?

— Я не командую, — белокожее лицо Максима стало ярко-розовым, — извини, если обидел. Но я за тебя отвечаю.

— Это с каких же пор?

— Неважно.

— И все-таки?

— С тех самых, когда понял, что ты ходишь из института домой одна.

— А давно ты это понял?

— Еще на прошлой неделе, когда мы с Юрием Викторовичем встречались с тобой на «Щелковской». Только не спрашивай меня, как я это понял. Но на следующий день я проверил и убедился, что прав. Я не стал пока Короткову ничего говорить, у него и так поводов для волнений полно, просто решил, что буду тебя провожать на расстоянии. Мало ли что. Лиля...

— Что?

— Ты торопишься?

— Да нет, — она пожала плечами. — Куда мне торопиться? Завтра семинаров и практических нет, только лекции, так что готовиться не нужно. Я в книжный собиралась зайти.

— Пошли, — он слегка тронул ее за плечо. — Я тоже зайду, надо процессуальный кодекс купить, а то у меня оба экземпляра кто-то спер. Прямо из кабинета, представляешь?

Лиля округлила глаза.

— Как это — сперли из кабинета? У вас в милиции воры работают?

— А ты думала? — рассмеялся Максим. — И воры, и мошенники, и взяточники, и даже убийцы. У нас все, как у людей. Из служебных кабинетов всегда тащат по мелочи, кто кодекс, кто ручки, кто зажигалки.

Они уже подошли к книжному магазину, когда Максим вдруг остановился.

— Ты японскую кухню любишь?

— Люблю, — удивленно ответила Лиля, перехватив его взгляд, направленный на соседнее здание, в котором располагался ресторан «Якитория». — Ты хочешь зайти поесть?

— Я хочу тебя пригласить. Можно?

— Можно. Я не пойму, ты что, ухаживаешь за мной?

— А ты думала? — весело сказал он. — Еще как ухаживаю. Разве не заметно?

Они вошли в ресторан и сели за столик в дальнем углу. Сначала Лиля старалась выбрать в меню что-нибудь наименее калорийное, но потом махнула рукой на диетические принципы и заказала пельмени с креветками, которые обожала, но крайне редко могла себе позволить.

«Завтра поголодаю, — решила она, — а сегодня буду радоваться жизни».

В какой-то момент Максим встал из-за стола:

— Поскучаешь пять минут? Я быстро.

И выскочил из ресторана. Лиля подумала, что ему, наверное, надо позвонить по служебному делу, и он не хочет, чтобы разговор слышали посторонние. Такие вещи Лиля понимала, она была папиной дочкой.

Максим вернулся не через пять минут, а через десять, но зато с букетом цветов. Разноцветные хризантемы с герберами и розами. Очень нарядно. И, наверное, очень дорого...

— Это мне? — Она не могла, да и не пыталась скрыть своей радости. — Где ты это взял?

Лиля предполагала, каким будет ответ, но ей отчего-то захотелось услышать его.

— В цветочном киоске возле метро.

Ну конечно. В том самом киоске, возле которого каждое утро ждал ее в машине Кирилл. Киоск открывался рано, в семь часов, и Лиля только сейчас поняла, что на самом деле подспудно ожидала каждый день, что Кирилл встретит ее букетом. Она откроет дверцу машины, а на сиденье лежат цветы... «Это тебе», — скажет Кирилл и улыбнется. Но ему это и в голову не приходило. Что ж, он ведь с самого начала предупредил девушку, что не ухаживает за ней, что они просто дружат. Надо же, как интересно иногда поворачивается жизнь: сегодня Максим купил для нее цветы как раз в том самом киоске.

И еще она вдруг поняла, что ждала от Кирилла приглашения, пусть не в ресторан, но хотя бы в венскую кондитерскую или в обычный бар попить кофе. Ничего этого он не делал, он только возил ее по утрам в институт, а в последнее время почти не разговаривал с ней. Зато от Максима она получила и цветы, и ресторан, и разговоры, и откровенное признание в том, что он за ней ухаживает. То есть все то, что так нужно девушке в ее возрасте.

Потом он проводил ее до дома, и, прощаясь с ним, Лиля с удивлением почувствовала, что совсем не устала.

«Почему я должна была устать? — сердито говорила она себе, поднимаясь в квартиру. — Можно подумать, я вагоны грузила. Сходила в ресторан, поболтала с симпатичным парнем, с чего мне уставать?»

Но Лиля Стасова была человеком, с раннего детства

привыкшим к одиночеству и выработавшим привычку подробно и подолгу разговаривать с самой собой.

А поскольку ты сам себе не посторонний, то нет никакой необходимости врать и притворяться, и Лиля, опять же с детства, хоть и привыкла обманывать родителей, но была предельно честной с собой. «Каждый раз после встречи с Кириллом я чувствовала себя жутко уставшей. Я думала, что это нормально, что любое общение женщины с мужчиной требует известного напряжения и утомляет, забирает силы, но сегодня я провела с Максимом три часа и ни капельки не устала, а ведь мы все время общались, у нас рот не закрывался ни на минуту, мы постоянно о чем-то говорили. Значит, утомляет не общение с мужчиной как таковое, а общение именно с Кириллом. Почему? Да потому, что я очень хотела ему понравиться, я хотела, чтобы он начал за мной ухаживать по-настоящему, а для этого нужно было заинтересовать его. Я все время пыталась соответствовать, быть взрослой, умной, интересной, ведь он намного старше меня... Вот эти-то попытки соответствовать и забирали у меня все силы.

А уж когда он стал меньше разговаривать и больше молчать, я вообще старалась выше головы прыгнуть, чтобы сказать что-нибудь такое, что покажется ему достойным внимания. И зачем мне вся эта головная боль?

Хорошо, что я телефон поменяла».

Дома Лиля отказалась от ужина, чем вызвала у своей матери вздох неприкрытого облегчения: фестиваль телевизионных фильмов закончился, теперь самое время писать многочисленные и, как обычно, разгромные рецензии и обзоры. Положительных рецензий Маргарита Владимировна Мезенцева, в замужестве Стасова, не писала. И не потому, что ей никогда ничего не нравилось. Просто у нее был такой имидж.

У себя в комнате Лиля улеглась на диван, накрылась пушистым пледом и раскрыла книгу. Но глаза ее то и дело отрывались от страницы и утыкались то в стену, то в потолок, то в темный экран неработающего телевизора. Максим сказал, что завтра постарается прийти к институту, когда закончатся лекции, и проводить Лилю домой, и очень обрадовался, когда она ответила, что собирается позаниматься в «читалке» до закрытия, то есть часов до восьми.

— К восьми я точно успею. Среди дня мне трудно вырваться, хотя пока как-то удавалось, но любое везенье рано или поздно заканчивается. А к восьми — намного проще.

Но это будет только завтра вечером. А сегодня? Позвонит или не позвонит?

Максим позвонил около десяти часов. И Лиля Стасова поговорила с ним и легла спать совершенно счастливой. Уже засыпая, она привычно побеседовала сама с собой, со своей самой близкой подружкой, и честно призналась ей, что, когда познакомилась с Кириллом, тоже была счастлива, но как-то по-другому. То счастье было больше похоже на восторг первого прыжка с парашютом, когда страшно, и тревожно, и сладко, и все внутри дрожит. А сегодняшнее счастье напоминает ей большую добрую собаку, которая подошла, лизнула в лицо, легла в ногах, и ты знаешь, что она ни за что не уйдет от тебя, не предаст и никому не позволит тебя обидеть.

* * *

Конечно же, Коротков не приехал на Петровку к тому времени, которое назначил Насте, Сережи Зарубина тоже не было, и она терпеливо сидела в своем кабинете, ожидая, пока появится хоть кто-то из них. Сережка сказал, что положил материалы Короткову на стол и что ключ от кабинета есть только у него, Зарубина, и у Юры. Глупо терять время, но не менее глупо уезжать домой без материалов, коль уж затрачено время на дорогу. Около девяти вечера Настя добросовестно позвонила Юре, и тот пообещал быть на месте минут через сорок. Да, дел у Юрки невпроворот, а она его еще Шустовым загрузила. Конечно, Шустов — это не ее личное дело, не чисто научный интерес, а подозреваемый в серии тяжких преступлений, но все-таки...

Она тупо перебрала бумаги в столе, потом в сейфе, ругая себя за непредусмотрительность: взяла бы из дома пару научных книжек, почитала бы пока, все польза для дела. Ведь знает же, что такое сыщицкая работа и как трудно, а порой и невозможно планировать время, а купилась на Юркино обещание быть в конторе к восьми часам. Могла бы сообразить, что придется ждать. Уже десятый час... Господи, как же она забыла!

Ведь Городничий велел ей позвонить ему домой сегодня в девять, и он назначит ей очередную встречу на завтра. Черт, растяпа! Мало того, что забыла о звонке, она еще и телефон его потеряла вместе с кошельком. И совсем забыла об этом, когда договаривалась с Олегом Антоновичем. Телефон кафедры она помнила наизусть, а вот его домашним телефоном пользоваться пока не приходилось. Если бы Настя хоть один раз звонила ему домой, она бы помнила номер, память на цифры была у нее отменной. Но она не звонила. И что теперь делать?

Она схватила трубку и набрала номер Никотина.

— Дядя Назар, у вас нет телефона Городничего?

— Сейчас в справочнике посмотрю.

Настя с облегчением перевела дыхание. Хорошо, что во всех приличных учреждениях есть собственные телефонные справочники, где указаны служебные и домашние телефоны сотрудников. Такие справочники обычно небольшие, как тоненькая брошюрка, и многие постоянно носят их с собой в портфелях, а не держат в ящике письменного стола в служебном кабинете.

— Записывай.

Настя записала номер не на отдельный листок, как обычно, а сразу в записную книжку. От греха подальше.

— Как сама-то? Успеваешь что-нибудь? — поинтересовался Бычков.

— Ничего не успеваю, — призналась она. — Время куда-то утекает, сама даже не пойму, куда оно девается, а дело стоит.

Ей показалось, что где-то в квартире Никотина послышался женский голос. Голос что-то спросил у Бычкова.

— Да нет, не нужно, — сказал Назар Захарович. —

Извини, дочка, это я не тебе. Так что, может, проблемы какие-то? Помочь нужно? Ты говори, не стесняйся.

На другом конце провода зазвучал звонок мобильника и снова послышался женский голос. Причем голос этот показался Насте очень знакомым.

— Спасибо, дядя Назар, вы мне уже и так очень помогли с рецензентами, у меня совести не хватит вас эксплуатировать...

Она говорила еще какие-то слова, а сама напряженно прислушивалась к доносящемуся из трубки женскому голосу. Лозинцева. Точно, это она.

Ее интонации, немножко особенные, почти неразличимые нюансы, как у многих людей, интенсивно практикующих разговорный иностранный.

— Дядя Назар, у вас гости? Я вас отрываю?

— Да ничего, дочка, ничего, ты говори, если что нужно.

— Это Элеонора Николаевна, я не ошиблась?

— Ну и слух у тебя! — восхищенно присвистнул Никотин. — Или чутье? Или прознала что-нибудь?

— Слух, дядя Назар, слух, — рассмеялась Настя. — Чутья у меня сроду не было, даже ваш дружок Гордеев это признавал. Но если вы добровольно и чистосердечно предлагаете мне помощь, то я готова воспользоваться.

Мысль пришла ей в голову неожиданно, и Настя даже не успела как следует обдумать, насколько удобно и прилично ее осуществлять.

— Вы не могли бы аккуратненько выяснить у Элеоноры Николаевны кое-что насчет Шустова?

— А что именно?

Голос Лозинцевой стал быстро удаляться и вскоре совсем пропал, и Настя поняла, что Никотин вышел из комнаты. Она в двух словах объяснила Бычкову, что ее интересует.

— И зачем тебе это?

— Ну дядя Назар... — укоризненно протянула Настя. — Я же не спрашиваю, почему Лозинцева находится у вас дома, правда? Хоть у меня и нет чутья, но есть здравый смысл, и я понимаю, что если одинокая женщина находится в квартире одинокого мужчины в десятом часу вечера, то по меньшей мере бестактно спрашивать, что она там делает. Но если вспомнить, как она нервничала в вашем присутствии и боялась поднять на вас глаза, то можно прийти к выводу, что вы произвели на нее неизгладимое впечатление. Я-то по наивности думала, что она догадывается о причастности кого-то из родных к убийству Кристины и поэтому с ума сходит от страха, я всю голову себе ложными версиями забила, а у нее, оказывается, любовь с первого взгляда. Так вы мне поможете?

— Шмакодявка, — проворчал Бычков. — Ладно, поговорю. Но ты мне пообещай, что, как только мы встретимся, ты мне все объяснишь. Терпеть не могу, когда меня втемную используют. Завтра будешь в академии?

— Не знаю пока. Скорее всего, буду. Сейчас позвоню Городничему, он собирался назначить мне научное рандеву на завтра.

— Значит, завтра придешь ко мне и все расскажешь. А я тебе позвоню в течение минут тридцати-сорока. Ты дома?

— Если бы. На Петровке сижу. Так что звоните на мобильник.

Олег Антонович, похоже, тоже благополучно забыл о том, что велел адъюнкту Каменской позвонить в четверг вечером насчет встречи в пятницу, потому что долго собирался с мыслями, листал ежедневник, что-то бормотал и, наконец, заявил, что сможет встретиться с ней с трех до половины четвертого, другого времени у него не будет. Ну вот, опять весь день псу под хвост. То есть заниматься делом можно будет только до двух часов, потом нужно выезжать, потом неизвестно сколько ждать (а куда ж без этого?), потому что пунктуальностью профессор Городничий не отличается и его «с трех до половины четвертого» может означать и «с пяти до десяти минут шестого». Потом ехать домой, готовить ужин, а потом уже и день закончится.

Настя уныло побродила по кабинету, глубокомысленно поразмышляла над чайником, пытаясь понять, хочет она кофе или нет. Пожалуй, нет. А чаю? Тоже нет.

Ничего она не хочет. Она хочет вычислить таинственного убийцу, который оставляет на теле жертвы различные предметы и который совершает свои преступления вслед за другими тяжкими преступлениями, имеющими, как правило, высокий общественный резонанс. Вот этого она действительно хочет.

«Какой я ученый? — с неожиданной тоской подумала Настя. Тоска оказалась такой жгучей, что даже слезы на глазах выступили. — Я — сыщик. Это единственное, что мне интересно. А все остальное — так, игрушки, фантики, необходимые для выживания. Неужели так может случиться, что через год с небольшим, когда мне стукнет сорок пять, у кого-то поднимется рука лишить меня этой работы? Я же сдохну без нее».

Она не успела додумать до конца сию душераздирающую мысль и всласть наплакаться, потому что распахнулась дверь и на пороге возник Коротков. Страшный, небритый, с набрякшими под глазами мешками, почерневший. Но сияющий.

— Ждешь? Пошли ко мне. У тебя пожрать нет?

— Печенье только...

— Бери с собой, и пошли.

В своем кабинете он скинул куртку и ботинки, немного подумал, наклонился и стянул носки. Не обращая внимания на Настю, стащил через голову джемпер, расстегнул верхние пуговицы на рубашке, открыл шкаф, достал оттуда войлочные шлепанцы, потом упал в кресло, вытянул ноги и блаженно застонал.

— Все, мать, теперь можешь меня поздравлять и поить чаем. Мы его взяли.

— Кого?

— Маньяка, который студенток душил. Мы его взяли, Аська!!! Я пораньше ушел, ребята остались его додавливать. Через часок они сюда подгребут, и мы напьемся в стельку. В сосиску. В грязь. В хлам. Во что еще можно напиться?

— Юрка! — от восхищения и радости у Насти даже голос сел, поэтому говорила она свистящим шепотом. — Как же это вы, а? Ну рассказывай же скорее! Давай рассказывай, я пока тебе чай сделаю.

Рассказ получился весьма эмоциональным, но коротким и закончился одновременно со второй чашкой чаю. Иногда Юра умел быть удивительно лаконичным, причем почему-то именно в тех случаях, когда Насте хотелось подробностей и деталей.

— Что, и это все? — возмутилась она.

— Все. Больше не могу об этом говорить. Не отошел еще. Через пару дней я тебе все в деталях обскажу, а на сегодня все. Прости, подруга.

— Ты хотя бы скажи, как он выглядит?

— А тебе не все равно, как он выглядит?

— Я имею в виду, он похож на того парня, который к нашей Лильке приставал? Это он?

— Да что ты, мать, — Коротков устало махнул рукой, — это совсем не он. К Лильке какой-то другой придурок клеился. В любом случае ей больше нечего бояться, маньяк уже в клетке сидит.

— А как наш маленький Заточный? Внес свою лепту в общее дело? — поинтересовалась Настя.

— Мать, можешь меня убить, я виноват...

— Что еще? — нахмурилась она.

— Я его послал за Лилькой присмотреть. На прошлой неделе я с ней встречался, ну, после того убийства в твоем районе, и мне показалось, что она меня дурит. Нет у нее никакого парня на курсе, который ее провожает из института домой.

— Почему ты решил, что нет?

— Аська, ну что я, не знаю, как выглядят девушки, у которых роман с сокурсником? Может, я и дурак, но нюх у меня пока еще есть. Не знаю, зачем она меня обманула, но вникать не стал, не до того было. Так я велел Максиму за ней приглядеть на всякий случай. Опять же, а вдруг тот парень, который к ней клеился, и есть маньяк, и он бы появился где-то поблизости? Отпускал Максима часам к двум-трем, когда занятия в институте заканчиваются, и он ее до дома доводил. Вот и сегодня... Он, бедолага, все самое интересное пропустил, пока Лильку провожал, только к шести часам нарисовался. Расстроился — жуть! Чуть не плакал от досады. Вот я и оставил его с задержанным поработать, пусть вкус победы ощутит.

Он прикрыл глаза, и через секунду голова его упала на грудь. Коротков уснул. Настя бесшумно поворошила бумаги на его столе, нашла синюю папку, о которой говорил Зарубин, и на цыпочках стала отходить в сторону двери, но в этот момент зазвенел ее мобильник. Юра мгновенно очнулся, поднял голову и поежился.

— Вот, блин, накатило... Я заснул, что ли? Это чей телефон, твой или мой?

Настя поняла, что он хоть и проснулся, но как-то не окончательно. Частично.

Звонил Никотин. Говорил он быстро и приглушенно, из чего стало понятно, что Лозинцева все еще у него. Ну дядя Назар! Ну шустер!

— Значит, так, дочка. Шустов примерно через полгода после смерти дочери, где-то летом, ехал на машине сильно пьяный и здорово разбился. То есть разбил он машину, а сам только ногу сломал и два ребра, но в больнице пролежал четыре месяца, у него, как у сильно пьющего, всякие осложнения начались. Потом еще дома долго сидел, не выходил никуда, с костылем ковылял. Машина восстановлению не подлежала, а новую они не купили.

— Ясно, дядя Назар. Спасибо вам.

— Завтра я тебя жду, — строго напомнил Бычков.

— Обязательно, — пообещала Настя. — Я обязательно зайду к вам и все объясню.

Вот как выходит... Таню Шустову убили в феврале 2002 года, летом того же года Шустов попал в аварию, и получается, что все лето, осень и зиму он ничего совершить не мог. В июне 2002 года совершено убийство в Воронеже. Ладно, допустим, оно имело место до аварии. Но в сентябре застрелили девушку в Чебоксарах, а в январе 2003 года задушили шарфом юношу-студента в Рузском районе Подмосковья. И это уж точно никак не мог быть Шустов на костылях и с переломанными ребрами. Вполне возможно, он еще не выходил из дому даже в апреле, когда в Ярославской области задушили удавкой воспитательницу детского сада. Конечно, все это надо проверять по датам, говорить с врачами, выяснять, насколько Шустов был мобилен в тот период... Но все-таки похоже, что это не он. А такая версия была красивая! Такое элегантное раскрытие могло бы получиться! Жаль.

— Юра, — негромко сказала она, — дай Зарубину отбой по Шустову. Пусть не напрягается. Похоже, это пустышка. Завтра я подготовлю рапорт и докладную записку и привезу тебе.

— Не-е-е, — промычал Коротков, — завтра я буду спать. Сегодня я напьюсь, как свинья, а завтра буду весь день отсыпаться. Имею право. И не дай бог завтра случиться какой-нибудь крутой мокрухе. Всех поубиваю. Всем бошки поотрываю. И все равно буду спать. Слушай, мать, не в службу, а в дружбу, сделай мне еще чайку, а то я уже встать не могу.

Настя заварила ему крепкий сладкий чай, поцеловала в плешивую макушку и поехала домой.

* * *

Андрей снова пришел поздно, но сегодня Элеонора Николаевна твердо решила взять себя в руки, перестать бояться и поговорить с братом. Она не была уверена в правоте Назара, который уверял ее, что нужно просто сделать свой выбор и прекратить жалеть Андрея, потому что жалость эта заводит ее саму в дебри обмана. Назар, конечно, предупреждал, что это трудно, но обещал, что потом станет намного легче. Аля сомневалась.

Но, с другой стороны, разве не прав был Назар тогда, много лет назад, когда советовал ей подумать и сделать свой выбор при конфликте с родителями? Прав. Так, может быть, он и сейчас прав?

Андрей, как обычно, сразу прошел на кухню, бросил портфель у ножки стола и ушел в свою комнату. Вернулся через несколько минут уже в домашней одежде — спортивных брюках и любимом старом джемпере.

— Эленька, давай я быстро поужинаю и пойду еще поработаю.

Аля поставила перед ним глубокую тарелку с домашней грибной лапшой — его любимым супом. Андрей вообще-то супы не жаловал, но для этого блюда делал исключение. Положив в тарелку добрые полбанки сметаны, он принялся за еду.

— Андрюша, я все хотела спросить, — набравшись смелости, начала Аля.

— Да?

— Ты говорил, что разыскал свою маму.

— Говорил, — согласно кивнул брат, отправляя в рот очередную ложку. — Ой, вкусно, Элька! Какая же ты у нас рукодельница!

— Погоди. Так что с мамой? Ты с ней встречался? Почему ты ничего не рассказываешь мне? Ты был у нее дома?

Она задала свой вопрос, замерла и приготовилась к худшему. Ну все, сейчас или никогда. Уж лучше один раз отмучиться и забыть об этом. Как поход к зубному врачу, честное слово!

— Я не был у нее дома, — Андрей поднял на сестру немного удивленные глаза. — С чего ты взяла?

— Но ты же собирался... Разве нет?

— Нет, не собирался. Я ее искал, чтобы посмотреть, какая она, как живет, чем занимается. Мне было просто интересно. Интересно взглянуть на женщину, которая меня продала за деньги. Вот и все.

— Просто интересно?! — Аля не верила своим ушам.

— Ну да. Мне стало это интересно в тот момент, когда Вера поступила со своими детьми практически так же. Но тогда мне было как-то не до того, мысль засела в голове, но дальше мысли дело не пошло. А потом жизнь немножко наладилась, устоялась, и я решил свое любопытство удовлетворить. Мне почему-то казалось, что мама должна быть такой же, как Вера. И еще мне хотелось посмотреть, стоила игра свеч или нет.

— То есть? — нахмурилась Элеонора. — О какой игре ты говоришь?

— Мама продала меня, чтобы устроить свою жизнь, выгодно выйти замуж и все такое. Так вот я хотел посмотреть, получилось ли у нее то, что она задумывала. То, ради чего она продала своего ребенка. Чистое любопытство, Эленька.

Да, недооценила она своего брата. Слишком увлеклась жалостью и состраданием к нему и совсем забыла о том, что он — аналитик. Исследователь. Не маленькая крошечка, которую надо оберегать от любого дуновения ветра, а взрослый мужчина, глава семьи, классный специалист в своем деле. И руководствуется он в своих поступках не внезапно нахлынувшими эмоциями, а рассудком. С чего она решила, что Андрей непременно кинется к матери с любовью, сочувствием и предложением помощи? Потому что сама Аля поступила именно так? Но то она, а Андрей совсем другой.

— И... как она? Ты ее видел?

— Видел. Спившаяся тетка. Никакой красоты и в помине нет. А помнишь, мама с папой говорили, что она в молодости была очень красивой. Муж умер от пьянства, сын — обалдуй, живет своей жизнью, матери не помогает. В общем, ничего хорошего.

— Она тебе обрадовалась?

Ну вот, вот сейчас... Сейчас он скажет, что Надька не только обрадовалась вновь обретенному сыну, но и рассказала о том, как Аля своей помощью нанесла огромный вред ее семье. Сейчас они все выяснят, и Але придется пережить немало неприятных минут, но зато потом все будет позади.

— Она? Обрадовалась? — Андрей отодвинул пустую тарелку. — Спасибо, Эленька, очень вкусно. Нальешь добавочки?

— Конечно.

Она отошла к плите, где стояла кастрюля с супом, взяла половник... Ну что же ты замолчал? Продолжай. Говори. Рассказывай. У нее нет больше сил продолжать это мучение. Скорее бы все кончилось.

— Эленька, я для нее был просто случайным человеком. Наврал что-то, она и поверила, ей ведь все равно, с кем разговаривать, лишь бы свободные уши нашлись. Она совсем одинокая, сын у нее почти не бывает. Только собутыльники и остались.

— И тебе ее совсем не жалко?

— Да как тебе сказать...

Андрей продолжал есть, глядя в тарелку.

— Она получила то, что хотела. Она хотела, чтобы я ее не обременял и не мешал выйти замуж. Она это получила. Она хотела не учиться и работать, а пользоваться своей красотой и что-то с этого поиметь. Она и это получила. Она хотела пить столько, сколько душа пожелает, — и это у нее было. Так за что же ее жалеть? Каждый человек в итоге получает то, чего хочет, потому что результат есть следствие выбора, который он делает сам.

— Но ведь она хотела красивой жизни, достатка, счастья. Разве она это получила?

— Она хотела получить нечто, не вкладывая собственный труд, — жестко произнес Андрей. — Подобного рода нечто бывает только таким и никаким иным. В одних случаях последствия наступают раньше, в других позже, но они все равно наступают. Я реалист, Эленька, и, кроме того, я всю жизнь имею дело с анализом причин и следствий. Ты меня осуждаешь? Считаешь бездушным? Ты, наверное, ждала, что я начну помогать маме?

— Нет-нет, — поспешно ответила она, — я ничего такого не думала.

Получи, Элеонора. Получай все, что тебе причитается. Твой брат оказался больше похож на Назара, чем на тебя саму, и ты обнаружила это только на шестом десятке. Потому что вместо того, чтобы дружить со своим братом, ты всю жизнь продолжала считать его маленьким, глупым и нуждающимся в опеке и защите. С малышами не дружат, их любят и оберегают.

— Есть еще голубцы, — слегка дрожащим голосом произнесла Аля. — Будешь?

— Нет, Эленька, мне достаточно, я и так две порции съел. Как Динка? Не обижает тебя?

— Обижает, — Аля обрела способность улыбаться. — Но я привыкла.

— Ты уж потерпи, сестренка. До сих пор забыть не могу, как она плакала, когда мы со Славиком нашли ее на улице... Сердце разрывается. Она ведь так и не объяснила, что случилось и почему она ушла из дома. И тебе не сказала?

— Я не спрашивала. Дина меня не жалует, ты же знаешь. Каждую копейку за мной считает и ругается, что я слишком много трачу на хозяйство. Ей очень хочется опять жить в собственном доме и ездить в институт на машине. Подозреваю, что она и учебу-то бросила из-за того, что не могла соответствовать однокурсникам. Все так дорого одеты, все на своих машинах, у всех шикарные квартиры или дома... Может быть, надо было устраивать ее в другой институт, где учатся дети попроще?

Андрей пожал плечами:

— Институт она сама выбрала. Другой вопрос, что при выборе она могла руководствоваться именно составом обучающейся публики, но это уж, как говорится, ее дело. Она сама должна решать, что для нее важнее: получить знания и профессию или крутиться в определенной среде. Знаешь, Эля... Я вот сейчас смотрю на тебя и думаю...

Он замолчал, взял со стола нож и начал постукивать черенком.

— У тебя такое удивление на лице. И даже страх. Я, наверное, кажусь тебе излишне жестким. Ты, может быть, даже подумала, что я не люблю Динку. Это моя вина.

— Какая вина, Андрюша, что ты? Ты делаешь для нее все, что в твоих силах...

— Но я не делаю самого главного, — перебил ее брат. — Я не показываю ей свою любовь. Я, наверное, просто не умею этого делать. Знаешь, когда она разрыдалась тогда, ночью, на улице, и потом часа два не могла успокоиться, я вдруг понял, что она не чувствует моей любви, не понимает ее. Ведь даже ты, взрослая, умная, тонкая, и то усомнилась в моем отношении к Дине. Вот сейчас ты слушаешь меня и сомневаешься, у тебя на лице это написано. А с нее какой спрос? Мать бросила, отец неродной... Она, наверное, чувствует себя очень одинокой и никому не нужной. И когда она увидела, как мы со Славиком испугались за нее, для Динки это было шоком. Представляешь, до какой степени нелюбимой она себя ощущала?

«Спасибо тебе, Назар, — подумала Элеонора. — Ты, как всегда, оказался прав. Господи, ну почему ты не возник в моей жизни раньше? Скольких ошибок я могла бы избежать, если бы ты был рядом».

С той ночи Дина почти не изменилась. Она по-прежнему хамила Але, требовала от нее отчета в тратах и продолжала читать нотации на тему «позорных случек». Но она перестала уходить по ночам. И это было первым шагом. А в конце концов, любая дорога начинается с первого шага.

* * *

Александр Каменский с женой Дашей и сыном Санечкой улетал в Германию в среду, 28 апреля. Накануне Настя встретилась с ним, передала список вопросов, адрес и телефон Веры Лозинцевой и объяснила суть проблемы, чтобы брат понимал, что будет делать и зачем это нужно.

— Поехала бы с нами и сделала бы все сама, — в двадцатый, наверное, раз укоризненно говорил Саша.

— Саня, не заводись, — тоже в двадцатый раз отвечала она. — Ни одна диссертация не стоит того, чтобы ради сбора трех страниц материала тратить такие деньги.

— Когда ты станешь старенькой и немощной и уже не сможешь никуда ездить, ты еще пожалеешь о том, что не воспользовалась возможностью, когда она была, — пугал он.

— Пожалею, — послушно соглашалась Настя.

— Неужели ты никогда не поумнеешь? — спрашивал Саша.

— Никогда, — признавалась она, — это безнадежно. Такие разговоры Каменский вел с сестрой ежедневно на протяжении недели до отъезда. На всякий случай он не отменял бронь на еще один билет до Франкфурта и на еще один номер в гостинице, а его знакомый, имевший крепкие связи в посольстве Германии, обещал, если будет нужно, устроить Насте визу за один день. Саша надеялся до последнего и старался ее уговорить. Но Настя не поддавалась и упорно стояла на своем, как будто защищала самое дорогое, что у нее было.

В среду Каменские улетели в Германию, а в пятницу Саша позвонил Насте:

— Настюша, я нашел Лозинцеву и сегодня вечером с ней встречаюсь. Будут какие-нибудь последние указания?

— Да нет, я вроде все тебе сказала. Только будь поделикатней, ладно? Все-таки она дочь потеряла, и как говорят близкие, для нее это было страшным ударом. Будь готов к тому, что она начнет плакать, может быть, даже истерика у нее начнется. На всякий случай возьми с собой Дашеньку, она сможет ее успокоить, а ты растеряешься. И не дави на Лозинцеву, прояви тактичность.

— Постараюсь, — пообещал Саша. — А здесь погода такая хорошая, солнышко, тепло. И крокусы кругом. Красота невозможная.

— Прекрати, — рассердилась Настя. — Я уже все равно не поехала, так что нечего меня дразнить.

В следующий раз Саша позвонил, когда Настя уже крепко спала.

Проснувшись от звонка телефона, она взглянула на часы и вздрогнула: четверть второго. Ох, как не любила она ночные звонки! Никогда они не приносили ничего хорошего.

— Настюша, это я, — послышался голос Александра, и Настя уловила в нем не то тревогу, не то растерянность. — Разбудил? Извини, здесь на два часа меньше. А у меня вопрос срочный. Только ты не пугайся.

— Да я уже испугалась. Что случилось?

— Пока ничего. Настюша... Только дай слово, что ты спокойно ответишь и не начнешь раньше времени паниковать, потому что я могу и ошибиться. Вернее, не я, а Дашка.

— Да что ж ты меня истязаешь?! — почти закричала Настя. — Говори, что случилось.

Чистяков проснулся от ее громкого голоса и сел в постели, потряхивая головой, чтобы прийти в себя.

— Настя, ты дочку Владика Стасова давно видела?

— Ничего себе вопрос, — Настя озадаченно почесала переносицу. — Где-то в начале марта. Она у меня учебник по теории брала. А что? В чем дело-то?

— У нее сейчас какая прическа? Я видел ее перед Новым годом, у нее волосы были длинные. Она не постриглась?

— Нет. Если только совсем недавно. Ты можешь мне членораздельно объяснить...

— Погоди, Настюша. Ты не знаешь, у нее есть розовая куртка?

— Есть. Она в ней как раз и была. Я не понимаю, ты что, нашу Лильку в Баден-Бадене увидел? Она завела себе богатого любовника и махнула на курорт провести праздники?

— Не в этом дело... в общем, слушай, тут такая история получилась...

История получилась следующая. Саша вместе с женой и восьмилетним сыном пришел в кафе-кондитерскую, где должна была состояться встреча с Верой Лозинцевой. Вера пришла, вела она себя очень дружелюбно, обаятельная и приветливая Даша моментально расположила женщину к себе, и разговор шел легко. Маленький Санечка, который ни секунды не мог усидеть на месте, все время ерзал, носился по залу, рассматривал выставленные в витрине торты и пирожные и на бойком немецком (долгие месяцы жизни в Австрии пошли ему на пользу) общался с девушкой, стоявшей за стойкой с разноцветным мороженым. Даше приходилось то и дело отвлекаться, потому что непоседливый мальчик любил не только бегать и прыгать, но и кушать сладкое, посему требовал то ананасовое мороженое с шоколадным сиропом, то шоколадное с клубничным сиропом, то молочный коктейль. В конце концов, Даша рассердилась и строго велела сыну сесть за стол, тихонько есть очередное мороженое и не мешать взрослым разговаривать. Саша надулся, и минуты две его не было видно и слышно. Но потом бьющая через край энергия пересилила попытки быть послушным, он снова начал ерзать и затеял за столом какую-то игру с самим собой и с пустыми вазочками из-под мороженого и бокалами из-под пива, которые официантка не успела убрать. Результат застольных военных маневров был плачевным. Все, что в тот момент стояло на столе — кофе, который пила Даша, пиво, которое пили Александр и Вера, и Санечкино фисташковое мороженое с шоколадным сиропом, — все это оказалось на ослепительно белом Дашином костюме, который после такой атаки стал уже не белым, а разноцветным, мокрым и отвратительно пахнущим. Даша, конечно, расстроилась чуть не до слез, мало того, что костюм жалко, так ведь в нем еще до гостиницы надо дойти, не говоря уж о том, что костюм-то мокрый насквозь, с него прямо течет, а на улице все-таки не лето, прохладно.

И как в таком позорном виде войти в пятизвездочный отель?

— Давайте зайдем ко мне, — тут же предложила Вера Лозинцева, — я живу совсем рядом, через дорогу. Вы посидите у меня, мы еще поболтаем, а ваш муж сходит в отель и принесет вам что-нибудь переодеться.

Предложение было с благодарностью принято. Глупо прикрывая испорченный костюм Сашиным пиджаком, Даша добежала до дома, где жила Лозинцева, а Александр, оставив сына с дамами, помчался в отель за одеждой.

Вернулся он через полчаса, Даша переоделась, они поблагодарили гостеприимную хозяйку и ушли. Еще в квартире Лозинцевой Саше показалось, что его жена не то нервничает, не то как-то напрягается, и подумал, что, наверное, женщины в его отсутствие продолжали говорить о погибшей Кристине, которой было столько же, сколько маленькому Санечке, и вид ребенка расстроил Веру. Едва они вышли на улицу, Даша схватила мужа за руку:

— Саня, там что-то странное. Не знаю даже, как тебе сказать. Только ты не думай, что я сумасшедшая. Понимаешь, Вера дала мне халат и отправила меня в ванную снять костюм, а сама пошла на кухню варить кофе. Я вышла, смотрю — Санька уже к компьютеру подобрался, ни минуты же не просидит спокойно. Я кинулась к нему, отойди, говорю, немедленно, это чужой компьютер, его нельзя трогать, а он «мышкой» щелкнул, экран засветился, наверное, Вера его не выключила перед тем, как в кафе пошла... В общем, там, на экране, было несколько фотографий, и мне показалось, что я увидела Лилю Стасову. Как ты думаешь, такое может быть?

Александр Каменский считал, что такого быть не может, поэтому немедленно достал телефон и позвонил сестре в Москву. Вот, собственно, и все.

— Ничего себе, однако, — протянула Настя. — Дашка далеко?

— Рядом стоит.

— Дай-ка мне ее. Дашуня, опиши мне спокойно и подробно, как выглядела та девушка, которую ты приняла за Лилю, и в чем была одета.

— Прическа точь-в-точь, как была у Лильки, когда я ее видела перед Новым годом, только волосы немножко длиннее, сантиметра на четыре примерно, куртка розовая фирмы «Шакок», на шее платочек от Фенди, серый с темно-розовым, на два тона темнее цвета куртки, на голове солнечные очки от Гуччи.

— Как это — на голове? — не поняла Настя. — Ты хочешь сказать, на лице?

— Да нет же, Настя, на голове. Ну, знаешь, как многие женщины делают: носят на улице темные очки, а когда входят в помещение, то не снимают их, а поднимают высоко на темя, и они держат прическу как обруч. Поняла?

— Поняла. А все эти названия фирм откуда?

— Ну Настя, — обиделась Даша, — я стилист или кто?

Уж в шмотках-то я как-нибудь разбираюсь. И не забывай, я в дорогом магазине одеждой торговала.

— Хорошо, Дашенька, ты раньше времени не волнуйся, я завтра все узнаю. Может быть, ты и в самом деле ошиблась. А может быть, и не ошиблась, но есть какое-то совсем простое объяснение. Ты у самой Лозинцевой не спрашивала?

— Нет, я сначала очень испугалась, потом мне стало неудобно, что Санька в чужой компьютер залез. А потом я вспомнила, чему ты меня когда-то учила, и решила сначала Саше сказать.

— Вот и молодец. Ни о чем не беспокойся, я завтра вам позвоню.

Настя вылезла из-под одеяла, нашарила в темноте ногами тапочки и прошаркала на кухню. Выпила залпом стакан едва теплой воды из чайника, поморщилась, взяла сигарету. Что за чертовщина с этой фотографией?

Дашка не могла ошибиться, у нее глаз фотографический, она никогда не ошибается в том, что видит. Настя помнила, как началось когда-то ее знакомство с Дашей. Почти десять лет назад... да, осенью будет десять лет. Она работала продавщицей в магазине дорогой одежды, и ей казалось, что за ней следят. Настя тогда поразилась точности и детальности ее зрительного восприятия: Дашка умела видеть все и сразу, до мельчайшей подробности, и все это держать в голове, и все это потом не забывать и не путать. Если уж ей показалось, что девушка на той фотографии похожа на Лилю Стасову, то можно быть уверенной, что либо это действительно Лиля, либо ее полный двойник, а не просто «кто-то приблизительно похожий». Надо прямо с утра звонить Короткову, он с Лилей виделся совсем недавно, и поспрашивать его насчет одежды. Хотя что Юрка понимает в фирменных шмотках? Цвет и форму назвать сможет, а вот изготовителя — вряд ли. А Максим Заточный? Он — представитель нового поколения, должен разбираться в дорогой одежде, но, опять же, в мужской, а не в женской. Но все равно надо попробовать. В конце концов, Максим опер, а Коротков клялся, что Лиля ему нравится и он готов начать за ней ухаживать. Интересно, как на языке современной молодежи называется процесс, который в Настиной юности именовался «ухаживанием»?

— Ася, мы спим или у нас рабочий день начался? — раздался из комнаты недовольный голос Чистякова.

— Спим, солнышко, спим, сейчас иду.

Она нырнула под теплое одеяло, свернулась клубочком и уткнулась носом в Лешино плечо.

— Что там стряслось у Сашки? — шепотом спросил он. — Чего ему не отдыхается спокойно?

— Даше показалось, что она видела в неположенном месте фотографию нашей Лильки. Вот она и беспокоится.

— А что, оснований для беспокойства нет? Фотография там должна быть?

— Не знаю, Лешик. Я ничего не знаю. Завтра утром все выясним. Давай спать.

Но советовать было легче, чем делать. Уснуть Насте не удавалось еще долго. Она пыталась выстроить версии, от самых сложных и невероятных до простейших бытовых, которые объясняли бы появление Лилиной фотографии в компьютере, находящемся в Германии. И у кого? У женщины!

Было бы понятно, если бы этим компьютером пользовался мужчина, тогда можно предположить, что это — результат знакомства по переписке, когда сначала пишут письма, потом обмениваются фотографиями. Но не станет же Вера Лозинцева, сорокалетняя мать троих детей, выдавать себя за мужчину и искать подружек через Интернет! Или станет? Тоже версия...

Утро не наступало очень долго, и Настя с раздражением думала о дурацком природном феномене, при котором когда ты ничего не успеваешь, то время буквально утекает сквозь пальцы, а когда чего-то ждешь, то оно застывает на месте и не двигается.

А вместе с утром наступил май. И как только Настя об этом вспомнила, то расстроилась еще больше. Апрель закончился. Целый месяц исчез, как корова его слизнула.

Максиму Заточному она позвонила в восемь часов, решив, что уже прилично. Пусть и выходной день, даже праздничный, но не шесть же утра! Максим удивился ее вопросам, но подтвердил, что куртка у Лили действительно розовая и действительно от «Шакок».

— Я помогал ей раздеться в ресторане и обратил внимание на бирку, — объяснил он. — Я еще тогда подумал, что легко спутать с «Коко Шанель», буквы одинаковые.

Ах вот как, стало быть, уже и до ресторана дело дошло. Быстро все у них происходит. Коротков, поди, даже не догадывается, с усмешкой подумала Настя.

— А очки? Не заметил?

— Заметил. Лиля их сняла и положила на столик, а я примерил. Она сказала, что мне такой фасон не идет, он женский. Очки от Гуччи, я посмотрел, мы еще о цене поговорили.

— А платочек на шее?

— Вот на платочек внимания не обратил. То есть я видел, что он в полосочку и что там было что-то темно-розовое, но фирму, конечно, не назову.

— Максим, нужно как можно быстрее связаться с Лилей и под любым предлогом узнать, кто ее фотографировал в таком виде? Кто и зачем? Пригласи ее погулять, возьми с собой фотоаппарат, начни фотографировать и раскручивай на разговоры, раскручивай, пока она все не скажет. В крайнем случае, объясни ей, в чем дело. Но только в самом крайнем случае, чтобы понапрасну не испугать девочку. Сможешь?

— Постараюсь, — очень серьезно ответил Заточный.

И Настя начала маяться. Она умом понимала, что вряд ли Максим прямо сейчас, в восемь утра, станет звонить девушке и приглашать ее на прогулку. Это может случиться не раньше десяти. Даже если она согласится, встретятся они часов в двенадцать, потом два-три часа на раскрутку и разговоры... Максим вряд ли что-то сможет сообщить раньше трех, а то и четырех часов. А если Лиля не захочет идти на свидание к Максиму? У нее другие планы, или мать увезла ее на дачу, или вообще Максим ей не нравится и она не собирается с ним встречаться? Остается надеяться на то, что Макс — опер, и уж он придумает, как вытащить Лилю из дому. На худой конец, сможет напроситься к ней в гости, если она дома или на даче.

Как дожить до четырех часов? Работы непочатый край, день свободен, никуда не нужно ехать, стол завален материалами, а она не может ничего делать, мысли не настраиваются на науку, они все время сбиваются с пути и возвращаются к Лилиной фотографии в компьютере Веры Лозинцевой. А вдруг Дашка ошиблась? Все люди ошибаются, они же не роботы, не механизмы. Но одежда совпала. Что это может означать? Господи, пусть бы Максим позвонил скорее и оказалось бы, что все совершенно безобидно и до смешного просто. Например, Вера Лозинцева — родственница Стасова или Лилиной матери, и вполне естественно, что ей послали Лилину фотографию, вот, мол, какая выросла и как теперь выглядит, настоящая красавица. Нет, Лозинцева не может быть родственницей Стасова, Владик никогда не рассказывал, что у кого-то из его родственников в семье трагедия — погиб ребенок, тем более потом выяснилось, что девочка стала жертвой самого Семагина. Процесс был громким, все газеты о нем писали, по телевидению показывали... Стасов обязательно обмолвился бы об этом. Но он ведь ничего не говорил. Или говорил, а Настя забыла?

— Леша, ты не помнишь, Владик Стасов никогда не рассказывал, что у кого-то из его родственников убили ребенка?

Чистяков, который, пользуясь Настиным бездельем, оккупировал компьютер и работал над докладом, оторвался от клавиатуры и задумался:

— Вроде нет.

Он подумал еще немного и сказал уверенно:

— Точно — нет. Я бы не забыл. Да и ты вряд ли забыла бы.

— Это верно, — вздохнула Настя и стала маяться дальше.

Но Лозинцева вполне может оказаться родственницей или подругой Маргариты Мезенцевой, Лилиной матери. Настя была едва знакома с ней, и звонить Маргарите Владимировне с таким вопросом не считала возможным, тем более об этом очень скоро узнает Стасов, Маргарита ему обязательно расскажет о Настиных расспросах, и как знать, не подведет ли Настя кого-нибудь...

Она быстро набрала номер Максима.

— Вы договорились? — спросила она.

— Да, теть Насть. Мы встречаемся через час.

— Спроси как-нибудь невзначай у Лили, не слышала ли она такую фамилию — Лозинцевы? Может быть, это друзья ее мамы. Тогда понятно, почему фотография оказалась у Веры Лозинцевой.

— Хорошо, теть Насть, спрошу.

Чем бы еще заняться, чтобы заглушить тревогу? Обед, что ли, приготовить?

* * *

— Сними очки, а то они пол-лица закрывают.

Максим выбрал ракурс, при котором Лиля казалась ему особенно красивой, и нажал кнопку. Фотоаппарат мягко щёлкнул.

— Ты зря стараешься, я не фотогеничная, — смущенно сказала Лиля. — Я всегда на фотографиях плохо выхожу.

— Глупости. На моих фотографиях ты будешь выглядеть красавицей, у меня глаз хороший и рука легкая. Встань теперь вот к этому дереву. На нем уже есть зеленые листочки, они с твоей курткой будут хорошо сочетаться.

Уже полтора часа Максим водил Лилю по улицам и фотографировал, а разговор все никак не выходил на нужную дорогу. То ли у него умения не хватало, то ли

Лиля подсознательно, а может быть, и сознательно сопротивлялась.

— Ты давно носишь эту куртку? — спросил он, выбирая место для очередного кадра.

— Первый сезон, мне ее отец на Новый год подарил. А что?

— Тогда держу пари, ни у кого нет фотографий, на которых ты в этой куртке, я буду первым и, надеюсь, единственным. Она тебе очень идет, ты даже не представляешь, какая ты в ней красивая. Только дай слово, что больше не будешь в ней фотографироваться, ладно? И эти роскошные снимки будут только у меня.

— Извини, Макс, не могу, — рассмеялась Лиля. — Не могу тебе этого пообещать. Конечно, если ты хочешь, я больше не буду в ней фотографироваться, но все равно одна такая фотография уже есть.

— У кого? — нахмурился Максим, изображая ревность.

Впрочем, что-то похожее на ревность он и в самом деле почувствовал, но думал он в этот момент прежде всего о деле.

— Да так, у одного...

— У кого? — спросил он еще строже. — Мы уже выяснили, что на курсе у тебя никакого парня нет. Значит, кто-то другой у тебя все-таки есть?

— Да нет, Макс, не бери в голову. Так, один знакомый. Он меня мобильником сфотографировал, просто ради шутки. Теперь, когда я ему звоню, у него на дисплее высвечивается эта фотка.

— Значит, ты ему звонишь?

— Теперь уже нет.

— Поссорились, что ли?

— Нет, просто надоело... Я и номер из-за этого сменила, чтобы он мне не звонил. Маме наврала, что мобильник потеряла.

— Ты и мне наврала, — сурово заметил Максим. — Помнишь, я встретил тебя, когда ты выходила из салона связи? Ты тогда сказала, что купила новый мобильник, потому что старый потеряла.

— Ну а что ты хотел? Чтобы я тебе правду сказала? Мол, меняю номер, потому что хочу отделаться от поклонника? И что бы ты после этого про меня подумал?

— Подумал бы, что ты отбоя не знаешь от ухажеров.

— Ничего подобного. Ты подумал бы, что я легкомысленная и раздаю свой номер телефона направо и налево, а потом не знаю, куда деваться от звонков. Макс, я не такая, честное слово.

— Да я вижу, что ты не такая. Ты классная девчонка. Вот я и удивляюсь, как ты могла связаться с парнем, который тебе надоедает. Ты же такая умная, осторожная. Если он тебя сильно достает, ты мне скажи его координаты, я с ним разберусь.

— Да он не парень... Он старше меня намного.

Ну слава богу. У Максима отлегло от сердца. А то он уже начал было сомневаться в своих способностях оперативника. Теперь дело, кажется, пошло... Впрочем, он не мог бы сказать с полной уверенностью, что именно обрадовало его больше: тот факт, что он все-таки сумел вывести разговор на нужную тему, или то обстоятельство, что у него на данный момент нет реального соперника. Лиля ему очень нравилась. Ну очень! Он даже не чувствует семь лет разницы в возрасте, ему кажется, что Лиля моложе его всего года на два — на три. Она так много знает и рассуждает не как зеленая первокурсница. И характер у нее хороший, спокойный, она не выпендривается, не строит из себя черт-те что. И красивая, аж глазам больно. Что и говорить, классная девчонка!

* * *

Максим позвонил, когда Настя мыла посуду после обеда.

— Его зовут Кириллом, работает где-то на Большой Тульской, больше Лиля ничего о нем не знает, — сообщил он воодушевленно. — Ни фамилии, ни адреса, ни точного возраста. Зато есть номер мобильного телефона и марка и номер машины. Мне этим заняться?

— Обязательно. И срочно. Откуда он вообще появился, этот Кирилл?

— Познакомился с Лилей в метро. Сказал, что она приносит ему удачу, что каждый раз, когда он с ней едет в одном вагоне, у него день удачно складывается, и предложил возить ее по утрам в институт. Она согласилась. А теперь ей это надоело. Она даже номер мобильника сменила, чтобы он ей не мог дозвониться.

— Только возить в институт? — переспросила Настя озадаченно. — Больше ничего?

— Лиля сказала, что ничего. Не приставал, целоваться не лез, руки не распускал, намеков никаких не делал. Якобы он сказал, что хочет с ней дружить. Платонически, так сказать. Даже цветов ни разу не подарил. Теть Насть, вы верите, что такое бывает?

— В книжках, — усмехнулась Настя. — А в жизни не бывает. Ему что-то нужно от Лили. И когда он не сможет до нее дозвониться, он начнет ее искать. Ты меня понял?

— Понял, теть Насть. Как что узнаю — сразу позвоню.

В следующий раз он позвонил часа через два. Настя к этому времени разложила пасьянс «Заколдованный дворец» раз тридцать, причем он ни разу не сошелся. У Лешки он почему-то сходится через два раза на третий. Рука у него, что ли, счастливая на карты? Или она сама думает о чем угодно, только не о картах, и делает ошибочные ходы?

— И машина, и телефон зарегистрированы на некоего Евгения Александровича Любченко, прописанного в Москве, — доложил Максим.

И никакой он не Кирилл... Зачем же солгал девчонке, зачем назвался чужим именем? Если бы у него не было сомнительных намерений, он назвался бы Евгением. Или машина не его, водит по доверенности? И телефон тоже не его, а чей-то, в данном случае — владельца машины. Такое бывает сплошь и рядом.

— Теть Насть, сегодня праздник, нигде никого нет. Вряд ли я что-то смогу еще узнать.

— А ты ножками, Макс, ножками, а не по телефону, — насмешливо посоветовала она.

Упрямый пасьянс никак не желал сходиться, но Настя с удивлением обнаружила, что тупое карточное занятие помогает скоротать время напряженного ожидания и даже снимает нервозность. Вряд ли Максиму что-то удастся сегодня сделать, но вдруг...

В последний раз он позвонил уже около одиннадцати.

— Евгений Александрович Любченко больше года не живет в России, вернее, бывает короткими наездами, — сообщил Заточный-младший. — У него какой-то бизнес по части горючки в США. И ему слегка за пятьдесят. Это никак не может быть Лилин знакомый. Ничего более подробного узнать не удалось, сведения от соседей по месту прописки, никого из семьи нет, квартира пустует.

Значит, он оставил машину и телефон приятелю. И этот приятель вполне может оказаться и Кириллом, и Иваном, и Федором, и Альбертом.

Теперь нельзя утверждать, что он назвался Лиле вымышленным именем. Так, может быть, нет у него никаких плохих намерений в отношении девушки?

Может, зря она, Настя, гонит волну, заставляет Максима что-то выяснять, нервничает? Ничего Лиле не угрожает, никто ее не тронет. Но ведь фотография! Зачем Кирилл, или как там его зовут на самом деле, послал ее Лозинцевой в Баден-Баден? Или все просто, Лозинцева — его знакомая, родственница, двоюродная сестра, наконец, и он счел нужным показать ей фотографию девушки, с которой познакомился? Опять вопросы, одни вопросы, кругом вопросы. И еще эта тревога, которая не отпускает ни на минуту. Нет у Насти чутья, это всем давно известно, и тревога не может быть вызвана интуитивным предчувствием беды. Где-то есть логическая связка, которую Настя упустила, но которую не упустило ее подсознание, вот отсюда и тревога. Подсознание настойчиво твердит ей: думай, ищи, ищи, думай. А она вместо этого пасьянсы раскладывает.

Чистяков все еще работал за компьютером. Настя тихонько постелила постель и легла, уставившись в потолок. Мыслей не было. Была какая-то пыльная усталость. Но и сон не приходил.

От телефонного звонка она вздрогнула.

— Настюша, ну что же ты не звонишь? Мы с Дашкой места себе не находим. Узнала что-нибудь?

Господи, Саня! Она совсем забыла, что обещала ему перезвонить. Но ничего утешительного она сказать пока не может.

— Узнала, но пока никакой ясности. Лилю фотографировал какой-то мужчина, который с ней познакомился в метро. Сейчас он в отъезде. Фамилии его она не знает. Саш, а Лозинцева что-нибудь про себя рассказывала? Не про свою московскую жизнь, а про нынешнюю.

— Практически ничего. Мы же только о ее дочери разговаривали. Но я так понял, что у нее здесь есть любовничек. Она нам очень рекомендовала одного массажиста и особо упирала на то, что он русскоязычный, немец из Северного Казахстана, и с ним можно общаться, не зная немецкого. Думаю, она составляла протекцию своему дружку. Ты хочешь, чтобы мы на него посмотрели?

— Да. То есть нет... То есть... Я не знаю, Саня. Я не могу и не хочу втягивать вас с Дашкой в это, тем более вы с ребенком. История какая-то темная.

— Значит, так, — решительно произнес Каменский. — Завтра воскресенье, нигде никто не работает. В понедельник утром я заказываю тебе билет, с отелями сейчас нет проблем, я забронирую номер. Прилетай и делай все сама.

— Саша...

— Но другого выхода нет. Я, по крайней мере, его не вижу. Бери с собой Чистякова, я закажу два билета, пойдешь в офис Люфтганзы и заберешь, они будут оплачены. В понедельник же тебе оформят визу, я договорюсь. Прилетишь на два-три дня, все сделаешь, что нужно, и лети себе назад.

— Мне надо подумать.

— Думай, — легко согласился Александр. — До утра понедельника.

Кажется, это становится доброй традицией.

Настя положила трубку, повернулась на бок и задумчиво уставилась в затылок мужа. Через несколько секунд Леша поежился и обернулся.

— Не ешь меня глазами. Если ты голодная, я принесу тебе яблоко или бутерброд. Что еще случилось?

— Леша, у нас есть деньги?

— Сколько?

— Не знаю. А сколько стоят самые дешевые билеты до Франкфурта и обратно?

— Самые дешевые — долларов триста.

— Значит, на двоих — шестьсот.

— В уме посчитала? — усмехнулся Алексей. — Или на калькуляторе? Что ты еще задумала?

— Леш, давай слетаем на пару дней, а? Очень нужно.

— Я не понял, очень нужно или очень хочется?

— Нужно. Совсем не хочется. Но за Лильку страшно.

— Между прочим, у нашей Лильки есть отец с хорошим оперативным прошлым и приличными доходами. Почему бы тебе его туда не отправить?

— Да ты с ума сошел! — испугалась Настя. — А если там ничего страшного нет? Представляешь, в какое положение мы девочку поставим? Стасов ей вообще кислород перекроет, охрану к ней приставит, личной жизни полностью лишит. Он — сумасшедший отец, как только я ему скажу, что Лилька попала в темную историю, у него инфаркт сделается. И я буду в этом виновата. И в конце концов, Лешенька, вытаскивать людей — это моя работа, моя обязанность, а не Стасова. Так у нас есть свободные шестьсот долларов? И еще долларов двести на самую дешевую гостиницу.

— В принципе есть, но они не лишние. Мы же откладываем на новую машину. Наша совсем разваливается.

— Ладно, тогда пусть Санька платит, он сам предложил. Поедешь со мной?

Чистяков подошел к дивану, сел на краешек, взял Настю за руку.

— Ты меня в угол загоняешь, Ася. Но если ты едешь работать, а не развлекаться, я не могу отпустить тебя одну. Только дай слово, что это действительно будет два дня.

— Максимум — три, — пообещала она, глядя на мужа честными светло-серыми глазами.

— И не в той гостинице, где Санька живет, а в дешевой.

— Хорошо, я ему скажу.

— И билеты пусть заказывает не в первый класс и не в бизнес, а в экономический. А то знаю я его барские замашки.

— Хорошо, Лешик, как скажешь. Леш, я тебя очень люблю. Спасибо тебе.

— Ну еще б тебе не любить такого покладистого, — усмехнулся он.

Глава 12

Насте до самого последнего момента не верилось, что можно за один день получить визу, но, когда в понедельник вечером ей вручили два загранпаспорта с шенгенскими визами, она поняла, что Саша ничего не преувеличил. Мощные у него связи, ничего не скажешь. В офисе Люфтганзы они получили свои авиабилеты. Чистяков посмотрел их и помрачнел.

— Все-таки он заказал нам бизнес-класс. Ты же просила его!

— Леш, ну что теперь делать? Не лететь?

Девушка за стойкой, вероятно, не поняла сути Лешиных претензий.

— На этих рейсах Люфтганзы первого класса вообще нет, это самые лучшие билеты, там отличный сервис, вы останетесь довольны.

Чистяков фыркнул и ничего не ответил. Настя посмотрела на девушку виноватыми глазами и убрала билеты в сумку.

— Надеюсь, с гостиницей он нас не обманет, — проворчал сердито Алексей, садясь в машину. — Я посмотрел в Интернете отели в Баден-Бадене и цены. Ужас! А твой братец небось живет в «Бреннерс-Парк отеле». Там цены абсолютно запредельные.

До конца дня он был не в духе и то и дело требовал, чтобы Настя позвонила брату и напомнила насчет дешевой гостиницы. Настя честно звонила, Саша радостно хохотал в трубку и клялся, что гостиница будет приличной, но весьма недорогой.

— И скажи ему, чтобы не вздумал обманывать, — строго говорил Чистяков, — иначе я сам найду другой отель, и мы переедем.

Настя добросовестно передавала его слова, и Саша начинал веселиться еще больше.

— Купальник не забудь, — напоминал он каждый раз. — Этот массажист работает в Термах, там без купальника делать нечего. И тапочки для бассейна. Ребята, если бы вы только знали, как я рад, что вы приедете!

Собрались они быстро, все вещи уместились в одну дорожную сумку. Вряд ли погода за два дня будет сильно меняться, так что много одежды «хорошей и разной» им не понадобится.

В Шереметьеве они купили два одинаковых сборника кроссвордов, и весь полет Настя и Чистяков разгадывали их наперегонки. Лешка перестал дуться, все-таки он был человеком трезвым и понимал, что изменить уже ничего нельзя, и к моменту приземления в аэропорту Франкфурта настроение у обоих было превосходным. Саша встречал их у выхода.

— Молодцы, что выбрались, — приговаривал он, обнимая Настю и Алексея. — Какие же вы молодцы!

— Мы по делу, — строго напомнил Чистяков. — Только на два дня.

— Ну ясный перец, что не отдыхать.

По дороге в Баден-Баден Саша подробно и последовательно пересказал им весь разговор с Верой Лозинцевой. Как ни силилась Настя, она не смогла уловить в этом потоке информации ничего, за что можно было бы зацепиться. Разве что одна странность... Даже не странность, нет, просто небольшая несостыковка, которую при желании можно было бы объяснить множеством простых и понятных причин.

Из окна машины она совсем не сумела разглядеть Баден-Баден. Казалось бы, они только что въехали в город — и вот уже отель, у которого Саша останавливает машину. При виде гостиницы у Насти отлегло от сердца. Она никак не может быть дорогой: маленькая, без признаков роскоши, даже постоянно дежурящего портье нет, ключ от входной двери выдается каждому постояльцу вместе с ключом от номера. Лешка не станет сердиться.

— Это какая часть города? — спросила она Сашу. — Окраина?

— Да ты что, Настюша! Самый центр. Вот это, — он показал рукой на огромное старинное здание через дорогу от гостиницы, — Фридрихсбад, водогрязелечебница, мы с Дашкой ходим сюда на процедуры, массажи, грязи, ванны, талассотерапию. А вон то здание — видишь? — метрах в двухстах отсюда, это и есть Термы, в которых работает интересующий тебя массажист.

— А Лозинцева живет далеко отсюда?

— Здесь не существует понятия «далеко», — засмеялся Саша, — здесь все близко. До дома Лозинцевой минут десять пешком. Ну все, ребята, идите к себе в номер, бросайте вещи, я жду вас в машине, поедем обедать, нас уже Дашка заждалась.

Номер оказался маленьким и непритязательным, но очень уютным, чистым и удобным.

— А пешком нельзя? — спросила Настя брата, когда они вышли из гостиницы. — Ты же сам сказал, что здесь все близко.

— Мне нужно машину поставить в гараж отеля, — пояснил Саша, — так что сейчас проедемся, а потом будет сплошная пешая ходьба.

— А в Термы когда? — продолжала упрямиться Настя. — Они же вот, рядом. Может, я сразу туда пойду и найду этого массажиста?

— Настюша, я уже был там сегодня утром. Герр Форст сегодня не работает, у него выходной. Он будет завтра с восьми до двух.

Все, что происходило потом, слилось у Насти в одно общее ощущение рая. В этом ощущении не было конкретных деталей, зато был восторг, накатывавший на нее огромными волнами, под толщей которых она почти задыхалась. Какие-то немыслимой красоты деревья с голубыми цветами, растущие из клумб, засаженных цветами розовыми и белыми, огромные многовековые деревья, старинные замки высоко в горах, изумительно вкусный воздух, аккуратные трех- и четырехэтажные здания, не обезображенные навесными кондиционерами и вразнобой застекленными балконами, «эскарго» — улитки в чесночном соусе с белым багетом, пирожные в «Кафе де Пари», фонтан на Лихтенталерштрассе, парк Лихтенталераллее, тот самый, в котором собирались и прогуливались герои тургеневского «Дыма», и Тринкхалле, куда они же ходили пить целебную воду... И казино, в котором Достоевский и Толстой испытывали судьбу. И чувство глубокого покоя и безопасности, неизвестно откуда появившееся и окутавшее Настю плотным коконом.

— Это ужасно, — пожаловалась она Леше поздно вечером, укладываясь спать в тесном номере отеля, — этот город развращает. Я за весь вечер ни разу не вспомнила о деле. Не понимаю, как здесь вообще можно работать. По-моему, здесь можно только отдыхать и быть счастливым.

— Ты просто ошалела от впечатлений, — объяснил ей многоопытный Чистяков, — потому что никогда по-человечески не отдыхала. Если бы ты прожила здесь две недели, то на третью уже прекрасно смогла бы работать. Но имей в виду, у тебя нет двух недель. Только два дня, — тут же напомнил он.

— Два дня, — пробормотала Настя и мгновенно провалилась в сон.

Сон был крепким, уютным и счастливым. Проснулась она полностью выспавшейся и страшно удивилась, когда оказалось, что еще шесть утра.

— В Москве-то восемь, твой организм еще не перестроился, — снова пришел ей на помощь Чистяков со своими объяснениями. — Для меня всегда первые два-три дня в Европе самые приятные, потому что встаю рано, выспавшийся и много чего успеваю.

— А что же делать? — огорчилась Настя. — Я больше не хочу спать. Я есть хочу.

— Придется потерпеть, завтрак в гостинице с семи часов.

— А Термы когда открываются?

— В восемь.

— Ну вот, — жалобно проныла она. — И чем заняться?

— Можно подумать, ты не знаешь, — произнес Леша голосом, в котором было столько лукавства и хитрости, что Настя вмиг сообразила, как можно с приятностью провести оставшийся до завтрака час.

Отель был и в самом деле недорогим, что очевидным образом следовало из скудного «континентального» завтрака: булочки, масло, джем, кофе или чай, сок из пакета. Но это не испортило Насте настроения, она и дома ничего более существенного на завтрак, как правило, не ела. Они сложили в пластиковую сумку купальные принадлежности и полотенца и ровно в восемь утра вошли в Термы Каракаллы. Саша с семейством уже ждал их внизу, возле широкой лестницы.

— Держите, — он протянул им входные карточки-билеты, — массаж у герра Форста я уже заказал. Он ждет тебя в восемь тридцать. Пошли, я вам все покажу.

Через пятнадцать минут Настя, изнемогая от восторга, лежала в открытом бассейне под мощной стеной падающей с высоты воды и чувствовала, как размягчаются и расправляются напряженные мышцы плеч и спины.

Но счастье ее было, увы, недолгим. Через несколько минут Саша подплыл к ней.

— Пойдем, я тебя провожу, покажу, где массажные кабинеты.

Они вплыли во внутреннюю часть бассейна и вышли из воды. Саша подошел к шезлонгу, на котором лежали их полотенца и сумки с телефонами, кошельками и сигаретами, и выудил откуда-то из-под кучи вещей плоский бумажник.

— Возьми, — он протянул бумажник Насте. — Я немножко знаю эту публику. Просто так он вряд ли тебе многое расскажет, а в деньгах этот массажист наверняка нуждается.

— Ты думаешь? — усомнилась она.

— Иначе он не стал бы связываться с Верой. Я на него посмотрел. Молодой красивый парень. Она старше его лет на пятнадцать. Он мог бы найти себе более подходящую пару.

— Ты уверен, что они — любовники? А что, если нет? Если они просто знакомые, и она по дружбе устраивает ему рекламу среди соотечественников?

— Настюша, ты еще не поняла, город здесь не очень большой. То есть жилые зоны и районы дорогих вилл простираются достаточно далеко, но там ничего нет, кроме жилья. Магазины, рестораны, концертные залы, театры — все расположено на крошечном пятачке, на котором тусуется публика. Здесь, в центре, можно вечером увидеть всех. В этом городе просто больше некуда пойти. Я видел Веру с этим Форстом. Они — любовники, можешь мне поверить. Так что возьми деньги, они тебе сейчас очень пригодятся.

— Разумно, — согласилась Настя. — Спасибо, Санечка.

Герр Георгий Форст был действительно молодым и красивым. На Настин вкус, даже слишком красивым. Высокий, широкоплечий, в белых брюках и желтой трикотажной рубашке — униформе здешних массажистов, со светлыми густыми волосами и четко очерченным лицом, он казался скандинавским богом, неведомо какими путями попавшим в земли Вюртемберга. Настя протянула ему металлический жетон на резиновом браслете — знак того, что она оплатила массаж.

— Мне сказали, что вы говорите по-русски, — проговорила она, пытаясь изобразить сомнение.

На самом деле сомнений у нее не было, но приходилось играть.

— Да. Снимайте купальник, пожалуйста, и ложитесь на живот, головой к окну, ноги на валик.

Он деликатно отвернулся, хотя этого Настя понять уже не могла.

Зачем отворачиваться, если все равно она сейчас будет лежать перед ним совершенно голая? Но это и к лучшему. Она вытащила спрятанный в полотенце бумажник, вынула из него несколько бумажек по пятьдесят евро и засунула под простыню в том месте, где должна быть ее голова.

— Я готова.

Массажист начал разминать ее плечи.

— Много работаете за компьютером? — спросил он понимающе.

— Да. Заметно?

— Конечно. Вот так больно?

Он сжал свои сильные пальцы вокруг ее предплечья, и Настя взвизгнула от боли.

— Ничего себе! Что это было?

— То самое. При длительной работе на компьютере ущемляется этот нерв. Вы надолго приехали?

— На два дня. А что?

— Жаль. Если у вас есть постоянный массажист, скажите ему, чтобы обратил внимание на ваши руки. И вот здесь у вас ущемление, — он нажал куда-то в районе четвертого позвонка. — За один сеанс это невозможно разработать, нужно систематически проходить курс.

— Сколько времени длится наш сеанс?

— Тридцать минут.

— Значит у нас, герр Форст, всего тридцать минут, чтобы решить все вопросы.

Его руки остановились у Насти на спине, нажим стал слабее.

— Боюсь, я вас не понял.

— Герр Форст, я приехала из Москвы по поручению господина Лозинцева, мужа Веры.

— Ах вот как! — Его руки снова стали проминать позвонки. — Но Вера в разводе... Что ему нужно? Она свободная женщина.

— Она не так уж свободна, как вы думаете. Их развод оформлен договором, и в нем господин Лозинцев выставил ряд условий, при которых он будет продолжать финансировать жизнь Веры. И он прислал меня, чтобы я выяснила, соблюдает ли его бывшая жена эти условия.

С этими словами Настя вытащила из-под простыни одну бумажку в пятьдесят евро. Она даже не успела заметить, каким образом и куда бумажка исчезла. Но она исчезла, это точно, потому что ее больше не было, зато голос Георгия Форста стал куда более мягким.

— Вы хотите, чтобы Вера не знала о нашем разговоре? Догадливый. Тем лучше.

— Разумеется.

Она вытащила вторую бумажку.

— И еще я хочу, чтобы вы отвечали мне правдиво и ничего не утаивали.

Вторая бумажка исчезла так же незаметно, как и первая.

— Спрашивайте, я постараюсь быть вам полезным.

«Да уж постарайся, голубчик», — мысленно попросила Настя.

Задача у нее была непростой, ведь Георгий заинтересован в том, чтобы Вера оставалась состоятельной женщиной, стало быть, отвечая на вопросы, он должен быть уверен, что не причиняет Вере никакого вреда.

В противном случае, если верить Настиной легенде, бывший муж прекратит переводить ей деньги. Над легендой она ломала голову все утро, стараясь не упустить ничего из того, что накануне рассказывал Саша.

Муж Веры запретил ей спускать его деньги в казино. Это первое условие.

Второе: она не должна пытаться родить ребенка. Третье: она не должна употреблять наркотики. Четвертое условие: Вера не должна встречаться со своим любовником, который живет в Испании. Вопросы должны крутиться вокруг этих тем, и, отвечая на них, Георгию так или иначе придется рассказать кое-что о жизни своей подруги.

Он и рассказал. Нет, никаких разговоров об Испании Вера не вела и никуда из Баден-Бадена не уезжала. То есть в окрестные города она, конечно, ездит регулярно, например, в Раштадт, но туда все ездят, там очень хороший шоппинг. Но в Испанию — нет, ни разу. Казино? Да, Вера ходит туда регулярно, но почти не играет, во всяком случае, он ни разу не видел, чтобы она делала ставки на рулеточном столе. Если она и присаживается поиграть, то только в «блэк джек», и совсем понемногу. Сам он, конечно, играет, а Вера стоит рядом и смотрит или гуляет по залам, разглядывает публику, пьет коктейли или кофе, ужинает. Нет, о том, что она спускает деньги в казино, и речи быть не может. Наркотики? Ни в коем случае! У нее, конечно, есть странности в поведении, но этим ведь грешат все дамы определенного возраста, разве нет? Резкие перепады настроения, периоды мрачности и, наоборот, периоды веселья, но ведь это нормально, правда? Она очень следит за собой, вероятно, переживает, что стареет, хочет выглядеть моложе, оставаться привлекательной, поэтому иногда одевается очень уж по-молодежному, даже парики носит. Употребление наркотиков быстро сказывается на внешности, особенно у женщин, а Вера весьма печется о своей красоте. Ребенок? Нет, она бережется и о ребенке ни разу с Георгием не заговаривала. Другой мужчина? Нет, вряд ли.

Правда, на этом месте голос у Георгия потерял былую уверенность. И хотя он продолжал настаивать на том, что никакого другого мужчины у Веры нет и, стало быть, ребенка рожать ей не от кого, Настя поняла, что массажист в этом вовсе не убежден. Значит, личная жизнь Веры ему не полностью открыта, и он это отчетливо понимает. Есть оставшиеся без объяснений поступки, отлучки, разговоры, и у герра Форста более чем достаточно оснований полагать, что Вера ему изменяет. С кем — для Насти неважно, и неважно, изменяет ли ему Вера на самом деле, важно, что эти основания есть. То есть существуют отлучки, поступки и разговоры, объяснений которым Георгий дать не может.

— Вера вам полностью доверяет? — спросила она.

— Не думаю, — спокойно ответил он. — Она вообще, как мне кажется, никому не доверяет.

— У вас есть ключи от ее квартиры?

— Нет.

Ответ получен. Но перед ним была пауза, совсем

небольшая, в сотые доли секунды, но она была. Снова Настины пальцы нырнули под простыню и вынырнули с очередной бумажкой, уже третьей.

— У вас есть ключи от квартиры Веры? — повторила она.

— Есть. Но Вера об этом не знает. Она думает, что потеряла их.

— Понятно. А зачем они вам, если вы ими не пользуетесь?

— На всякий случай. Вера — человек очень замкнутый, у нее здесь нет ни друзей, ни приятелей, никого, с кем она поддерживала бы постоянные близкие отношения, кроме меня. Если с ней что-то случится... Я должен иметь возможность войти в квартиру и оказать ей помощь.

— Конечно, — согласилась Настя.

Она достала еще одну бумажку.

— Я могу получить эти ключи? Через два дня вам их вернут. Может быть, даже завтра.

Бумажка исчезла не так быстро, как три предыдущие. Вероятно, Георгию потребовалось время для размышлений. Одно дело отвечать на вполне безобидные вопросы и пообещать никому ничего не говорить, и совсем другое — дать в чужие руки ключи от чужой квартиры. Это уж как-то совсем... Но когда Настя достала из-под простыни пятую бумажку, вопрос решился. Ну еще бы, двести пятьдесят евро, больше месячной зарплаты российского милиционера. Кто бы отказался!

— Сядьте, пожалуйста, ко мне спиной, ноги свесьте.

Георгий еще немножко помял ее плечи и руки и закончил сеанс. Он сразу же вышел из комнаты, Настя спрыгнула с массажного стола и стала натягивать купальник. На ее белом махровом полотенце лежали ключи.

* * *

Приглашение на ленч пришлось как нельзя кстати, настроение у Веры с утра было не особенно веселым, и когда позвонила та приятная женщина, Даша, то от одного звука ее голоса Вера повеселела.

— Верочка, мы с мужем так благодарны вам за помощь и чувствуем себя вашими должниками, у вас было из-за нашего малыша столько хлопот! Мы хотели бы пригласить вас сегодня на ленч, если у вас нет других планов. Как вы смотрите на «Ле Жардин дю Франс»? Мне кажется, там хорошая кухня.

— Хорошая, — подтвердила Вера. — Я с удовольствием к вам присоединюсь.

Они договорились встретиться в ресторане в час дня, и Вера начала тщательно готовиться. Сегодня ей отчего-то хотелось выглядеть особенно хорошо. Может, это потому, что вчера она поглядела на себя в неудачный момент и при неудачном освещении и сама себе показалась глубокой старухой. Нет, гнать эти мысли, гнать поганой метлой! От этого и настроения сегодня никакого, и плакать все время хочется. Надо такие пагубные мысли перебивать активными действиями.

Вера вымыла голову, сделала маску с подтягивающим эффектом, привела в порядок руки, покрасила ногти темно-бежевым лаком, долго придирчиво выбирала одежду и остановилась на простом и очень элегантном трикотажном платье, красиво облегающем ее фигуру и подчеркивающем все имеющиеся достоинства.

В пять минут второго она вошла в ресторан и сразу увидела Александра и Дашу. Мальчика на этот раз с ними не было, зато был высокий интересный мужчина в хорошем костюме.

— Познакомьтесь, Вера, это Алексей, наш друг, он приехал сюда на два дня отдохнуть.

Алексей галантно поцеловал ей ручку и пододвинул стул. Ну что ж, все так, как нужно. Две дамы, два кавалера. И нет этого несносного ребенка, от которого только шум и неприятности.

Подошел официант, чтобы принять заказ на напитки.

— У вас есть «Шато Неф дю Пап» урожая двухтысячного года? — спросил Алексей на превосходном английском.

Вера взглянула на него с возрастающим интересом.

421

Хороший костюм, дорогой галстук, да еще и знаток вин? Он приехал на два дня. Наверняка попросит показать ему город. Одним словом, сегодняшний день обещал быть весьма приятным.

* * *

Руки у Насти так дрожали, что она едва не выронила ключи. Господи, что она творит? Лезет среди бела дня в чужую квартиру! Конечно, хозяйка ее не застанет, ребята этого просто не допустят, тут и вопросов нет. Но если соседи? Заметят чужого человека, открывающего дверь квартиры фрау Лозинцевой, вызовут полицию, и на этом карьера Насти Каменской бесславно закончится, причем не на пенсии, а в немецкой тюрьме. Во перспективка!

Жильцов в доме немного, наверняка все знают друг друга в лицо. Это плохо. Но коль их немного, то, по законам статистики, движение вверх и вниз по лестнице не может быть интенсивным. Это хорошо. Прежде чем войти в подъезд, Настя примерно с полчаса наблюдала за ним; за это время никто не вошел, а вышла только Вера. Значит, есть шанс остаться незамеченной.

Ей повезло, по пути в квартиру она никого не встретила. Дверь открылась легко, Настя постаралась произвести как можно меньше шума и с облегчением вздохнула, когда за ее спиной тихонько щелкнул замок.

Сначала компьютер, это самое главное.

Она прошла в комнату, не глядя по сторонам, включила компьютер, достала из сумки чистые дискеты, которые купила час назад в магазине на Лангештрассе, и стала просматривать файлы. Судя по всему, Вера Лозинцева пользовалась компьютером не слишком интенсивно. Вела переписку по электронной почте, скачивала какие-то проспекты и информационные сообщения из Интернета... Что-то их больно много, этих сообщений. Настя открыла файл и с удивлением увидела статью из какой-то русскоязычной региональной электронной газеты. Читать она не стала, боялась потерять время, переписала на дискеты все, что было в компьютере, и выключила его. Потом они пойдут к Саше в отель, где есть доступный для гостей компьютер, и спокойно все посмотрят.

Встав из-за стола, Настя замерла на месте и огляделась, медленно поворачиваясь. Она не хотела расхаживать по квартире, чтобы не нарушить порядок, досконально известный только самой хозяйке. Нельзя ее насторáживать, нельзя, чтобы она поняла, что в квартире в ее отсутствие кто-то был. Ничего особенного, обычная комната, обставленная лаконично, без излишеств, но со вкусом. Много искусственных цветов. Мало книг. Несколько фотографий самой Веры в очень выгодных ракурсах и ее дочери Кристины. Кристина с Верой. Кристина с большой собакой. Кристина на лужайке на фоне цветочной клумбы, за ее спиной виден двухэтажный кирпичный коттедж, вероятно, это и был тот загородный дом, в котором жили Лозинцевы до тех пор, пока Вера не обобрала мужа. Ничего себе жили, не бедно.

Настя подошла к входной двери, отомкнула замок, осторожно приоткрыла дверь. Кажется, тихо. Ни шагов, ни голосов. Ну, благословясь!

Она выскользнула из квартиры и через пятнадцать секунд благополучно оказалась на улице. Сегодня удача на ее стороне. Настя бросила взгляд на часы — еще нет двух, она вполне успеет вернуть ключи герру Форсту. В магазине письменных принадлежностей здесь же, на Софиенштрассе, она купила конверт из плотной бумаги, положила в него ключи от квартиры Веры Лозинцевой, заклеила и направилась в Термы Каракаллы.

Прав Сашка, здесь все рядом, за пять минут дойдешь.

— Я хотела бы передать этот конверт герру Форсту, — обратилась Настя на французском к девушке на ресепшене. — Можно оставить его у вас?

— Момент.

Девушка позвонила куда-то по телефону. Настя не знала немецкого, но догадалась, что она звонит массажистам.

— Герр Форст сейчас спустится. У него как раз заканчивается смена. Вы его подождете?

Встречаться с Георгием у Насти не было ни малейшего желания. Она демонстративно посмотрела на часы и виновато улыбнулась:

— К сожалению, мне нужно спешить.

Ну вот, дело сделано. Теперь хорошо бы поесть. Некоторые, между прочим, в «Садах Франции» сидят, где Настя со своим безупречным французским чувствовала бы себя как рыба в воде. А ей придется довольствоваться чем-нибудь попроще и с меню на немецком языке, которым она не владеет. Она позвонила Саше.

— Я закончила. Где тут можно поесть поблизости?

— А ты где?

— Возле нашего отеля.

— Что, совсем умираешь от голода?

— Нет, еще немножко терплю.

— Тогда зайди в кафе, там, на углу Софиенштрассе есть отель, а в нем на первом этаже потрясающая кондитерская. Съешь пару пирожных, выпей кофе и иди к нам в отель. Мы примерно через час подойдем.

— Саш, я не хочу пирожных, я хочу баранину с картофельным пюре, как вчера. Здесь где-нибудь можно это получить?

— Будет тебе баранина, — засмеялся Саша. — Только без самодеятельности, ладно? Места знать надо.

— Ты мне скажи, где, я найду, я же не тупая, — обиделась Настя.

— Настюша, в три часа все обычные рестораны закроются до вечера, ты все равно уже не успеваешь. Пока дойдешь, будет половина третьего, и свежую баранину тебе не приготовят. С трех до восьми хорошее мясо можно получить только в некоторых ресторанах, один из которых как раз в нашем отеле.

Ну вот, придется есть сладкое, чтобы не умереть от голода...

Правда, Настя немного покривила душой, когда говорила, что не хочет пирожных. Таких пирожных, какими ее угощали вчера, она очень даже хотела. Но не вместо баранины, которую она хотела еще больше. В этом городе у нее проснулся зверский аппетит.

* * *

Лиля вышла из института и с сожалением увидела, что Максима нет.

Наверное, не смог вырваться с работы, чтобы проводить ее. Конечно, не каждый же день... Все-таки у человека служба, понимать надо. Она остановилась в задумчивости, решая, не вернуться ли назад, чтобы позаниматься в библиотеке, коль свидание не состоялось, как вдруг увидела Кирилла. Он стоял возле своей машины и смотрел на нее. Зря она старалась, мать обманывала, фокус с телефоном не прошел. В то же время она, к собственному удивлению, испытала нечто вроде удовольствия: Кирилл нашел ее, несмотря на то, что не смог дозвониться, значит, она ему действительно нужна.

— Привет, — улыбнулась Лиля, подходя к нему.

— Привет. Ты что, номер сменила? Я тебе звоню, а мне говорят, что такого номера не существует.

— Я мобильник потеряла, а может, украли, я не заметила. Пришлось писать заявление, чтобы номер аннулировали, а то потом такие счета придут!

— Почему же ты мне сама не позвонила? — с упреком произнес Кирилл. — Хорошо еще, что я знаю, где ты учишься, а то как бы я тебя искал?

— Я думала, что ты еще не приехал, — пробормотала Лиля, отводя глаза. — И потом, твой номер у меня в мобильнике был записан, я его наизусть не помню.

Номер она прекрасно помнила, но зачем ему об этом знать?

Кирилл явно повеселел, видно, Лилина ложь показалась ему вполне убедительной.

— Ну что, поедем? — спросил он. — Ты домой?

— Нет, я только пообедать вышла. Мне еще нужно в читалке позаниматься.

— Ладно. А завтра? Жду тебя как обычно в восемь?

Она совсем, ну совсем не была готова к этой встрече и к этому разговору. В последние дни ее мысли занимал в основном Максим, и ей почему-то казалось, что Кирилл уже давно вернулся, обнаружил, что не может дозвониться до нее, и решил Лилю не искать. Она подумала, что все рассосалось само собой, и не заготовила никаких отговорок и уважительных причин, по которым она больше не сможет ездить с Кириллом по утрам.

— Да, конечно. В восемь. Ну, я пошла?

— Погоди, а новый телефон? Разве ты мне его не дашь?

Ну вот, все было напрасно. И почему сначала все кажется таким легким и правильным, а потом оказывается, что ничего не выходит? Но, с другой стороны, разве не приятно, когда такой мужчина, как Кирилл, ищет ее, не хочет ее потерять? Лестно же. Конечно, с ним скучно, напрягаться приходится, утомительно... Но лестно.

* * *

Настя только-только вошла в отель и уселась в холле, ожидая Сашу с Дашей и Алексеем, как позвонил Заточный.

— Теть Насть, Кирилл объявился. Я пришел к институту, чтобы Лилю встретить, смотрю — серебристый «Сааб» стоит, и номер знакомый. Я затаился и посмотрел, как они встретились.

— И как? — живо поинтересовалась Настя.

— У Лили, по-моему, это энтузиазма не вызвало. Во всяком случае, она не обрадовалась. Он ее в чем-то упрекал, она оправдывалась. И дала ему свой новый номер телефона. Потом она пошла в кафешку поблизости, а он уехал.

— А ты?

— А я следом еду. Надо же понять, кто он такой на самом деле. Ну настырный тип, а? Чего он к девчонке примотался? Дозвониться не смог, так в институт заявился.

— А он как вообще? Ничего?

— Шикарный. Тачка «аэро-турбо» и вообще... Или вы в смысле внешности спрашиваете?

— И это тоже.

— Ну... красивый, конечно, что и говорить. Лет тридцать — тридцать два, рожа как с журнальной обложки, прикид соответствующий. Не, правда, теть Насть, шикарный мужик.

— Звони мне сразу, как что-нибудь разузнаешь, — попросила Настя.

— Само собой.

Она выкурила сигарету, прочитала лежащее на столике меню бара, решила, что чаю ей не хочется, пива ей не хочется тем более, она его вообще не пьет, и с десертами она тоже пока повременит, и пошла в дальний конец этажа, где стояли несколько компьютеров для гостей отеля. Здесь же за стойкой сидел молодой человек, поднявшийся при Настином приближении.

— Я могу воспользоваться компьютером? — спросила она по-французски.

— Пожалуйста. Вам нужна помощь?

— Нет, спасибо, я справлюсь.

Она вставила первую дискету и начала просматривать файлы. Увиденное ее озадачило. Вторая дискета, третья... А вот и фотография Лили. И еще несколько фотографий. Юноши, девушки. А это что? Тоже фотография, но какая-то знакомая. Вернее, саму фотографию Настя видела впервые, но она могла бы поклясться, что лицо девушки на снимке ей знакомо. Откуда? Кто она?

Настя отвернулась от компьютера, плотно зажмурилась и постаралась отвлечься. Иногда это помогало: когда не можешь что-то вспомнить, нужно изо всех сил напрячься и подумать о чем-то другом, совершенно постороннем. Сидя с закрытыми глазами, она попыталась восстановить в памяти внешний бассейн в Термах Каракаллы. Слева десять сидений для массажа, по пять в ряд, дальше водопад, за ним пять мест для массажа лежа, в центре круглая установка для массажа ног, справа две гидромассажные «кастрюли» с горячей термальной водой, в центре «гриб» с круговым водопадом для массажа шеи и плеч, на противоположной стороне...

Что же было на противоположной стороне? Побывать там Настя утром не успела, а визуально определить, какой это вид массажа, не смогла.

Она резко повернулась на крутящемся стуле, открыла глаза и посмотрела на фотографию. Точно! Это она. Надо срочно звонить Короткову.

К трем часам, когда в холле показались Чистяков и супруги Каменские, Настя успела более внимательно ознакомиться с содержимым домашнего компьютера Веры Лозинцевой. Все было логичным, все сходилось, только непонятно было, как... Как это все осуществлялось. Ладно, она еще подумает, почитает более внимательно, и вообще, нужно срочно поесть, а то мозги отказываются функционировать.

— А где дитя? — спросила она подошедшего Сашу. — Куда вы дели нашего самого главного сыщика?

— Оставили со знакомыми. Здесь отдыхает очень приятная семья из Питера, у них мальчик — ровесник Саньки. Мы его сдали до вечера. Ну так что насчет баранины? Идем? Или ты пирожными злоупотребила?

— Я стоически терпела, — гордо сообщила Настя. — Веди меня обедать. Я заслужила.

Она двинулась было в сторону Даши и Леши, стоявших посреди холла, но Александр придержал ее за руку.

— Ты ничего не хочешь мне сказать?

— Хочу. Хочу сказать тебе спасибо. И твоей жене тоже. И сыну. Саня, ты даже не представляешь, какое дело вы сделали.

— Настюша, я не об этом спрашиваю.

— Я понимаю. Я все расскажу, Санечка, честное слово. Пойдем в ресторан, я буду есть баранину и рассказывать, а вы будете слушать. Правда, у меня мало фактов, в основном только догадки, но я уже позвонила всем, кому нужно, и дальше они все сделают сами. В конце концов, у меня отпуск.

* * *

В компьютере Веры Лозинцевой было много статей из центральных и местных газет. И статьи эти касались тех самых «громких» преступлений, после которых загадочный убийца совершал свои злодеяния. Убийство директора крупного предприятия, групповой побег рецидивистов, взрыв на рынке... Это были те самые преступления, материалы о которых дал Насте Игорь Лесников, места и даты совпадали. Более того, Вера скачивала из региональной прессы не только эти статьи, а вообще все материалы на криминальную тему, публиковавшиеся в течение десяти-четырнадцати дней после «громкого» преступления. Сначала Настя предположила, что эти преступления по какой-то причине действительно интересуют Веру, а срок в десять-четырнадцать дней — это как раз тот срок, когда событие вызывает повышенный интерес и о нем много пишут, потом интенсивность публикаций резко падает и еще через неделю сходит на нет. Правда, не совсем понятно, почему ее интересуют именно эти преступления, и только они, и зачем ей вообще все материалы на криминальную тему за этот же период. Но когда Настя увидела смутившую ее фотографию, все встало на свои места.

— Это была фотография девушки, убитой в Москве в ночь на 1 апреля. Я сначала ее не узнала, потому что видела только снимок трупа, сделанный на месте происшествия, а у Веры в компьютере прижизненная фотография, причем присланная ей по электронной почте за две недели до убийства. Все-таки потрясающе, до чего Вера уверена в своей безопасности, в том, что никто никогда ни о чем не догадается и ее не найдет. Ни одного следа не уничтожила, всю почту сохранила, можно элементарно установить, кто отправлял ей эти фотографии.

— А их много? — с ужасом спросила Даша.

— Около десяти. Убитая девушка, наша Лилька и еще семь или восемь. И не только девушки, но и юноши.

— То есть Лиля... — побелевшими губами начала Даша и остановилась, не в силах выговорить то, что она думала.

— Должна быть одной из следующих жертв. Да не пугайся ты, Дашуня, все под контролем. Человека, который прислал Вере фотографию Лили, плотно опекают, он теперь кашлянуть не сможет так, чтобы наши ребята об этом не узнали. Все будет в порядке.

Настя старалась казаться бодрой и уверенной, но на самом деле она боялась почти до обморока. Конечно, Коротков — человек супернадежный, он все сделает как надо, ребят подключит. И тем более если он доложит о ее звонке Афоне, который держит на контроле убийство Оли Николаевой.

У Афони длинные руки, он может при помощи своих связей задействовать такие силы, что мышь не проскочит. Правда, он редко это делает, только когда ему это нужно для поддержания собственного авторитета, но ведь здесь речь идет как раз о его авторитете. Настина докладная, подписанная, правда, Юркой Коротковым, лежит у него на столе. Коротков сказал, что шеф прочел внимательно, не отшвырнул и крик не поднял, а глубоко задумался. Не иначе в начальники главка метит, а до этого надо бы стать начальником отдела в этом главке... Аппаратные игры, одним словом. Выявить своими силами межрегиональную серию, и не просто выявить, а раскрыть преступления и задержать убийцу — это дорогого стоит. Ради этого Афоня будет напрягаться, даже может из отпуска выйти.

Итак, Вера Лозинцева внимательно изучает материалы о «громких» преступлениях, после которых в течение одного-двух дней совершались убийства юношей и девушек, родители которых работали в разных звеньях правоохранительной системы. Изучает и с глубоким удовлетворением убеждается в том, что ее расчет был правильным: на фоне «громких» дел на эти убийства никто уже внимания не обращает. Газеты о них не пишут, а если и пишут, то только в рубрике «Криминальная хроника», где в пяти-шести строчках сообщается, что вот, мол, магазин обворовали, бомжи сарай подожгли, велосипедист курицу переехал, труп обнаружили. Газетам не до них. Журналистам не до них. Значит... Правильно. И милиционерам тоже не до них. Потому что нравственность прессы полностью отражает нравственность общества. Пресса ровно такая, каково общество, людям сообщают о том, что им интересно, о том, что они хотят знать, в противном случае никто не будет читать газеты и смотреть новости. И Вера Лозинцева, по всей вероятности, понимала это очень хорошо.

Чего же она хотела? Она хотела, чтобы работники милиции, прокуратуры, суда, юстиции, адвокатуры и так далее испытали сами, каково это — терять ребенка. Она не смогла простить милиционерам того, что они трижды задерживали убийцу-маньяка Семагина и отпускали его. Если бы не это, ее Кристина, ее самый любимый ребенок, последняя жертва Семагина, была бы жива. Она ждала, что этих неизвестных ей милиционеров тоже будут судить, пусть не как убийц, но хотя бы за халатность, ну хоть за что-нибудь, но пусть они поплатятся за смерть ее ребенка. Никто, однако, не поплатился. И тогда Вера стала вершить свой суд собственными силами. Дети работников правоохранительных органов будут умирать от руки маньяка. Именно маньяка. Как ее Кристина. Ни у кого не должно быть сомнений в том, что это маньяк, поэтому убийство должно носить элемент ритуальности. Вера не хотела излишних ужасов, и ритуальность виделась ей не как жуткая расчлененка и вывернутые кишки или имитация черной мессы, нет, ее вполне удовлетворяла такая невинная вещь, как оставленный на теле жертвы предмет. У следствия не должно быть сомнений в том, что убийство совершено не по личным мотивам и не из корыстных побуждений. Нужен штрих, свидетельствующий в пользу маньяка. И пусть потом родители убитых думают: «Мой ребенок не виноват в том, что случилось, он не давал повода для конфликта своим друзьям и знакомым, он пал жертвой маньяка, который разгуливает по городу, но которого не могут поймать или вообще никто не ищет. Если бы милиция работала лучше, если бы они не только пили водку и «крышевали», а еще и дело делали бы, мой ребенок был бы жив». То были мысли самой Веры, не дававшие ей покоя с тех самых пор, как она узнала о том, что Семагина трижды отпускали, и теперь она хотела, чтобы ту же боль, и тот же ужас, и то же отчаяние испытали и другие. Не любые другие, а именно те, кто по своей профессии или по должности имел отношение к раскрытию преступлений, к следствию и суду.

Было и еще одно условие, которое придумала Вера Лозинцева. Преступления, которые будут совершать с ее благословения и за ее деньги, не должны быть раскрыты. Ей это ни к чему, ведь ее привлекут как организатора и заказчика. Добиться этого можно разными путями, например, оригинальностью, осторожностью, предусмотрительностью. Одним из способов ей виделось совершение преступления сразу же после другого «громкого» события. Тогда у милиционеров не будет ни сил, ни времени.

И изучение региональной прессы это подтвердило. Расчет оправдался. О так называемых резонансных преступлениях писали много, о прочих не писали почти ничего. Соответственно этому было и отношение. Никто не надрывался в поисках убийцы, преступления не ставились на особый контроль. Ничего не происходило. Производились неотложные следственные действия, как и положено, результата они не давали, и материалы уголовных дел потихоньку гнили в сейфах следователей и оперативников, никому не нужные и всеми позабытые.

Но как, как Вера ухитрялась все это организовывать? Приезжала из Германии, убивала и потом возвращалась назад? В принципе возможно, она гражданка России, имеющая вид на жительство в Германии, так что визы ей не нужны. Узнала, что где-то совершено подходящее преступление, купила билет на самолет и прилетела. Но никак не получается. Георгий утверждает, что длительных отлучек он за Верой не замечал. А за один день обернуться невозможно, ведь нужно не просто прилететь в Москву, а еще и добраться до, например, Ярославля или Чебоксар, найти нужного человека — юношу или девушку, родители которых соответствуют определенным требованиям, потом подловить момент, когда можно совершить убийство, и вернуться в Германию... Нет, за один день этого сделать нельзя, и за два тоже.

Значит, у нее был помощник. Человек в России, мобильный, дерзкий, готовый ради денег на все. Первой его жертвой стала Таня Шустова, дочь майора милиции. Вряд ли можно считать совпадением, что Таня жила в соседнем доме с Лозинцевыми. Никакого совпадения. Вероятно, Вера попросила своего помощника проведать детей, посмотреть, как они устроились на новом месте, какую квартиру купил бывший муж. Пока помощник крутился возле дома, выжидая удобный момент для наведения справок, в поле его зрения появился майор Шустов с дочерью. То ли он был в форме, то ли приехал на милицейской машине, то ли еще что... Но первую жертву помощник таким образом присмотрел. А как только похитили банкира Татищева, он явился к дому, где жили Шустовы, и стал ждать. Ему повезло, Таня в этот день не сидела дома у доктора Бычкова, она приехала к родителям, но поздно вечером ушла. Если бы Бычков в тот день не дежурил, Таня осталась бы жива. Помощник у Веры Лозинцевой был удачливым. Но и он совершал ошибки, вероятно, очень хотел выполнить задание и заработать свой гонорар, поэтому пару раз схалтурил, убил дочь сотрудника налоговой полиции и сына судьи арбитражного суда. В схему Веры Лозинцевой это не вписывалось. Точнее, не вписывалось в ту схему, которую придумала Настя, чтобы связать воедино разрозненные факты. Ничем, кроме оплошности или глупости исполнителя, она не смогла объяснить появление в списке родителей налоговика и судьи-цивилиста. И обстоятельство это навело ее на мысль о том, что исполнители были все время разные. Так сказать, одноразовые. Если бы помощник у Веры был постоянным, он бы точно знал требования своей заказчицы и не допустил бы такого промаха.

А потом стали появляться фотографии. Раньше их не было. Первая пришла по электронной почте в январе, последняя — хмурого, хилого на вид юноши — два дня назад. Фотография Оли Николаевой появилась в компьютере у Веры 17 марта, фотография Лили Стасовой — 14 апреля. Значит, Лозинцева изменила методику. Действительно, зачем мотаться по всей стране в погоне за «громкими» криминальными событиями и потом судорожно искать подходящие жертвы? Наверняка это получалось через четыре раза на пятый, помощник не всегда успевал вовремя или не мог найти нужный ему объект для убийства. Куда разумнее работать на опережение, намечать жертвы заранее, поддерживать с ними знакомство и потом убивать, как только в Москве что-нибудь «прогремит». Ну и что, что в Москве и только в Москве? Во-первых, Москва большая, и милиция в ней какая-то разрозненная, правая рука не знает, что делает левая. Во-вторых, есть еще и область, куда легко можно вывезти будущую жертву, и следствием будут заниматься по месту обнаружения трупа, то есть не в Москве. Интересно, чья это была идея, самой Веры или ее нового помощника?

Как бы там ни было, он наметил первую десятку потенциальных жертв, из которых можно будет выбирать, как только в столице или области случится подходящее событие. Он знакомился с ними, фотографировал, пересылал снимки Вере. Отчитывался, так сказать, о проделанной работе. А она? Смотрела на них и предвкушала, как эти ни в чем не виноватые мальчики и девочки скоро падут от руки «маньяка» и как будут убиваться и горевать их близкие. Наверное, она была немного сумасшедшей. А может быть, и не немного...

30 марта взорвали машину депутата Госдумы Корякина. И в ночь с 31 марта на 1 апреля, на следующий день, была убита Оля Николаева. План был приведен в действие. Как только случится еще что-нибудь, уйдет из жизни кто-то, чье лицо смотрит на Веру с экрана компьютера, чьи глаза сейчас улыбаются ей.

Но как, как Вера подбирала себе помощников? Где она их находила?

Ответ можно было получить только от Кирилла. Или он на самом деле Федор? Или Альберт?

— Лиля знает? — спросил Александр.

Настя отрицательно покачала головой.

— Она еще маленькая, может неосторожным словом спугнуть его. Саня, как хорошо, что ты меня сюда вытащил! Если бы не это, с Лилькой в любой момент могло бы случиться непоправимое.

— Да при чем тут я, — отмахнулся он. — Если бы Санька не полез к чужому компьютеру, если бы на экране не оказалась фотография Лили, если бы Дашка ее не увидела или не узнала... В конце концов, если бы Санька не опрокинул мороженое и кофе, мы бы вообще не попали в квартиру к Вере. Это же просто чудо, что так все совпало.

Да, чудо. Сюда еще нужно приписать материалы, которые по счастливому стечению обстоятельств начала собирать Настя, и ее докладную записку. Если бы не Саша с семейством, всю эту историю так или иначе начали бы раскручивать, только результат наступил бы куда позже. Погибли бы еще люди. И может быть, среди них оказалась бы Лиля Стасова.

Повезло. Просто повезло. Но, к сожалению, повезло только некоторым. Те восемь человек, которых уже убили за деньги Веры Лозинцевой, так никогда не скажут. Им — не повезло. В жизни любое событие является следствием стечения ряда обстоятельств, а везение — понятие относительное. Для того чтобы повезло тем, кто остался в живых, нужно, чтобы убийцу начали искать, но для того, чтобы его начали искать, нужно, чтобы кому-то уже не повезло...

За окном ресторана, выходящим в ухоженный сад, давно стемнело. Настя еще раз воспользовалась компьютером и отправила Игорю Лесникову все материалы, украденные у Лозинцевой. Конечно, материалы эти нужны вовсе не Игорю, а Короткову и его команде, но из всех ее знакомых только один Игорь оказался на месте и рядом с подключенным к Интернету компьютером. Он обещал все получить и передать кому следует. Маленького Санечку сдали родителям, и Даша увела его в номер переодеваться, а Настя с братом и мужем так и сидели за столиком, пили вино и делали вид, что увлеченно обсуждают Веру Лозинцеву. На самом деле они ждали.

Когда Даша с сыном вернулись, все дружной толпой пошли гулять по городу. Саша сказал, что им непременно нужно посмотреть дом князя Гагарина, виллу Тургенева и старинный замок, к которому нужно подниматься высоко в гору. Никто не спорил, потому что всем было на самом деле глубоко безразлично, куда идти. Настя шла, зажав в руке мобильник, как будто это хоть на что-то могло повлиять.

— Может, ты сама позвонишь? — не выдержал Чистяков. — А то мы тут все с ума сойдем.

— Не надо людей дергать, Леша. Они позвонят, когда будет, что сообщить. Раз не звонят, значит, или не могут, или нечего сказать пока.

— Ты проверь, может, у тебя батарейка села, — настаивала Даша.

— Да посмотри, — Настя сунула ей под нос телефон, — индикатор почти весь темный, я батарейку ночью заряжала.

— А может, здесь прием плохой? — беспокоился Саша.

— Хороший здесь прием, — вздохнула Настя, — все пять квадратиков на месте. К этому просто нужно привыкнуть. Иногда приходится вот так ждать по нескольку дней, и напряжение ни на минуту не отпускает.

Саша обнял сестру, поцеловал в макушку.

— Ну и работка у тебя! За одно только ожидание нужно приплачивать. Это ж никаких нервов не хватит.

— Ага, это она еще сейчас в отпуске, — подхватил Алексей. — А представляешь, что творится, когда она действительно работает?

— Нет, я все равно не понимаю, — продолжала возмущаться Даша, — почему так долго? Почему нельзя этого Кирилла сразу арестовать, если уж его нашли? Ты же сказала, что его нашли.

— Дашенька, арестовать можно кого угодно и когда угодно, а дальше-то что? Что ты будешь делать с арестованным, если тебе нечего ему предъявить? Ну посидит он у тебя, сколько по закону дозволяется, и тебе придется его отпустить. Нужно так задерживать преступника, чтобы с ходу начинать на него давить уликами, доказательствами, фактами. Тогда есть шанс, что он поплывет и начнет давать показания. А если просто задержать и бросить в камеру, но не допрашивать, так он сумеет с мыслями собраться, и потом ты его вообще с толку никакими доказательствами не собьешь. Ребята в Москве ведут Кирилла, следят за каждым его шагом и одновременно собирают и обдумывают фактуру, с которой можно будет обрушиться на его голову. Это за пять минут не делается.

Они медленно поднимались по лестнице к замку. Нетренированная Настя почти сразу отстала и шла самой последней. За очередным поворотом ее поджидал Леша.

— Отдохни, — предложил он, — пусть ребята идут вперед, мы здесь не потеряемся. Только не кури, — добавил он, заметив, что Настя собирается открыть сумочку.

Она послушно опустила руку и привалилась к мужу. Дыхание постепенно выравнивалось, но сердце все еще колотилось как бешеное.

— Ася, ты когда начала догадываться? — тихонько спросил Алексей.

— Вчера, когда Саша в машине пересказывал разговор с Верой. Понимаешь, она не сказала ему ни слова о том, как больно ударила ее вся эта милицейская история, ну, что Семагина ловили и отпускали. Она все рассказала, а об этом промолчала. Почему? Ее бывший муж об этом говорил, а она — нет. Конечно, можно найти миллион причин, но меня эта неувязка задела. Застряла в мозгу и сидела там, пока я в ее компьютер не влезла. А дальше уже все было просто...

Она хотела добавить что-то еще, но ладонь защекотало, и Настя поняла, что вибрирует телефон. Через мгновение он начал звенеть.

— Аська, все в порядке, — донесся до нее голос Короткова. — Мы его взяли. Отдыхай дальше.

— Он что-нибудь сказал?

— Ну неужели! Мы ж готовились, не как-нибудь. Там сейчас маленький Заточный резвится на его костях, а я вышел на пять минут пописать и тебе позвонить. Этот тип Веру уже сдал, так что Афоня сейчас строчит запросы в МИД и в Интерпол, чтобы Лозинцеву в Германии задержали и нам выдали. Остальное она сама расскажет, никуда не денется. Ты когда приедешь?

Когда она приедет? Обратные билеты у них с открытой датой, можно улетать хоть завтра, ведь она поклялась Чистякову, что они едут в Баден-Баден только по делу, а дело уже сделано. Как Лешка скажет, так и будет.

— Сейчас, Юр, секундочку, — она прикрыла микрофон ладонью. — Леша, мы когда вернемся? Завтра?

— Там все в порядке? — спросил Чистяков.

— Да, ребята все сделали. Нам здесь больше ничего не нужно делать.

— Ка-ак это не нужно? — улыбнулся он. — А римско-ирландские бани? И в Термах мы почти ничего не успели, ты даже не все массажи попробовала. Я уж говорю о достопримечательностях, которых ты не видела. Скажи Короткову, что ты прилетишь послезавтра.

— Юра, послезавтра, — сообщила она в трубку.

— Ну и ладушки. Как узнаешь время прибытия, звякни, я вас встречу. Слышь, мать, я тут Жванецкого вспомнил.

— Это с чего?

— А помнишь, у него была миниатюра, в которой он говорил, что слова «мне в Париж по делу надо» оказались при советской власти забытыми. Я как узнал, что ты в Баден-Бадене, так и вспомнил. Сашке передай, что с меня бутылка. Если бы не его деньги, мы бы с этой серией еще сто лет возились.

— Сашке бутылка, а мне?

— Ты же не пьешь. Но я могу тебя поцеловать. Страстно. Хочешь?

— Да иди ты, — рассмеялась Настя. — Ладно, пока.

Она спрятала телефон в карман и собралась было идти дальше вверх по лестнице, но вдруг почувствовала, что ноги отказывают. Нет у нее сил, не может она больше никуда идти. Сейчас она сядет здесь, на холодном камне, достанет сигареты и будет сидеть до завтрашнего утра. Нет, до послезавтрашнего. И отсюда — прямо на самолет.

— Леш, — жалобно сказала она, — у меня что-то ноги не идут. Слабость какая-то.

Он крепко обнял Настю, прижал к себе.

— Это сейчас пройдет, — шепнул он ей в ухо, — ты просто переволновалась. Вчера перелет, сегодня столько волнений, а ты уже не девочка.

— Эй! — донесся откуда-то сверху голос Саши. — Вы там не заблудились?!

— Сейчас идем! — громко ответил Чистяков. — Аська покурить остановилась! Сейчас, две минуты!

Настя стояла, привалившись к мужу и стараясь унять дрожь в ногах.

— Все пройдет, — мерно нашептывал ей Алексей, — все пройдет, все будет хорошо. Мы поднимемся к замку, потом спустимся, пойдем в гостиницу, это совсем близко. Ты примешь душ, ляжешь спать, как следует выспишься, а завтра мы пойдем в Термы, потом в бани, потом будем есть вкусное мясо и вкусные пирожные, и много гулять, и пить много хорошего вина, и все у нас будет просто отлично.

— Спасибо тебе, Лешик.

— За что?

— За завтрашний день. Ты же мог потребовать, чтобы мы завтра улетели.

— Но ведь я тебе обещал два дня. Асенька, я, конечно, человек со странностями, но я не садист.

Постепенно ноги пришли в себя, одумались и согласились идти, и Настя с Лешей потихоньку двинулись по лестнице вверх.

* * *

Владимир Ренков, которого Лиля Стасова знала под именем Кирилла, познакомился с Верой в казино. Он находился в Баден-Бадене третью неделю, играл постоянно и по-крупному, здорово проигрался, причем в запале проиграл не только свои деньги, но и чужие, взял в долг, но и это проиграл, одним словом, положение у него было аховым. Вот тут и попалась на его пути Вера Лозинцева. Первое знакомство, назавтра встреча за кружкой пива. Ренков был готов на все, чтобы не попасть в зубы кредиторам, и Вера это неведомым образом почуяла. Она сказала, что есть человек, который готов хорошо заплатить за выполнение поручения в России, но поручение сложное, опасное и не совсем обычное. Ренков, разумеется, согласился встретиться с этим человеком и переговорить.

Для переговоров пришлось ехать в Страсбург. Когда Владимир узнал, что от него требуется, он даже не испугался. Чужая смерть его не страшила, а в собственной удачливости он был уверен. Люди, не уверенные в том, что судьба к ним благосклонна, не играют в рулетку. Человек в Страсбурге назвал ему сумму гонорара, не очень большую, но вполне достаточную, чтобы покрыть долг. Ренков согласился.

Однако, поразмыслив немного, он пришел к выводу, что на самом деле заказчиком является не человек из Страсбурга, а сама Вера. Очень все это было по-женски, очень напоминало месть, растянутую во времени, а не разовую акцию. Ему было очень страшно в тот момент, когда он делал то, за что ему обещали заплатить, и он говорил себе, что никогда больше не сядет за игорный стол, чтобы снова не оказаться в этом кошмаре и снова не платить такую безумную цену за собственную глупость. Он клялся себе... Однако уже через час Ренков почувствовал, что ему стало легче и что он вполне мог бы сделать это еще раз. Во второй раз наверняка будет проще, а уж третий... Зато это принесет ему хороший доход, и можно будет играть.

Поручение он выполнил в ноябре и уже через десять дней был в Страсбурге, получил свой гонорар наличными, после чего снова появился в Баден-Бадене. Веру он нашел в казино. Понаблюдал за ней с полчаса

и понял, что она ищет очередного исполнителя. ~~...~~
чит, он не ошибся.

— Я не люблю иметь дело с посредниками, — заявил
он, угощая ее виски в баре казино. — Я готов стать вашим помощником на постоянной основе. Вам нужен
человек в России, а мне нужны деньги. Ваши пять тысяч евро за каждое поручение меня вполне устраивают.

Вера побелела:

— Какие пять тысяч?

— Ну, не притворяйтесь, — усмехнулся Ренков, — те
пять тысяч, которые мне заплатил ваш приятель из
Страсбурга. Это ведь было ваше поручение, а не его,
верно?

— Пять тысяч? — снова переспросила она. — Ах, подонок!

Оказалось, Воркуль говорил ей, что платит исполнителям не пять тысяч, а десять. Лозинцева верила, снимала деньги со счета и отдавала ему. Ей казалось, что
десять тысяч евро — вполне разумная плата за такого
рода работу. Все-таки не метлой махать. Ей и в голову
не приходило, что на самом деле можно платить и в
два раза меньше. Ни один из тех людей, которых она
находила в казино, не возвращался в Баден-Баден, и с
точки зрения психологии это можно было понять. Ни
к чему ворошить тягостные воспоминания о том, как
продался и загубил чужую жизнь из-за собственной
глупости. Игроки совершали преступление, получали
деньги у Воркуля в Страсбурге и уносили ноги из этих
краев, подальше от кошмара. Ни один из них больше
не встречался с Верой, и ей не от кого было узнать,
сколько на самом деле стоят их услуги.

— Кстати, ваш приятель из Страсбурга предупредил
меня, что я не должен больше никогда появляться здесь.
Якобы в целях безопасности.

— А вы, стало быть, не послушались его? — усмехнулась Вера, которая уже почти пришла в себя от потрясения.

— Я понял, что он вас обманывает. Значит, он обманывает и меня.

Она приподняла красиво очерченные брови.

— Каким образом вы это поняли?

— Он был с женщиной. С молодой девушкой, очень красивой. Он с ней живет. В том смысле, что она живет у него.

— Откуда вы знаете? Вы были у него дома?

— Нет, но я слышал, как они говорили между собой. Так разговаривают люди, которые живут вместе. И между прочим, речь шла о том, что сейчас у него денег нет, но очень скоро он получит пять тысяч. Я всего лишь сложил два и три.

Одним словом, они договорились. Вера попросила время на размышление, съездила несколько раз в Страсбург, убедилась, что Ренков не солгал, и приняла его предложение. А он в ответ предложил свой план.

Она не стала устраивать скандал Воркулю, она вообще ничего ему не сказала и делала вид, что все по-прежнему. Только вот нужный человек, которого можно было бы нанять, что-то никак не находится...

— У нее было жесткое условие: жертвы должны быть совершеннолетними. Вера, конечно, абсолютно сумасшедшая, но трогать детей она не позволяла. А жаль, — Ренков гнусно хмыкнул, — с детьми было бы проще. Мороки меньше.

— Среди фотографий, которые вы отправили Лозинцевой, есть фотография Елизаветы Стасовой, которой еще нет восемнадцати, — заметил Сергей Зарубин. — Как вы это объясните?

— Стратегический запас, — фыркнул Ренков. — Ее я не тронул бы до дня рождения.

* * *

Аля очень удивилась, когда Назар сказал, что ей пора бы пригласить его в гости.

— Зачем? — не поняла она. — Что ты задумал, Наджар?

— Ты непоследовательна, Элка, — строго сказал он. — Не ты ли мне жаловалась на племянницу, которая без конца шпыняет тебя некими позорными случками с молодым любовником? Не ты ли жаловалась, что она считает каждую копейку, которую ты тратишь?

— Я, — согласилась Элеонора. — И что с того? Какая связь с тем, чтобы ты пришел в гости?

— Да ты пойми, она же боится, что ты начнешь тратить их деньги на своего молодого любовника. У нее тривиальные представления о том, что если женщина старше своего мужчины, то она обязательно должна тратить на него деньги, иначе зачем бы он стал с ней спать. И ты никогда не докажешь ей, что это не всегда происходит именно так. И не надо ей ничего доказывать. Надо просто ее успокоить. Я приду, нарядный, с цветами, с шампанским, она поймет, что я твой любовник, и выбросит эту дурь из головы. Она у тебя, конечно, хамка, но хотя бы двумя поводами для ее хамства будет меньше. Зачем мириться с ситуацией, которая тебя напрягает, зачем терпеть, когда можно попытаться ее исправить?

Аля по привычке засомневалась было в его правоте, но быстро вспомнила, как следовала его советам и потом долго удивлялась.

— Хорошо. Приходи. Когда?

— Давай завтра. Назови время, когда никого, кроме тебя и Дины, не будет дома.

— С двенадцати до двух — гарантирую. У Славика тренировка, он после школы даже домой не зайдет, Андрюша будет на работе. А Динка только-только встанет, она спит допоздна.

— Договорились, завтра жди меня с двенадцати до двух. И не беги открывать дверь, когда я приду. Пусть племянница откроет.

Аля очень волновалась. Она привыкла к хамству и грубости Дины и считала нужным по-родственному терпеть их, но если она начнет вести себя так же в отношении Назара... Не закончится ли его визит скандалом и взаимными оскорблениями?

Она встала пораньше, испекла торт, красиво украсила его. Запах ванили и корицы распространился по всей квартире и разбудил Дину.

— У нас что, праздник сегодня? — сонным голосом спросила она, выползая на кухню в бесформенной старой пижаме. — В честь чего такие траты?

— Никаких особенных трат нет, на выпечку ничего дорогого не требуется. У меня сегодня гость.

— Какой гость?

— Увидишь. Если будешь дома, конечно, — добавила Аля.

— Та-ак, — угрожающе протянула Дина. — Значит, ты приглашаешь в наш дом своего молодого любовника и тратишь наши деньги на то, чтобы угостить его тортом?

— Торт будете есть вы все. Если мой гость съест один кусок, никто не обеднеет. И в конце концов, Дина, ну что тебе дался мой молодой любовник? Что он тебе покоя не дает? Почему ты в это лезешь?

— Потому что очень скоро ты начнешь его содержать! Я знаю, чем кончаются романы с молодыми любовниками!

Ах, Назар, Назар, неужели ты никогда не ошибаешься? Да с тобой просто страшно иметь дело.

— Ты не права, — очень сдержанно ответила Элеонора и пошла в свою комнату одеваться и делать макияж.

Звонок в дверь раздался в четверть первого, когда Дина на кухне пила чай. Аля, повязав поверх нарядного костюма красивый яркий фартук, взбивала сливки для десерта.

— Открой, пожалуйста, — попросила Аля, — мне нельзя отходить от миксера, если я упущу момент, сливки превратятся в масло.

Дина с недовольной миной пошла открывать.

Боже, как хорош был Назар Захарович в отглаженном костюме и с роскошными цветами в руках! Аля даже не подозревала, что в его гардеробе есть такие костюмы. Те вещи, которые она видела, были неброскими, добротными, но купленными давно и уже вышедшими из моды.

Но Назар еще в одном оказался прав: Динка его не узнала.

— Познакомься, Назар, это моя племянница Дина. Дина, это Назар Захарович, тот самый молодой любовник, которым ты меня постоянно попрекаешь.

Лицо Дины залилось краской, но спустя минуту Аля впервые за долгое время увидела, как ее племянница улыбается. И опять Назар угадал.

Нельзя молчать и делать вид, что ничего не происходит, нельзя загонять проблему внутрь. Человек, с которым не разговаривают и ничего не обсуждают, начинает чувствовать себя очень одиноким и от одиночества делать страшные, порой непоправимые глупости. Человек, на слова и поступки которого не обращают внимания, начинает думать, что он никому не нужен и не интересен.

Они втроем пили шампанское и ели торт. Дина больше не улыбалась и в разговоре почти не участвовала, отвечала только тогда, когда обращались непосредственно к ней, и то скупо и односложно. Но она не позволила себе ни одного хамского выпада, ни одного грубого слова.

И это было еще одной маленькой победой.

Апрель — июль 2004 года

Литературно-художественное издание

Маринина Александра Борисовна

ВОЮЩИЕ ПСЫ ОДИНОЧЕСТВА

Издано в авторской редакции
Ответственный редактор *О. Рубис*
Оформление переплета *С. Груздев*
Технический редактор *Н. Носова*
Компьютерная верстка *О. Шувалова*
Корректоры *Е. Самолетова, Г. Гагарина*

ООО «Издательство «Эксмо»
127299, Москва, ул. Клары Цеткин, д. 18, корп. 5. Тел.: 411-68-86, 956-39-21.
Home page: www.eksmo.ru   E-mail: info@eksmo.ru

По вопросам размещения рекламы в книгах издательства «Эксмо»
обращаться в рекламный отдел. Тел. 411-68-74.

Оптовая торговля книгами «Эксмо» и товарами «Эксмо-канц»:
109472, Москва, ул. Академика Скрябина, д. 21, этаж 2.
Тел./факс: (095) 378-84-74, 378-82-61, 745-89-16, многоканальный тел. 411-50-74.
E-mail: reception@eksmo-sale.ru

Мелкооптовая торговля книгами «Эксмо» и товарами «Эксмо-канц»:
117192, Москва, Мичуринский пр-т, д. 12/1. Тел./факс: (095) 411-50-76.
127254, Москва, ул. Добролюбова, д. 2. Тел.: (095) 745-89-15, 780-58-34.
www.eksmo-kanc.ru   e-mail: kanc@eksmo-sale.ru

Полный ассортимент продукции издательства «Эксмо» в Москве
в сети магазинов «Новый книжный»:
Центральный магазин — Москва, Сухаревская пл., 12
(м. «Сухаревская»,ТЦ «Садовая галерея»). Тел. 937-85-81.
Москва, ул. Ярцевская, 25 (м. «Молодежная», ТЦ «Трамплин»). Тел. 710-72-32.
Москва, ул. Декабристов, 12 (м. «Отрадное», ТЦ «Золотой Вавилон»). Тел. 745-85-94.
Москва, ул. Профсоюзная, 61 (м. «Калужская», ТЦ «Калужский»). Тел. 727-43-16.
Информация о других магазинах по тел. 780-58-81.

ООО Дистрибьюторский центр «ЭКСМО-УКРАИНА». Киев, ул. Луговая, д. 9.
Тел. (044) 531-42-54, факс 419-97-49; e-mail: sale@eksmo.com.ua

Полный ассортимент книг издательства «Эксмо» в Санкт-Петербурге:
РДЦ СЗКО, Санкт-Петербург, пр-т Обуховской Обороны, д. 84Е.
Тел. отдела реализации (812) 265-44-80/81/82/83.

Сеть книжных магазинов «Буквоед»:
«Книжный супермаркет» на Загородном, д. 35. Тел. (812) 312-67-34
и «Магазин на Невском», д. 13. Тел. (812) 310-22-44.

Сеть магазинов «Книжный клуб «СНАРК» представляет самый широкий ассортимент книг
издательства «Эксмо». Информация о магазинах и книгах в Санкт-Петербурге по тел. 050.

Полный ассортимент книг издательства «Эксмо» в Нижнем Новгороде:
РДЦ «Эксмо НН», г. Н. Новгород, ул. Маршала Воронова, д. 3. Тел. (8312) 72-36-70.
Полный ассортимент книг издательства «Эксмо» в Челябинске:
ООО «ИнтерСервис ЛТД», г. Челябинск, Свердловский тракт, д. 14. Тел. (3512) 21-35-16.

Подписано в печать с готовых монтажей 31.08.2004.
Формат 84х108 $^1/_{32}$. Гарнитура «Гарамонд». Печать офсетная.
Бум. тип. Усл. печ. л. 23,52. Уч.-изд. л. 21,5.
Доп. тираж 30 100 экз. Заказ № 4185

Отпечатано в полном соответствии
с качеством предоставленных диапозитивов
в ОАО «Можайский полиграфический комбинат».
143200, г. Можайск, ул. Мира, 93.

Анна и Сергей
ЛИТВИНОВЫ